여러분의 ... 하는

해커스공무... 특별 혜택

FREE 공무원 공중보건 **특강**

해커스공무원(gosi.Hackers.com) 접속 후 로그인 ▶ 상단의 [무료강좌] 클릭 ▶ [교재 무료특강] 클릭

해커스공무원 온라인 단과강의 **20% 할인쿠폰**

848C9BCFA4FED5CR

해커스공무원(gosi.Hackers.com) 접속 후 로그인 ▶ 상단의 [나의 강의실] 클릭 ▶
좌측의 [쿠폰등록] 클릭 ▶ 위 쿠폰번호 입력 후 이용

* 등록 후 7일간 사용 가능(ID당 1회에 한해 등록 가능)

합격예측 **온라인 모의고사 응시권 + 해설강의 수강권**

83989FCF467C46BT

해커스공무원(gosi.Hackers.com) 접속 후 로그인 ▶ 상단의 [나의 강의실] 클릭 ▶
좌측의 [쿠폰등록] 클릭 ▶ 위 쿠폰번호 입력 후 이용

* ID당 1회에 한해 등록 가능

쿠폰 이용 관련 문의 **1588-4055**

단기 합격을 위한 해커스공무원 커리큘럼

입문

탄탄한 기본기와 핵심 개념 완성!

누구나 이해하기 쉬운 개념 설명과 풍부한 예시로 부담없이 쌩기초 다지기

TIP 베이스가 있다면 **기본 단계**부터!

기본+심화

필수 개념 학습으로 이론 완성!

반드시 알아야 할 기본 개념과 문제풀이 전략을 학습하고
심화 개념 학습으로 고득점을 위한 응용력 다지기

기출+예상 문제풀이

문제풀이로 집중 학습하고 실력 업그레이드!

기출문제의 유형과 출제 의도를 이해하고 최신 출제 경향을 반영한
예상문제를 풀어보며 본인의 취약영역을 파악 및 보완하기

동형문제풀이

동형모의고사로 실전력 강화!

실제 시험과 같은 형태의 실전모의고사를 풀어보며 실전감각 극대화

최종 마무리

시험 직전 실전 시뮬레이션!

각 과목별 시험에 출제되는 내용들을 최종 점검하며 실전 완성

PASS

* 커리큘럼 및 세부 일정은 상이할 수 있으며,
자세한 사항은 해커스공무원 사이트에서 확인하세요.

해커스공무원

최성희 공중보건

기본서 | 2권

해커스공무원

최성희

약력

한양대학교 일반대학원 간호학 박사 수료
현 | 해커스 공무원 보건직·간호직 강의
현 | 해커스독학사 간호학 강의
현 | 전북과학대학교 간호학과 초빙교수

저서

해커스공무원 최성희 공중보건 기본서
해커스공무원 최성희 보건행정 기본서
해커스공무원 최성희 공중보건 실전동형모의고사
해커스공무원 최성희 보건행정 실전동형모의고사

공무원 시험 합격을 위한 필수 기본서!

공무원 공부, 어떻게 시작해야 할까?

수험생 여러분, 안녕하세요.
해커스공무원에서 강의를 하고 있는 매사가 즐거운 강사 최성희입니다. 각 전공과목을 떠올려 보면 어렵고 지루하고 불편하다고 느껴졌던 시절이 있었습니다. 우리는 지금 공무원이라는 높은 장벽의 시험에 도전합니다. 저도 그 불편했던 시절을 경험했기 때문에 여러분의 그 장벽을 조금이나마 낮춰드리고자 더욱 더 효과적인 내용으로 『해커스공무원 최성희 공중보건 기본서』를 집필하였으며, 본 교재는 다음과 같은 특징을 가지고 있습니다.

첫째, 최신 이론을 집약하여 구성하였습니다.
공무원 수험서가 아닌 대학 전공교재는 매우 다양합니다. 우리가 이것을 전부 다 공부할 수 없기 때문에, 여러분은 일부 교재를 선정하여 공부하셨을 것입니다. 그러나 공무원 시험은 그 다양한 교재의 많은 내용을 출제 범위에 포함시키고 있기 때문에 방대한 영역을 효율적으로 정리하는 것이 해결해야 할 첫 번째 숙제입니다. 그래서 『해커스공무원 최성희 공중보건 기본서』는 그 많은 다양한 교재들의 내용을 한 권으로 해결할 수 있도록 구성하였습니다.

둘째, 출제경향을 철저히 분석하고 이론을 효율적으로 정리하였습니다.
공무원 시험은 기출문제 분석을 얼마나 잘했느냐에 따라 합격의 여부가 판가름난다해도 과언이 아닙니다. 『해커스공무원 최성희 공중보건 기본서』는 기출문제의 중심 이론과 그 중심 이론으로부터 파생되는 핵심 내용을 엄선하여 정리한 교재입니다. 이론은 변화합니다. 매년 달라지는 출제경향 속에서, 우리는 문제의 정답을 향한 효율적인 학습방법이 필요하기 때문에 이론의 목차를 출제경향에 맞추어 흐름에 따라 자연스럽게 학습할 수 있도록 구성하였습니다.

셋째, 법령+정책의 흐름을 잡을 수 있도록 이론을 정리하였습니다.
우리는 반드시 법령과 정책의 방향을 확실히 잡고 정리하여야 합니다. 우리가 잘 알지 못하는 법령과 정책들은 기본적으로 시험에서 2문제 이상 출제되기 때문에 놓쳐서는 안 되는 부분이며, 이러한 법령과 정책에 대해 학습하여 1차 시험의 합격과 함께 면접시험도 대비할 수 있습니다.

더불어, 공무원 시험 전문 사이트 **해커스공무원(gosi.Hackers.com)**에서 교재 학습 중 궁금한 점을 나누고 다양한 무료 학습 자료를 함께 이용하여 학습 효과를 극대화할 수 있습니다.

"왕관을 쓰려는 자, 그 무게를 견뎌라!"
『해커스공무원 최성희 공중보건 기본서』와 함께 이 선택의 길의 끝에서 왕관을 쓸 준비를 하시길 바랍니다.

최성희

목차

1권

2권

제5편 식품위생과 영양

제6편 보건행정과 보건의료체계 관리

제7편 분야별 보건관리

제8편 생애주기별 보건관리

제5편

식품위생과 영양

제1장 식품위생

1 정의와 목적

1. 정의

(1) 우리나라의 식품위생 정의 기출 21

① 식품위생은 식품, 식품첨가물, 기구 또는 용기 · 포장을 대상으로 하는 음식에 관한 위생을 말한다(「식품위생법」 제2조 제11항).

② 관련 용어

㉠ **식품**: 모든 음식물

㉡ **식품 첨가물**: 식품을 제조 · 가공 또는 보존하는 과정에서 식품에 넣거나 섞는 물질 또는 식품을 적시는 등에 사용되는 물질

㉢ **기구**: 식품 또는 식품 첨가물에 직접 닿는 기계 · 기구, 음식을 먹을 때 사용하거나 담는 물건, 식품 또는 식품 첨가물을 채취 · 제조 · 가공 · 조리 · 저장 · 소분 · 운반 · 진열할 때 사용하는 물건

㉣ **용기 · 포장**: 식품 또는 식품 첨가물을 넣거나 쓰는 것으로서 식품 또는 식품 첨가물을 주고받을 때 함께 건내는 물품

(2) 세계보건기구의 식품위생 정의 기출 16, 18

① 1955년 제네바에서 식품위생에 대한 보고서가 작성되었다(세계보건기구 환경위생전문위원회).

② 식품위생이란 식품의 생육, 생산 또는 제조에서 최종적으로 사람에게 섭취될 때까지의 모든 단계에 있어서 안정성, 완전 무결성 및 건전성을 확보하기 위한 모든 수단을 의미한다.

③ 세계보건기구가 제시한 건전한 식품을 확보하고 식품으로 인한 질병을 대비하는 가정과 소비자 차원에서 지켜야 하는 황금률이다.

④ 내용

㉠ 안정하게 가공된 식품을 선택할 것

㉡ 완전하게 조리할 것

㉢ 조리된 음식은 즉시 먹을 것

㉣ 조리된 음식은 보관에 주의할 것

㉤ 한 번 조리되었던 음식은 완전히 재가열할 것

㉥ 날로 된 식품과 조리된 음식이 섞이지 않도록 할 것

㉦ 손은 자주 씻을 것

㉧ 부엌의 모든 표면을 아주 깨끗이 할 것

㉨ 곤충이나 쥐, 기타 동물들을 피해서 식품을 보관할 것

㉩ 깨끗한 물을 사용할 것

2. 목적

(1) 식품으로 인한 위생상의 위해를 방지하고, 식품영양의 질적 향상을 도모하며 식품에 관한 올바른 정보를 제공함으로써 국민보건의 증진에 향상을 목적으로 한다.

(2) 식품 자체뿐만 아니라 식품에 관계되는 첨가물, 기구, 용기 포장 등에 대한 위생적 품질 및 성상을 확보하여 인간의 건강을 유지하고 안전한 식생활을 영위하기 위함이다.

2 관리

1. 식품안전의 중요성과 필요성

(1) 환경의 변화

기후의 온난화 및 잦은 기상이변 등으로 환경이 변화하였다.

(2) 식생활 패턴의 변화로 외식이나 급식 등이 증가하면서 식품의 위험요인도 급증하였다.

(3) 저출산, 고령화 등으로 건강한 삶에 대한 요구는 오히려 증가하여 안전한 식품 제공이 중요하다.

(4) 필요성

종합적인 식품안전성 평가 및 관리, 사전예방적 위해관리시스템 도입, 원료에서 소비까지 식품안전관리를 강화해야 한다.

2. 식품안전관리인증기준(HACCP) 기출 15, 16, 17, 18, 19

(1) 정의 및 특징

① 식품안전관리인증기준(Hazard Analysis Critical Control Point, HACCP)은 식품의 원재료부터 제조, 가공, 보존, 유통, 조리 단계를 거쳐 최종 소비자가 섭취하기 전까지의 각 단계에서 발생할 우려가 있는 위해요소를 규명하고, 이를 중점적으로 관리하기 위한 중요 관리점을 결정하여 자율적이며 체계적이고 효율적인 관리로 식품의 안전성을 확보하기 위한 과학적인 위생관리체계이다.

② HACCP제도는 식품을 만드는 과정에서 생물학적, 화학적, 물리적 위해요인들이 발생할 수 있는 상황을 과학적으로 분석하고 사전에 위해요인의 발생여건들을 차단하여 소비자에게 안전하고 깨끗한 제품을 공급하기 위한 시스템적인 규정을 의미한다.

③ HACCP제도는 위해 방지를 위한 사전예방적 식품안전관리체계를 의미한다.

④ 전 세계적으로 가장 효과적이고 효율적인 식품안전관리체계로 인정받고 있다.

⑤ HACCP은 HA와 CCP의 두 부분으로 나뉜다. 기출 16

HA(Hazard Analysis, 위해요소분석)	어떤 위해요소를 미리 예측하여 그 위해요인을 사전에 파악하는 것
CCP(Critical Control Point, 중요관리점)	• 반드시 필수적으로 관리하여야 할 항목 • 위해위험요소 예방 및 제거 • 허용 수준 감소시킬 수 있는 공정이나 단계를 중점관리

(2) 선행조건 기출 19, 20, 21

PP (Pre-requisite Program, 선행요건관리 프로그램)	위생적인 식품생산을 위한 위생, 설비요건 및 기준, 건물의 위치구조, 재질 등에 관한 기준
SSOP (Sanitation Standard Operation Procedure, 표준위생관리기준)	일반적인 위생관리 기준으로 위생관리, 용수관리, 보관관리, 검사관리, 회수관리 등의 소프트웨어적인 운영절차
GMP (Good Manufacturing Practice, 우수제조기준)	위생적인 식품생산을 위한 시설, 설비요건 및 기준, 건물의 위치구조, 재질 등에 관한 기준

관련 법령

식품위해요소중점관리기준 제5조【선행요건】 ① HACCP 적용업소는 다음 각 호와 관련된 별표 1의 선행 요건을 준수하여야 한다.

1. 식품제조·가공업소, 건강기능식품제조업소, 집단급식소, 식품접객업소 및 집단급식소식품판매업소
   가. 영업장 관리
   나. 위생 관리
   다. 제조·가공·조리 시설·설비 관리
   라. 냉장·냉동 시설·설비 관리
   마. 용수 관리
   바. 보관·운송 관리
   사. 검사 관리
   아. 회수 프로그램 관리
2. 기타 식품판매업소
   가. 입고 관리
   나. 보관 관리
   다. 작업 관리
   라. 포장 관리
   마. 진열·판매 관리
   바. 반품·회수 관리
3. 식품소분업소
   가. 작업장 및 부대시설관리
   나. 개인위생관리
   다. 방충·방서관리
   라. 이물관리
   마. 세척·소독관리
   바. 입고·보관관리
   사. 포장관리
   아. 용수관리
   자. 소분 도구관리
   차. 회수관리

② HACCP 적용업소는 별표 1의 선행요건 준수를 위해 필요한 관리계획 등을 포함하는 선행요건관리기준서를 작성하여 비치하여야 한다. 다만, 별표 1의 선행요건을 포함하는 자체 위생관리기준을 작성·비치한 경우 별도의 선행요건관리기준서를 작성·비치하지 아니할 수 있다.

(3) 식품안전관리인증기준의 적용절차(국제식품규제위원회의 7원칙+12절차)

기출 16, 17, 18, 19

구성	절차 및 원칙	내용	세부내용
준비	절차1	HACCP팀 구성	해당 제품에 대한 전문적인 지식과 기술을 가진 HACCP팀을 구성함
	절차2	제품설명서 작성	제품에 대한 물리적·화학적 정보, 미생물살균(가열처리, 냉동 등) 등의 안전성과 관련한 특징적인 정보를 기술함
	절차3	용도확인	제품이 어디에서, 누가, 어떠한 용도로 소비될 것인가를 가정하여 제품의 사용방법과 대상 소비자를 명확히 정함
	절차4	공정흐름도 작성	제조공정의 흐름도, 시설의 도면 및 표준작업 매뉴얼을 작성함
	절차5	공정흐름도 현장 확인	제조공정의 흐름도가 실제 작업과 현장에서 일치하는가를 확인함
적용	절차6 (원칙1)	위해요소 분석	원재료, 제조공정 등에 대하여 생물학적, 화학적, 물리적 위해요인을 분석함
	절차7 (원칙2)	중점관리점 결정	식품의 위해를 방지·제거하거나 안전성을 확보할 수 있는 단계로 중점관리기준을 설정함
	절차8 (원칙3)	중요관리점 한계기준 설정	위해제거, 감소조건을 고려한 관리 및 작업기준을 설정함
	절차9 (원칙4)	중요관리점 모니터링 체계 확인	• 모니터링 4개 원칙(무엇을, 어떻게, 어느 빈도로, 누가)에 입각하여, 중점관리기준에 대한 모니터링 방법을 설정 • 관리기준의 준수 및 확인 여부를 검증하기 위한 관찰, 측정 또는 시험검사를 확립함
	절차10 (원칙5)	개선조치방법 수립	모니터링한 관리 기준에서 벗어날 경우를 예상하여, 이에 대처하기 위한 시정조치를 각 중점관리기준에 대하여 설정함
	절차11 (원칙6)	검증절차 및 방법 수립	HACCP가 효과적으로 시행되는지를 검정하는 방법 및 절차를 설정함
	절차12 (원칙7)	문서화 및 기록 유지	HACCP의 이들 원칙 및 그 적용에 대한 문서화와 기록, 보존방법을 설정함

(4) 식품안전관리인증기준(HACCP) 도입의 효과 기출 17

구분	내용
식품업계 측면	① 자율적인 위생관리를 수행할 수 있는 체계적인 위생관리기법의 확립 ② **위생적이고 안정성이 충분히 확보된 식품의 생산 · 조리:** 예측가능한 위해요인을 과학적인 근거기반을 기준으로 규명하고 이를 효과적으로 제어할 수 있음 ③ **위생관리체계의 효율성 극대화:** 위해요인을 사전에 선정하여 집중적인 관리 가능함 ④ **경제적인 이익 도모:** 초기에는 소요되는 비용의 증가가 예상되나 장기적으로 소비자의 신뢰와 제품의 불량률이 감소하여 반품이나 폐기량이 감소되고 이는 기업의 이익을 창출하게 함 ⑤ 안정성이 보증되어 타사와의 경쟁력 확보 ⑥ 식중독 예방 ⑦ 정확한 근거를 통한 안정된 제품의 제조 가능 ⑧ HACCP의 지정마크를 이용한 광고효과로 소비자의 선택과 신뢰성이 향상될 수 있음
소비자 측면	① HACCP에 의해 안전하고 위생적으로 생산된 제품을 소비자들에게 자신 있게 제공 ② HACCP 마크 표시를 통하여 소비자가 스스로 판단하여 안전한 식품을 선택 가능
정부 측면	① 효율적인 식품 감시 활동 ② 공중보건 향상으로 의료비 절감 효과 ③ 국제 식품 교역이 원활해질 수 있음

HACCP 인증마크

(5) 식품안전관리인증기준(HACCP)제도의 장점 기출 18, 20

① 식품의 안전성을 높일 수 있다.
② 식품산업의 국제적 경쟁력을 지니게 할 수 있다.
③ 식품산업의 과학화와 질적 향상 및 식품의 안전사고도 최소화할 수 있다.

3. 식품위생 관리 3대 요소와 영역

구분	내용
3대 요소	① 안정성 ② 완전무결성 ③ 건전성
관리 영역	① 식중독, 식품을 통한 병원 미생물 및 기생충의 감염, 식품의 오염, 식품보존법, 식품의 검역, 식품위생의 행정활동 등 ② **우리나라 3대 보건범죄:** 부정식품, 부정의약품, 부정의료 ③ **2013년 식품의약품안전처 설립:** 식품의약품 안전관리체계를 구축 · 운영하여 국민이 안전하고, 건강한 삶을 영위할 수 있도록 하기 위함

3 식품행정과 안전관리

1. 식품행정의 강화

(1) 예방행정의 강화

① 식품위생에 관한 보건교육활동을 강화한다.
② 수입식품에 대한 식품검역을 철저히 수행한다.
③ 부정식품이나 불량식품의 생산이나 유통을 방지하는 철저한 관리행정활동을 필요로 한다.
④ 식품을 통한 각종 감염병, 기생충 질병 및 식중독 등을 미연에 방지하는 노력이 중요하다.
⑤ 식품과 관련되는 기계 · 기구, 시설, 용기, 포장 등과 식품의 원료, 첨가물, 제조과정, 조리과정, 보존방법, 유통과정 등에서 발생할 수 있는 각종 문제점을 배제하기 위한 노력이다.

(2) 식품행정의 전문화

식품행정의 전문성 강화
식중독 사건, 식품으로 인한 감염병의 집단발생, 살충제 계란 사건 등 식품행정 일원화로 식품안전관리행정이 전문성을 강화할 필요가 있다.

① 농 · 축산식품의 생산과정은 농림축산식품부가 담당한다.
② 2차 생산, 유통 및 소비과정은 식품의약품안전처가 담당한다.
③ 수산식품의 생산과 수입은 해양수산부가, 유통과 소비과정은 식품의약품안전처가 담당한다.
④ 먹는 물의 생산과 유통은 환경부가 담당한다.
⑤ 학교급식은 교육인적자원부가 담당한다.
⑥ 식품의 수입 관리는 관세청이 담당한다(식품의 유통 · 소비과정의 위생과 안전 관리는 식품의약품안전처가 담당하고 있어 식품행정의 전문성 확보에 어려움이 있음).

(3) 식품의 과학화

HACCP제도를 개발하고, 적용한다.

(4) 식품위생관리를 위한 3대 접근방법

① 식품위생에 관한 보건교육 적용활동
② 식품위생관리를 위한 행정활동
③ 식품위생 관계법규의 철저한 적용활동

2. 식품위생과 안전관리

(1) 식품의약품안전처의 행정활동

① 불량식품, 부정식품 및 부정의약품의 위해요인 예방과 유통관리
② 식품제조시설 및 식품영업소의 위생관리
③ 부정식품 및 부정의약품의 근절행정
④ 식품취급자 건강진단 및 위생교육
⑤ 수입식품의 검역활동과 위생검사업무 수행
⑥ 의약품과 의료기기의 안전사고

⑦ 식품유통의 안전망 확보 및 건강한 식생활 환경 조성
⑧ 불량의약품, 바이오의약품, 한약, 화장품 등의 안전관리
⑨ 의료기기의 유통관리와 안전관리
⑩ 농수산물과 그 가공품, 축산물 및 주류, 건강기능식품, 의약품, 마약류, 의약외품 및 의료기기 등의 위생 및 안전관리에 관한 행정활동

Plus⁺ POINT

안전한 식품조리를 위한 10대 원칙

1. **안전을 위하여 가공식품을 선택하십시오.**
신선식품의 섭취가 좋으나, 생·과채류는 위해미생물 등에 의한 오염도 있을 수 있기 때문에 적절한 방법으로 살균되거나 청결히 세척된 제품을 선택하십시오.
2. **적절한 방법으로 가열·조리하십시오.**
식중독 등을 유발하는 위해미생물을 사멸시키기 위하여 철저히 가열하여야 합니다. 고기는 70℃ 이상에서 익혀야 하고 뼈에 붙은 고기도 잘 익도록 해야 하며, 냉동한 고기는 해동한 직후에 조리하여야 합니다.
3. **조리한 식품은 신속히 섭취하십시오.**
조리한 식품을 실온에 방치하면 위해미생물이 증식할 수 있으므로 조리한 음식은 가능한 신속히 섭취하십시오.
4. **조리식품을 저장·보관할 때에는 주의를 기울이십시오.**
조리식품을 4 ~ 5시간 이상 보관할 경우에는 반드시 60℃ 이상이나 10℃ 이하에서 저장하여야 합니다. 특히 먹다 남은 유아식은 보관하지 말고 버리십시오. 조리식품의 내부온도는 냉각속도가 느리기 때문에 위해미생물이 증식될 수 있습니다. 따라서 많은 양의 조리식품을 한꺼번에 냉장고에 보관하지는 마십시오.
5. **저장하였던 조리식품을 섭취할 경우 재가열하십시오.**
냉장보관 중에도 위해미생물의 증식이 가능하므로 이를 섭취할 경우 70℃ 이상의 온도에서 3분 이상 재가열하여 드십시오.
6. **조리한 식품과 조리하지 않은 식품이 서로 접촉되어 오염되지 않도록 하십시오.**
가열 조리한 식품과 날 식품이 접촉하면 조리한 식품이 오염될 수 있으므로 서로 섞이지 도록 하십시오.
7. **손은 철저히 씻으십시오.**
손을 통한 위해미생물의 오염이 빈번하므로, 조리 전과 다른 용무를 본 후에는 반드시 손을 씻어야 합니다.
8. **조리대는 항상 청결을 유지하십시오.**
부엌의 조리대를 항상 청결하게 유지하여 위해미생물이 음식에 오염되지 않도록 하여야 하며, 행주 도마 등 조리기구는 매일 살균·소독·건조하여 주십시오.
9. **쥐 및 곤충 등이 접근하지 못하도록 음식보관에 유의하십시오.**
곤충, 쥐, 기타 동물 등을 통해 위해미생물이 식품에 오염될 수도 있으므로 동물의 접근을 막을 수 있도록 주의하여 보관하여야 합니다.
10. **깨끗한 물로 조리하십시오.**
깨끗한 물로 세척하거나 조리를 하여야 하며 의심이 있을 경우 물을 끓여 사용하여야 하고, 유아식을 만들 때에는 특히 주의하십시오.

(2) 식품위생 및 안전관리제도 운영

① 식품위생감시원제도

관련 법령

「식품위생법 시행령」 제17조 【식품위생감시원의 직무】 식품위생감시원의 직무는 다음 각 호와 같다.

1. 식품 등의 위생적인 취급에 관한 기준의 이행 지도
2. 수입 · 판매 또는 사용 등이 금지된 식품 등의 취급 여부에 관한 단속
3. 「식품 등의 표시 · 광고에 관한 법률」 제4조부터 제8조까지의 규정에 따른 표시 또는 광고기준의 위반 여부에 관한 단속
4. 출입 · 검사 및 검사에 필요한 식품 등의 수거
5. 시설기준의 적합 여부의 확인 · 검사
6. 영업자 및 종업원의 건강진단 및 위생교육의 이행 여부의 확인 · 지도
7. 조리사 및 영양사의 법령 준수사항 이행 여부의 확인 · 지도
8. 행정처분의 이행 여부 확인
9. 식품등의 압류 · 폐기 등
10. 영업소의 폐쇄를 위한 간판 제거 등의 조치
11. 그 밖에 영업자의 법령 이행 여부에 관한 확인 · 지도

② 식품안전관리인증기준제도

관련 법령

「식품위생법」 제48조 【식품안전관리인증기준】 ① 식품의약품안전처장은 식품의 원료관리 및 제조 · 가공 · 조리 · 소분 · 유통의 모든 과정에서 위해한 물질이 식품에 섞이거나 식품이 오염되는 것을 방지하기 위하여 각 과정의 위해요소를 확인 · 평가하여 중점적으로 관리하는 기준(이하 "식품안전관리인증기준"이라 한다)을 식품별로 정하여 고시할 수 있다.
② 총리령으로 정하는 식품을 제조 · 가공 · 조리 · 소분 · 유통하는 영업자는 제1항에 따라 식품의약품안전처장이 식품별로 고시한 식품안전관리인증기준을 지켜야 한다.

③ 식품위해성평가제도

관련 법령

「식품안전기본법」 제20조 【위해성평가】 ① 관계중앙행정기관의 장은 식품 등의 안전에 관한 기준 · 규격을 제정 또는 개정하거나 식품 등이 국민건강에 위해를 발생시키는지의 여부를 판단하고자 하는 경우 사전에 위해성평가를 실시하여야 한다. 다만, 제15조 제2항에 따른 긴급대응이 필요한 경우 사후에 위해성평가를 할 수 있다.

② 제1항에도 불구하고 다음 각 호의 어느 하나에 해당하는 경우 위원회의 심의를 거쳐 위해성평가를 하지 아니할 수 있다.
1. 식품 등의 안전에 관한 기준·규격 또는 위해의 내용으로 보아 위해성평가를 실시할 필요가 없는 것이 명확한 경우
2. 국민건강에 위해를 발생시키는 것이 확실한 경우

③ 위해성평가는 현재 활용가능한 과학적 근거에 기초하여 객관적이고 공정·투명하게 실시하여야 한다.

④ 식품의 친환경인증제도 및 이력관리제도

관련 법령

「친환경농어업 육성 및 유기식품 등의 관리·지원에 관한 법률」(친환경농어업법) 제53조【친환경 인증관리 정보시스템의 구축·운영】 ① 농림축산식품부장관 또는 해양수산부장관은 다음 각 호의 업무를 수행하기 위하여 친환경 인증관리 정보시스템을 구축·운영할 수 있다.
1. 인증기관 지정·등록, 인증 현황, 수입증명서 관리 등에 관한 업무
2. 인증품 등에 관한 정보의 수집·분석 및 관리 업무
3. 인증품 등의 사업자 목록 및 생산, 제조·가공 또는 취급 관련 정보 제공
4. 인증받은 자의 성명, 연락처 등 소비자에게 인증품 등의 신뢰도를 높이기 위하여 필요한 정보 제공
5. 인증기준 위반품의 유통 차단을 위한 인증취소 등의 정보 공표

② 제1항에 따른 친환경 인증관리 정보시스템의 구축·운영에 필요한 사항은 농림축산식품부령 또는 해양수산부령으로 정한다.

제53조의2【유기농어업자재 정보시스템의 구축·운영】 ① 농림축산식품부장관 또는 해양수산부장관은 다음 각 호의 업무를 수행하기 위하여 유기농어업자재 정보시스템을 구축·운영할 수 있다.
1. 공시기관 지정 현황, 공시 현황, 시험연구기관의 지정 현황 등의 관리에 관한 업무
2. 공시에 관한 정보의 수집·분석 및 관리 업무
3. 공시사업자 목록 및 공시를 받은 제품의 생산, 제조, 수입 또는 취급 관련 정보 제공 업무
4. 공시사업자의 성명, 연락처 등 소비자에게 공시의 신뢰도를 높이기 위하여 필요한 정보 제공 업무
5. 공시기준 위반품의 유통 차단을 위한 공시의 취소 등 정보 공표 업무

② 제1항에 따른 유기농어업자재 정보시스템의 구축·운영에 필요한 사항은 농림축산식품부령 또는 해양수산부령으로 정한다.

제2장 식중독

1 개념

1. 식중독의 정의

(1) 식품 섭취로 인하여 인체에 유해한 미생물 또는 유독물질에 의하여 발생하였거나 발생한 것으로 판단되는 감염성 또는 독소형 질환을 말한다(「식품위생법」 제2조 제14호).

(2) 식품 또는 물의 섭취에 의해 발생되었거나 발생된 것으로 생각되는 감염성 또는 독소형 질환이다[세계보건기구(WHO)].

(3) 식품 섭취로 인하여 발생하는 급성위장염을 주증상으로 하는 건강장애이다.

(4) 어떤 미생물 혹은 화학물질에 오염된 음식물을 먹은 후 단시간 내에 복통과 구토, 설사 등을 주 증상으로 하는 질환이다.

(5) 집단식중독은 역학조사 결과 식품 또는 물이 질병의 원인으로 확인된 경우로서 동일한 식품이나 동일한 공급원의 물을 섭취한 후 2인 이상의 사람이 유사한 질병을 경험한 사건을 말한다.

2. 식중독의 원인

(1) 식품을 완전히 가열하지 않았거나 조리하지 않았을 때

(2) 음식을 잘 식히지 않았을 때

(3) 개인위생을 제대로 지키지 않았을 때

(4) 조리 전 식품과 교차오염이 되었을 때

(5) 위험온도 범위(7 ~ 60℃)에 음식을 두었을 때

(6) 상온에 재가열 시 세균이 완전히 사멸할 정도로 가열하지 않았을 때

(7) 식품이 부적절하게 취급되어 조리기구나 조리된 음식에 오염되었을 때

(8) 기계, 기구, 집기류의 소독이 잘 되지 않았을 때 등

식중독 발생의 역학적 특성
1. 급격히 집단적으로 발생한다.
2. 발생지역이 한정적이다.
3. 월별로 보면 여름철에 많이 발생한다.
4. 일반적으로 20 ~ 24세 사이의 연령에서 많이 발생한다.
5. 성별로는 남자에게 많이 발생한다.

3. 식중독 지수 기출 15, 17, 18, 19

(1) 정의

기온과 습도 변화에 따른 식중독 발생가능성을 백분율로 수치화한 것을 말한다.

(2) 우리나라의 식품의약품안전처는 식중독 발생의 사전예방 및 경각심 고취를 위하여 기온과 습도를 고려한 식중독 지수를 개발하여 매년 4 ~ 10월까지 식품의약품안전처와 기상청 홈페이지에 게시하고 있다.

(3) 식품의약품안전처와 기상청의 업무제휴를 통한 예보제로 식중독 원인균의 최적 성장조건(온도 = 40℃, PH = 6.5 ~ 7.0, 수분활성도 = 10.99)에서 식중독을 유발시킬 수 있는 시간과 특정 온도에서 식중독을 발생시킬 수 있는 시간에 대한 비율을 백분율로 표시한 것이다.

(4) 식중독 지수가 35 ~ 50이면 10시간 이내에 식중독이 발생할 우려가 있으므로 식중독 주의를 예보하며, 지수가 50 이상이면 7시간 이내에 식중독이 발생할 우려가 있으므로 식중독 경고를 예보한다.

(5) 공식

$$\text{식중독 지수} = \frac{\text{최적조건에서의 식중독 유발시간}}{\text{임의온도에서의 식중독 유발시간}} \times 100$$

식중독 지수별 단계(기상청) 기출 15, 17, 19

단계	지수범위	대응요령
위험	86 이상	• 식중독 발생가능성이 매우 높으므로 식중독 예방에 각별한 경계가 요망됨 • 설사, 구토 등 식중독 의심 증상이 있으면 의료기관을 방문하여 의사의 지시에 따름 • 식중독 의심 환자는 식품 조리 참여를 즉시 중단하여야 함 • 기온 35℃ 이상인 경우로서 음식물을 방치할 경우 3 ~ 4시간이 경과하면 살모넬라균, 황색포도상구균, 장염비브리오균 등의 식중독 발생이 대단히 우려되므로 식품의 취급에 특별히 주의하여야 함
경고	71 이상 86 미만	• 식중독 발생가능성이 높으므로 식중독 예방에 경계가 요망됨 • 조리도구는 세척, 소독 등을 거쳐 세균오염을 방지하고 유통기한, 보관방법 등을 확인하여 음식물 조리 · 보관에 각별히 주의하여야 함
주의	55 이상 71 미만	• 식중독 발생가능성이 중간 단계이므로 식중독 예방에 주의가 요망됨 • 조리음식은 중심부까지 75℃(어패류 85℃)로 1분 이상 완전히 익히고 외부로 운반할 때에는 가급적 아이스박스 등을 이용하여 10℃ 이하에서 보관 및 운반하여야 함
관심	55 미만	• 식중독 발생가능성은 낮으나 식중독 예방에 지속적인 관심이 요망됨 • 화장실 사용 후, 귀가 후, 조리 전에 손 씻기를 생활화하여야 함

예 식중독 지수가 86 이상: 식중독이 발생하는 데 걸리는 시간이 3.5일 때, 시간을 0.7로 나눈 값

2 분류 기출 12, 13, 16, 17, 18, 19, 20, 21

중분류	소분류	원인균 및 물질
세균성 (18종)	감염형	살모넬라, 장염비브리오균, 콜레라, 비브리오 불니피쿠스, 리스테리아모노사이토제네스, 병원성대장균(EPEC, EHEC, EIEC, ETEC, EAEC), 바실러스 세레우스, 쉬겔라, 여시니아 엔테로콜리티카, 캠필로박터 제주니, 캠필로박터 콜리
	독소형	황색 포도상구균, 클로스트리듐 보툴리눔, 클로스트리듐 퍼프린젠스
바이러스성 (7종)	공기, 접촉, 물 등의 경로로 전염	노로바이러스, 로타바이러스, 아스트로바이러스, 장관아데노바이러스, A형 간염, E형 간염, 사포바이러스
원충성 (5종)	-	이질아메바, 람블편모충, 작은와포자충, 원포자충, 쿠도아
자연독	동물성 자연독에 의한 중독	복어독, 시카테라독
	식물성 자연독에 의한 중독	감자독, 원추리, 여로 등
	곰팡이 독소에 의한 중독	황변미독, 맥가독, 아플라톡신 등
화학적	고의 또는 오용으로 첨가되는 유해물질	식품첨가물
	본의 아니게 잔류, 혼입되는 유해물질	잔류농약, 유해성 금속화합물
	제조 · 가공 · 저장 중에 생성되는 유해물질	지질의 산화생성물, 니트로아민
	기타 물질에 의한 중독	메탄올 등
	조리기구 · 포장에 의한 중독	녹청(구리), 납, 비소 등

출처: 식품의약품안전처. 식중독예방홍보(2017.12.18.)

1. 세균성 식중독

(1) 세균에 오염된 식품 또는 음료수에 의해 생기는 식중독을 말한다.
(2) 복통, 설사, 구토, 발열 및 오한 등의 증상이 있다.
(3) 세균성 식중독은 소화기계 감염병과 경구침입이라는 공통적인 특징이 있으나 다음과 같은 차이점도 있다.

세균성 식중독과 감염병의 차이

구분	세균성 식중독	감염병
2차 감염	거의 없음	있음
균량의 정도	많아야 발생	적어도 발생
잠복기	단기간	식중독보다 김
면역	형성 잘 안됨	형성됨
증식 장소	음식물	인체

구분	세균성 식중독	소화기계 감염병
독소량	다량의 세균	적은 양의 세균
2차 감염	없음	있음
잠복기	짧음	길
면역획득 여부	무	유

(4) 소분류

구분	감염형	독소형
정의	인간의 장관	-
균체 독소	내독소	외독소
잠복기	장기간	단기간
균의 생사와 발병과의 관계	균이 사멸하면 발생하지 않음	생균이 없어도 발생
가열 요리에 의한 예방효과	높음	낮음
종류	살모넬라·장염비브리오·캠필로박터균·병원대장균 식중독	포도상구균·보툴리누스균·웰치균 식중독

① 감염형

㉠ 살모넬라 식중독 기출 13, 14, 15, 16, 17, 18, 19, 20, 21

특성	• 살모넬라균을 보유한 음식 섭취로 발병하여 평균 24시간의 잠복기를 거쳐 위장염 증상과 발열을 나타내고 2 ~ 3일 후 증상이 소멸됨 • **발병 시기:** 6 ~ 9월
원인 식품	부적절하게 가열한 동물성 단백질 식품, 식물성 단백질 식품, 생선묵, 생선요리와 육류
원인균	• Salmonella typhynurium, Sal. enteritidis, Sal. cholerasuis • 장염균, 쥐티푸스균, 돈콜레라균(대표적인 균)
잠복기	• 일반적으로 12 ~ 48시간(평균 20시간) • 발병률은 75%로 다른 식중독균보다는 높지만, 치사율은 낮음
증상	복통, 설사, 발열, 간혹 구토와 어지러움
예방	• 저온 유통 • 조리 후 신속히 섭취, 남은 음식은 5℃ 이하 저온 보관(균 증식 방지) • 60℃에서 가열하면 20분 후 사멸 • 75℃에서 1분 가열 후 섭취하기 • 도축장의 위생관리 철저히 하기 • 식품의 저장장소 및 조리장 등에 방충·방서 시설하기 • 환자의 식품 취급을 제한하기 • 보균자 색출 등의 대책 등 위생관리 행정을 철저히 하기 • 조리기구의 세척·소독을 잘 하여 2차 감염 예방하기

내독소와 외독소

1. **내독소**
   박테리아가 용해되었을 때 박테리아 내부에 있는 독소가 활성화되어 외부로 나오게 되는 독소이다.
2. **외독소**
   생물체 내에서 합성되어 분비되는 독소이다.

ⓛ 장염비브리오 식중독 기출 10, 16, 17, 18, 19, 20, 24

특성	• 호염균 식중독 • 우리나라를 비롯하여 일본, 동남아시아, 호주, 미국 등에서도 발병 • 1950년 후지노에 의하여 처음 균이 분리됨
원인 식품	• 오염된 해수에 의한 어패류 1차 감염(70%) • 어패류를 사용한 주방 도구 2차 감염
원인균	Vibrio Parahemolyticus(비브리오균)로 해수 세균의 일종으로 3 ~ 5% 전후의 식염에서 잘 자라며, 10%의 염분농도에서는 성장이 정지되는 세균으로, 포자가 없는 간균이며 편모를 하나 가지고 있음
잠복기	• 평균 12시간의 잠복기 • **발병률**: 30 ~ 95% • **치명률**: 0.5% 내외 • **발생 시기**: 5 ~ 11월경, 특히 7 ~ 9월에 가장 많음
증상	• 복통, 설사, 발열(37 ~ 38℃), 구토 등(고열은 없음) • 심할 경우 설사 시 수양성 혈변을 동반하므로 세균성 이질로 오인하기 쉬움 • 보통 2 ~ 3일이면 회복되나 사망하는 사례도 있음(치사율 0.5% 내외)
예방	• 살모넬라 식중독의 예방대책과 비슷함 • 어패류의 중독이 유행할 때인 7 ~ 9월 중에는 어패류의 생식을 금함 • 어패류는 수돗물에 잘 씻고, 횟감용 칼, 도마는 구분하여 사용하기 • 오염된 조기기구는 세정, 열탕 처리하여 2차 오염을 방지하기 • 가능한 생식을 피하기 • 반드시 식품을 가열한 후 섭취하기

ⓒ 캠필로박터균 식중독 기출 22

원인 식품	소, 돼지, 개, 고양이, 닭, 우유, 물이며, 육류의 생식이나 불충분한 가열, 동물의 분변에 의해 오염될 수 있음
원인균	Campylobacter, 미호기성의 조건에서 증식
잠복기	2 ~ 3일
증상	발열, 권태감, 두통, 현기증, 근육통, 구역, 복통, Guillain - Barre Syndrome, 피가 섞인 설사
예방	• 생육을 만진 경우 손을 깨끗이 씻고 소독하여 2차 오염을 방지하기 • 생균에 의한 감염이므로 식품을 충분히 가열하여 섭취하기 • 특히 닭고기 등 생식을 피하기 • 균이 열이나 건조에 약하므로 조리기구는 물로 끓이거나 건조시키기

㉣ 병원성 대장균 식중독(Enteropathogenic E. coli, EPEC)

특성	• 병원성 대장균은 유아에게 전염성 설사증, 성인에게는 급성 장염을 일으킴 • **장관 출혈성 대장균**: 병원성 대장균 중 베로독소를 생성하여 대장점막에 궤양을 유발하여 조직을 짓무르게 하고 출혈을 유발시키는 대장균 • **병원성 대장균의 종류** - E. coli O157: H7과 같이 베로독소(Verotoxin)를 생성하는 장관 출혈성 대장균(Enterohemorrhagic E. coli, EHEC) - Enterotoxin을 생성하는 장관 독소원성 대장균(Enterotoxigenic E. coli, ETEC) - 대장 점막의 상피세포를 침입하여 조직 내 감염을 일으키는 장관 침투성 대장균(Enteroinvasive E. coli, EIEC) - 성인에게 급성 위장염을 일으키는 장관 병원성 대장균(Enteropathogenic E. coli, EPEC)
원인 식품	• 햄, 치즈, 소시지, 두부 등 • 환자와 소의 분변에 의해 오염된 음식물로 전파
원인균	• 혈청형에 따라 O26, O103, O104, O146, O157 등이 있는데, O157이 대표적임 • E. coli O157: H7의 경우 10 ~ 100개의 균으로도 병원성을 나타냄
잠복기	평균 12시간
증상	• 심하면 출혈성 대장염, 용혈성 요독증후군, 혈전성 혈소판 감소증 • 수양성 설사(자주 혈변), 복통(가끔 심함), 발열은 거의 없음
예방	• 조리기구는 구분해서 사용하기 • 생육과 조리된 음식을 구분하여 보관하기 • 다진 고기의 중심부를 75℃에서 1분 이상 가열하기 • 식품의 오염 방지, 식품취급자의 위생적인 취급과 개인위생을 철저히 하기

② 독소형

㉠ 장출혈성 대장균감염증 기출 11, 17, 19, 20

정의	장출혈성 대장균(Enterohemorrhagic Escherichia coli) 감염에 의하여 출혈성 장염을 일으키는 질환
질병 분류	• **법정 감염병**: 제2급 • **질병코드**: ICD - 10 A04.3
병원체	**장출혈성 대장균** • 장내세균과에 속하는 그람음성 혐기성 막대균 • Shiga 독소(Shiga toxin, stx1, stx2)에 의해 질병 유발 • 혐기성균으로 7℃에서 잘 발육 • 아포가 없고 편모 운동성 있음
병원소	소가 가장 중요한 병원소이며, 양, 염소, 돼지, 개, 닭 등 가금류에서도 발견됨

전파 경로	• 식수, 식품을 매개로 전파 • 적은 양으로도 감염될 수 있어 사람 간 전파도 중요
잠복기	2 ~ 10일(평균 3 ~ 4일)
증상	• 발열, 오심, 구토, 심한 경련성 복통 • 설사는 경증, 수양성 설사에서 혈성 설사까지 다양한 양상 • 용혈성 빈혈, 혈소판 감소증 또는 혈전성 혈소판 감소증 자반, 급성 신부전 등을 특징으로 하는 용혈성 요독증후군이 발생하기도 함 • 증상은 5 ~ 7일간 지속된 후 저절로 호전됨
치료	**대증치료**: 경구 또는 정맥으로 수분과 전해질 신속히 보충
전염 기간	• 이환기간 및 증상 소실 후 대변에서 균이 검출되지 않을 때까지 전파 가능하며, 보통 성인에서 1주일 이하, 어린이의 1/3은 3주가량 균 배출 • 드물지만 보균상태가 수 개월 이상 지속 가능
치사율	대부분 후유증 없이 회복되나 용혈성 요독증후군 진행 시 치명률 3 ~ 5%
관리	• **환자 관리** - 항생제 치료 종료 48시간 후부터 24시간 간격으로 대변배양검사를 시행하여 연속 2회 음성 확인 후 격리 해제 - 격리 해제까지 음식 조리, 간호, 간병, 보육 금지 - 설사 증상 소실 후 48시간 수영 금지 • **접촉자 관리** - 환자와 음식, 식수를 같이 섭취한 접촉자는 마지막 폭로 가능 시점부터 10일간 발병 여부 감시 · 관찰 - **공동 노출자**: 환례와 의심 감염원에 함께 노출된 경우 10일간 접촉자 발병 여부 · 관찰하고 증상이 있을 경우 대변배양검사 실시 - 고위험군(식품업종사자, 수용시설 종사자 등)은 대변배양 검사 결과가 나올 때까지는 음식 취급, 보육, 환자 간호 등 업무 제한
예방 (일반적 예방)	• **올바른 손 씻기의 생활화**: 흐르는 물에 비누로 30초 이상 손 씻기 • **안전한 음식 섭취**: 음식 익혀먹기, 물 끓여 마시기 • 위생적인 조리하기

ⓛ **황색 포도상구균 식중독** 기출 13, 14, 15, 16, 17, 18, 19, 20, 21

특성	• 식중독 중에서 가장 발생률이 높음 • 120℃에서 30분간 처리해도 파괴되지 않는 내열성 독소
원인 식품	육류 및 가공식품과 우유, 크림, 버터, 치즈 등과 이들을 재료로 한 과자류와 유제품과 김밥, 도시락, 두부 등 복합조리식품
원인균	• 포도상구균이 장독소(Enterotoxin)를 생성하여 중독시킴 • 사람과 동물의 화농성 질환의 원인균 • 4 ~ 5개 구균이 모여 있어 포도상구균이라 불림

잠복기	• 평균 3시간 • 치사률은 1% 이하
증상	• **급성 위장염 증상**: 구토, 설사, 복통, 오심 • 발열은 38℃ 정도이며, 보통 12시간 이내 치료 가능
예방	• 식품 취급자는 손을 청결히 하기 • 손에 창상 또는 화농되거나 신체 다른 부위에 화농이 있으면 식품을 취급하지 말기 • 기구와 기기 등을 청결히 유지하여 2차 오염을 방지하기 • 식품은 조리한 후 모두 섭취하고 남은 식품은 5℃ 이하 냉장 보관하기

ⓒ **보툴리눔 식중독** 기출 14, 16, 17, 18, 19, 20

특성	• 세균성 식중독에서 가장 치명률이 높은 식중독 • 소시지 식중독을 일으킬 수 있는 것으로 이미 1000년 전에 알려짐 • 1800년에 케르너(Kerner)가 botulism(소시지의 중독)이라는 용어를 처음 사용
원인 식품	통조림, 햄, 소시지, 레토르트 식품, 생선 등
원인균	• Clostridium botulinum이 내는 외독소 • 식품의 혐기성 상태에서 발육하여 신경독소를 분비 • 항원성에 따라 8종의 독소가 있으며, 사람에게 식중독을 일으키는 것은 A, D, E, F형이며 A형이 가장 치명적임
잠복기	• 12 ~ 36시간이나 2 ~ 4시간 경과 시에도 신경증상이 나타나기도 함 • 약산성 식품에서 장기간 유지됨 • 치사율은 25%로 가장 높음
증상	• **신경계 증상**: 현기증, 두통, 신경장애, 호흡곤란, 언어곤란, 혼수상태, 연하곤란, 복시, 약시 등 • **소화기계 증상**: 구역질, 구토, 복통, 전신권태, 변비, 설사 등
예방	• 식품 원재료에는 포자가 있을 가능성이 높으므로 채소와 곡물을 반드시 깨끗이 세척하기 • 식품 원재료를 가공 및 통조림으로 제조할 때에 100℃에서 30분간 가열로 포자를 완전히 사멸하기(위생적 보관과 가공을 하는 것이 필요) • 이 균의 독소는 단시간의 가열로 불활성화되므로 통조림, 병조림 및 기타 저장식품은 가열하여 섭취하기

ⓔ **웰치스 식중독** 기출 17, 18, 19

특성	집단조리 식중독
원인 식품	• 사람의 분변이나 토양, 하수 등에 널리 분포되어 있다가 식품 속에서 증식하면 식중독의 원인이 됨 • 가축, 가금류, 육류, 가축과 오리, 닭 등 도살장에서 오염되어 발생함

원인균	• Clostridium welchii • 아포가 형성될 때만 생성하는 체외독소로서 장독소 • 항독소에 의해 A, B, C, D, E, F의 6형으로 분류 • 장독소는 열에 약하여 70 ~ 80℃에서 1분간에 불활성화됨
잠복기	• **A형**: 8 ~ 20시간(평균 12시간) • **F형**: 잠복기가 수 시간
증상	• 복통, 설사 발생 • 구토와 발열은 거의 볼 수 없음
예방	• 식품의 가열조리 후 즉시 섭취나 또는 급랭시켜서 증식을 억제하기 • 청결 유지

③ 기타 세균성 식중독

㉠ 알러지(Allergy)성 식중독(프로테우스, Proteus균) 기출 19

특성	Morganella(Proteus moranii)이 Histamine 함유량이 많은 어육에 부착되어 증식함으로써 히스티딘을 탈탄산화(Decarboxylation)시켜 만들어 낸 다량의 히스티딘(Histamine)과 이때 생산된 부패 아민(Amine)이 함께 작용하여 발생시킨다고 알려져 있음
원인 식품	어육(꽁치, 고등어)
원인균	Morganella(Proteus moranii)
잠복기	5분 ~ 1시간으로 보통 30분 전후 나타남
증상	• 안면홍조, 작열통, 전신에 걸쳐 홍조를 띠며, 두드러기가 생김 • 구토, 복통 설사 등의 위장증상은 거의 없음 • 빠르면 6 ~ 10시간, 늦더라도 24시간 이내에 회복함 • 특이 체질이 있는 사람에게서 오는 식이성 알러지(Allergy)와 유사하기 때문에 알러지성 식중독이라고 부름

㉡ 장알균 식중독 기출 09, 18, 20

원인 식품	쇠고기, 고로케, 코코넛, 치즈, 분유, 두부 등
원인균	사람과 동물의 장내 상재균으로 연쇄상알균(Streptococcus) 중 D군에 속함
잠복기	1 ~ 36시간(평균 5 ~ 10시간)
증상	• **급성 위장염 증상**: 설사, 복통, 구토 등 • 발열은 거의 없음 • 분변에 의해 식품이 2차 감염을 받기 쉬우며, 증식된 식품을 섭취하면 발병함

2. 바이러스성 식중독 - 노로바이러스 기출 15, 16, 17, 18, 19, 20

특성	① 전파력이 매우 높아 학교, 양로원, 캠프, 순항선, 요양원, 군대, 지역사회에서 발생하는 비세균성 위장염의 주요 원인체로, 소수부터 수백 명에 이르기까지 다양한 규모의 집단발생을 일으킴 ② 저온에 강하기 때문에 겨울철 장염의 주범 ③ 오염된 식품이나 물을 통하여 주로 감염되고, 사람 간의 접촉에 의한 감염도 가능 ④ 매우 감염력이 강하고 사람에서 사람으로 전파 쉬움
원인 식품	환자의 분변과 토사물, 환자와 접촉, 환자의 식기구의 공동 사용 등으로 감염
원인균	① 노로바이러스(Norovirus) ② 급성 위장관염을 유발하는 원인 바이러스로, 최근 식품매개 집단식중독의 가장 주요한 원인체
잠복기	24 ~ 48시간
증상	급성 위장염, 오심, 구토, 설사, 복통, 두통 등
예방	① 예방백신은 아직 개발되지 않았고, 대증요법으로 치료함 ② 2차 감염을 막기 위하여 감염자의 변 · 구토물에 접촉하지 않기 ③ 접촉한 경우에는 충분히 세척하고 소독하기 ④ 조리자는 용변을 본 후나 조리하기 전에 반드시 손을 씻고 소독하기 ⑤ 과일과 채소는 철저히 씻기 ⑥ 굴 등의 어패류는 중심온도가 85℃에서 1분 이상 가열하여 먹기 ⑦ 질병 발생 후 오염된 표면은 소독제로 철저히 세척 · 살균하기 ⑧ 바이러스에 감염된 옷과 이불 등은 즉시 비누를 사용하여 뜨거운 물로 세척하기

세균과 바이러스 비교 기출 18, 19

구분	세균	바이러스
특성	균에 의한 것 또는 균이 생산하는 독소에 의하여 식중독 발병	크기가 작은 DNA 또는 RNA가 단백질 외피에 둘러 쌓여 있음
증식	온도, 습도, 영양성분 등이 적정하면 자체 증식 가능	자체 증식이 불가능하며, 반드시 숙주가 존재하여야 증식 가능
발병량	일정량(수백 ~ 수백만) 이상의 균이 존재하여야 발병 가능	미량(10 ~ 100)의 개체로도 발병 가능
증상	설사, 구도, 복통, 메스꺼움, 발열, 두통 등	메스꺼움, 구토, 설사, 두통, 발열 등
치료	항생제 등을 사용하여 치료 가능하며, 일부 균은 백신이 개발되었음	일반적 치료법이나 백신이 없음
2차 감염	2차 감염되는 경우는 거의 없음	대부분 2차 감염됨

출처: 새로 쓴 공중보건학 개정판 6, 2020, 황병덕 외 공저(수문사)

3. 자연독 식중독

동식물의 일부 기관 내 사람에게 유해한 독성 물질을 함유한 경우가 있는데, 이러한 식품을 오용한 경우에 발생한다.

(1) 동물성 식중독

① 복어 식중독 기출 15, 16, 17, 18, 19, 20, 22

<table>
<tr><td>독성분</td><td>• 테트로도톡신(Tetrodotoxin)
• 복어의 난소, 고환, 알, 간, 위장 등에 많이 함유
• 열에 저항이 강함
• 봄에 독력이 강해지기 시작해서 5 ~ 6월에 최고에 달함</td></tr>
<tr><td>증상</td><td>• 구순 및 혀의 지각마비, 사지의 운동마비, 언어장애, 호흡근 마비 등
• 중독 증상은 식후 30분 ~ 5시간에 나타남
• 심한 경우에는 1시간 이내에 호흡 곤란으로 사망할 수 있음
• 복어 중독 증상 4단계
<table>
<tr><td>제1도</td><td>입술 및 혀끝 마비, 구도 · 두통 · 오심, 보행장애</td></tr>
<tr><td>제2도</td><td>촉각 · 미각의 둔화, 손과 발의 운동장애 · 호흡곤란과 혈압 강하</td></tr>
<tr><td>제3도</td><td>운동불능 · 연하 · 호흡곤란 · 청색증 및 반사기능 소실</td></tr>
<tr><td>제4도</td><td>의식불명, 혈압이 떨어지면서 호흡정지로 사망</td></tr>
</table></td></tr>
<tr><td>예방대책</td><td>• 복어 전문요리사가 조리한 요리를 섭취하기
• 내장과 생식 부위 등 섭취하지 않기
• 유독 부분의 폐기에도 주의하기</td></tr>
</table>

② 조개류 식중독 기출 14, 16, 17, 18, 19, 20

㉠ 베네루핀(Venerupin) 중독

독성분	• 베네루핀(Venerupin) • 해조류에 형성된 독소를 조개류가 섭취함으로써 축적된 것 • 모시조개, 바지락, 굴 등의 조개류는 3 ~ 4월에 많이 발생함
증상	• 잠복기는 12 ~ 48시간 • 권태, 구역, 구토, 두통 등 • 피하에 출혈 반점 • 중증인 경우 뇌증상 · 의식의 혼탁 · 혈변 등을 나타내며, 발병 후 10시간 ~ 7일 이내 사망

ⓛ 마비성 조개중독(Saxitoxin) 기출 16, 17, 18, 19, 21

독성분	• 삭시톡신(Saxitoxin) • 검은 조개, 섭조개, 대합조개 등의 독성분에 의해서 중독되는 것
증상	• 마비증상 • 섭취 후 30분 ~ 3시간의 잠복기를 거쳐 입술 · 혀 등의 마비로 시작하여 사지마비와 기립보행이 불가능해짐 • 언어장애 · 두통 · 갈증 · 구토 등을 나타내고, 중증이면 호흡마비를 일으켜 사망하기도 함 • 5 ~ 9월, 특히 한여름에 독성이 가장 강하며 열에 안정적임

ⓒ 테트라민(Tetramine) 중독

독성분	소라고둥, 한국소라, 조각매물고등 등에 의해 발생하며, 아민의 일종인 테트라민(Tetramine)이 유독성분임
증상	• 식후 30분에 두통, 구토, 현기증, 배멀미 증상 등이 나타남 • 보통 2 ~ 3시간 후에 자연 회복

(2) 식물성 식중독

① 독버섯 중독 기출 13, 14, 15, 16, 17, 18, 19, 20

독성분	• 외견상이 지나친 화려하거나 아름다운 색을 띄고 있음 • 무스카린(Muscarine) • **종류**: 알광버섯, 무당버섯, 미치광이버섯, 광대버섯 등
증상	• 증상은 2시간 이후 나타남 • 부교감신경의 말초를 흥분시켜 각종 분비액의 증진, 호흡곤란, 위장장애를 일으킴

② 감자 중독 기출 17, 18, 19, 20

독성분	• 솔라닌(Solanine) • 감자의 싹이 발아한 부분과 태양에 노출되어 솔라닌(Solanine) 색소가 형성되어 식중독을 일으킴
증상	• 위장장애, 복통, 허탈 현기증 발생 • 발열은 없음

③ 맥각균 중독 기출 17, 18, 19, 20

독성분	• 에르고톡신(Ergotoxine), 에르고타민(Ergotamine) • 맥각류의 개화기에 발생하는 맥각균에 의해서 생성되는 에르고톡신(Ergotoxine), 에르고타민(Ergotamine)이 식중독을 일으킴
증상	위장계와 신경계에 중독 발생

곰팡이류 중독

1. 통기성이 높은 식품 내부에서 생성된 마이코톡신(mycotoxine)독소가 식중독의 원인이다.
2. 원인균이 곰팡이에 오염된다.
3. 원인 곰팡이에 따라 계절과 관계가 깊고, 계절적인 영향을 받는다.
4. 항생물질이나 약제 등으로 치료효과를 기대하기 어렵다.
5. 가열 조리한 식품에서도 발생 가능하다.

④ 곰팡이류 중독 기출 16, 18, 19, 20

<table>
<tr><td rowspan="2">독성분</td><td>아플라톡신에 의한 식중독</td><td>• 탄수화물이 풍부한 쌀 · 보리 · 옥수수에서 잘 발생
• 수분 16% 이상, 상대습도 80 ~ 85% 이상, 온도 25 ~ 30℃가 최적조건
• 매우 강력한 간장독소로서 간출혈 · 담관증식 · 신장출혈 등
• 동물실험에 강력한 발암성 물질로 알려짐
• 항생물질이나 약제요법은 치료효과가 없는 것으로 알려짐</td></tr>
<tr><td>황변미에 의한 식중독</td><td>• 쌀의 수분함량이 14 ~ 15% 이상 함유된 저장미에서 곰팡이가 발생하여 그들이 생성하는 대사산물에 의해 쌀이 황색으로 변하게 됨
• Islandia 황변미: 동남아시아의 쌀에서 많고 간경변을 일으킴
• Toxicarium 황변미: 대만 쌀에 발생하고 주로 신경독을 일으킴
• 태국 황변미: 태국 쌀 등에 분포되어 있고 급성이나 만성 신장염을 일으킴</td></tr>
<tr><td>증상</td><td colspan="2">간, 신장, 신경 등에 중독</td></tr>
</table>

⑤ 기타 식물성 식중독 기출 16, 17, 18, 19

식품명	유독성분	증상
독미나리	시쿠톡신(Cicutoxin)	심한 위통, 구토, 현기증, 경련 등(예전에는 독화살의 화살촉에 사용)
오색두	리나마린(Linamarin)	청산을 생성하여 중추신경마비
목화씨	고시폴(Gossypol)	위장장애, 식욕감퇴, 정력감퇴 등(중국에서 남성피임용으로 개발하여 사용)
피마자씨	리신(Risin)	알러지성 증세
은행종자	청산(HCN)	소화기계증상, 호흡곤란, 호흡중추마비
오두(바곳)	아코니틴(Aconitin)	입과 안면마비, 안면창백, 언어장애 등
고사리	프타퀼로사이드(Ptaquiloside)	발암물질로 확인된 물질로(뜨거운 물에 5 ~ 20분 처리하면 발암성이 저하됨)
덜익은 청매실	아미그달린(Amygdalin)	소화불량

출처: 새로 쓴 공중보건학 개정판 6, 2020, 황병덕 외 공저(수문사)

4. 화학성 식중독

식품의 생산과정에서 유해한 화학물질이 첨가하거나 혼입하여 발생하는 식중독을 말한다.

(1) 화학물질 식중독의 원인으로 중금속 또는 농약 등이 있다.

(2) 제조, 가공과정 중에 발생하는 유해물질 첨가로 인해 발생한다.

(3) 유해 식료품 첨가물질 기출 13, 14, 15, 16, 20

① **감미료**: 식품에 단맛을 부여하는 식품첨가물로 설탕 대용으로 각종 감미료가 출현하여 각종 장애를 일으켜 왔으며, 영양가가 거의 없고, 많은 양을 사용하면 유해한 것이 많기 때문에 주의가 요구된다.

시클라메이트 (Cyclamate)	• 1970년 미국 FDA에서 실험 결과 발암성과 남성 불임을 유발할 가능성이 있다고 밝혀짐 • 우리나라도 1970년 실험 결과 사용 금지 • 무색, 백색 결정성 분말로서 설탕보다 약 30 ~ 40배의 감미를 가지고 있음
둘신 (Dulcin)	• 사카린 제조 시 부산물로 생성되며 단맛은 설탕의 280배 정도 • 사카린에 비해 독성이 강함 • **중독증상**: 혈액 독을 일으키거나 간에 종양 및 적혈구의 생산을 억제하기도 함 • 우리나라에서 1966년에 사용 금지됨
파라-니트로-오르트-톨루딘 (p-Nitro-o-toludine)	• 색소의 원료 • 감미가 설탕의 200배나 되어 감미료로 사용됨 • 독성이 강해서 일본에서 중독 사고가 발생하여 살인당 또는 원폭당이라고 불림 • **중독증상**: 위통 · 식욕감퇴 · 구토 등의 증상이 보이고 심하면 혼수상태에 빠져 사망하기도 함

② **인공 착색료** 기출 13, 15, 20

㉠ 식품의 미화 및 상품의 가치를 높이기 위하여 사용되며, 예전에는 식물성 착색료를 사용하였으나, 근래에는 타르(tar) 색소가 많이 사용된다.

㉡ 타르(tar) 색소는 크게 염기성 색소와 산성 색소로 나눌 수 있으며, 주로 염기성 색소가 유해하다.

아우라민 (Auramine)	• 염기성 황색색소로 자외선에 노출되면 선황색을 띰 • 착색성이 좋고, 값이 싸고 빛과 열에 안전함 • **중독증상**: 두통, 구토, 사지마비, 심계항진, 의식불명 등 예 단무지, 과자, 카레분, 빈대떡가루 등
로다민 (Rhodamine)	• 복숭아 빛을 띈 붉은색 염기성 색소 • **중독증상**: 오심, 구토, 설사, 복통 등
피크린산 (Picric acid)	• 빛깔이 뿌연 탁주 · 약주에 첨가하면 쏘는 맛, 노란빛, 상쾌감 및 방부력 등 • 독성 강함 • **중독증상**: 위통, 구토, 설사, 신장장애, 용혈성 황달 등
기타 유해색소	• **황색 계열**: 오렌지 Ⅱ 파라 - 니트로아밀린 • **녹색 계열**: 맬러카이트 블루 • **황갈색 계열**: 비스마르크 브라운 • **청색 계열**: 메틸렌 블루 • 부정 마가린에 사용되는 인공 색소는 버터옐로운, 스프릿옐로우 등 ⇨ 쥐에 대한 간암 발생이 확인됨

③ 보존료 기출 11, 15

㉠ 식품의 방부목적으로 식품의 제조, 가공 및 저장에 널리 사용되고 있다.

㉡ 허가되지 않은 보존료를 사용하면 안되지만 방부효과 및 경제적인 목적으로 사용되는 경우가 있다.

㉢ **유해물질**: 붕산, 포름알데히드, 승홍, 불소화합물, 베타 - 나프톨 등

④ 표백제 기출 15, 20

㉠ 롱갈리트, 삼염화질소, 형광표백제 등

㉡ 증량제로는 산성백토, 탄산칼슘, 탄산마그네슘 등

⑤ 메틸 알코올

㉠ 주류 중에서 포도주 · 포도주 가공품 및 사과주 등의 과실주에 들어 있을 때가 있다.

㉡ **주류 중의 허용량**: 0.5mg/mL(과실주는 1.0mg/mL) 이하로 규제하고 있다.

㉢ **중독증상**: 두통, 현기증, 구토, 복통, 설사 등이고 시신경장애로 실명할 수도 있다.

유해금속에 의한 중독증상 및 중독경로

구분	중독증상	주된 중독경로
납(Pb)	복통, 구토, 설사, 만성중독	기구, 오용
비소(As)	위통, 설사, 구토, 출혈	농약, 첨가물
수은(Hg)	구토, 설사, 복통	승홍의 오용
카드뮴(Cd)	구역질, 구토, 경련, 설사	식기, 기국, 오용
바륨(Ba)	구토, 구내염, 장염, 복통, 설사	식기, 팽제의 오용
안티몬(Sb)	구토, 설사, 출혈	식시, 오용
구리(Cu)	구토(토물은 청색), 위통	첨가물, 식기, 용기
아연(Zn)	구역질, 설사, 구토, 복통	식기, 용기, 오용

출처: 새로 쓴 공중보건학 개정판 6, 2020, 황병덕 외 공저(수문사)

3 예방

1. 세균이 손, 조리기구, 다른 식품 등을 오염하지 않도록 주의한다.
2. 세균을 증식시키지 않는다.
3. 세균을 없앤다.

제3장 식품첨가물

1 개념

1. 식품의 상품적 가치를 향상시키고, 식욕증진 · 영양 강화 및 보존 등의 목적으로 사용하는 물질로서 화학적 합성품을 의미한다.
2. '식품의 외관, 향미, 조직 또는 저장성을 향상시키기 위하여 식품에 보통 미량으로 첨가되는 비영양성 물질(Food and Agriculture Organization of the United Nations, FAO & World Health Organization, WHO)'을 의미한다.
3. '식품을 제조 · 가공 · 조리 또는 보존하는 과정에서 감미(甘味), 착색(着色), 표백(漂白) 또는 산화방지 등을 목적으로 식품에 사용되는 물질(「식품위생법」 제2조)'이다.

Plus⁺ POINT

식품첨가물의 구비조건 기출 15, 17

안전성	인체에 유해한 영향을 미치지 않을 것
필요성	식품의 제조가공에 필수불가결할 것
유효성	사용목적에 따른 효과를 소량으로도 충분히 나타낼 것
영양성, 안정성	식품의 영양, 이화학적 성질 등에 영향을 주지 않을 것
품질관리	식품의 화학분석 등에 의해서 그 첨가물질을 확인할 수 있을 것
상품성	식품의 상품가치를 향상시킬 것
유익성	식품이 소비자에게 유익할 것

2 사용목적 및 사용기준

1. 식품첨가물의 사용목적에 따라 구분(식품의약품안전처장의 고시로 지정) 기출 19, 20

(1) 식품의 기호성을 높이고 관능을 만족시키는 것
(2) 식품의 변질을 방지하는 것
(3) 식품의 영양을 강화하는 것
(4) 식품의 품질을 개량하여 일정하게 유지하는 것
(5) 식품의 제조에 필요한 것
(6) 기타

식품첨가물

현재 지정된 첨가물은 화학적 합성품 370여 종, 천연첨가물 50여 종이다.

2. 식품첨가물의 사용기준을 정하는 방법

(1) 식품의 종류 제한
(2) 식품에 대한 사용량 또는 사용농도의 제한
(3) 사용목적에 대한 제한 및 사용방법에 대한 제한

3 종류

1. 가공보조제 및 식품첨가물의 용어별 정의

(1) 가공보조제

식품의 제조과정에서 기술적 목적을 달성하기 위하여 의도적으로 사용되고 최종 제품 완성 전 분해·제거되어 잔류하지 않거나, 비의도적으로 미량 잔류할 수 있는 식품첨가물을 말한다. 식품첨가물의 용도 중 '살균제', '여과보조제', '이형제', '제조용제', '청관제', '추출용제', '효소제'가 가공보조제에 해당한다.

(2) 식품첨가물의 용어별 정의 기출 10, 15, 20

식품의 제조·가공 시 식품에 발휘되는 식품첨가물의 기술적 효과를 말하는 것으로서 각 용어에 대한 뜻은 다음과 같다.

감미료	식품에 단맛을 부여하는 식품첨가물
고결방지제	식품의 입자 등이 서로 부착되어 고형화되는 것을 감소시키는 식품첨가물
거품제거제	식품의 거품 생성을 방지하거나 감소시키는 식품첨가물
발색제	식품의 색을 안정화시키거나, 유지 또는 강화시키는 식품첨가물
보존료	미생물에 의한 품질 저하를 방지하여 식품의 보존기간을 연장시키는 식품첨가물
분사제	용기에서 식품을 방출시키는 가스 식품첨가물
산도조절제	식품의 산도 또는 알칼리도를 조절하는 식품첨가물
산화방지제	산화에 의한 식품의 품질 저하를 방지하는 식품첨가물
살균제	식품 표면의 미생물을 단시간 내에 사멸시키는 작용을 하는 식품첨가물
껌기초제	적당한 점성과 탄력성을 갖는 비영양성의 씹는 물질로서 껌 제조의 기초 원료가 되는 식품첨가물
밀가루개량제	밀가루나 반죽에 첨가되어 제빵 품질이나 색을 증진시키는 식품첨가물
습윤제	식품이 건조되는 것을 방지하는 식품첨가물
안정제	두 가지 또는 그 이상의 성분을 일정한 분산 형태로 유지시키는 식품첨가물
여과보조제	불순물 또는 미세한 입자를 흡착하여 제거하기 위해 사용되는 식품첨가물

영양강화제	식품의 영양학적 품질을 유지하기 위해 제조공정 중 손실된 영양소를 복원하거나, 영양소를 강화시키는 식품첨가물
유화제 (계면활성제)	물과 기름 등 섞이지 않는 두 가지 또는 그 이상의 상(phases)을 균질하게 섞어주거나 유지시키는 식품첨가물
이형제	식품의 형태를 유지하기 위해 원료가 용기에 붙는 것을 방지하여 분리하기 쉽도록 하는 식품첨가물
응고제	식품 성분을 결착 또는 응고시키거나, 과일 및 채소류의 조직을 단단하거나 바삭하게 유지시키는 식품첨가물
제조용제	식품의 제조·가공 시 촉매, 침전, 분해, 청징 등의 역할을 하는 보조제 식품첨가물
젤형성제	젤을 형성하여 식품에 물성을 부여하는 식품첨가물
증점제	식품의 점도를 증가시키는 식품첨가물
착색료	식품에 색을 부여하거나 복원시키는 식품첨가물
청관제	식품에 직접 접촉하는 스팀을 생산하는 보일러 내부의 결석, 물때 형성, 부식 등을 방지하기 위하여 투입하는 식품첨가물
추출용제	유용한 성분 등을 추출하거나 용해시키는 식품첨가물
충전제	산화나 부패로부터 식품을 보호하기 위해 식품의 제조 시 포장 용기에 의도적으로 주입시키는 가스 식품첨가물
팽창제	가스를 방출하여 반죽의 부피를 증가시키는 식품첨가물
표백제	식품의 색을 제거하기 위해 사용되는 식품첨가물
표면처리제	식품의 표면을 매끄럽게 하거나 정돈하기 위해 사용되는 식품첨가물
피막제	식품의 표면에 광택을 내거나 보호막을 형성하는 식품첨가물
향미증진제	식품의 맛 또는 향미를 증진시키는 식품첨가물
향료	식품에 특유한 향을 부여하거나 제조공정 중 손실된 식품 본래의 향을 보강시키는 식품첨가물
효소제	정한 생화학 반응의 촉매작용을 하는 식품첨가물

2. 보존료 기출 19, 20

(1) 개념

미생물에 의한 품질 저하를 방지하여 식품의 보존기간을 연장시키는 식품첨가물을 말한다.

(2) 방부제

부패세균의 발육을 억제시킨다.

(3) 방미제

곰팡이의 발육을 억제시킨다.

(4) 보존료의 종류와 사용 식품

보존료의 종류	사용 식품
디히드로초산	치즈, 버터, 마가린
소르빈산 · 소르빈산칼륨	식육제품, 치즈, 된장 등
안식향산 및 안식향산 나트륨	청량음료, 간장
파라옥시 안식향산 부틸 · 에틸 · 프로필	간장, 식초, 인산음료
프로피온산 나트륨	빵 및 생과자, 치즈

(5) 필수 조건

① 무독성이며 만성중독을 일으키지 않아야 한다.
② 식품보존이 확실하고 식품의 변화를 주지 않아야 한다.
③ 무미 · 무취 · 내열성 · 수용성이며 용량이 적어야 한다.
④ 사용방식이 용이하고 값이 저렴해야 한다.
⑤ 식품의 자가발효는 물론 세균 · 효모류에도 유효해야 한다.

3. 살균제 기출 18, 19

(1) 개념

식품 표면의 미생물을 단시간 내에 사멸시키는 작용을 하는 식품첨가물을 말한다.

(2) 허용 및 금지 살균제의 종류

① **허용 살균료 종류:** 표백분, 고도 표백분, 치아염소산 나트륨, 과산화초산 등
② **금지 살균제 종류:** 고도표백분, 이염화이소시아뉼산나트륨 등

4. 산화방지제 기출 18, 19, 20

(1) 개념

공기 중의 산소에 의한 변질을 방지하기 위해 사용하는 첨가제를 말한다.

(2) 허용 산화방지제의 종류

디부틸 히드록시 톨루엔, 몰식자산 프로필, 에리트로브신, L-아스코르빈산, 에틸렌다이아민테트라아세트산 등이 있다.

5. 착색료

(1) 개념

여러 가지 이유로 식품에 첨가하여 색깔을 내기 위한 재료의 합성 참색료를 말한다.

(2) 허용 착색료의 종류

타르 색소 12종, 타르 색소의 알루미늄 레이크 8종 및 비타르 색소 9종 등이 있다.

6. 조미료

(1) 정의

식품의 고유한 맛만으로 충족을 느끼지 못할 경우 맛을 좋게 하고자 첨가하는 물질을 말한다(신맛, 짠맛, 쓴맛, 단맛의 4원미와 매운맛, 풍미, 떫은 맛, 청량미 등 4원미의 복합미).

(2) 허용 조미료의 종류

핵산계, 아미노산계, 유기산계 등이 있다.

7. 감미료 기출 18, 19

(1) 개념

감미료는 식품에 단맛을 부여하는 식품첨가물이고, 합성 감미료는 당질 이외의 감미를 가진 화학적 합성품을 총칭하는 것으로서 영양가가 없다.

(2) 인체에 해로운 것이 많아 식품으로 사용할 수 있는 것은 한정적이다.

(3) 주요 허용 감미료 및 사용 기준

첨가물명	사용 기준
사카린나트륨	식빵, 이유식, 백설탕, 갈색설탕, 포도당, 물엿, 벌꿀, 알사탕에는 사용 금지
글리시리리진산	된장 및 간장 이외의 식품에는 사용 금지
D-소르비톨	규제사항 없음
D-크실로오스	규제사항 없음
아르파탐	비가열조리 식사대용 곡류가공품(이유식 제외), 껌, 청량음료, 차료, 아이스크림, 잼, 주류, 분말수프, 발효유, 식탁용 감미료, 특수영양식(이유식 · 임산부식용 등은 제외) 이외의 식품에는 사용 금지
스테비와사이드	식빵, 이유식, 백설탕, 포도당, 물엿, 벌꿀, 알사탕, 우유, 유제품에는 사용 금지

제4장 식품의 변질과 보존법

1 식품의 변질

1. 개념 기출 21

(1) 식품을 그대로 방치해둘 경우 미생물, 햇볕, 산소, 효소, 수분의 변화 등에 의해 식품 본래의 향미, 색 및 영양 성분의 변화를 일으키는 물리·화학적 변화를 말한다.

(2) 미생물이 가장 큰 역할을 한다.

2. 식품 변질의 종류

(1) 부패(Putrefaction) 기출 15, 16, 17, 19, 21

① **정의**: 미생물의 증식에 의하여 단백질이 분해하여 아민(Amine)이나 암모니아가 생기며 악취를 발생시키는 것을 말한다.

② 부패 요인

㉠ **온도**: 가장 중요한 요인이다.

저온균의 증식 최적 온도	15 ~ 20℃
중온균의 증식 최적 온도	25 ~ 40℃
고온균의 증식 최적 온도	50 ~ 60℃

㉡ 수분

구분	내용
결합수	단백질, 탄수화물과 결합되어 있어 미생물이 이용 불가능함
자유수	미생물이 이용 가능함

식품 중의 자유수를 제거하여 미생물이 이용할 수 없도록 조치하는 것이 중요하다(예 말린 오징어, 건포도, 당절임 과일 등).

③ 부패의 판정 기출 16, 19

㉠ **관능 검사에 의한 판정**: 시각, 촉각, 후각, 미각을 사용한다.

㉡ **생균수에 의한 판정**: 1g 또는 1mL당 10^5은 안전, 10^7 ~ 10^8은 초기 부패로 판정된다.

(2) 변패(Deterioration) 기출 15, 16, 17, 19, 21

탄수화물이나 지방질 성분이 많은 식품에 미생물의 번식으로 분해되어 변질된 것을 말한다.

(3) 산패(Rancidity) 기출 19, 21

지방의 산화로 미생물에 의한 것이 아니고 산소에 의하여 변질된 것(지방이 주로 산화되는 것)을 말하며, 가수분해형 · 케톤형 · 산화형 산패가 있다.

(4) 발효(Fermentation) 기출 19, 20, 21

미생물에 의하여 단백질이나 지방과 주로 탄수화물이 분해되어 그 생산물이 일상생활에 유용하게 이용되는 것을 말한다.

(5) 사후강직과 자가용해

사후강직	자연적으로 일어나는 현상으로, 수조류 등이 죽으면 근육 내에 변화가 일어나서 일정 시간이 지난 후 근육이 경화되는 현상
자가용해(자가소화)	사후강직 이후 동물의 근육은 점차 연화되는데, 이것은 미생물의 작용에 의하지 않고 조직 중의 자기소화효소(주로 cathepsin)에 의하여 연화 · 분해하는 현상
부패에 관여하는 미생물	부패에 관여하는 미생물은 단일균으로써 작용하는 것보다 몇 종류의 세균에 의해서 부패가 진행

사후강직과 자가용해
식품은 사후강직과 자가용해(자가소화) 과정을 거친 후에야 부패한다.

(6) 미생물 번식요소

① 식품의 변질을 막기 위해서는 미생물의 오염을 방지하거나 오염된 미생물의 증식과 발육을 억제하는 것이 중요하다.

② 미생물의 번식과 발육에 관계되는 것으로는 온도, 습도, 영양분 및 pH 등이 가장 중요한 요소이지만, 햇빛은 미생물 번식에 있어 장애요소이다.

3. 식품위생검사의 종류 기출 10, 19

관능검사	외관, 색채, 경도, 냄새, 맛, 이물질, 상태 등
생물학적 검사	병원성 미생물 검사, 세균수 검사, 대장균군 검사, 장구균 검사, 기생충 검사 등
화학적 검사	성분 검사, 독성물질 검사, 항생물질 검사, 식품첨가물 검사 등
물리적 검사	온도, 비중 측정, 수소이온농도, 방사능 오염 검사 등
독성검사	급성 · 아급성 · 만성 독성 검사, 발암성 · 최기형성 · 변이원성 검사

출처: 식품위생학(제3판), 2018, 김옥경(지구문화사)

2 식품의 보존

1. 식품 보존의 목적

(1) 식품의 신선도 유지, 식품의 가치 유지, 유통, 수송 등의 조치를 원활히 할 수 있어야 하며, 식품변질 사고를 미연에 방지하고 영양가를 유지하는 데 있다.

(2) 경제적 · 사회적 측면
식량의 손실을 경감함으로써 가격을 조절할 수 있으며 유통, 수송, 비축 등의 처치를 할 수 있다.

(3) 식품위생학적 측면
부패 · 악화된 음식에서 일어날 수 있는 위해와 사고를 미연에 방지하여 국민의 식생활을 안전하게 하고 식품의 영양가를 유지한다.

2. 식품 보존법의 종류 기출 12, 16, 17, 18, 19, 20, 24

(1) 물리적 보존법

① 건조법(탈수법)

㉠ 과실류, 어류, 곡류, 육류 등의 보존에 이용되고 있는데 수분 함유량이 15%가 되게 하는 방법이다.

㉡ 일반적으로 세균은 수분 함유량이 15% 이하인 경우에는 번식하지 못하기 때문이다.

㉢ 곰팡이는 13% 이하에서도 비교적 번식이 가능하므로 곰팡이의 생육이 불가능한 정도로 건조시켜 저장한다.

㉣ **단점 및 예방**: 지나친 급도의 제거나 완전한 탈수는 식품의 변질은 방지할 수 있으나 식품의 가치를 손상하므로 수분 함유량 15% 이하로 건조하는 것이 좋다.

㉤ 식품의 건조과정

ⓐ **표면 증발**: 물체의 표면에서 수분의 증발

ⓑ **내부 확산**: 내심부의 물이 표면으로 이동

ⓒ **내심부에서 직접 수분의 증발**: 표면 증발과 내부 확산의 병행

② 가열법

㉠ 식품에 부착되어 있는 미생물을 죽이거나 효소를 파괴하여 미생물의 작용을 저지함으로써 식품의 변질을 방지하여 보존하는 방법이다.

㉡ 일반적으로 포자를 형성하지 않는 미생물은 80℃에서 30분이면 사멸되나 포자균은 120℃에서 20분간 가열할 필요가 있다.

㉢ 살균방법

구분	내용
저온살균법	• 61 ~ 63℃로 30분간 가열 • 우유, 술, 주스, 간장 등
고온살균법	• 95 ~ 120℃에서 30 ~ 60분 가열 • 일반 식품을 끓인 후 다시 저장하는 방법

㉣ **단점**: 음식물의 종류에 따라서 가열처리로 음식물 고유의 향미 · 비타민 · 영양가 등이 손상될 수 있다.

③ **냉장 및 냉동법**

㉠ 식품을 저온에 보존하면 미생물의 증식이 억제되거나 정지된다.

㉡ 미생물의 발육온도에는 많은 차이가 있으나 0℃ 이하에서는 번식이 억제되고, -5℃ 이하에서는 대부분 번식하지 못한다.

㉢ 종류

움저장	감자, 고구마, 채소류 및 과일 등을 움 속(지하)에 온도를 약 10℃로 유지하면서 저장하는 방법(습도 85% 정도 유지)
냉장법	• 0 ~ 10℃의 범위 내에서 식품을 보존하는 방법 • 식품의 신선도를 위해 장기간 보존에는 적당하지 않음 • 미생물이 대사와 증식을 억제하며 식품의 유지 · 연장할 수 있음 • 자기소화와 변질을 지연시킴
냉동법	• 0℃ 이하로 식품을 보존하는 방법 • 장기간 보존이 가능하나 식품의 조직에 변화를 주게 됨 • 미생물의 증식을 억제시키는 것이고, 사멸을 기대하기는 어려움 • 식품을 냉동 이후 상온에서 녹이는 과정에 영양가 · 맛 · 빛깔 등의 손실이 많고, 부패하기 시작함

④ **자외선 및 방사선 조사** 기출 24

㉠ **개념**: 살균 중 발열이 적으므로 식품을 그대로 살균할 수 있어 냉온살균법 또는 무열살균법이라고도 한다.

㉡ 종류

자외선	• 유효파장은 2,500 ~ 2,700Å 사이 • 오존을 발생하여 일종의 산화작용에 의한 식품 표면의 세균을 살균시키지만 내부에 있는 세균에 대한 살균효과는 없음 • 기구, 식품의 표면, 청량음료 및 분말식품에 한함
방사선	• 방사선 α, β, γ선 중 γ선이 가장 살균력이 강함 • 우리나라에서는 주로 식품 소독을 위해 코발트 60(Co60)을 사용 • 현재 32개국에서 270여 종의 식품이 산업적으로 실용화되고 있음 • 우리나라는 1987년부터 방사선으로 처리한 식품이 실용화되고 있음

⑤ 밀봉법(통조림법)

㉠ 호기성 세균 억제방법이다.

㉡ 식품을 외부의 공기와 차단시켜 산화 또는 흡수를 방지함으로써 효소를 불활성화하고, 세균의 발육과 번식을 억제하여 장기간 보존한다.

㉢ 곡식류는 흡수성이 있어 공기 중에 방치하면 수일 내에 12 ~ 14% 정도 습기를 흡수하므로 적당히 밀봉해야 변질을 억제할 수 있다.

㉣ **단점**: 혐기성균인 보툴리누스균의 신경독에 의해 식중독 발생가능성이 있다.

(2) 화학적 보존법

① 절임법 기출 21, 23

㉠ 식품을 소금이나 설탕 또는 산성 pH에 저장하는 방법이다.

㉡ 식품이 탈수되어 미생물의 발육이 억제되는 방법이지만 살균력은 없다.

㉢ 절임상태에 적응하는 균들이 있어 절대적인 보존법은 아니다.

㉣ 종류

염장	• 식염의 작용으로 식품을 탈수시키고 세균의 원형질을 분리시켜 부패를 막는 방법 • 보통 10 ~ 20%의 소금 농도를 유지하나 호염균도 있으므로 절대적인 보존법은 아니며 산과 병행하면 효과가 큼
당장	• 식품을 설탕 또는 전화당으로 저장하는 방법 • 일반적으로 40 ~ 50%의 농도로 주로 잼, 젤리, 마멀레이드, 과실 등에 사용하나 호당성 균도 있으므로 산과 병행하면 효과적임
산장	• pH가 낮은 초산과 젖산을 이용하여 식품을 저장하는 방법 • 세균은 pH 4.6 이하가 되면 생육하지 못하고 효모는 pH 3.1에서 생육이 저지됨 • pH에서도 유기산이 무기산보다 미생물의 번식을 저지하는 효과가 큼

② 보존료(방부제)

㉠ 식품에 적당량의 보존료를 첨가하여 미생물의 증식에 의하여 일어나는 부패나 변질을 방지하여 보존성을 높이는 방법이다.

㉡ 방부제 첨가는 허용된 첨가물과 허용량을 지켜야 한다.

㉢ 무독, 무색, 무미, 무취여야 한다.

㉣ 인체에 독성이 없어야 한다.

㉤ 미량으로 효과가 있어야 하며 식품에 변화가 없을 것이어야 한다.

㉥ 사용법이 간단하고 경제적이어야 한다.

(3) 복합 보존법(물리 · 화학적 보존법)

① 훈연법

㉠ 목재를 불완전 연소시켜 연기를 식품에 침투하도록 함으로써 저장성을 높이는 방법이다.

㉡ 소금에 절이고 수지가 적은 침엽수를 불완전 연소시키고 연기 성분을 육류에 적용시켜 수분을 제거하는 동시에 포말알데히드, 아세톤, 개미산 등의 살균효과를 이용한다.

㉢ 육류와 어류(햄, 베이컨, 조개류 등)의 저장과 가공에 응용한다.

㉣ 훈연에 의해 식품이 건조되어 저장성을 높인다.

② 훈증법

㉠ 식품을 훈증제로 처리하여 곤충의 충란이나 미생물을 사멸시키는 방법이다.

㉡ 곡류의 저장 등에 사용한다.

㉢ 훈증제로 클로로피크린, 클로로폼, 이산화질소가 널리 사용된다.

㉣ 인체에 유독하기 때문에 사용할 때 주의를 요한다.

(4) 생물학적 보전법

① 세균, 곰팡이 및 효모의 작용을 통해 식품을 저장하는 방법이다.

② 유산균을 이용하여 치즈 · 발효유 등의 형태로 보존하는 것 등이 있다.

제5장 보건영양

영양
생명체가 생명을 유지하고 성장, 발육하기 위해서 외부로부터 여러 가지 음식물을 섭취하여 건강한 생명체조직을 구성하고 에너지를 발생시켜 생명현상을 유지하는 과정이다(WHO).

보건영양학
지역사회 전 주민의 건강을 위해서 영양과 인간의 관계를 연구하는 학문이다.

1 개념

1. 보건영양의 정의

(1) 보건영양 또는 지역사회영양은 집단의 영양문제를 다루는 것이므로 보건영양은 인간 집단을 대상으로 건강을 유지하고 증진시키는 것을 목표로 한다.

(2) 지역사회 내 전 주민의 건강을 위해서 주민의 식생활에 있어서 결함을 제거하고 개선하여 영양 부족이나 결핍이 없게 영양 섭취를 할 수 있도록 하는 데 그 의의가 있다.

2. 국민영양의 목표

(1) 올바른 식생활을 통해서 국민 건강상태의 향상과 질병 예방을 도모한다.

(2) 질병으로부터 회복, 재활 또는 생활 전체의 질을 향상시키는 것이다.

(3) 국민영양의 목표를 달성하기 위하여 우선적으로 건강이 취약집단인 어린이와 임신 및 수유부에 가장 많은 관심이 집중되어야 한다.

(4) 최근 식생활의 서구화로 만성 질환의 사회문제로 대두되고 있다.

(5) **국민영양의 구체적인 목표**
① 영양소 결핍으로 인한 질병 목표
② 어린이 및 임신 · 수유부의 영양 관리
③ 영양소의 과잉 및 불균형으로 인한 비만증의 관리
④ 노인집단의 영양 관리

3. 보건영양 관리의 중요성

(1) 국민의 체력과 건강을 유지한다.

(2) 근로자의 작업능력 향상, 정신적 안정과 작업 의욕의 고취로 생산성을 향상시킨다.

(3) 질병 이환율의 감소 및 결핍증 예방과 사망률을 감소시킨다.

(4) 국력 향상과 경제적 발전의 중요한 요소이다.

(5) 국민의 보건영양 관리는 합리적인 식생활로 국민건강의 향상, 소비생활의 합리화, 능률을 높여서 국민의 생활수준을 향상시킨다.

2 보건영양사업

1. 보건영양사업의 목표

(1) 올바른 식생활을 통해서 국민의 건강 증진과 질병 예방 및 건강 회복을 위해 가장 중요한 요소로 작용한다.

(2) 보건영양사업의 목표는 일반적으로 영양소 결핍으로 인한 질병 발생의 예방, 비만증과 과소체중의 관리, 모자의 영양 관리, 성인병 관리, 노인의 영양 관리 등이 있다.

2. 보건영양조사사업

(1) 보건영양조사사업의 고려사항

① 조사사업을 계획할 때 영양학적, 과학적, 기술적으로 현실성이 있는지를 고려하여야 한다.

② 지역사회의 특수성을 고려하여야 한다.

③ 계절적 변화에 따른 식생활 내용, 생산물을 고려해야 한다.

(2) 영양 섭취의 기준 기출 15, 16, 18, 19, 20, 21

평균 필요량	대상 집단에 건강한 사람들의 절반에 해당하는 사람들의 일일 필요량을 충족시키는 값으로, 대상 집단의 필요량의 분포에서 중앙값을 산출함
권장 섭취량	대상 집단의 필요량을 충족시키는 수준으로, 평균 필요량에 표준편차의 2배를 더하여 정함
충분 섭취량	① 영양소 필요량에 대한 정확한 자료가 부족하거나 필요량의 중앙값과 표준 편차를 구하기 어려워 권장 섭취량을 산출할 수 없는 경우에 제기함 ② 식이 섬유소, 나트륨, 염소 등에 대하여 충분 섭취량이 설정됨
상한 섭취량	① 인체의 건강에 유해한 영향이 나타나지 않는 최대 영양소의 섭취 수준으로, 과량 섭취할 때 건강에 악영향의 위험이 있는 경우에 설정 가능 ② 비타민 A, 비타민 B_3, 비타민 C 등의 독성을 유발할 수 있는 영양소 18개에 대한 상한점이 설정되었음

국민영양조사사업 목표

1. 지역사회가 가지고 있는 영양문제를 파악하기 위함이다.
2. 지역사회의 영양상태 판정사업 등을 지속적으로 수행한다.
3. 조사 결과를 근거로 영양 개선사업 계획 추진 및 사업 평가 등의 사업을 수행한다.

보건영양관리사업

국민의 생애주기별 영양 특성을 고려한 영양 교육, 영양 상담, 국민영양조사사업 등을 실시하여 모든 국민이 스스로 균형적인 식생활을 통해 건강한 삶을 살도록 돕는 사업이다.

「국민영양관리법」 기준 영양관리사업

1. 국민건강을 위한 식생활 교육사업
2. 영유아, 임산부, 노인, 복지시설 수용자의 영양 취약계층의 영양관리사업
3. 어린이집, 유치원, 학교, 집단급식소, 의료기관, 사회복지시설 등 집단급식소의 영양관리사업
4. 생활습관질병(성인병)의 예방을 위한 영양관리사업

3 영양소

1. 영양의 정의

(1) 식품의 과학, 즉 영양소와 거기에 있는 다른 물질의 작용, 상호작용, 질병을 방지하고 건강을 유지하는 균형을 말한다.

(2) 섭취, 소화, 흡수, 이용, 배설 등 생체 내에서의 대사과정을 총괄하는 말이다.

동화작용	섭취한 영양소를 체성분으로 변하게 하는 것
이화작용	체성분을 소모하는 것
신진대사	동화와 이화하는 과정

2. 영양소의 정의 및 분류

(1) 정의

① 생물의 성장과 생활을 계속 영위할 수 있도록 하는 물질이다.

② 주요 영양소는 탄수화물, 단백질, 지방질, 무기질, 비타민 및 물 6종류이다.

③ 물을 제외한 탄수화물, 단백질, 지방질, 무기질, 비타민은 구성요소라고 한다.

④ 단백질, 탄수화물, 지방질은 에너지를 생성하는 영양소로 열량소라고 한다.

⑤ 비타민과 무기질은 몸의 각 기능을 조절하는 영양소로 조절소라고 한다.

⑥ 단백질과 무기질은 주로 몸의 구성성분이다.

⑦ 최근에 식이섬유를 새로운 영양소라고 주장하고 있다(단, 1일 성인 남자는 25g, 여자는 20g, 임산부와 수유부는 5g이 추가로 공급되어야 함).

(2) 종류 및 기능 기출 12, 16, 18, 19, 20, 21

단백질	① **열량**: 1g에 4kcal의 에너지 생성, 아미노산 ② **1일 권장량**: 남자 65g, 여자 55g ③ **성장과 체격 유지**: 성장에 필요한 조직(태아, 성장기 어린이, 화상이나 창상, 수술 등에 의한 조직과 혈액의 대체, 머리카락, 손톱 등)과 오래된 세포의 교체 ④ 효소와 호르몬 생성 ⑤ 항체의 생성 ⑥ 체액이 유지와 전해질 균형 유지에 도움 ⑦ **산-염기 균형 유지에 도움**: 완충제 역할 ⑧ 에너지 생성 ⑨ 체내의 물질 운반 ⑩ 혈액 응고에 필요 ⑪ 피부, 근육, 힘줄, 뼈, 각종 기관 등의 구조물질 ⑫ **결핍증**: 부종, 저혈압증, 빈혈증, 피부의 색소변화, 성욕감퇴, 병에 대한 저항력 약화, 카시오커증 등
탄수화물	① **열량**: 1g에 4kcal의 에너지 생성 ② **에너지 공급**: 적혈구, 소장 점막, 신경세포 등은 주로 포도당으로부터만 에너지를 공급받음 ③ 단백질의 절약작용 ④ 글리코겐의 형태로 간에 100g, 근육에 250g 정도 저장 ⑤ 섬유소로서의 작용

지질	식품 내	① **열량**: 1g에 9kcal의 에너지 생성 ② **필수 지방산의 급원**: 체내 합성이 되지 않아 반드시 음식으로 섭취 ③ 지용성 비타민의 용매로 작용 ④ 신체(뇌, 신경조직, 간)의 구성성분 ⑤ 음식의 향미 증진 ⑥ 식욕 증진 및 식사 후 만복감 ⑦ 음식을 부드럽게 함
	체내	① 저장에너지의 주요 형태 ② 근육이 일하는 데 필요한 에너지 원료의 급원 ③ 질병 시 또는 식품 섭취가 부족할 때 비상용 에너지 원료로 사용 ④ 내장 장기의 보호패드이며, 세포막의 주요 성분 ⑤ 피하지방을 환경온도의 변화로부터 보호하는 기능 ⑥ 필요한 다른 물질로 변환
무기질	① 산·염기의 균형 ② 신체 구성성분 ③ 수분대사의 조절	
비타민	① 생체의 대사 조절 및 생리적인 기능 조절 ② 실제로 우리 몸에서 필요로 하는 양은 매우 적음 ③ 체내대사가 정상적으로 진행되도록 돕는 역할 수행 ④ 한 가지라도 부족하면 결핍증 유발 ⑤ 수용성 비타민은 주로 탄수화물 및 열량대사에 관여하는 효소들의 조효소로 작용	

출처: 한국사회보건연구원

3. 영양소의 3대 작용 기출 13, 18, 20

(1) 열량 공급작용

① 영양소의 열량 발생량은 세포 내에서 영양소가 화학적 변화를 거쳐 발생되는 것으로 단백질 및 탄수화물은 1g당 4kcal, 지방질은 1g당 9kcal의 열량을 발생한다(열량비 = 4 : 4 : 9).

② 식품의 특이 동적 작용

㉠ 열량식품이 체내에서 이용될 때 그 식품이 가진 열량가보다는 높은 열을 생산하는 것이다.

㉡ 특이 동적 작용은 식품이 소화·흡수·대사될 때 에너지를 필요로 하기 때문에 일어나며 단백질은 16 ~ 30%, 탄수화물은 4 ~ 9%, 지방질은 4% 전후의 열량 상승이 있다.

하루 총 열량 구하기 기출 21
[탄수화물(g) × 4] + [지방(g) × 9] + [단백질(g) × 4]

(2) 신체조직의 구성

① 인체의 구성성분은 유기물과 무기물로 구분된다.

② 유기물은 단백질 약 16%, 탄수화물 소량, 지방질 약 14%, 무기질 약 5%, 수분 약 65%로 구성된다.

③ 물은 영양소의 흡수, 운반과 배설, 체온 조절, 체내 화학 변화의 매체, 체액의 삼투압 조절 등을 통해서 신체의 각종 기능 조절작용을 한다.

④ 인체는 수없이 많은 세포로 구성되어 있다.

⑤ 인체 구성원소의 함량

원소	함량	원소	함량	원소	함량	원소	함량
산소	65.0	수소	10.0	나트륨	0.15	염소	0.15
탄소	18.0	질소	3.0	동(구리)	0.00015	요오드	0.00004
칼륨	0.35	칼슘	2.0	마그네슘	0.05	철	0.004
황	0.25	인	1.0	규소	미량	불소	미량

(3) 신체의 생리기능 조절

① 신체의 기능이 원활할 수 있는 것은 물, 무기질, 비타민 등이 생리기능 조절작용을 하기 때문이다.

② 신경운동, 심장운동, 각종 분비선의 기능 조절 등의 작용을 한다.

③ 물은 영양소의 흡수, 운반과 배설, 체온 조절 등 기능 조절작용을 한다.

4. 조절소의 작용

(1) 무기염류

① 무기염류의 조절작용 기출 17, 19

㉠ 근육조직과 체액, 골격의 주요 성분

㉡ 단백질과 결합하는 중요한 성분

㉢ 효소의 기능 활성화

㉣ 체액의 산도 유지

㉤ 체내 삼투압 조절

② 무기염류의 종류

㉠ 식염(NaCl) 기출 21

기능	• 무기염류 중에서 가장 필요량이 많은 것으로 근육 및 신경의 자극, 전도, 삼투압의 조절 등 조절소로서의 기능을 함 • 부족하면 열중증이 발생할 수도 있고 탈력감이 생기기도 함 • 식염은 성인의 경우 1일 15g 정도가 필요하며, 땀을 많이 흘리거나 설사 등으로 탈수가 되었을 때는 그 이상 보충해 주어야 함
성인 충분 섭취량 (AI)/급원	• 남성, 여성 모두 2,000mg • 소금, 간장, 된장, 고추장, 배추김치, 라면, 가공식품
결핍	• 만성 설사나 구토, 특정 신장질환을 제외하고는 발생빈도 낮음 • 오심, 어지럼증, 근육경련, 무감동
독성	고혈압, 부종

㉡ 칼슘(Ca) 기출 18, 20

기능	• 칼슘은 뼈와 치아의 주성분이 됨 • 혈액 응고, 신경 전달 • 근육 수축과 이완 • 세포막 투과성, 혈압 유지
성인 충분 섭취량 (AI)/급원	• 1일 권장량은 성인의 경우 남자는 750mg, 여자는 650mg, 임산부 280mg, 수유부 370mg이 추가로 공급됨 • 우유, 요거트, 청경채, 브로콜리, 케일, 순무잎, 해조류, 뼈째 먹는 생선, 두부, 잘 흡수되지 않은 급원(시금치, 근대)
결핍	• 부족하면 뼈와 치아의 발육 불량이나 쇠퇴가 오고 치아의 모양이나 골격의 형태에 이상을 나타낼 수 있음 • **어린이**: 성장장애 • **성인**: 골다공증
독성	변비, 신장결석 형성 위험 증가, 철분과 다른 비타민 흡수장애

㉢ 칼륨(K) 기출 14, 17, 21

기능	나트륨을 과다섭취하면 수분의 함량이 많아져 혈압을 높이는데, 칼륨은 몸 속의 나트륨 배출을 촉진시킴
성인 충분 섭취량 (AI)/급원	• 성인 충분 섭취량은 3.5g • 칼륨이 많이 함유된 식품은 채소류임 • 콩류, 통곡물, 오렌지, 바나나, 고구마, 감자, 잎채소류, 우유 등
결핍	근육 쇠약감, 마비, 식욕부진, 혼동
독성	근육 쇠약감, 구토

㉣ 철분(Fe) 기출 15, 17, 18, 20

기능	• 철분은 혈액의 구성성분 • 헤모글로빈과 미오글로빈을 통한 산소 운반 • 체내 저장이 안 되므로 식품을 통해서 공급해야 함 • 흡수율은 10 ~ 20%
성인 충분 섭취량 (AI)/급원	• 성인의 1일 권장 섭취량은 남자 10mg, 여자 14mg • 임산부는 10mg이 추가로 필요하며, 수유부는 추가의 필요성이 없음 • 소간, 붉은 육류, 생선, 가금류, 조개, 두부, 굴, 대두, 강화 시리얼, 빵, 말린 과일 등
결핍	• 철분이 부족하면 빈혈이 발생함 • 면역기능장애, 직업능력 감소, 무감동, 무기력, 피로, 가려운 피부, 창백한 손톱과 눈 점막, 상처치유장애, 추운 온도에 과민
독성	감염 위험 증가, 무감동, 피로, 무기력, 관절질환, 탈모, 장기 손상, 간 비대, 무월경, 발기부전

㉤ 인(P) 기출 15, 17, 18, 20

기능	• 뼈와 뇌신경의 주성분이 되는데, 부족하면 뼈 및 신경작용의 장애가 오고 질병에 대한 저항력이 약화될 수 있음 • 인산칼슘이나 인산마그네슘 형태로 존재함 • 산 - 염기 균형, 에너지 대사 • 호르몬과 조효소 활성 조절
성인 충분 섭취량 (AI)/급원	• 성인 1일 권장 섭취량은 남녀 모두 700mg • 우유, 치즈, 난황, 수육, 콩, 어육 등에 많이 함유
결핍	알려져 있지 않음
독성	낮은 혈청 칼슘

㉥ 요오드(I) 기출 15, 17, 20

기능	• 갑상샘 기능 유지에 작용을 함 • 임신부와 수유부, 특히 수유부에게 많이 공급해주어야 함 • 성장, 발달, 대사 속도를 조절하는 갑상선 호르몬의 구성성분
성인 충분 섭취량 (AI)/급원	• 성인 1일 권장 섭취량은 남녀 모두 150㎍이고, 임산부는 90㎍, 수유부는 180㎍이 더 필요함 • 해조류에 많이 함유(미역, 파래, 다시마, 김 등)
결핍	• 부족할 경우 갑상샘의 장애를 가짐 • 체중 증가, 무기력 • 임신 중 태아에게 심각하고 불가역적인 정신적, 신체적 지체(크레틴병)를 유발
독성	갑상선 비대, 갑상선활동 감소

ⓢ 염소(Cl)

기능	• 위내 염산의 구성성분 • 소화와 산 - 염기 균형에 중요한 역할 • 체액의 전해질 균형
성인 충분 섭취량 (AI)/급원	• 성인 충분 섭취량 모두 2,300mg • 나트륨 같은 급원, 그밖에 달걀, 우유, 육류, 치즈, 해조류, 올리브 등에 함유
결핍	결핍 시 드물지만 만성 설사나 구토, 특정 신장질환에서 2차적으로 발생 가능
독성	독성은 정상적으로 해가 없고, 구토를 유발할 수 있음

ⓞ 마그네슘(Mg)

기능	• 뼈 형성 • 신경 전달 • 평활근 이완 • 단백질 합성 • 탄수화물 대사효소 활성
성인 충분 섭취량 (AI)/급원	• **남성**: 370mg, **여성**: 280mg • 녹색채소, 견과류, 콩류, 통곡물, 두부, 육류, 가금류, 생선
결핍	• 쇠약감, 혼동, 어린이에서 성장부전 • 심각한 결핍 시에는 경련, 환각, 근육강직성, 경련(tetany)
독성	• 혈액에서 독성을 나타내지 않음 • 마그네슘 보충제는 설사, 오심, 경련통을 유발

ⓩ 아연(Zn)

기능	• 조직 성장과 상처 치유 • 성적 성숙과 생식에 대한 많은 효소의 구성요소 • 면역기능 • 비타민 A 수송 • 미각 인지
성인 충분 섭취량 (AI)/급원	• **남성**: 10mg, **여성**: 8mg • 굴, 붉은 육류, 가금류, 생선류, 콩류, 견과류
결핍	성장 지연, 탈모, 설사, 지연된 성적 성숙과 발기부전, 눈과 피부 병소, 식욕부진, 지연된 상처 치유, 이각 이상, 정신적 무기력
독성	빈혈, 저밀도 지질단백 상승, 고밀도 지질단백 저하, 설사, 구토, 칼슘 흡수장애, 발열, 신부전, 근육통, 어지럼증, 생신 부전

㉧ 셀레늄(Se) 기출 16, 17, 20

기능	• 항산화 효소의 구성성분 • 면역체계기능, 갑상선 활동
성인 충분 섭취량(AI)/급원	• **남성**: 60㎍, **여성**: 60㎍ • 육류 내장, 어패류, 견과류
결핍	심장 비대, 갑상선활동장애
독성	드물지만 오심, 구토, 복통, 설사, 머리카락과 손톱 변화, 신경 손상, 피로 등

㉨ 불소(F)

기능	치아 에나멜질 형성과 유지, 치아의 충치에 대한 저항을 촉진, 뼈 형성과 통합성에 관여
성인 충분 섭취량(AI)/급원	• **남성**: 3.0mg, **여성**: 2.5mg • 성인 상한 섭취량은 10mg
결핍	• 충치에 대한 민감성 • 골다공증의 위험을 증가시킬 수 있음
독성	불소증(치아의 반점), 오심, 구토, 설사, 흉통, 가려움증

㉩ 크롬(Cr)

기능	인슐린에 대한 조력인자
성인 충분 섭취량(AI)/급원	• **남성**: 35㎍, **여성**: 25㎍ • 간, 통곡물, 난황, 버섯, 브로콜리, 견과류
결핍	인슐린 저항성, 포도당 내성장애
독성	• 식이 독성은 알려지지 않음 • 크롬먼지에 대한 직업적 노출은 피부와 신장을 손상시킴

(2) 비타민

① 생체 내에서 특수한 대사기능을 수행하기 위하여 매우 소량이 필요한데, 필요량이 공급되지 않으면 영양소의 대사가 제대로 이루어지지 못한다.

② 비타민은 생체 내에서 합성할 수 없기 때문에 식사를 통해 섭취하여야 한다.

③ 열량을 내거나 신체를 구성하지 못하지만 대사에 반드시 필요한 물질로서 보조요소라고 한다.

④ 비타민이 발견된 순서에 따라 알파벳 순서로 명명된다.

⑤ 지용성 A, D, E, K와 수용성 B 복합체 및 C로 구분된다.

지용성 비타민과 수용성 비타민 비교 기출 16, 17, 18

지용성 비타민	수용성 비타민
• 기름과 기름 용매에 용해됨 • 필요량 이상을 섭취하면 체내에 저장됨 • 체외로 쉽게 방출되지 않음 • 결핍 증세는 서서히 나타남 • 필요량을 매일 공급할 필요 없음	• 물에 용해됨 • 필요량 이상을 섭취하면 배설됨 • 소변으로 쉽게 방출됨 • 결핍 증세가 비교적 빨리 나타남 • 필요량을 매일 공급해야 함

⑥ 지용성 비타민 기출 12, 14, 16, 17, 18, 19, 20

비타민 A	• 정상적인 성장과 발달에 촉진에 관여 • 골격, 치아 형성, 상피조직, 세포 유지, 눈의 건강 유지 등 • 시각세포 형성에 관여하므로 부족 시 야맹증, 안구건조증, 각막연화증, 피부점막의 각질화, 세균 등의 감염에 대한 저항력 약화 등을 초래 • **성인 1일 필요량**: 700 ~ 750mg • 우유, 난황, 고구마, 살구, 황도 및 녹황색의 채소, 황색의 과일에 많이 들어 있음
비타민 D	• 체내에서 생성될 수 있는 유일한 비타민으로서 뼈의 생성에 관여하는데, 결핍 시에는 구루병, 골연화증을 일으킴 • **성인 1일 충분 섭취량**: 10㎍ • 난황 · 간 · 버터 등에 많이 함유되어 있음
비타민 E	• 항산화제의 작용 • 부족 시 생식기능장애로 불임증 및 유산의 원인이 될 수 있음 • 주로 식물성 기름에 많이 함유되어 있으며, 동물성에는 간 · 우유 · 계란 등에 있음 • **성인 1일 충분 섭취량**: 남자는 12mg, 여자는 10mg
비타민 F	• 불포화지방산 • 콜레스테롤이 축적되는 것을 막아 심장질환을 예방 • 피부와 머리카락을 윤기 있고 건강하게 유지시켜 줌 • 세포의 성장을 도모함 • 결핍 시 발육 저지, 지방대사의 지장, 피부 건조 등이 초래됨
비타민 K	• 혈액 응고에 필수적인 성분(프로트롬빈의 생성에 기여하는 응혈성 비타민) • 결핍 시 출혈을 할 때 혈액이 응고되지 않아 출혈이 오래 지속됨 • 급원식품으로는 녹색 채소와 차에 많고 과일 · 곡류 · 우유 · 계란 등에도 있음 • **성인 1일 충분 섭취량**: 남자는 75㎍, 여자는 65㎍

⑦ 수용성 비타민 기출 16, 18, 19, 20

<table>
<tr><td rowspan="8">비타민 B</td><td>B1
(티아민)</td><td>• 부족 시 각기증상, 식욕 부진, 피로감을 초래
• 성인 1일 권장 섭취량: 남자의 1.2μg, 여자는 1.1μg</td></tr>
<tr><td>B2
(리보플라빈)</td><td>• 부족 시에는 성장 정지, 식욕 감퇴, 체중 감소, 구순염, 설염 등을 초래할 수 있음
• 성인 1일 권장 섭취량: 남자는 1.5μg, 여자는 1.2μg</td></tr>
<tr><td>B3
(니아신)</td><td>• 결핍 시에는 펠라그라를 일으킴
• 성인 1일 권장 섭취량: 남자는 16mg, 여자는 14mg</td></tr>
<tr><td>B5
(판토텐산)</td><td>• 물질 대사, 호르몬 및 콜레스테롤 생산에 관여
• 결핍은 드물지만 피로, 구토, 신경과민, 우울증, 불면증 등 초래
• 동식물 모든 음식에 들어 있음</td></tr>
<tr><td>B6
(피리독사민)</td><td>• 적혈구의 생성 및 아미노산 대사, 신경 전달물질 생성에 관여
• 결핍 시 피부염 발생
• 성인 1일 권장 섭취량: 남자는 1.5μg, 여자는 1.4μg
• 간, 난황, 우유, 콩에 많이 함유</td></tr>
<tr><td>B7
(바이오틴)</td><td>• 탄수화물과 지방 대사, 유전자 발현을 조절
• 결핍 시 지루성 피부염, 습진, 탈모, 감각 저하 초래
• 주로 효모와 꽃게, 멸치 등에 함유</td></tr>
<tr><td>B9(엽산)</td><td>• 적혈구 형성과 세포 분열에 관여
• 특히 임신 초기에 뇌와 척추의 발달에 중요하므로 엽산을 섭취
• 결핍 시 소장에서 소화 흡수의 장애 증후군을 유발
• 주로 녹황색 채소와 콩, 견과류, 과일 등에 함유</td></tr>
<tr><td>B12
(사이노코발라민)</td><td>• 신경조직의 활동, DNA 합성, 조혈작용
• 결핍 시 악성빈혈증을 일으킴
• 성인 1일 권장 섭취량: 모두 2.4mg
• 주로 육류와 계란, 해산물 등에 함유</td></tr>
<tr><td colspan="2">비타민 C</td><td>• 결핍 시 괴혈병의 원인이 됨
• 치아의 발육 이상이나 잇몸 출혈의 원인이 됨
• 성인 1일 권장 섭취량: 100mg
• 채소나 과일에 많이 함유
• 요리과정에 쉽게 파괴됨</td></tr>
</table>

⑧ 비타민별 결핍증의 증상

비타민		결핍증의 증상
비타민 A		야맹증, 안구건조증, 각막연화증, 피부점막의 각질화
비타민 B	B1 (티아민)	각기병, 식욕부진, 피로감
	B2 (리보플라빈)	구순염, 설염, 각막염, 피부염, 성장 정지, 식욕감퇴
	B6	피부염
	B12	악성빈혈
비타민 C 기출 21		괴혈병, 치아의 발육 이상
비타민 D		구루병, 충치, 골연화증
비타민 E		불임, 유산
비타민 F		발육 정지, 피부 건조
비타민 K		혈액 응고시간 지연
니아신		펠라그라병

출처: 새로 쓴 공중보건학 개정판 6, 2020, 황병덕 외 공저(수문사)

(3) 수분

① 인체의 60 ~ 70%가 수분이다.

② 체내 수분의 5%를 상실하면 갈증이 생기고, 10%를 상실하게 되면 신체의 이상이 오고, 15% 이상을 상실하면 생명이 위험하다.

③ 성인에게 1일 필요한 물의 양은 2 ~ 2.5L이다.

④ 기능

㉠ 영양소와 노폐물을 운반한다.

㉡ 분비액의 주성분이다.

㉢ 대사과정에서 촉매작용을 한다.

㉣ 체온 조절작용을 한다.

제6장 에너지 대사

1 에너지의 단위

1. 칼로리(calorie)와 줄(joule)

식품에 있는 잠재에너지와 신체 내에서 일어나는 에너지 대사에 사용되는 에너지의 단위는 칼로리(calorie)와 줄(joule)로 나타낸다.

(1) 대단위는 킬로칼로리(kcal)로, 1kcal는 1,000cal = 4.184kJ이다.

(2) 1Joule(kilojoule)

1J은 1kg의 물체를 1m 옮길 수 있는 힘을 1N(newton)이라 할 때 필요한 기계에너지의 양을 의미한다.

2. 예시

1칼로리는 물 1g의 온도를 15℃에서 16℃로 올리는 것을 말한다(1℃ 올리는 데 필요한 열에너지의 양).

2 기초대사율(BMR; Basal Metabolic Rate) 기출 12, 13, 15, 17, 18, 19

1. 신체 내에서 생명현상을 유지하기 위하여 필요한 최소한의 에너지를 요구하는 상태가 기초상태이며, 이 때 필요한 에너지 요구량을 기초대사율(BMR; Basal Metabolic Rate)이라고 한다.

2. 기초대사율의 변동은 5% 전후로서 항상 일정하기 때문에 이를 기초대사의 항일성이라고 한다.

3. 기초대사량 측정 시 주의점

(1) 식후 12시간 이상이 지난 후 또는 아침 식사 전의 공복상태에서 감정적인 흥분상태나 걱정이 없는 완전히 육체적 · 정신적으로 상태를 유지하여야 한다.

(2) 보통 표준화된 실험실 조건에서 누워서 측정한다.

Plus⁺ POINT

체질량지수(BMI)

1. 체질량지수는 자신의 몸무게(kg)를 키(m)의 제곱으로 나눈 값이다.
2. 체질량지수는 근육량, 유전적 원인, 다른 개인적 차이를 반영하지 못하는 단점이 있지만, 의료인들이 가장 많이 쓰는 방법이다.

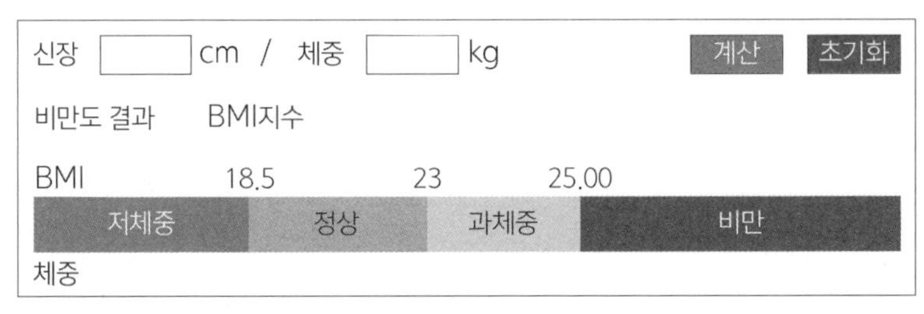

3. **세계보건기구**
   ① BMI ≥ 25 kg/m^2: 과체중
   ② BMI ≥ 30 kg/m^2: 비만
4. **세계보건기구 아시아태평양지역과 대한비만학회**
   ① BMI ≥ 23 kg/m^2: 과체중
   ② BMI ≥ 25 kg/m^2: 비만
5. **대한비만학회 비만 진료지침(2018)**
   ① BMI 23 ~ 24.9 kg/m^2: 비만 전 단계(과체중 or 위험체중)
   ② BMI 25 ~ 29.9 kg/m^2: 1단계 비만
   ③ BMI 30 ~ 34.9 kg/m^2: 2단계 비만
   ④ BMI ≥ 35 kg/m^2: 3단계 비만(고도비만)
6. **대한영양학회 기준 비만**
   ① 표준체중과의 비교
   - 신장 160cm 이상: 표준체중(kg) = [신장(cm) - 100]×0.9
   - 신장 150 ~ 159cm: 표준체중(kg) = [신장(cm) - 150]×0.5 + 50
   - 신장 150cm 이하: 표준체중(kg) = 신장(cm) - 100
   - 남자의 표준체중(kg) = 키(m) × 키(m)×22
   - 여자의 표준체중(kg) = 키(m) × 키(m)×21

   ② $\text{비만도} = \dfrac{\text{실제 체중} - \text{신장별 표준체중}}{\text{신장별 표준체중}} \times 100\%$
   - 10 ~ 20%: 과체중
   - 20 ~ 30%: 경도 비만
   - 30 ~ 50%: 중등도 비만
   - 50% 이상: 고도 비만

7. 최근 10년간 비만 유병률

최근 10년간 비만 유병률은 증가하였으며, 남자에서 크게 증가하였다. 2018년 비만 유병율은 35.7%이었으며, 남자에서 45.4%, 여자에서 26.5%였다.

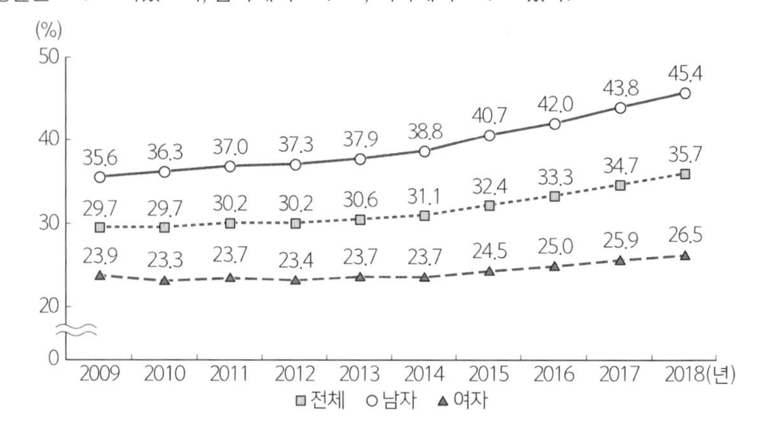

1. 휴식대사(Resting energy expenditure)
   쾌적한 생활환경에서 휴식하고 있을 때의 에너지 대사를 의미한다(휴식대사율).
2. 식품의 특이 동적 작용(SAD, Specific Dynamic Action)
   음식물의 소화흡수과정에 이용되는 칼로리 소모현상을 의미한다.

3 활동대사(Energy expended for physical activity)

1. 활동대사(Energy expended for physical activity)

근육을 움직이면서 이루어지는 신체활동 시의 에너지 대사는 일반적으로 호흡측정기를 이용해 산소소모량을 계산함으로써 측정할 수 있다. 휴식상태의 대사를 안정대사라고 하는데, 활동 시의 에너지량에서 안정대사량을 제하면 활동대사량이 나오게 된다.

2. 비교에너지대사량(RMR; Relative Metabolic Rate)

활동대사량이 기초대사량의 몇 배가 되는가를 계산한 것이다. 일반적으로 수면 시 RMR은 기초대사량의 0.9, 보행 시 1.5, 달리기할 때는 4.0 ~ 7.0, 경 작업 시 1.0, 중등노동 시 1.0 ~ 2.0, 중(重) 노동 시 4.0 ~ 7.0이다.

$$R = \frac{\text{작업 시(활동 시) 열량 소비량} - \text{안정 시 열량 소비량}}{\text{기초대사량}} = \frac{\text{작업(활동)대사량}}{\text{기초대사량}}$$

3. 기초대사량과 활동에 따른 대사량의 비교

활동종류	활동대사량
안정(기초대사량)	100
보행	271
앉은 생활	119
기립생활	144
달리기	456
급히 달리기	636

4 1일 총 열량 소요량의 계산

1. 1일 총 열량 소요량 계산방법

(1) 체중을 사용하여 24시간 소모된 기초대사량을 계산한다.
(2) 하루 24시간 동안의 각종 활동상태를 기록하고 활동 기준을 참작하여 활동대사량을 계산한다.
(3) 식품의 특이 동적 작용으로 인한 10%의 에너지 소모량을 계산한다.

$$A = B + BX + \frac{A}{10}$$

- A: 칼로리 소요량
- B: 1일 기초대사량
- X: 생활활동지수
- BX: 생활활동에 따른 증가 칼로리
- A/10: 특이 동적 작용에 소모되는 양

2. 특수 영양 시기

(1) 영유아기의 영양

① 성인에 비하여 생리작용에 필요한 영양뿐만 아니라 성장 발육에 필요한 영양분의 공급이 필요하기 때문에 단위체중당 성인의 3배 가량이 더 소요된다.
② 특히 뇌의 무게는 1세 때 이미 성인의 70%까지 자라며, 2세 때 머리둘레가 성인의 90%까지 성장한다.
③ 3세 때까지는 급속히 성장하므로 이때의 영양 공급은 대단히 중요하다.

(2) 임신부 및 수유부의 영양

① 일반적인 성인 여자의 열량이나 영양 공급에 추가의 공급이 필요하다.
② 연령에 따른 영양 공급 기준에 추가로 공급하여야 한다.

구분	에너지 (kcal)	단백질 (g)	칼슘 (mg)	철분 (mg)	요오드 (㎍)	엽산 (㎍)
임신부	중반기 350	중반기 15	280	10	90	200
	후반기 450	후반기 30				
수유부	320	25	370	-	180	150

(3) 노년기의 영양

① 소화기능의 약화로 식품의 질적인 면에서 소화가 잘 되는 것으로 선택하여야 한다.
② 특히 칼슘을 공급하여 골다공증에 걸리지 않도록 하여야 한다.

제7장 영양상태 판정과 영양장애

1 영양상태 판정

1. 개념

식품 및 영양소의 섭취상태, 영양상태와 관련된 건강지표들을 측정하여 개인이나 집단의 영양상태를 평가하고 진단하는 것이다.

2. 판정 목적

영양상태의 평가는 영양상태 개선과 영양교육의 자료로서 이용될 수 있으며, 국가 및 지역사회 식량의 생산과 소비, 영양 관계를 조사하는 데 있다.

3. 영양상태 판정하는 방법(영양 판정, ABCD)

- 신체계측법(Anthropometric survey)
- 생화학적 방법(Biochemical survey)
- 임상적 방법(Clinical survey)
- 식사 조사법(Dietary survey)

(1) 객관적 평가방법

① 신체계측법

㉠ 신장, 체중, 흉위, 앉은 키 등의 신체계측치를 측정한다.

㉡ 체질량지수 등 체격지수를 이용하여 평가한다.

㉢ 체위의 측정은 주로 영유아, 어린이, 사춘기 등의 성장 정도를 나타낸다.

㉣ 체격지수는 신장과 체중을 이용하여 영양상태를 평가할 수 있다.

㉤ **장점**: 간단하고 가격이 저렴하다.

㉥ **단점**: 단기간의 영양상태 변화를 파악하기 어렵다.

② 체질량지수(BMI; Body Mass Index) 기출 10, 12, 15, 16, 19, 20

㉠ 비만을 평가하기 위해 가장 보편적으로 사용되는 방법이다.

㉡ 체질량지수가 증가할수록 비만률도 증가하여 만성 질환에 진단받을 확률도 높아지며 사망률도 증가한다.

㉢ 세계보건기구에 따르면 체질량지수가 BMI ≥ 25kg/m²이면 과체중, BMI ≥ 30kg/m²이면 비만이다.

$$BMI = \frac{몸무게(kg)}{신장(m)^2}$$

Plus⁺ POINT

체질량지수(BMI; Body Mass Index)

1. 세계보건기구 아시아태평양지역과 대한비만학회의 기준
   ① BMI ≥ 23kg/m²: 과체중
   ② BMI ≥ 25kg/m²: 비만
2. 대한비만학회 비만 진료지침(2018)
   ① BMI 23 ~ 24.9kg/m²: 비만 전 단계(과체중 또는 위험체중)
   ② BMI 25 ~ 29.9kg/m²: 1단계 비만
   ③ BMI 30 ~ 34.9kg/m²: 2단계 비만
   ④ BMI ≥ 35kg/m²: 3단계 비만(고도비만)

③ Kaup 지수(카우프 지수) 기출 16, 17, 18, 19, 20, 21

㉠ 영 · 유아기부터 학령기 전반까지 사용한다.

㉡ 20 이상은 소아비만, 18 ~ 20은 과체중, 15 ~ 18은 정상, 13 ~ 15는 여윔, 13 이하는 영양실조로 구분한다.

$$\text{카우프(Kaup) 지수} = \frac{\text{체중(kg)}}{\text{신장(m)}^2}$$

④ Rohrer 지수 기출 18, 19, 20, 21

㉠ 학교보건 분야에 있어서 비만아의 판정에 가장 많이 이용된다.

㉡ 기준

신장 110 ~ 129cm인 경우	180 이상 소아비만
신장 130 ~ 149cm인 경우	170 이상 소아비만
신장 150cm 이상인 경우	160 이상 소아비만

$$\text{Rohrer 지수} = \frac{\text{몸무게(kg)}}{\text{신장(m)}^3} \times 10{,}000{,}000$$

⑤ Broca 지수(브로카 지수) 기출 18, 19, 21

㉠ 성인의 비만증 판정에 이용되거나 피하지방층의 두께를 측정하는 방법이다.

㉡ 표준체중[(신장(cm) - 100) × 0.9(남자), 0.85(여자)]으로 산출한다.

㉢ 브로카 지수가 90에서 120 사이이면 정상체중, 90 이하는 마른체중, 120을 넘으면 비만으로 판정한다.

⑥ 비만도

㉠ 표준체중이란 각 개인의 키에 적당한 체중을 말한다. 자신의 키에 적절한 표준체중을 구하는 가장 일반적인 방법으로 신장과 체중을 알면 쉽게 계산할 수 있다.

㉡ 흔히 표준체중에서 몇 %나 더 초과하는지를 나타내는 것을 비만도(%)라고 한다.

Vervaeck 지수

92 이상은 비만이고, 82 이하는 야윈 체중이다.

$$= \frac{\text{체중(kg)} + \text{흉위(cm)}}{\text{신장(cm)}} \times 100$$

ⓒ 정상체중은 표준체중의 10%를 말하고 표준체중보다 10 ~ 20%가 초과할 경우(비만도가 110 ~ 120%) 과체중, 20% 이상이 초과할 경우(비만도가 120% 이상) 비만이라고 한다.

$$\text{비만도} = \frac{\text{실측 체중} - \text{평균 체중}}{\text{표준 체중}} \times 100$$

⑦ 허리 - 엉덩이 둘레(WHR, Waist/Hip Ratio, WHR에 따른 복부비만 판정법)

$$\text{WHR} = \frac{\text{허리 둘레(cm)}}{\text{엉덩이 둘레(cm)}} \times 100$$

허리둘레 [ ] inch / 인치 / 엉덩이 둘레 [ ] inch / 인치 확인 다시
당신의 WHR 지수는 [ ] 입니다.

㉠ 허리 둘레와 엉덩이 둘레의 비율에 의해 복부비만을 판정하는 지표로 사용되는 것이다.

㉡ 허리를 잴 때는 허리의 가장 가는 부분을 재고, 엉덩이를 잴 때는 엉덩이의 가장 두꺼운 부분을 재도록 한다.

ⓒ 기준

ⓐ 복부비만 판정 기준

남자	WHR > 0.9
여자	WHR > 0.85

ⓑ 사지비만 혹은 말초비만 판정 기준

남자	WHR < 0.85
여자	WHR < 0.75

(2) 생화학적 방법

① 혈액, 소변 등에 있는 영양소나 혈액비중의 측정, 헤모글로빈 미량정량 검사 등을 조사하여 정상치와 비교·평가하는 방법이다.

② 혈액은 12시간 공복 후 오전 중, 정맥에서 혈액을 취하여 검사 당일 원심 분리하여 혈청을 분리한 다음, 총 콜레스테롤(Total cholesterol), 고밀도 지질단백 콜레스테롤(High density lipoprotein cholesterol, HDL), 저밀도 지질단백 콜레스테롤(Low density lipoprotein cholesterol, LDL), 중성지방(Triglyceride)을 측정하였다.

③ 객관적이고 정확하다는 장점은 있지만 비교적 비싼 것이 단점이다.

(3) 임상적 방법

영양상태와 관련되어 나타나는 임상증후 등을 보고 진단·평가하는 방법이다.

(4) 식사조사법

섭취하고 있는 식품의 종류와 양을 조사하여 영양소 섭취상태를 판정하는 방법이다.

(5) 간접측정

연령별 특수사망률, 이환율 및 특정 질환의 사망률 및 식이섭취평가를 통해 판정한다.

2 영양장애

1. 의의

(1) 개념

영양소의 과량 섭취나 부족으로 발생되는 비만증이나 결핍증 등의 건강장애나 질병상태를 의미한다.

(2) 형태

① **영양상태의 결핍증**: 필요영양소의 결핍으로 발생되는 병적 상태이다.
② **저영양(Under nutrition)**: 열량 섭취의 부족상태를 말한다.
③ **영양실조증(Malnutrition)**: 영양소의 공급이 질적 · 양적 부족으로 나타난 불건강의 상태이다.
④ **기아상태(Starvation)**: 저영양과 영양실조증이 함께 발생된 상태이다.
⑤ **비만증(Obesity)**: 영양의 과다섭취로 인한 영양장애이다.

2. 유형

(1) 열량 · 단백질 결핍증

① **개념**: 열량 · 단백질 결핍증은 열량 · 단백질 실조증이라고도 한다.
② **열량 · 단백질 실조증의 종류** 기출 16, 19

Marasmus증 (마라스무스증)	• 출생 직후부터 영유아기에 모유나 인공영양의 공급이 부족하거나 비위생적인 수유로 인하여 설사가 계속되는 경우에 잘 발생함 • 기아상태에서 잘 발생하며 근육이 소모되어 뼈만 남게 되고 부종이나 지방간이 됨
Kwashiorkor증 (카시오커증)	• 아프리카 황금해안의 일부 지역에서 유래한 말로 단백질 부족의 전형적인 형태 • 식생활이 탄수화물이 주가 되며, 단백질과 무기질이 부족한 음식물을 장기적으로 섭취함으로써 발생되는 단백질 결핍증상으로 주로 이유식 이후 어린이에게 잘 발생함 • 체중이 평균보다 적으며 감염병의 감염이 잘 발생함
Pellagra (펠라그라)	• 동물성 단백질에 내포된 나이아신(비타민 B3)은 물질대사에 필요한 영양소임 • 신경 전달물질의 생산, 피부의 수분 유지, 혈관을 확장시킴 • 혈중 콜레스테롤 수치를 저하시킴 • **나이아신 결핍증인 펠라그라의 증상 '3D'라고 알려진 것**: 피부염(Dermatitis), 설사(Diarrhea), 치매(Dementia)

비만증의 5D
1. 용모손상(Disfigurement)
2. 불편(Discomfort)
3. 활동불편 = 비능률(Disability)
4. 질병(Disease)
5. 사망(Death)

(2) 비만증

① 영양의 과다섭취로 인한 영양장애의 형태이다.

② 체지방의 과량 침착상태로서 운동선수의 근육 발달로 인한 체중과다는 비만증이라고 하지 않는다.

③ 열량소를 과량 섭취한 경우에는 당질이 지방으로 전환되어 축적되며, 이것이 당질로 다시 환원되지 않기 때문에 비만의 원인이 된다.

④ 비만증의 발생원인
㉠ 유전적인 요인
㉡ 과다한 초과 열량의 섭취
㉢ 운동부족
㉣ 내분비계의 장애
㉤ 심리적 · 생리적

⑤ 비만증 예방방법
㉠ 체중 감소를 위해서 동물성 지방을 제한하기
㉡ 식물성 지방을 공급하기
㉢ 적절하게 정기적으로 운동하기
㉣ 식생활 습관을 개선하기
㉤ 열량가가 낮은 단백질 식품을 섭취하기

(3) 트랜스 지방과 질병

① 지방산의 유형

포화 지방산	동물성 지방에 많이 포함됨
불포화 지방산	어류나 식물성 지방에 많음

② 트랜스 지방산과 질병
㉠ 최근 식물성 지방에 수소를 첨가하여 경화유를 만드는 과정에서 자연계에서 존재하지 않는 트랜스 지방산이 생성된다.
㉡ 비만증뿐만 아니라 심장병, 당뇨병, 동맥경화증, 유방암 등의 질병을 유발하는 원인이다.
㉢ 우리나라는 2007년부터 가공식품에 트랜스 지방산의 함량을 표시하도록 법률을 개정하였다.
㉣ 한국의 트랜스 지방산의 하루 평균 섭취량은 0.37g로, 세계보건기구의 권장량 2.2g보다는 낮다.

MEMO

제6편

보건행정과 보건의료체계 관리

제1장 보건행정

1 보건행정의 의의

1. 보건행정의 개념

(1) 스마일리(W. G. Smillie, 1930)는 보건행정을 '공공 또는 민간기관이 사회복지를 위하여 공중보건의 원리와 기법을 응용하는 것'이라고 하였다.

(2) 보건행정이란 인구집단의 건강 유지와 향상이라는 공동목표를 달성하기 위하여 합리적으로 행동하는 과정이다(양재모).

(3) 보건행정이란 공중보건의 목적을 달성하기 위해 공중보건의 원리를 적용한 행정조직을 통하여 행하는 일련의 과정이다.

2. 공중보건의 목적

질병의 예방, 수명의 연장 및 건강 · 효율의 증진을 목적으로 한다.

3. 보건행정의 특징

(1) 공공성 및 사회성

공공복지와 집단의 건강을 증진하는 공공이익을 위한 특성이다.

(2) 봉사성

현대 국가행정의 특징인 적극적인 서비스를 하는 특성이다.

(3) 조장성 및 교육성

지역사회 주민을 교육 또는 조장(助長)함으로써 목적을 달성하는 특성(보건행정은 교육을 주된 수단으로 함)이다.

(4) 과학성 및 기술성

발전된 과학과 기술의 특성(과학행정)이다.

2 기관(학자)별 보건행정의 범위

세계보건기구 (WHO)	① 보건관계 기록의 보존 ② 대중에 대한 보건교육 ③ 환경위생 ④ 감염병 관리 ⑤ 모자보건 ⑥ 의료 ⑦ 보건간호
미국공중보건협회 (American Public Health Association)	① 보건자료의 기록과 분석 ② 보건교육과 홍보 ③ 감독과 통제 ④ 직접적 환경서비스 ⑤ 개인 보건서비스의 실시 ⑥ 보건시설의 운영 ⑦ 사업과 자원 간의 조정
핸론(Hanlon)	① **지역사회를 기반으로 활동을 실시해야 할 사업** • 지역사회의 식품, 상수, 우유 공급에 관한 감독 • 구충 • 대기와 하천 오염의 예방 ② **예방 가능한 질병, 불구 또는 미숙아의 사망에 관한 상황** • 감염병 · 영양부족 · 습관성 약품과 마약 피해 • 알러지성 증상과 그 원인물질 • 특정 정신 및 인격상 행동 이상 • 산업보건 · 악성종양(진행 억제, 가능한 한도 내의 예방) • 혈액순환계 및 신진대사 질환(진행 억제 · 가능한 한도 내의 예방) • 모성 및 성장에 관계 있는 위해 · 충치 • 가정, 지역사회 및 산업장의 재해 · 재해 및 병후 회복

3 보건행정의 원리

1. 관리(Management)

미리 정해진 목표를 달성하기 위하여 인적 · 물적 자원을 활용하여 공식 조직체 내에서 행해지는 과정의 상호작용의 집합이다.

2. 관리과정 ⇨ 귤릭(Gulick)의 POSDCoRB

(1) P - Planning(기획)
(2) O - Organizing(조직)
(3) S - Staffing(인사)
(4) D - Directing(지휘)
(5) Co - Coordinating(조정)
(6) R - Reporting(보고)
(7) B - Budgeting(예산)

3. 의사결정(Decision - making)과정

(1) 개념

어떤 업무를 수행하면서 제시될 수 있는 여러 가지 대안(代案)들 중에서 가장 좋은 의사를 선택하는 것이다.

(2) 과정

① 의사결정을 해야 함을 인식한다.
② 문제를 정의한다.
③ 관련 정보를 수집한다.
④ 대안의 해결책을 개발한다.
⑤ 각 대안을 평가한다.
⑥ 최적의 바람직한 대안을 선택한다.

4 행정의 도구

행정의 기본적인 도구 4가지에는 사람, 시간, 시설 및 자금이 있다.

1. 사람

(1) 행정의 목표 달성에 가장 중요한 도구는 사람으로, 이는 나머지 3가지 도구를 총괄하고 활용하는 주역이다.
(2) 조직의 최고행정자는 구성원을 소중히 여기고 존중해야 한다.

2. 시간

행정은 연속적인 과정이므로 제한된 시간 사용을 잘 계획하고 활용하여 생산성이 높은 결과를 가져오는 것이 바람직하다.

3. 시설

조직의 목적 달성을 위해 필요한 시설이 필요한 시간과 장소에 잘 배치되고 공급되어야 행정과정이 원활하게 진행될 수 있다.

4. 자금

(1) 최소의 비용으로 최대의 효과를 기대하는 경제성의 개념이 행정계획에 반드시 포함되어야 한다.
(2) 모든 부서와 업무 분야 및 능력 있는 인력 관리에 필요한 우선순위와 기대효과를 토대로 투자와 생산성이 조화를 이룬다.

핵심정리 관리와 행정 비교

속성	관리	행정
목표	분명, 단일목표 지향	불분명, 복잡한 목표, 공익을 추구
정치권력의 영향 (권력성)	포함되지 않음	포함됨
법적 제약	적게 받음	엄격하게 받음
경쟁성과 능률성 추구	강함	약함(독점성이 높음)
평등성	강조되지 않음	• 고도의 합법성 요구 • 법 앞에 평등의 개념

제2장 보건정책과 보건의료체계

1 지역사회의 보건정책

1. 정책의 개요

(1) 정책의 개념

① 바람직한 사회를 이루려는 정책목표와 이를 달성하기 위한 정책수단에 대하여 권위 있는 정부의 각 부처와 기관이 공식적으로 결정한 기본방침이다.

② 다이(Dye)는 '정부가 하기로 선택했거나 하지 않기로 선택한 모든 것(non-decision: 아무것도 하지 않기로 하거나, 새로운 프로그램을 만들지 않기로 하거나, 단순히 현상을 유지하기로 한 결정 등)'을 정책이라고 하였다.

③ 목표가 되는 가치와 실제를 투사해서 얻은 행동계획이다[라스웰과 카플란(Lasswell & Kaplan)].

④ 전체 사회를 위한 제 가치의 권위적 배분이다[이스턴(Eastern)].

⑤ 어떤 문제 또는 관심사를 다루는 데 있어서 행위자 또는 행위자 집단이 추구하는 의도적이고 실제적인 행동노선이다[앤더슨(Anderson)].

⑥ 어떤 사회 분야에서 사회적 시스템, 구조, 문화, 가치, 규범, 행태, 물리적 환경 등을 바꾸며, 또 다른 방법으로 바꾸고자 하는 정부관여의 수단을 결정해 놓은 것이다.

Plus+ POINT

공공정책의 개념

1. 공공기관이 주체이므로 정치적 권력을 가진다.
2. 목표지향적 활동이므로 미래성과 방향성이 있다.
3. 목표와 목표 달성을 위한 실현수단을 핵심으로 한다.
4. 의도 또는 비의도 행위에 대한 무의사결정을 포함한다.
5. 비용과 편익 배분을 통해 국민의 이해관계에 영향을 미친다.
6. 연속적인 선택과정이므로 일회성 선택 의사결정과 구별된다.
7. 공익을 추구하는 공공기관의 활동이므로 일반적 의사결정과 구별된다.
8. 의사결정과정에 관련된 많은 요인이 영향을 미치므로 상호작용의 결과인 경우가 많다.

(2) 보건정책

① 정부나 기타 단체가 인구집단의 건강증진을 목표로 하는 활동이다.

② 국민의 건강과 복지에 관한 입법부·사법부·행정부의 결정이며, 국민의 질병을 치료하고 예방하며 건강을 유지·증진하기 위한 결정과 국민의 빈곤과 사회적 소외를 해결하기 위한 결정이다.

Plus⁺ POINT

보건정책의 3가지 특징

1. 보건의료정책
2. 예방정책
3. 범부처 간 보건정책

2. 정책과정

(1) 정책의제 형성과정

① 많은 사회문제 중 일정한 문제에 정책적 해결이 필요하여 정부정책 결정기구의 관심 대상으로 부각되고, 그것이 정책 결정체제의 정책 결정 대상항목으로 선정 혹은 채택되는 과정이다.

② 정부의 정책 결정체제가 정치와 접합되는 연결점이다.

③ 사회문제의 정책화를 요구하는 과정에서 그 문제를 주도해 가는 주체가 달라지면서 차별화과정을 거친다.

④ 다양한 사회문제가 정부의 정책적 조치로 처리 · 해결되기 위하여 정책 결정체제로 들어가는 과정을 의미한다.

(2) 정책 결정과정

① 의제 형성과정에 의해 채택된 정책의제를 그 해결책을 강구한 정책으로 바꾸어 나가는 정책의 작성이나 정책 수립과정이다.

② 공식 · 비공식의 참여자와 다양한 압력주체들이 상호 영향을 주고 받는 동태적 과정이다.

③ 정치권력의 영향력이 함께 작용하는 정치적 과정이다.

④ 다시 문제의 파악과 정의, 정책목표의 설정, 정책대안의 탐색과 개발, 정책대안의 미래 예측, 정책대안의 비교 · 평가, 최적 대안의 선택이라는 소과정으로 구분한다.

(3) 정책 집행과정

① 정책 결정체제가 작성 · 산출한 정책을 정책 집행기관이 이를 환경에 적용, 실현해 가는 과정이다.

② **정책 집행 준비단계:** 집행계획의 수립, 집행 담당 조직 구성, 인사 · 예산 배정, 기타 관련 자원 지원 등의 단계로 구성된다.

③ 실행단계는 집행계획과 주어진 자원을 활용하면서 이를 행정활동으로 옮겨 나가는 활동이다.

(4) 정책 평가과정

① 정책 평가를 담당한 개인이나 집단 혹은 정부의 기관이 대상정책의 내용 및 정책의 형성과정과 집행과정은 물론 집행결과 나타난 정책의 성과 등을 탐지하여 일정한 평가 기준에 따라 심사하고 평가하며, 시정조치를 취해 가는 과정이다.

② 정보자료 수집과정, 평가기준 설정과정, 평가 및 시정조치과정, 환류과정 등으로 이루어진다.

3. 보건의료정책의 현재

(1) 국민의료비 = 경상의료비 경감

① 의료보장성 강화로 국민건강비를 경감한다.

② 4대 중증질환 등 중장기 보장 강화방안을 마련한다.

(2) 건강의 질을 높이는 보건의료서비스

① 건강한 100세 시대를 앞당기는 생활환경을 조성한다.

② 술·담배 등 건강위해요인에 대한 규제정책을 지속적으로 추진한다.

③ 자살 예방을 위한 범정부적 대책을 추진한다.

4. 보건정책의 변화

(1) 저출산·고령화에 따른 인구구조의 변화

노령화로 인한 노인의료비 등의 사회보장 지출이 증가하여, 정부 재정에 부담을 준다.

(2) 건강에 대한 인식과 수요의 변화

① 만성 질환으로 질병구조가 변화한다.

② 치료의료서비스에서 질환예방서비스로 변화한다.

③ 식품유해요인이 증가한다.

④ 신종 감염병이 출현할 가능성이 증가한다.

⑤ 감염병체계 관리의 선진화와 식품안전에 대한 요구가 증가한다.

(3) 국민의료비 상승

의료서비스 산업 및 IT기술의 발달을 통해 U-Health와 같은 정보통신기술을 이용한 의료서비스의 요구도 증가하였다.

5. 정책의 방향

지난 2017년 5월 10일, 모든 국민이 전 생애에 걸쳐 빈곤 · 질병 등의 각종 사회적 위험으로부터 보호받고 인간다운 삶을 영위하는 포용적 복지국가 실현을 위해 7대 과제와 30개 실천과제를 중점적으로 추진하였다.

사회서비스 공공인프라 구축과 일자리 창출	① 장애인활동 지원 및 노인돌봄 기본서비스 등 일자리 확충으로 사회적 돌봄체계 강화 ② 노인일자리와 장애인일자리 확충 등 취약계층을 대상으로 직접 일자리를 창출 ③ 사회서비스원 설립방안과 관련 법률(안) 마련 ④ 양질의 일자리 창출과 사회서비스의 질 제고를 위한 기반 구축
국민의 기본생활을 보장하는 맞춤형 사회보장	① 부양의무자 기준 단계적 폐지 등 기초생활보장 사각지대에 놓인 저소득층에 대한 보장 확대 ② 아동수당 도입을 위한 예산 및 법안 마련 ③ 장애등급 폐지 및 장애인건강권 확보를 위한 법령 개정 등 생애 맞춤형 기본적 소득 · 의료 지원 강화
고령사회 대비, 품위 있는 노후생활 보장	① 기초연금 인상 등 공적연금 개선을 통한 노후 소득보장 강화 ② 건강보험 임의계속 가입 기간 연장 ③ 치매 국가책임제 도입 ④ 노인일자리 확충
건강보험 보장성 강화 및 예방 중심의 건강관리 지원	① 3대 비급여(특진 · 특실 · 간병) 해소 등 건강보험 보장성을 강화하고 재난적 의료비 지원, 건강보험료 부과체계 개편 등 가계부담 경감을 추진 ② 수요자 중심의 건강검진체계 전환, 예방접종 지원 확대 등 예방 중심의 건강관리 지원을 위한 과제를 추진
의료공공성 확보 및 환자 중심 의료서비스 제공 체계를 강화	① 진료정보 교류 참여기관 확대 ② 공공의료기관 운영평가 및 지원 강화 ③ 호스피스 · 완화의료 활성화 ④ 감염병 관리체계 구축을 위한 인프라 확충
미래세대 투자를 통한 저출산 극복	① 저출산 극복을 위해 아동수당 도입 ② 국공립 어린이집 확충 ③ 온종일 돌봄체계 구축 추진 등 미래세대에 대한 투자 강화 ④ 저출산정책의 총괄 조정기능 강화를 위해 저출산고령사회위원회 개편
고부가가치 창출 및 미래형 신산업 발굴 · 육성	① 제약 · 바이오 · 의료기기 산업 육성을 위해 보건산업 성장전략 마련 ② R&D 지원을 확대하는 등 고부가가치 창출 ③ 미래형 신산업 발굴 · 육성을 위한 정책과제 추진

2 보건의료체계의 이해

1. 보건의료체계의 정의

(1) 한 국가가 국민의 건강권인 보건의료 요구를 충족시키고, 건강 수준을 향상시키기 위한 보건의료와 관련된 제반 법률과 제도를 총칭한다.

(2) 보건의료체계는 그 사회의 국가정책에서 추구하는 근본 철학과 이념이 국민의 보건의료에 대한 형평성(equity) 또는 효율성(efficiency)을 어떻게 추구하느냐에 따라 그 목적을 달성하기 위한 제도를 구축한 것이다.

2. 우리나라의 보건의료전달체계

(1) 보건의료전달체계

의료기관의 기술 수준에 따라 기능 분담과 협업관계를 결정함으로써 의료이용을 단계화하고, 의료자원의 효율적 활용과 적정의료 이용을 유도하기 위한 제도적 장치이다.

Plus⁺ POINT

우리나라 보건의료체계 특징

1. 대 진료권 및 구심적 역할을 담당하는 것은 3차 의료기관이다.
2. 보건소는 경미한 외래진료만 수행한다.
3. 치료 위주의 의료서비스이다.
4. 의료기관과 의료 인력이 도시에 집중되었다.

(2) 진료전달체계

모든 국민에게 동등한 의료 수준을 유지하면서 체계적으로 의료서비스를 제공하기 위해 인력, 시설, 재원관리기술 및 모든 정보를 고려하여 의료자원의 배치, 기능 및 그 상호관계 등을 의미하는 서비스 제공체계를 말한다.

관련 법령

「의료급여법」 제9조 【의료급여기관】 ① 의료급여는 다음 각 호의 의료급여기관에서 실시한다. 이 경우 보건복지부장관은 공익상 또는 국가시책상 의료급여기관으로 적합하지 아니하다고 인정할 때에는 대통령령으로 정하는 바에 따라 의료급여기관에서 제외할 수 있다.

1. 「의료법」에 따라 개설된 의료기관
2. 「지역보건법」에 따라 설치된 보건소 · 보건의료원 및 보건지소
3. 「농어촌 등 보건의료를 위한 특별조치법」에 따라 설치된 보건진료소
4. 「약사법」에 따라 개설등록된 약국 및 같은 법 제91조에 따라 설립된 한국희귀 · 필수의약품센터

② 의료급여기관은 다음 각 호와 같이 구분하되, 의료급여기관별 진료범위는 보건복지부령으로 정한다.
1. 제1차 의료급여기관
가. 「의료법」 제33조 제3항에 따라 개설신고를 한 의료기관
나. 제1항 제2호부터 제4호까지의 규정에 따른 의료급여기관
2. 제2차 의료급여기관: 「의료법」 제33조 제4항 전단에 따라 개설허가를 받은 의료기관
3. 제3차 의료급여기관: 제2차 의료급여기관 중에서 보건복지부장관이 지정하는 의료기관

관련 법령

「국민건강보험 요양급여의 기준에 관한 규칙」 제2조 【요양급여의 절차】 ① 요양급여는 1단계 요양급여와 2단계 요양급여로 구분하며, 가입자 또는 피부양자(이하 "가입자등"이라 한다)는 1단계 요양급여를 받은 후 2단계 요양급여를 받아야 한다. **기출 20, 21**
② 제1항의 규정에 의한 1단계 요양급여는 「의료법」 제3조의4에 따른 상급종합병원(이하 "상급종합병원"이라 한다)을 제외한 요양기관에서 받는 요양급여(건강진단 또는 건강검진을 포함한다)를 말하며, 2단계 요양급여는 상급종합병원에서 받는 요양급여를 말한다.
③ 제1항 및 제2항의 규정에 불구하고 가입자등이 다음 각 호의 1에 해당하는 경우에는 상급종합병원에서 1단계 요양급여를 받을 수 있다.
1. 「응급의료에 관한 법률」 제2조 제1호에 해당하는 응급환자인 경우
2. 분만의 경우
3. 치과에서 요양급여를 받는 경우
4. 「장애인복지법」 제32조에 따른 등록 장애인 또는 단순 물리치료가 아닌 작업치료 · 운동치료 등의 재활치료가 필요하다고 인정되는 자가 재활의학과에서 요양급여를 받는 경우
5. 가정의학과에서 요양급여를 받는 경우
6. 당해 요양기관에서 근무하는 가입자가 요양급여를 받는 경우
7. 혈우병환자가 요양급여를 받는 경우
④ 가입자등이 상급종합병원에서 2단계 요양급여를 받고자 하는 때에는 상급종합병원에서의 요양급여가 필요하다는 의사소견이 기재된 건강진단 · 건강검진결과서 또는 별지 제4호서식의 요양급여의뢰서를 건강보험증 또는 신분증명서(주민등록증, 운전면허증 및 여권을 말한다. 이하 같다)와 함께 제출하여야 한다.

관련 법령

「의료법」 제3조【의료기관】 ① 이 법에서 "의료기관"이란 의료인이 공중(公衆) 또는 특정 다수인을 위하여 의료·조산의 업(이하 "의료업"이라 한다)을 하는 곳을 말한다.

② 의료기관은 다음 각 호와 같이 구분한다.

1. 의원급 의료기관: 의사, 치과의사 또는 한의사가 주로 외래환자를 대상으로 각각 그 의료행위를 하는 의료기관으로서 그 종류는 다음 각 목과 같다.
   가. 의원
   나. 치과의원
   다. 한의원
2. 조산원: 조산사가 조산과 임산부 및 신생아를 대상으로 보건활동과 교육·상담을 하는 의료기관을 말한다.
3. 병원급 의료기관: 의사, 치과의사 또는 한의사가 주로 입원환자를 대상으로 의료행위를 하는 의료기관으로서 그 종류는 다음 각 목과 같다.
   가. 병원
   나. 치과병원
   다. 한방병원
   라. 요양병원(「장애인복지법」 제58조 제1항 제4호에 따른 의료재활시설로서 제3조의2의 요건을 갖춘 의료기관을 포함한다. 이하 같다)
   마. 정신병원
   바. 종합병원

③ 보건복지부장관은 보건의료정책에 필요하다고 인정하는 경우에는 제2항 제1호부터 제3호까지의 규정에 따른 의료기관의 종류별 표준업무를 정하여 고시할 수 있다.

제3조의2【병원등】 병원·치과병원·한방병원 및 요양병원(이하 "병원등"이라 한다)은 30개 이상의 병상(병원·한방병원만 해당한다) 또는 요양병상(요양병원만 해당하며, 장기입원이 필요한 환자를 대상으로 의료행위를 하기 위하여 설치한 병상을 말한다)을 갖추어야 한다.

제3조의3【종합병원】 ① 종합병원은 다음 각 호의 요건을 갖추어야 한다.

1. 100개 이상의 병상을 갖출 것
2. 100병상 이상 300병상 이하인 경우에는 내과·외과·소아청소년과·산부인과 중 3개 진료과목, 영상의학과, 마취통증의학과와 진단검사의학과 또는 병리과를 포함한 7개 이상의 진료과목을 갖추고 각 진료과목마다 전속하는 전문의를 둘 것
3. 300병상을 초과하는 경우에는 내과, 외과, 소아청소년과, 산부인과, 영상의학과, 마취통증의학과, 진단검사의학과 또는 병리과, 정신건강의학과 및 치과를 포함한 9개 이상의 진료과목을 갖추고 각 진료과목마다 전속하는 전문의를 둘 것

② 종합병원은 제1항 제2호 또는 제3호에 따른 진료과목(이하 이 항에서 "필수진료과목"이라 한다) 외에 필요하면 추가로 진료과목을 설치·운영할 수 있다. 이 경우 필수진료과목 외의 진료과목에 대하여는 해당 의료기관에 전속하지 아니한 전문의를 둘 수 있다.

제3조의4【상급종합병원 지정】 ① 보건복지부장관은 다음 각 호의 요건을 갖춘 종합병원 중에서 중증질환에 대하여 난이도가 높은 의료행위를 전문적으로 하는 종합병원을 상급종합병원으로 지정할 수 있다.

1. 보건복지부령으로 정하는 20개 이상의 진료과목을 갖추고 각 진료과목마다 전속하는 전문의를 둘 것
2. 제77조 제1항에 따라 전문의가 되려는 자를 수련시키는 기관일 것
3. 보건복지부령으로 정하는 인력·시설·장비 등을 갖출 것
4. 질병군별(疾病群別) 환자구성 비율이 보건복지부령으로 정하는 기준에 해당할 것

② 보건복지부장관은 제1항에 따른 지정을 하는 경우 제1항 각 호의 사항 및 전문성 등에 대하여 평가를 실시하여야 한다.
③ 보건복지부장관은 제1항에 따라 상급종합병원으로 지정받은 종합병원에 대하여 3년마다 제2항에 따른 평가를 실시하여 재지정하거나 지정을 취소할 수 있다.
④ 보건복지부장관은 제2항 및 제3항에 따른 평가업무를 관계 전문기관 또는 단체에 위탁할 수 있다.
⑤ 상급종합병원 지정·재지정의 기준·절차 및 평가업무의 위탁 절차 등에 관하여 필요한 사항은 보건복지부령으로 정한다.

제3조의5【전문병원 지정】 ① 보건복지부장관은 병원급 의료기관 중에서 특정 진료과목이나 특정 질환 등에 대하여 난이도가 높은 의료행위를 하는 병원을 전문병원으로 지정할 수 있다.
② 제1항에 따른 전문병원은 다음 각 호의 요건을 갖추어야 한다.

1. 특정 질환별·진료과목별 환자의 구성비율 등이 보건복지부령으로 정하는 기준에 해당할 것
2. 보건복지부령으로 정하는 수 이상의 진료과목을 갖추고 각 진료과목마다 전속하는 전문의를 둘 것

③ 보건복지부장관은 제1항에 따라 전문병원으로 지정하는 경우 제2항 각 호의 사항 및 진료의 난이도 등에 대하여 평가를 실시하여야 한다.
④ 보건복지부장관은 제1항에 따라 전문병원으로 지정받은 의료기관에 대하여 3년마다 제3항에 따른 평가를 실시하여 전문병원으로 재지정할 수 있다.
⑤ 보건복지부장관은 제1항 또는 제4항에 따라 지정받거나 재지정받은 전문병원이 다음 각 호의 어느 하나에 해당하는 경우에는 그 지정 또는 재지정을 취소할 수 있다. 다만, 제1호에 해당하는 경우에는 그 지정 또는 재지정을 취소하여야 한다.

1. 거짓이나 그 밖의 부정한 방법으로 지정 또는 재지정을 받은 경우
2. 지정 또는 재지정의 취소를 원하는 경우
3. 제4항에 따른 평가 결과 제2항 각 호의 요건을 갖추지 못한 것으로 확인된 경우

⑥ 보건복지부장관은 제3항 및 제4항에 따른 평가업무를 관계 전문기관 또는 단체에 위탁할 수 있다.
⑦ 전문병원 지정·재지정의 기준·절차 및 평가업무의 위탁 절차 등에 관하여 필요한 사항은 보건복지부령으로 정한다.

제33조【개설 등】① 의료인은 이 법에 따른 의료기관을 개설하지 아니하고는 의료업을 할 수 없으며, 다음 각 호의 어느 하나에 해당하는 경우 외에는 그 의료기관 내에서 의료업을 하여야 한다.
1. 「응급의료에 관한 법률」 제2조 제1호에 따른 응급환자를 진료하는 경우
2. 환자나 환자 보호자의 요청에 따라 진료하는 경우
3. 국가나 지방자치단체의 장이 공익상 필요하다고 인정하여 요청하는 경우
4. 보건복지부령으로 정하는 바에 따라 가정간호를 하는 경우
5. 그 밖에 이 법 또는 다른 법령으로 특별히 정한 경우나 환자가 있는 현장에서 진료를 하여야 하는 부득이한 사유가 있는 경우

② 다음 각 호의 어느 하나에 해당하는 자가 아니면 의료기관을 개설할 수 없다. 이 경우 의사는 종합병원·병원·요양병원·정신병원 또는 의원을, 치과의사는 치과병원 또는 치과의원을, 한의사는 한방병원·요양병원 또는 한의원을, 조산사는 조산원만을 개설할 수 있다.
1. 의사, 치과의사, 한의사 또는 조산사
2. 국가나 지방자치단체
3. 의료업을 목적으로 설립된 법인(이하 "의료법인"이라 한다)
4. 「민법」이나 특별법에 따라 설립된 비영리법인
5. 「공공기관의 운영에 관한 법률」에 따른 준정부기관, 「지방의료원의 설립 및 운영에 관한 법률」에 따른 지방의료원, 「한국보훈복지의료공단법」에 따른 한국보훈복지의료공단

③ 제2항에 따라 의원·치과의원·한의원 또는 조산원을 개설하려는 자는 보건복지부령으로 정하는 바에 따라 시장·군수·구청장에게 신고하여야 한다.
④ 제2항에 따라 종합병원·병원·치과병원·한방병원·요양병원 또는 정신병원을 개설하려면 제33조의2에 따른 시·도 의료기관개설위원회의 심의를 거쳐 보건복지부령으로 정하는 바에 따라 시·도지사의 허가를 받아야 한다. 이 경우 시·도지사는 개설하려는 의료기관이 다음 각 호의 어느 하나에 해당하는 경우에는 개설허가를 할 수 없다.
1. 제36조에 따른 시설기준에 맞지 아니하는 경우
2. 제60조 제1항에 따른 기본시책과 같은 조 제2항에 따른 수급 및 관리계획에 적합하지 아니한 경우

⑤ 제3항과 제4항에 따라 개설된 의료기관이 개설 장소를 이전하거나 개설에 관한 신고 또는 허가사항 중 보건복지부령으로 정하는 중요사항을 변경하려는 때에도 제3항 또는 제4항과 같다.
⑥ 조산원을 개설하는 자는 반드시 지도의사(指導醫師)를 정하여야 한다.
⑦ 다음 각 호의 어느 하나에 해당하는 경우에는 의료기관을 개설할 수 없다.
1. 약국 시설 안이나 구내인 경우
2. 약국의 시설이나 부지 일부를 분할 · 변경 또는 개수하여 의료기관을 개설하는 경우
3. 약국과 전용 복도 · 계단 · 승강기 또는 구름다리 등의 통로가 설치되어 있거나 이런 것들을 설치하여 의료기관을 개설하는 경우
4. 「건축법」 등 관계 법령에 따라 허가를 받지 아니하거나 신고를 하지 아니하고 건축 또는 증축 · 개축한 건축물에 의료기관을 개설하는 경우
⑧ 제2항 제1호의 의료인은 어떠한 명목으로도 둘 이상의 의료기관을 개설 · 운영할 수 없다. 다만, 2 이상의 의료인 면허를 소지한 자가 의원급 의료기관을 개설하려는 경우에는 하나의 장소에 한하여 면허 종별에 따른 의료기관을 함께 개설할 수 있다.
⑨ 의료법인 및 제2항 제4호에 따른 비영리법인(이하 이 조에서 "의료법인등"이라 한다)이 의료기관을 개설하려면 그 법인의 정관에 개설하고자 하는 의료기관의 소재지를 기재하여 대통령령으로 정하는 바에 따라 정관의 변경허가를 얻어야 한다(의료법인등을 설립할 때에는 설립 허가를 말한다. 이하 이 항에서 같다). 이 경우 그 법인의 주무관청은 정관의 변경허가를 하기 전에 그 법인이 개설하고자 하는 의료기관이 소재하는 시 · 도지사 또는 시장 · 군수 · 구청장과 협의하여야 한다.
⑩ 의료기관을 개설 · 운영하는 의료법인등은 다른 자에게 그 법인의 명의를 빌려주어서는 아니 된다.

관련 법령

「의료법 시행규칙」 제35조의2【의료기관의 운영 기준】 의료기관을 개설하는 자는 법 제36조 제3호에 따라 다음 각 호의 운영 기준을 지켜야 한다.

1. 입원실의 정원을 초과하여 환자를 입원시키지 말 것
2. 입원실은 남·여별로 구별하여 운영할 것
3. 입원실이 아닌 장소에 환자를 입원시키지 말 것
4. 외래진료실에는 진료 중인 환자 외에 다른 환자를 대기시키지 말 것

제36조【요양병원의 운영】 ① 법 제36조 제3호에 따른 요양병원의 입원 대상은 다음 각 호의 어느 하나에 해당하는 자로서 주로 요양이 필요한 자로 한다.

1. 노인성 질환자
2. 만성질환자
3. 외과적 수술 후 또는 상해 후 회복기간에 있는 자

② 제1항에도 불구하고 「감염병의 예방 및 관리에 관한 법률」 제41조 제1항에 따라 질병관리청장이 고시한 감염병에 걸린 같은 법 제2조 제13호부터 제15호까지에 따른 감염병환자, 감염병의사환자 또는 병원체보유자(이하 "감염병환자등"이라 한다) 및 같은 법 제42조 제1항 각 호의 어느 하나에 해당하는 감염병환자등은 요양병원의 입원 대상으로 하지 아니한다.
③ 제1항에도 불구하고 「정신건강증진 및 정신질환자 복지서비스 지원에 관한 법률」 제3조 제1호에 따른 정신질환자(노인성 치매환자는 제외한다)는 같은 법 제3조 제5호에 따른 정신의료기관 외의 요양병원의 입원 대상으로 하지 아니한다.
④ 각급 의료기관은 제1항에 따른 환자를 요양병원으로 옮긴 경우에는 환자 이송과 동시에 진료기록 사본 등을 그 요양병원에 송부하여야 한다.
⑤ 요양병원 개설자는 요양환자의 상태가 악화되는 경우에 적절한 조치를 할 수 있도록 환자 후송 등에 관하여 다른 의료기관과 협약을 맺거나 자체 시설 및 인력 등을 확보하여야 한다.
⑦ 요양병원 개설자는 휴일이나 야간에 입원환자의 안전 및 적절한 진료 등을 위하여 소속 의료인 및 직원에 대한 비상연락체계를 구축·유지하여야 한다.

Plus⁺ POINT

일상 회복과 포용복지 구현으로 선도국가 도약 – 2021년 주요 업무 추진계획

<table>
<tr><td>비전</td><td colspan="2">일상 회복과 포용복지 구현으로 선도국가 도약</td></tr>
<tr><td>추진 방향</td><td colspan="2">• 연내 코로나19 조기 극복으로 국민 일상 회복
• 복지 확대와 사회안전망 강화로 국민의 안정된 삶을 지원
• 첨단기술 활용한 보건복지 혁신 추진</td></tr>
<tr><td rowspan="6">2021년
6대 핵심
추진 과제</td><td>코로나19 조기 극복</td><td>• 코로나19 방역 대응 강화
• 코로나19 백신 · 치료제 보급 지원
• 코로나19 돌봄 공백 최소화</td></tr>
<tr><td>의료 · 건강안전망 강화</td><td>• 공공의료 강화
• 의료전달체계 · 자원관리 개편
• 건강보험 보장성 강화
• 예방적 건강관리 확대</td></tr>
<tr><td>소득안전망 강화</td><td>• 저소득층 소득지원 확대
• 노인 · 장애인 소득지원 확대
• 아동 · 청장년 소득보장 강화</td></tr>
<tr><td>돌봄안전망 강화</td><td>• 아동학대 방지 · 돌봄 강화
• 노인 · 장애인 돌봄 내실화
• 지역사회 통합돌봄 및 사회서비스 공공성 강화</td></tr>
<tr><td>보건복지 디지털 뉴딜 가속화</td><td>• 바이오헬스 혁신 촉진
• 보건의료 데이터 활용 지원
• 스마트 의료 · 복지 확산</td></tr>
<tr><td>인구구조 대응 역량 강화</td><td>• 임신 · 출산 국가지원 확대
• 노후생활 인프라 구축
• 지속가능한 사회보험제도 구축</td></tr>
</table>

(3) 우리나라 진료전달체계의 현실

① 상급병원으로 환자가 집중되는 현상이 있다.
② 의료기관 간 종별 기능이 분화되지 못하고 경쟁이 심화되었다.
③ 노인, 만성 질환에 대한 체계적인 관리 및 의료 수요 변화에 대한 방안이 미흡하다.
④ 의원의 포괄적이고 지속적인 의료서비스를 강화해야 한다.
⑤ 병원은 전문병원화를 통해 경쟁력을 강화해야 한다.
⑥ 대형병원은 중증질환에 대한 진료기능을 강화해야 한다.
⑦ 1차 의료 활성화를 위한 '의원급 만성질환관리제'를 시행한다.
⑧ 의료기관 평가인증제를 시행한다.

(4) 응급의료전달체계

① 정책 개선방향

㉠ 응급의료서비스의 이용격차 없는 지역 완결형 응급의료체계를 구축한다.

㉡ 중증도에 따른 합리적인 응급의료서비스의 이용체계를 마련한다.

② 응급의료전달체계의 역사

㉠ 1989년: 응급의료전달체계 구축을 시작하였다.

㉡ 1991년: 응급의료체계 관리운영규정을 제정 · 공포하였다.

㉢ 1994년: 「응급의료에 관한 법률」을 제정하였다.

㉣ 1995년: 응급의학전문의제도를 신설하였다.

㉤ 1996년: 권역응급의료센터를 도입하였다.

㉥ 2000년: 「응급의료에 관한 법률」을 전면 개정(권역응급의료센터, 지역응급의료센터, 지역응급의료기관의 3단계로 정립)하였다.

㉦ 2012년: 외상센터 지정과 지원에 관한 근거를 마련하였다.

㉧ 2018 ~ 2022년: 응급의료 기본계획을 발표(2018.12.)하였다.

Plus⁺ POINT

환자 중심의 응급의료서비스 제공을 위한 응급의료체계 개선방향(안)

1. 과제별 성과지표

영역	지표명	목표	
		2018년	2022년
핵심 목표	중증응급환자 적정시간 내 최종치료기관 도착률	52.3%	60%
	중증응급환자 최종치료 제공률	65.9%	70%
	응급의료서비스 신뢰도	50.4%	60%
현장이송 단계	중증응급환자 적정병원 이송률(중증외상, 심뇌혈관)	76.9%	90%
	지도의사 적정 교육 이수율	39.3%	100%
	구급상황관리센터 평가	평가 미실시	평가 실시
	119 응급의료상담제도 대국민 인지율	49.1%	70%
응급실 단계	권역응급의료센터 중증응급(의심)환자 비율	51%	60%
	병상포화지수	51%	46%
	北치료 재전원율	2.7%	2.4%
	급성심근경색 30일 사망률	9.6% (2017)	7.5%
	뇌졸중(허혈성) 30일 사망률	3.2% (2017)	3.0%
	뇌졸중(출혈성) 30일 사망률	16.9% (2017)	15%
	예방가능한 외상 사망률(홀수연도 측정)	19.9% (2017)	15% (2021)
응급의료 기반단계	권역 · 지역응급센터 안내 · 상담인력 배치율	23.1%	100%
	70개 중진료권 중 지역응급의료센터 지정 비율	87.1%	94.3%
	구급활동기록지 – 국가응급진료정보망 매칭률	89.8%	100%

2. 추진체계

① 비전: 국민의 생명과 건강을 지키는 든든한 사회안전망

② 목표: 환자 중심의 응급의료서비스 제공체계 구축

③ 성과지표

구분	2018년	2022년
중증응급환자 적정시간 내 최종치료기관 도착률	52.3%	60.0%
중증응급환자 최종치료 제공률	65.9%	70.0%
응급의료서비스 신뢰도	50.4%	60.0%

④ 3대 분야, 11개 주요 과제

현장 · 이송 단계	24시간 든든한 119응급상담서비스 제공
	응급환자 골든타임 확보
	응급의료 제공자 핵심 역량 강화
	안전한 전원 이송을 위한 제도 개선
병원 단계	응급의료기관 종별 기능 · 책임 명확화
	중증도별 최적 진료체계 구축
	전문 응급진료 대응체계 강화
응급의료기반 단계	환자 친화적 응급의료서비스 강화
	지역 응급의료체계 기반 확충
	근거 기반(evidence based) 정책지원체계 구축
	핵심 정책지원기관으로 중앙응급의료센터 재정립

3. 보건의료서비스의 특징

(1) 정보의 비대칭 기출 23

① 소비자의 무지 또는 소비자의 지식 부족으로도 일컬어지는 것이다.

② 질병이 발생하게 되면, 보건의료에 대한 전문적 기술을 가지고 있지 않은 소비자는 보건의료서비스 제공자인 의료전문가에게 보건의료를 의뢰하게 된다.

③ 충분한 설명을 통해 동의하는 것을 법적으로 의무화하고 있다.

(2) 불확실성

① 건강문제는 개인적으로 볼 때 모두가 경험하는 것이 아니므로 불균등한 것이며, 언제 발생할지 모르기 때문에 예측이 불가능하고, 긴급을 요하는 상황이 많이 발생하므로 경제적 · 심리적으로 준비하기가 어렵다.

② 이에 대응하기 위해 의료보험이라는 위험분산의 경제적 수단을 활용한다.

(3) 외부효과 기출 19, 20, 21, 22

① 각 개인의 건강과 관련된 자의적 행동이 타인에게 파급되는 좋은 혹은 나쁜 효과로서의 결과를 뜻한다.

② 특정 질병에 대해 상당수 비율의 인구가 예방접종을 통해 면역 수준이 높아지면 다른 사람들도 감염될 위험률이 상대적으로 낮아진다.
⇨ 예방 및 건강증진을 중심으로 하는 지역사회보건사업은 외부효과가 크다고 할 수 있다.

(4) 공급의 독점성

① 보건의료서비스는 면허제도를 통하여 해당 서비스를 제공할 수 있는 자격을 제한하고 있다.
② 의료인이 아니면 의료행위를 할 수 없고 면허 범위 내에서만 의료행위를 할 수 있다.
③ 이는 환자에게 안전한 진료를 보장하지만 공급의 독점을 형성한다.

(5) 가치재

① 국민이면 누구나 보건의료서비스를 받을 수 있는 건강권이 보장되어야 한다.
② 인간생활의 필수요소로 국가가 보건의료에 관한 국민의 권리를 법적으로 보장하고 있으므로(「보건의료기본법」 제10조) 의료비를 스스로 부담할 수 없는 사회계층까지도 확대되어야 한다.

(6) 노동집약적인 대인서비스

① 재고가 있을 수 없는 공급 독점적 · 개별적 주문생산이므로 대량생산이 불가능하며 원가절하가 되지 않는다.
② 다른 산업에 비해 노동집약적이어서 인건비 상승에 따른 의료비는 다른 재화나 서비스에 비해 상대적으로 훨씬 높은 상승률을 나타내기 쉽다.

(7) 비영리적 동기

① 인간의 건강을 다루는 의료기관은 이익을 추구하는 곳이 아니다.
② 의료인에게는 환자의 치료와 관련된 사항들에 대해 간섭을 받지 아니하고 의료기자재 등도 우선적으로 공급받을 권리를 보장하고 있다.

(8) 서비스와 교육의 공동생산물

① 보건의료서비스는 양질의 교육을 통해 생산된다.
② 교육 수행과 연구의욕을 고취하여 최대의 역할 수행이 가능한 분위기를 조성해야 보건의료의 질을 높일 수 있다.

4. 보건의료서비스의 구성요소 기출 21

구성요소	내용
접근용이성 (Accessibility)	개인적 접근성, 포괄적 서비스, 양적 적합성, 가격
질 (Quality)	전문적 자격, 개인적 수용성, 질적 적합성 ⇨ 양질의 의료 제공
지속성 (Continuity)	개인 중심의 진료, 중점적 의료 제공, 서비스 조정 ⇨ 의료의 지속성
효율성 (Efficiency)	평등한 재정, 적절한 보상, 효율적 관리 ⇨ 효율성 관리

5. 보건의료체계의 구성요소

(1) 보건자원 개발

① 보건의료체계 안에서 보건의료를 제공하고 지원기능을 수행하기 위해 인적 · 물적 보건의료자원의 개발이 필요하다.

② 인력, 시설, 장비 및 소모품, 지식 및 정보 등이 있다.

(2) 자원의 조직 및 배치

① 보건의료자원들이 서로 효과적인 관계를 맺고 개인이나 지역사회가 의료제공 기전을 통해 자원과 접촉할 수 있도록 하는 것이다.

② 공공조직과 영리 · 비영리 및 자원봉사단체 등을 포함한 민간조직의 관리를 뜻한다.

(3) 보건의료서비스 제공

① 사업의 목적에 따라 건강증진활동, 예방활동, 진료활동, 재활활동으로 구분할 수 있다.

② 1차, 2차, 3차 보건의료로 구성된다.

(4) 재정지원

① 국가보건의료체계하에서 사업 수행을 위한 실제적인 재원조달방법으로 보건자원과 보건의료전달제도는 경제적 지원이 필수요건이다.

② 세금으로 조달되는 정부의 일반재정, 사회보험, 민간보험, 기부금 및 개인이나 가족의 부담금 등이 있다.

(5) 관리

① 보건의료체계의 전체 조직의 운영을 원활하게 하기 위해서는 보건의료관리가 매우 중요하다.

② 기획, 행정, 규제 또는 지도력, 의사결정, 감시 및 평가 등을 그 내용으로 한다.

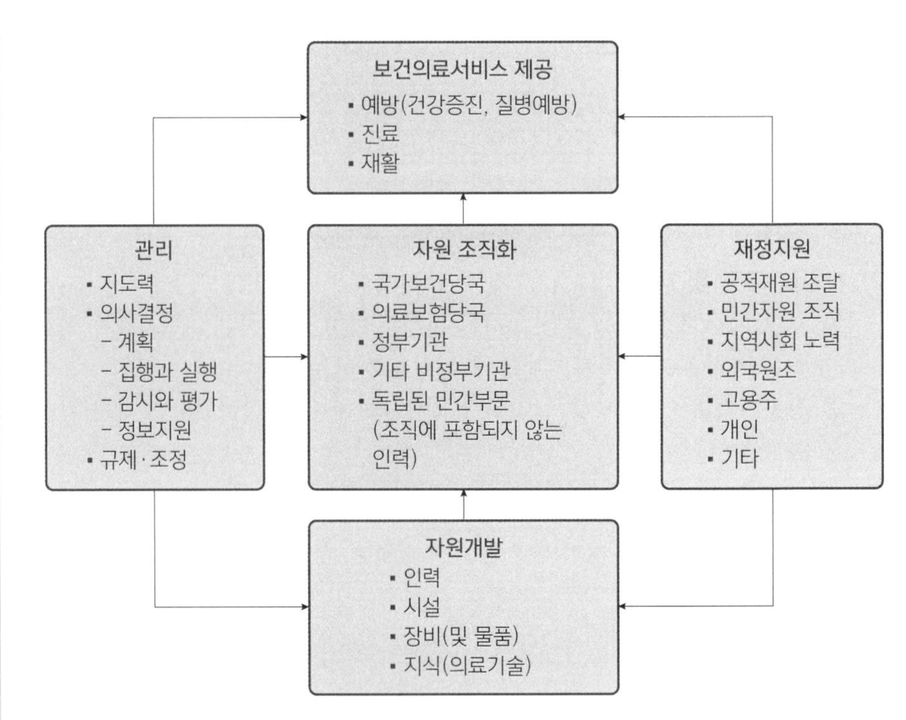

국가보건의료체계 하부구조와 구성요소(WHO, 1984)

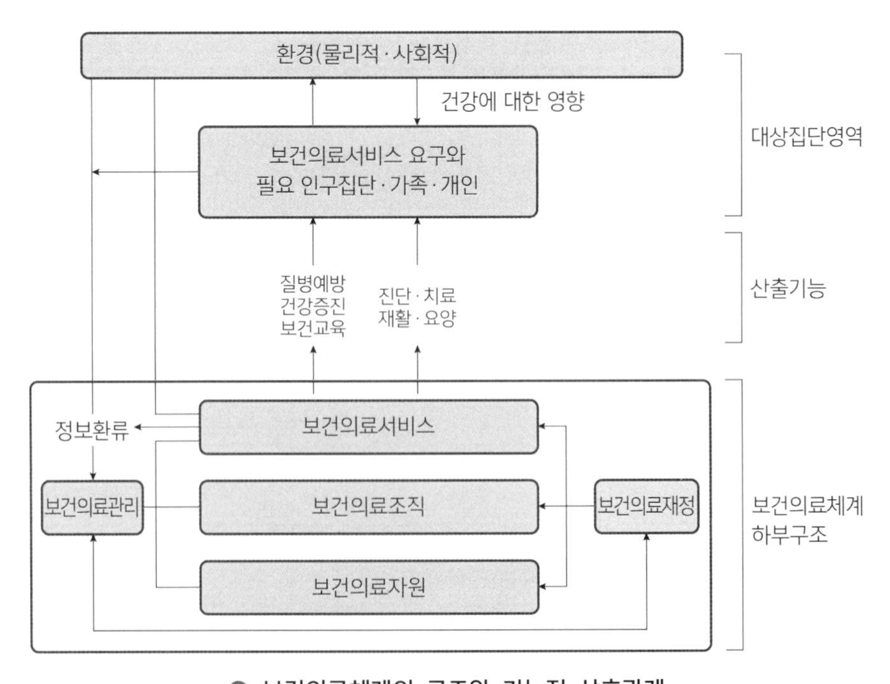

보건의료체계의 구조와 기능적 상호관계

출처: Klezkowsk B.M., et al. National health system and their reorientation towards health for all. Geneva: WHO, 1984.

6. 국가보건의료체계의 유형

(1) 보건의료 배분의 자율성과 형평성

구분	자율성	형평성
개인적 책임	① 개인의 성취원리 강조(사회적 다원주의 - 약육강식) ② 개인의 노력과 도덕성 비례 ③ 의료도 개인의 노력에 대한 보상으로 체계 유지	① 동등한 기회(집단주의) ② 경제적 빈곤과 부도덕성을 동일하게 취급하지 않음
사회적 관심과 책임	① 개인의 성취원리와 부분적인 문제점을 인정 ② 제한된 사회적 관심을 강조 ③ 임의적 자선의 형태로 사회적 관심을 표명	① 의료는 개인의 책임에 맡길 수 없음 ② 자선은 사회적 배려의 비적절한 수단 ③ 사회적 기전을 통해 자선은 최소화
자유	① 최대한의 자유 보장 ② 정부 기능의 최소화(개인의 자율성 보장) ③ 시장 기능에 의한 자연 적응을 강조	① 자유와 권리의 박탈은 정치뿐만 아니라 경제적 빈곤에 의해서도 발생 ② 정부는 국민의 의사를 대변해 주는 존재 ③ 사회 전체의 편익 증가를 위한 정부 개입 선호
평등	① 법 앞의 평등(협의) ② 소수의 비공정한 대우에 대해서는 소홀 ③ 평등과 자유의 상충 ④ 양자 중 자유를 선호	① 성취에 대한 기회균등(광의) 의료는 성취의 전제조건으로 기본 관리 ② 평등을 자유의 파급으로 인식

출처: 지역사회간호학 1, 2020, 안옥희 외 공저(현문사)

(2) 프라이(Fry)의 보건의료전달체계 분류

① 자유방임형

㉠ 의의

ⓐ 개개인의 능력과 자유를 최대한으로 존중한다.

ⓑ 자유시장경제의 논리에 따라 민간 주도로 이루어진다.

ⓒ 정부의 간섭이나 통제는 가능한 극소화한다.

ⓓ **대표 국가**: 미국, 일본, 한국 등

㉡ 장단점

장점	• 효율적인 경영 가능 • <u>의료기관이나 의료인을 선택 가능</u> • 의료서비스의 질적 수준이 높음
단점	• 지역, 사회 계층적으로 불균형 • 의료비 상승

Plus⁺ POINT

국민의료비 증가 억제대책

1. 진료비 일부를 사용자에게 부담시킨다.
2. 포괄수가제를 도입한다.
3. 고가 의료장비의 도입을 자제한다.
4. 자원을 적절하게 통제 및 활용한다.

② 사회보장형

㉠ 의의

ⓐ 정치적으로는 자유민주 국가이나 사회적으로 교육, 의료, 실업 등 사회보장을 중시한다.

ⓑ 주로 정부가 주체가 되어 보건기획 및 자원을 효율적으로 활용하고 의료서비스를 무료로 제공한다.

ⓒ **대표 국가**: 영국, 스칸디나비아 등

㉡ 장단점

장점	균등한 의료서비스 제공
단점	의료 수준 저하

③ 사회주의형

㉠ 의의

ⓐ 의료자원과 의료서비스의 균등한 분포와 균등한 기회를 중시한다.

ⓑ 국가의 중앙집권적인 관리와 배분이 이루어진다.

ⓒ 개인은 선택의 자유가 없지만 필요할 때면 언제 어디서나 무료로 의료서비스를 받을 수 있다.

ⓓ **대표 국가**: 구소련 등

㉡ 장단점

장점	서비스 전달이 조직적으로 이루어져 의료자원이 효율적으로 할당·분포됨
단점	관료체계로 인한 경직성, 의사들의 인센티브 결여 ⇨ 의료서비스 생산성과 질 저하

(3) 뢰머(M. Roemer)의 Matrix형 분류

① 의의

㉠ 보건의료체계를 구성하는 두 개의 차원인 경제적 요소와 정치적 요소를 가로와 세로로 놓고 교차하는 것이다.

㉡ 경제적 차원은 연간 국민 1인당 GNP(Gross National Product)를 쉽게 계측한다.

㉢ 정치적 차원은 정부 또는 공권력이 보건의료시장에 개입하는 정도를 반영하는 것이다.

② 분류

㉠ **자유기업형 보건의료체계**

ⓐ 자유기업형 보건의료체계는 민간 의료시장이 매우 강력하고 크다.

ⓑ 정부개입이 미미하다.

ⓒ 보건의료비 지출의 절반 이상이 환자 본인책임(Pocket money)이다.

ⓓ 정부의 보건의료프로그램이 취약하여 보장성이 낮으며 보건의료는 개인의 책임이다.

ⓔ **대표 국가**: 미국 등

㉡ **복지지향형 보건의료체계**

ⓐ 복지지향형 보건의료체계에서는 정부나 제3지불자들이 다양한 방법으로 민간보건 의료시장에 개입한다.

ⓑ 이러한 개입은 대개 보건의료 이용을 둘러싼 재정과정(Financing process)에 초점이 맞추어진다.

ⓒ 주로 공공 주도의 의료보험제도를 가진 독일, 일본, 한국 등이 이 체계에 해당한다.

㉢ **포괄적 보장형 보건의료체계**

ⓐ 포괄적 보장형 보건의료체계는 복지지향형보다 시장개입의 정도가 더 심하다. 여기서는 전 국민이 완전한 보건의료서비스를 무상으로 받게 된다.

ⓑ 재원이 조달되는 한 현존하는 모든 보건의료재원은 전 국민에게 공평하게 배분되도록 하자는 정치적 의지가 강하다.

ⓒ 이 체계는 국민건강권 보장을 위해 대체로 보건의료에 높은 사업 우선순위를 두고 있다.

ⓓ **대표 국가**: 영국, 뉴질랜드 등

㉣ **사회주의 계획형 보건의료체계**

ⓐ 사회주의 계획형 보건의료체계는 정부에 의한 시장개입이 가장 심하다.

ⓑ 민간 의료시장을 완전히 제거하고 보건의료를 중앙계획을 통한 통제체계로 대체하자는 것이다.

ⓒ 실질적으로는 이 체계도 사회주의 보건의료체계 내에서 작동할 어떤 시장기제가 필요함을 인식하고 있다.

ⓓ 보건의료 재정, 시설 및 인력은 정부의 직접통제하에 있으며, 약품도 정부가 직접 생산한다.

ⓔ **대표 국가**: 러시아, 동유럽, 북한 등

7. 우리나라 보건행정체계의 특징과 문제점

(1) 국민의료비가 지속적으로 증가하였다.
(2) 공공보건의료가 취약하고 민간 위주의 의료공급체계이다.
(3) 제약 없이 환자가 의료제공자를 선택한다.
(4) 보건의료공급자의 문제점이 있다.
(5) 포괄적인 의료서비스가 부재하다.
(6) 의료기관 및 인력의 지역 간 불균형이 분포한다.
(7) 공공의료 분야가 다원화되었다.

3 사회보장제도와 의료보장제도

1. 사회보장제도

(1) 의의

① 질병, 장애, 노령, 실업, 사망 등 각종 사회적 위협에서 모든 국민을 보호하고 빈곤을 해소하며, 국민생활의 질을 향상시키기 위하여 제공되는 사회보험, 공공부조, 사회복지서비스 및 관련 복지제도이다.
② 우리나라에서 사회보장이란 용어는 넓은 의미로 질병 · 노령 · 실업 · 산업 · 재해 · 빈곤 등 사회적 위험에서 모든 국민을 보호하기 위한 제도적 장치를 일컫는 것이다.
③ 5대 사회보험(건강보험 · 노인장기요양보험 · 국민연금 · 고용보험 · 산재보험)과 공공부조가 있다.
④ **사회보험제도의 종류 및 관리 · 운영** 기출 21

구분	건강보험	노인장기 요양보험	국민연금	고용보험	산재보험
관장 부처	보건복지부		-	고용노동부	
운영 주체	국민건강 보험공단	국민건강 보험공단	국민연금 공단	고용보험 공단	근로복지 공단
근거법	국민건강 보험법	노인장기 요양보험법	국민연금법	고용보험법	산업재해 보상보험법
보장 내용	의료보장 · 건강증진	노인요양	소득보장	실업급여 · 고용안정 및 직업능력 개발	산업재해 보상 · 재활
도입 시기	1977.7.1.	2008.7.1.	1988.1.1.	1995.7.1.	1964.7.1.

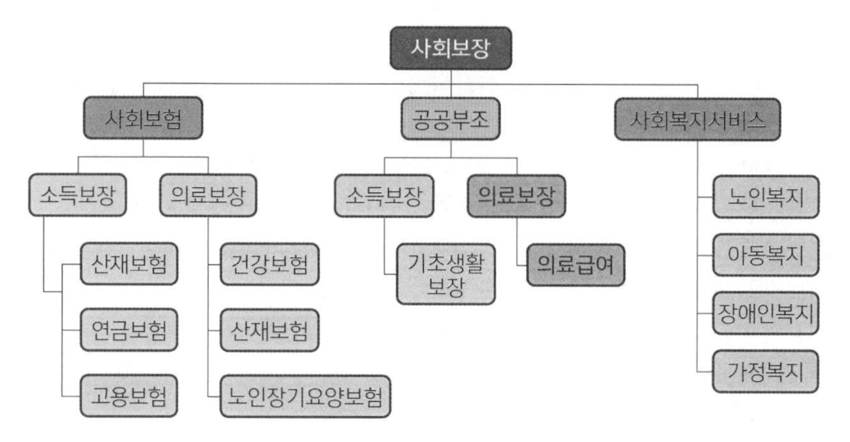

사회보장체계도

출처: 보건복지부(2019), 2018 보건복지백서 수정

(2) 기능

최저생활의 보장 기능	① 사회보장이 보장하는 생활 수준은 최저생활 ② 생리적 한계에서 최저생활을 의미함 ③ 최저생활의 보장을 사회보장이 책임짐으로써 모든 국민이 인간으로서의 존엄을 보장받는 기본조건을 충족하게 되는 것
소득분배의 기능	① 개인의 소득이 시기에 따라 변동을 가져오는 시간적 소득분배 ② 소득이 많은 계층에서 적은 계층으로 이전하는 사회적 소득분배
경제적 기능	사회보장은 그 정책을 통하여 국민경제의 성장과 경제 변동을 완화
사회적 기능	① 사회보장은 국민생활을 안정시키는 정책목적을 수행 ② 국민생활에 대한 각종 요구나 이해 대립을 조정하는 기능

(3) 사회보장의 형태

① **사회보험**

㉠ 국가가 사회정책을 수행하기 위해 보험의 원리와 방식을 도입하여 만든 사회경제제도이다.

㉡ 국민건강과 소득을 보장하는 제도이다.

㉢ 사회 연대성과 가입의 강제성이 특징이다.

㉣ **5대 사회보험**: 연금보험, 고용보험, 노인장기요양보험, 건강보험, 산업재해보상보험

② **공공부조**: 국가 및 지방자치단체의 책임 아래 생활유지능력이 없거나 생활이 어려운 국민의 최저생활을 보장하고, 자립을 지원하는 제도이다.

③ **사회복지서비스**: 국가, 지방자치단체 및 민간부문의 도움이 필요한 모든 국민에게 상담, 재활, 직업 소개 및 지도, 사회복지시설 이용 등을 제공하여 정상적인 생활이 가능하도록 지원하는 제도이다.

2. 의료보장제도

(1) 국민의 건강권을 보호하기 위하여 필요한 보건의료서비스를 사회가 제도적으로 제공하는 것이다.

(2) 개인의 능력으로 해결할 수 없는 건강문제를 사회적 연대책임으로 해결하여 사회 구성원 누구나 건강한 삶을 향유할 수 있도록 하는 데 궁극적인 목표가 있다.

(3) 일반적으로 경제협력개발기구(OECD)는 국가보건서비스방식, 사회보험방식, 민간보험방식 등 3가지로 분류한다.

(4) 국가보건서비스방식과 사회보험방식 비교

구분	국가보건서비스방식	사회보험방식
적용대상 관리	전 국민을 일괄 적용 (집단 구분 없음)	국민을 임금소득자, 공무원, 자영업자 등으로 구분 관리
재원조달	정부 일반조세	보험료, 일부 국고 지원
의료기관	① 공공 의료기관 중심 ② 의료의 사회화 내지 국유화	① 일반 의료기관 중심 ② 의료의 사유화 전제
급여내용	예방 중심적	치료 중심적
의료보수	① 일반 개원의는 인두제 ② 병원급 의사는 봉급제	의료기관과의 계약에 의한 행위별수가제
관리기구	정부기관(사회보험청 등)	보험자(조합 또는 금고)
국가	영국, 스웨덴, 이탈리아, 캐나다 등	독일, 프랑스, 네덜란드, 일본, 한국 등
기본철학	국민의료비에 대한 국가 책임 견지, 전 국민 보편 적용 (국민의 정부의존 심화)	의료비에 대한 국민의 일차적 책임의식 견지 (국민의 정부의존 최소화)
국민의료비	의료비 통제효과 강함	의료비 억제기능 취약
보험료 형평성	① 조세에 의한 재원 조달로 소득재분배효과(선진국) ② 조세체계가 선진화되지 않은 경우 소득역진 초래	① 보험자 간 보험료 부과의 형평성 부족 ② 보험자 간 재정 불균형 파생
의료서비스	의료의 질 저하, 입원 대기환자 급증(대기시간 장기화, 개원의의 입원의뢰 남발)	① 상대적으로 양질의 의료 제공 ② 첨단 의료기술 발전에 긍정적 영향
관리운영	① 민간 사회보험의 가입 증가로 국민의 이중부담 초래 ② 정부기관 직접 관리(가입자의 운영참여 배제) ③ 관리운영비 절감(보험료 징수 인력 불필요)	① 조합 중심 자율운영 ② 상대적으로 많은 관리운영비가 소요됨(보험료 징수 등)

3. 사회보험과 민간보험 비교 기출 24

구분	사회보험	민간보험
목적	최저생계 및 기본의료 보장	개인의 필요에 따른 보장
보험가입	강제가입	임의가입
보험보호대상	질병, 분만, 산재, 노령, 실업, 폐질에 국한	발생위험률을 알 수 있는 모든 위험
비용부담	공동부담	본인부담
재원부담	차등부담, 능력비례	동일부담, 능력무관
부양성	국가 / 사회부양	없음
보험료부담방식	정률제	정액제
보험자위험 선택	불가능	가능
수급권	법적권리	계약권리
급여수준	균등급여	차등급여
독점 / 경쟁	국가독점	자유경쟁
보험사고 대상	대인보험	대물보험
집단 / 개별성	집단보험	개별보험
재원부담	능력비례부담	능력무관(동액부담)
보험료 수준	위험률 상당 이하 요율	위험률 비례요율(경험률)
인플레이션 대책	가능	취약함

4. 공공부조

(1) 국가 및 지방자치단체의 책임 아래 생활유지 능력이 없거나 생활이 어려운 국민의 최저 생활을 보장하고 자립을 지원하는 제도이다.

(2) 국가가 재정자금으로 보호하여 주는 일종의 구빈제도이다.

(3) 공공부조와 사회보험 비교

구분	공공부조	사회보험
기원	빈민법	공제조합
목적	빈곤의 완화	빈곤을 예방하고 모든 계층의 경제적 비보장을 경감
재원	조세로 재정확보	가입자 보험료(기여금 납부)
재정예측성	곤란	용이
자산조사	반드시 필요	불필요
대상	일정기준 해당자	모든 참여자
급여수준	• 필요한 사람에게 지급하되 최저 필요한 범위로 한정 • 최저생활보장	• 자격 갖춘 사람에게 급여 지급 • 사회적 적정성
지불능력	보험료를 지불할 능력이 없는 계층이 대상	보험료 지불할 능력이 있는 국민이 대상
사회보장 위치	사회보장의 보완장치	사회보장의 핵심
개별성	종합하여 하나의 제도로 행함	의료, 질병, 실업, 노동재해, 폐질 등을 개별적으로 제도화
수급원의 성격	희박한 권리성	강한 권리성
적용원리	무차별 평등주의	비례원리에 따른 형평주의

Plus+ POINT

미국의 공적의료보장제도

메디케어	수입과 상관없이 65세 이상의 노인을 위한 의료보장제도
메디케이드	빈민층 의료보호 프로그램

5. 우리나라의 국민건강보험제도

(1) 주요 기능

① **의료보장 기능**: 누구에게나 균등하게 적정 수준의 급여를 제공한다.
② **사회연대 기능**: 소득과 능력에 따라 부담하나, 균등한 급여를 제공한다.
③ **소득재분배 기능**: 균등한 급여 제공으로 질병의 치료부담을 경감한다.

(2) 주요 특징 기출 22

① 법률에 의해 강제로 가입한다.
② 일시적인 사고가 대상이다.
③ 예측 불가능한 질병 대상에게 혜택을 준다.
④ 제3자 지불제를 채택한다.
⑤ 소득재분배 및 위험분산 기능을 수행한다.
⑥ 보험료율을 분담한다.
⑦ 보험급여의 제한이 있고 비급여이다.
⑧ 현물급여를 원칙으로 하고 현금급여도 사용한다.

(3) 내용 및 특징

① **적용대상**: 국내에 거주하며 의료급여 대상자를 제외한 국민이 건강보험 대상자이다.
② **보험급여**: 건강보험이 적용되는 요양급여는 진찰·검사, 약제·치료재료의 지급, 처치·수술, 기타의 치료, 예방·재활, 입원, 간호, 이송 등이 포함된다.
③ **요양기관**: 「의료법」에 의해 개설된 의료기관, 「약사법」에 따른 약국, 「지역보건법」에 따른 보건소, 보건의료원, 보건지소, 「농어촌 등 보건의료를 위한 특별조치법」에 따른 보건진료소가 있다.
④ **보험료**: 보험 가입자 및 사용자로부터 징수한 보험료와 국고 및 건강증진기금 등 정부지원금이 있다.

6. 의료급여제도 기출 21

(1) 개념

의료급여제도는 생활유지능력이 없거나 생활이 어려운 국민의 의료문제를 국가가 보장하는 공공부조제도로서, 건강보험과 더불어 국민의료보장의 중요한 수단이 되는 사회보장제도이다.

(2) 목적

생활이 어려운 사람에게 의료급여를 함으로써 국민보건의 향상과 사회복지의 증진에 이바지한다.

(3) 발전과정

① 1961년에 제정된 생활보호법을 근거로 취약계층에 대해 무료진료 형태의 진료사업을 실시하였다.
② 1977년에 전 국민의 5 ~ 10%를 대상으로 의료급여사업을 시작하였다.
③ 1986년에는 의료부조제도를 도입하였으나 이는 1994년에 폐지되었다.
④ 2000년 7월에는 의료급여 진료혜택이 365일로 확대되었다.
⑤ 2001년에는 의료보호법이 「의료급여법」으로 변경되면서 전면 개정되었다.
⑥ 2006년 7월 '의료비 혁신 종합대책'을 수립하였다.
⑦ 2007년 7월부터 1종 수급권자에 대한 건강생활유지비 지원 및 본인부담금 신설, 선택병 · 의원제와 자격관리시스템 도입 등 제도 개선이 이루어졌다.
⑧ 2009년에는 동일 성분 의약품을 중복 투약하는 수급권자를 관리하고 선택병 · 의원 대상자라도 일반수급권자와 동일하게 급여일수 연장 심사를 받도록 하였다.
⑨ 2012년에는 「의료급여법」 및 「의료급여법 시행규칙」을 개정하고 의료급여사례관리사 자격배치 기준 등 조치를 마련하여 의료급여 대상자의 사례관리가 실시되었다.
⑩ 2014년에는 75세 이상 노인의 치과 임플란트를 포함시키고, 2015년에는 70세 이상 노인 틀니 및 치과 임플란트 급여를 확대 적용하였으며, 2016년에는 65세로 확대 적용하였다.
⑪ 2017년에는 정신질환에 대한 적용이 확대되었다.

(4) 의료급여체계 – 의료급여 수급권자 유형 및 대상자

구분	법령	수급권자
1종	「국민기초생활 보장법」	의료급여 수급자
	「재해구호법」	이재민
	「의사상자 등 예우 및 지원에 관한 법률」	의상자 및 의상자 유족
	「입양특례법」	국내 입양된 18세 미만 아동
	「독립유공자예우에 관한 법률」	독립국가유공자, 보훈보상대상자 및 그 유족·가족
	「무형문화재 보전 및 진흥에 관한 법률」	중요무형문화재 자 및 그 가족
	「북한이탈주민의 보호 및 정착지원에 관한 법률」	새터민(북한이탈주민)과 그 가족
	「5·18 민주화운동 관련자 보상 등에 관한 법률」	5·18 민주화운동 관련자 및 그 유족·가족 등
	「노숙인 등의 복지 및 자립지원에 관한 법률」	노숙인
2종	-	「국민기초생활 보장법」에 의한 수급자 중 근로능력이 있는 자

(5) 의료급여기관과 의료급여 범위

① 의료급여 환자는 「의료급여법 시행규칙」 제3조의 규정에 의한 제1차 의료급여기관 ⇨ 제2차 의료급여기관 ⇨ 제3차 의료급여기관에서 단계적으로 진료를 받을 수 있다.

② **제1차 의료급여기관**: 「의료법」에 따라 시장·군수·구청장에게 개설을 신고한 의료기관, 보건소·보건 의료원 및 보건지소, 약국이 포함된다.

③ **제2차 의료급여기관**: 「의료법」에 따라 시·도지사가 개설을 허가한 의료기관이다.

④ **제3차 의료급여기관**: 제2차 의료급여기관 중에서 보건복지부장관이 지정하는 의료기관이다.

의료기관별 시설과 인력 기준(「의료법」 제3조)

<table>
<tr><th>질병</th><th>입원시설</th><th>진료과목</th><th>의료인</th><th>비고</th></tr>
<tr><td>종합병원</td><td>100병상 이상</td><td>내과 · 외과 · 소아청소년과 · 산부인과 중 3개 진료과목, 영상의학과 · 마취통증의학과와 진단검사의학과 또는 병리과를 포함한 7개 이상의 진료과목</td><td>각 과마다 전문의, 조산사, 간호사</td><td>300병상을 초과하는 경우에는 내과 · 외과 · 소아청소년과 · 산부인과 · 영상의학과 · 마취통증의학과 · 진단검사의학과 또는 병리과 · 정신건강의학과 및 치과를 포함한 9개 이상의 진료과목</td></tr>
<tr><td>병원</td><td>30병상 이상</td><td rowspan="4">-</td><td>의사, 간호사</td><td rowspan="4">-</td></tr>
<tr><td>치과병원</td><td>제한없음</td><td>치과의사, 간호사</td></tr>
<tr><td>한방병원</td><td>30병상 이상</td><td>한의사, 간호사</td></tr>
<tr><td>요양병원</td><td>30병상 이상</td><td>의사, 한의사, 간호사</td></tr>
<tr><td>의원</td><td rowspan="4">-</td><td rowspan="4">-</td><td>의사, 간호사</td><td rowspan="4">진료에 지장이 없는 시설</td></tr>
<tr><td>치과의원</td><td>치과의사, 간호사</td></tr>
<tr><td>한의원</td><td>한의사, 간호사</td></tr>
<tr><td>조산원</td><td>조산사, 간호사</td></tr>
</table>

7. 지불보상제도

(1) 의의

① 성과분석을 위해서 의료비 지불제도는 진료비가 결정되는 시기를 기준으로 사후결정방식(Retrospective system)과 사전결정방식(Prospective system)으로 나누어진다.

② **사후결정방식**: 진료를 받은 후 받은 서비스에 대한 합산된 진료비를 지불하는 제도이다.

③ **사전결정방식**: 진료를 받기 전에 병원이나 의료인에게 지불될 총액이나 그 비율이 미리 정해져 있어 실제로 받은 서비스와 무관하게 진료비를 지불하는 방식이다.

(2) 종류 기출 21

① **행위별수가제(상대가치수가제)**: 행위별수가제(Fee for service)는 진단, 치료, 투약과 개별 행위의 서비스를 총합하여 의료행위를 한 만큼 보상하는 방식이다.

② **포괄수가제**: 포괄수가제(Case payment)는 환자에게 제공되는 의료서비스의 양과 질에 상관없이 환자 요양일수별 혹은 질병별로 보수단가를 설정하여 미리 정해진 진료비를 의료기관에 지급하는 제도이다. 기출 21

③ **신포괄수가제**

㉠ 신포괄수가제는 기존의 포괄수가제에 행위별수가제적인 성격을 반영한 혼합모형이다.

㉡ 지불제도로 입원기간 동안 발생한 입원료, 처치 등 진료에 필요한 기본적인 서비스는 포괄수가로 묶고, 의사의 수술, 시술 등은 행위별수가로 별도 보상하는 제도이다.

㉢ **신포괄수가제의 모형**: 신포괄수가제 = 포괄수가[기준수가 + (환자입원일수 - 평균입원일수) × 일당수가] + 행위별수가

㉣ **포괄수가제와 신포괄수가제의 구분**

구분	7개 질병군 포괄수가제	신포괄수가제
대상기관	7개 질병군 진료가 있는 전체 의료기관 (2013.7.1.부터)	• 국민건강보험 공단일산병원 • 국립중앙의료원, 지역거점공공병원 등 총 98개 기관
적용환자	• 7개 질병군 입원환자 • 백내장수술, 편도수술, 맹장수술, 항문수술, 탈장수술, 제왕절개분만, 자궁수술	567개 질병군 입원환자
장점	• 포괄수가(묶음) • 의료자원의 효율적 사용	• 포괄수가(묶음) + 행위별수가(건당) • 의료자원의 효율적 사용 + 적극적 의료서비스 제공

④ **봉급제**

㉠ 봉급제(Salary)는 서비스의 양과 상관없이 일정 기간 의료활동에 대한 반대급부로서 의료인에게 일정 보수를 지급하는 방식이다.

㉡ 주로 사회주의 국가에서 채택하고 있으며, 자본주의 국가에서는 병원급 의료기관(제2 · 3차 의료기관)에서 주로 채택한다.

⑤ **일당지불제**

㉠ 일당지불제는 장기 환자를 다루는 의료서비스제공자에게 진료비를 보상하기 위한 방식이다.

㉡ 일당 비용은 개별 환자를 1일 진료하는 데 드는 모든 비용(치료, 약품과 붕대, 보철, 편의시설이용비 등)을 포함한다.

⑥ **인두제(Capitation system)**: 행위별수가제와 반대되는 제도로서 의료인이 담당하는 등록환자 수나 실이용자 수를 기준으로 진료보수금액이 결정되는 제도이다. 기출 22

⑦ **총액계약제(예산제, Global budget negotiation system)**: 보험자 측(지불자)과 의사단체 측(의료공급자) 간에 미리 진료보수총액을 정하는 계약을 체결하고, 그 총액 범위 내에서 진료를 담당하고 의료서비스를 이용하는 제도이다.

⑧ **진료비지불보상제도의 장단점**

지불보상제도	특징	결정방식	장점	단점
행위별 수가제	의료비 상승	사후 결정 방식	• 양질의 서비스 • 자율성 보장	• 과잉진료 위험성 • 의료비 상승 • 예방보다는 치료 중심의 의료행위 • 의료자원의 지역편재 경향 • 의료비 지불심사상의 행정절차 복잡
포괄 수가제	의료비 억제	사전 결정 방식	• 의료비 지불 수준 미리 결정 • 과잉진료 및 총 진료비 억제효과 • 진료비 청구행정절차 간소 • 자발적 경영 효율 노력 기대	• 과소진료로 의료의 질 저하 • 많은 의료서비스를 요구하는 대상자는 기피함 • 부당청구 가능성(분류 조작)
봉급제			• 의사의 직장이 보장됨 • 수입이 안정적 • 의사 간의 불필요한 경쟁심 억제	진료가 관료화 및 형식화됨
일당 지불제	의료비 억제	사전 결정 방식	• 관리비용이 다른 지불제도에 비해 상대적으로 낮음 • 행정적으로 간편	의료의 질적 저하
인두제			• 환자의 서비스제공량과 의사의 수입은 거의 관계가 없어 과잉진료 억제 • 예방 중심 • 행정적 절차 간편	• 환자가 의료인 · 의료기관 선택 제한 • 복합적인 질환 환자에게는 후송의뢰 많음 • 과소진료
총액 계약제			• 개개인의 과잉진료 억제 • 의료비 절감	• 의료공급 혼란 • 과소진료 • 의료의 질적 저하

4 지역사회 보건행정

1. 국가보건의료조직 기출 21

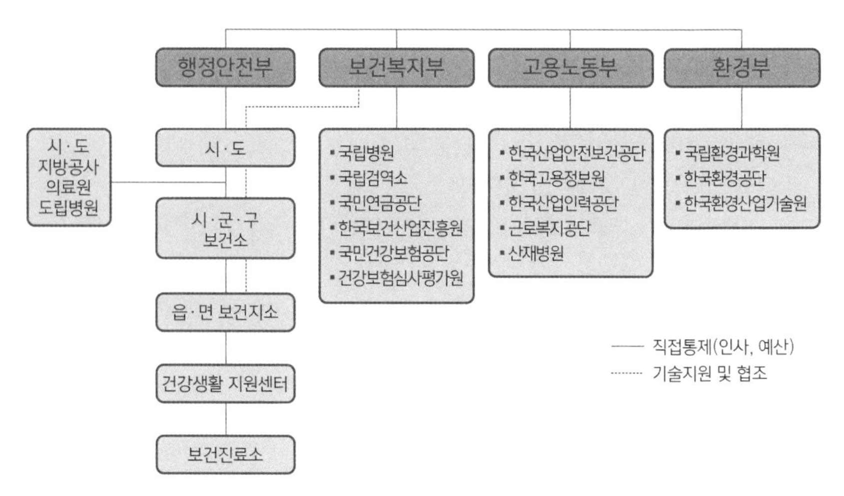

⊙ 국가보건의료의 조직화

(1) 지방행정조직체계

구분	설치근거	설치기준
보건소	① 「지역보건법」 제10조 ② 「지역보건법 시행령」 제8조	① 시·군·구별 1개소 ② 필요할 경우 시장·군수·구청장이 추가 설치
보건지소	① 「지역보건법」 제13조 ② 「지역보건법 시행령」 제10조	① 읍·면별 1개소 ② 필요할 경우 시장·군수·구청장이 설치, 운영 및 통합 지소 설치·운영
보건진료소	「농어촌 등 보건의료를 위한 특별조치법」 제15조	리 단위의 오지·벽지에 설치
건강생활 지원센터	① 「지역보건법」 제14조 ② 「지역보건법」 제11조	읍·면·동(보건소가 설치된 읍·면·동은 제외)마다 1개씩 설치

① 보건소

㉠ 보건소의 기능

ⓐ **보건기획과 평가 기능**: 지역보건의료계획을 수립·시행·평가한다.

ⓑ **행정규제와 지원 기능**: 병·의원, 약국 등 관련 업소와 단체의 지도·감독·지원한다.

ⓒ **지역보건사업의 전개**: 건강증진, 질병예방, 치료, 재활서비스 등 포괄적인 보건의료서비스를 제공한다.

㉡ **보건소의 인력**

ⓐ **의료인**: 의사, 치과의사, 한의사, 조산사, 간호사(「의료법」 제2조)

ⓑ 약사 및 한약사(「약사법」 제2조)

ⓒ **의료기사**: 임상병리사, 방사선사, 물리치료사, 작업치료사, 치과기공사, 치과위생사(「의료기사 등에 관한 법률」 제3조)

ⓓ 의무기록사, 안경사(「의료기사 등에 관한 법률」 제2조)

ⓔ 응급구조사(「응급의료에 관한 법률」 제36조)

ⓕ 간호조무사(「의료법」 제80조)

ⓖ **의료유사업자**: 접골사, 침사, 구사(「의료법」 제81조)

ⓗ 안마사(「의료법」 제82조)

ⓘ **보건소장**: 의사의 면허를 가진 자나 최근 5년 이상 보건 등의 업무와 관련한 근무경험이 있는 보건의무직군(보건, 의무, 약무, 간호, 식품위생, 의료기술직) 직렬 공무원으로 임용한다.

㉢ **보건소의 업무**

ⓐ 「지역보건법」 개정에 따라 보건소에서 관장하는 업무의 내용도 더욱 광범위하게 강화되었다.

ⓑ 「지역보건법」은 다음의 보건소 업무를 보건의료 관련기관·단체에게 위탁, 「의료법」에 따른 의료인에게 대행할 수 있다(「지역보건법」 제30조 제2항, 동법 시행령 제23조).

관련 법령

「지역보건법」 제11조 【보건소의 기능 및 업무】 ① 보건소는 해당 지방자치단체의 관할 구역에서 다음 각 호의 기능 및 업무를 수행한다. 기출 14, 20, 21

1. 건강 친화적인 지역사회 여건의 조성
2. 지역보건의료정책의 기획, 조사·연구 및 평가
3. 보건의료인 및 보건의료기본법 제3조 제4호에 따른 보건의료기관 등에 대한 지도·관리·육성과 국민보건 향상을 위한 지도·관리
4. 보건의료 관련기관·단체, 학교, 직장 등과의 협력체계 구축
5. 지역주민의 건강증진 및 질병예방·관리를 위한 다음 각 목의 지역보건의료서비스의 제공

가. 국민건강증진·구강건강·영양관리사업 및 보건교육
나. 감염병의 예방 및 관리
다. 모성과 영유아의 건강유지·증진
라. 여성·노인·장애인 등 보건의료취약계층의 건강유지·증진
마. 정신건강증진 및 생명존중에 관한 사항
바. 지역주민에 대한 진료, 건강검진 및 만성질환 등의 질병관리에 관한 사항
사. 가정 및 사회복지시설 등을 방문하여 행하는 보건의료사업
아. 난임의 예방 및 관리

관련 법령

「지역보건법 시행령」 제9조 【보건소의 기능 및 업무의 세부 사항】 ① 법 제11조 제1항 제2호에 따른 지역보건의료정책의 기획, 조사·연구 및 평가의 세부 사항은 다음 각 호와 같다.

1. 지역보건의료계획 등 보건의료 및 건강증진에 관한 중장기 계획 및 실행계획의 수립·시행 및 평가에 관한 사항
2. 지역사회 건강실태조사 등 보건의료 및 건강증진에 관한 조사·연구에 관한 사항
3. 보건에 관한 실험 또는 검사에 관한 사항

② 법 제11조 제1항 제3호에 따른 보건의료인 및 「보건의료기본법」 제3조 제4호에 따른 보건의료기관 등에 대한 지도·관리·육성과 국민보건 향상을 위한 지도·관리의 세부 사항은 다음 각 호와 같다.

1. 의료인 및 의료기관에 대한 지도 등에 관한 사항
2. 의료기사·보건의료정보관리사 및 안경사에 대한 지도 등에 관한 사항
3. 응급의료에 관한 사항
4. 「농어촌 등 보건의료를 위한 특별조치법」에 따른 공중보건의사, 보건진료 전담공무원 및 보건진료소에 대한 지도 등에 관한 사항
5. 약사에 관한 사항과 마약·향정신성의약품의 관리에 관한 사항
6. 공중위생 및 식품위생에 관한 사항

③ 법 제11조 제2항에서 "대통령령으로 정하는 업무"란 난임시술 주사제 투약에 관한 지원 및 정보 제공을 말한다.

위탁업무	• 지역사회 건강실태조사에 관한 업무 • 지역보건의료계획의 시행에 관한 업무 • 감염병의 예방 및 관리에 관한 업무 • 지역주민에 대한 진료, 건강검진 및 만성 질환 등 질병관리에 관한 사항 중 전문지식 및 기술이 필요한 진료, 실험 또는 검사 업무 • 가정 및 사회복지시설 등을 방문하여 행하는 보건의료사업에 관한 업무
대행업무	지역주민에 대한 진료, 건강검진 및 만성 질환 등 질병관리에 관한 사항 중 전문지식 및 기술이 필요한 진료에 관한 업무

② 보건지소

㉠ 1981년부터 「농어촌 등 보건의료를 위한 특별조치법」에 의해 공중보건의사를 보건지소장으로 배치하도록 되어 있다.

㉡ 보건지소장은 관할 보건소장의 지휘 · 감독을 받아 보건지소의 업무를 관장하고 소속직원을 지휘 · 감독하며 관내 보건진료 전담공무원의 업무를 지도 · 감독한다.

㉢ 기능

ⓐ 보건의료전달체계의 하부조직인 제1차 보건의료기관으로서, 1차 진료와 보건관리업무를 포괄적 보건의료, 즉 팀 활동에 의한 1차 보건의료활동과 환자 후송 등 환자 관리를 주기능으로 하는 일반진료를 실시한다.

ⓑ 구강보건관리를 주기능으로 하는 치과진료를 실시한다.

ⓒ 모자보건사업, 예방접종사업 등의 보건사업을 실시한다.

ⓓ 만성 질환자 및 노인건강사업 등을 포함한 통합보건사업을 수행한다.

③ 보건진료소

㉠ **설치목적**: 보건의료취약지역 주민에게 1차 보건의료서비스를 효율적으로 제공함으로써 보건의료서비스의 균형과 건강 수준을 향상시키기 위함이다.

㉡ **보건진료소 인력**: 전문인인 보건진료 전담공무원의 자격은 간호사, 조산사 기타 대통령령이 정하는 자로, 보건복지부장관이 실시하는 24주 이상의 직무교육을 받은 자(2018년 이후 26주 교육 실시 중)이다. 직무교육과정은 총 24주로, 이론교육(8주), 임상실습(12주), 현지실습(4주)으로 구성된다.

④ 보건의료원

㉠ **설치근거**: 「지역보건법」 제12조

㉡ 보건소 중 「의료법」에 따른 병원의 요건을 갖춘 보건소는 의료원 명칭을 사용한다.

⑤ 건강생활지원센터

㉠ **설치근거**: 「지역보건법」 제14조

㉡ **설치기준**: 읍 · 면 · 동마다 1개씩(보건소 설치지역 제외) 설치한다.

㉢ 지방자치단체가 보건소의 업무 중에서 특별히 지역주민의 만성 질환 예방 및 건강한 생활습관 형성을 지원하기 위함이다.

㉣ 건강생활지원센터 설치 및 운영은 지속적으로 증가하고 있는 추세이다.

⑥ 공공의료기관

㉠ 공공의료기관이란 「공공보건의료에 관한 법률」 제2조 제3항에 의거한 공공보건의료기관 중 공공보건기관(보건소, 보건지소, 보건의료원, 보건진료소)을 제외한 공공의료기관이다.

㉡ 우리나라의 공공의료기관은 2019년 총 221개로 기능에 따라 일반진료 중심, 특수대상 중심, 특수질환 중심, 노인병원으로 구분되며 지역에 따라 설치되어 있다.

Plus⁺ POINT

공공의료기관 기능 및 관할 지역에 따른 분류(2020년 12월 기준)

기능 구분	광역 이상			단일 혹은 복수 기초자치단체	
일반진료 중심(66)	국립중앙의료원(1) 국립대학병원(10) 국립대학병원분원(6) 건보공단일산병원(1)		18	지방의료원(35) 지방의료분원(2) 적십자병원(6) 시군립일반병원(5)	48
특수대상 중심(42)	경찰병원(1) 보훈 병원(7)	근로복지공단 병·의원(13) 군병·의원(21)			42
특수질환 중심(39)	국립결핵병원(2) 국립정신병원(5) 국립법무병원(1) 국립재활원(1) 국립교통재활병원(1) 도립재활병원(4)	국립암센터(1) 국립소록도병원(1) 국립대치대병원(6) 국립대한방병원(1) 국립대학전문센터(1) 원자력병원(2)	26	시립장애인치과병원(1) 시립서북병원(1) 시립어린이병원(1) 시도립정신병원(11) 군립일반병원(1)	15
노인병원(83)	시도립노인병원(36)		36	시군구립노인병원(45)	49

* 괄호 안 숫자는 의료기관 개소수

출처: 보건복지부, 국립중앙의료원(2021), 국가승인통계 2020년 공공의료기관 현황

⑦ 지역보건의료계획(「지역보건법」 제7조) 기출 23

㉠ **수립자**: 시 · 도지사 및 시장 · 군수 · 구청장

㉡ **수립기간**: 지역보건의료계획은 4년마다 수립한다.

㉢ **수립절차**

ⓐ 시장 · 군수 · 구청장(특별자치시장 · 특별자치도지사 제외)은 해당 시 · 군 · 구 위원회의 심의를 거쳐 지역보건의료계획(연차별 시행계획 포함)을 수립한 후 해당 시 · 군 · 구 의회에 보고하고 시 · 도 지사에게 제출한다.

ⓑ 특별자치시장 · 특별자치도지사 및 관할 시 · 군 · 구의 지역보건의료계획을 받은 시 · 도지사는 해당 위원회의 심의를 거쳐 시 · 도(특별자치시 · 특별자치도 포함)의 지역보건의료계획을 수립한 후 해당 시 · 도의회에 보고하고 보건복지부장관에게 제출한다.

㉣ 제출 시기

ⓐ 시장 · 군수 · 구청장은 지역보건의료계획(연차별 시행계획을 포함)을 계획 시행연도 1월 31일까지 시 · 도지사에게 제출한다.

ⓑ 시 · 도지사는 「지역보건법」 제7조 제4항에 따라 지역보건의료계획을 계획 시행연도 2월 말일까지 보건복지부장관에게 제출한다.

ⓒ 시장 · 군수 · 구청장은 지역 내 인구의 급격한 변화 등 예측하지 못한 보건의료환경 변화에 따라 지역보건의료계획을 변경할 필요가 있는 경우에는 시 · 군 · 구 위원회의 심의를 거쳐 변경한 후 시 · 군 · 구 의회에 변경 사실 및 변경 내용을 보고하고, 시 · 도지사에게 지체 없이 변경 사실 및 변경 내용을 제출한다.

ⓓ 시 · 도지사는 지역 내 인구의 급격한 변화 등 예측하지 못한 보건의료환경 변화에 따라 지역보건의료계획을 변경할 필요가 있는 경우에는 시 · 도(특별자치시 · 특별자치도를 포함) 위원회의 심의를 거쳐 변경한 후 시 · 도 의회에 변경 사실 및 변경 내용을 보고하고, 보건복지부장관에게 지체 없이 변경 사실 및 변경 내용을 제출한다.

㉤ 내용(「지역보건법」 제7조 제1항)

ⓐ 보건의료 수요의 측정

ⓑ 사업 계획 시 지역주민의 요구를 반영

ⓒ 지역보건의료서비스에 관한 장기 · 단기 공급대책

ⓓ 인력 · 조직 · 재정 등 보건의료자원의 조달 및 관리

ⓔ 지역보건의료서비스의 제공을 위한 전달체계 구성방안

ⓕ 지역보건의료에 관련된 통계의 수집 및 정리

㉥ 공통 세부 내용(「지역보건법 시행령」 제4조)

ⓐ 지역보건의료계획의 달성 목표

ⓑ 지역현황과 전망

ⓒ 지역보건의료기관과 보건의료 관련기관 · 단체 간의 기능 분담 및 발전 방향

ⓓ 법 제11조에 따른 보건소의 기능 및 업무의 추진계획과 추진현황

ⓔ 지역보건의료기관의 인력 · 시설 등 자원 확충 및 정비 계획

ⓕ 취약계층의 건강관리 및 지역주민의 건강 상태 격차 해소를 위한 추진계획

ⓖ 지역보건의료와 사회복지사업 사이의 연계성 확보 계획

ⓗ 의료기관의 병상(病床)의 수요 · 공급

ⓘ 정신질환 등의 치료를 위한 전문치료시설의 수요 · 공급

ⓙ 특별자치시 · 특별자치도 · 시 · 군 · 구(구는 자치구를 말하며, 이하 "시 · 군 · 구"라 한다) 지역보건의료기관의 설치 · 운영 지원

ⓚ 시 · 군 · 구 지역보건의료기관 인력의 교육훈련

ⓛ 지역보건의료기관과 보건의료 관련기관 · 단체 간의 협력 · 연계

ⓜ 그 밖에 시 · 도지사 및 특별자치시장 · 특별자치도지사가 지역보건의료계획을 수립함에 있어서 필요하다고 인정하는 사항

㉦ 시행 결과의 평가

ⓐ 지역보건의료계획 내용의 충실성

ⓑ 지역보건의료계획 시행 결과의 목표달성도

ⓒ 보건의료자원의 협력 정도

ⓓ 지역주민의 참여도와 만족도

ⓔ 그 밖에 지역보건의료계획의 연차별 시행계획에 따른 시행 결과를 평가하기 위하여 보건복지부장관이 필요하다고 정하는 기준

ⓕ 보건복지부장관 또는 시·도지사는 제3항에 따라 지역보건의료계획의 연차별 시행계획에 따른 시행 결과를 평가한 경우에는 그 평가 결과를 공표할 수 있다.

핵심정리 지역보건의료계획

1. 4년마다 수립한다.
2. 지역주민의 요구도 중요하여 2주 이상 공고하고 의견을 수렴한다.
3. **시행계획의 수립**
   시장·군수·구청장은 1월 31일까지 시·도지사에게 제출하고, 2월 말까지 보건복지부장관에게 제출한다.
4. 계획 내용을 변경할 경우 지체 없이 변경 사실 및 변경 내용을 제출한다.
5. **시행 결과(시행연도 다음 해)**
   시장·군수·구청장은 1월 31일까지 시·도지사에게 제출하고, 2월 말까지 보건복지부장관에게 제출한다.

(2) 중앙보건행정조직

① 보건복지부(Ministry for Health and Welfare)

㉠ 중앙행정기관 중 하나이다.

㉡ 보건복지부장관은 생활보호·자활지원·사회보장·아동(영·유아 보육을 포함한다)·노인·장애인·보건위생·의정 및 약정에 관한 사무를 관장하고, 방역·검역 등 감염병에 관한 사무 및 각종 질병에 관한 조사·시험·연구에 관한 사무를 관장한다(「정부조직법」 제38조).

② 보건복지부 소속기관

㉠ 국립정신건강센터, 국립병원(나주, 부곡, 춘천, 공주, 소록도 등), 국립재활원, 국립장기조직혈액관리원 등이 있다.

㉡ 보건복지부 산하 공공기관이다.

㉢ 국민건강보험공단, 국민연금, 건강보험심사평가원, 한국보건복지인력개발원, 국립암센터, 대한적십자사, 한국보건의료인국가시험원, 한국건강증진개발원, 한국보건의료연구원, 의료기관평가인증원 등이 있다.

질병관리청

1. 질병관리청의 직무는 「질병관리청과 그 소속기관 직제」 제3조, 질병관리청은 방역·검역 등 감염병에 관한 사무 및 각종 질병에 관한 조사·시험·연구에 관한 사무를 관장한다.
2. 코로나19와 같은 신종 및 해외 유입 감염병에 대한 선제적 대응, 효율적 만성질환 관리, 보건의료 R&D 및 연구 인프라 강화 업무를 담당한다.

(3) 대표적 중앙조직

① **행정안전부**

㉠ 보건행정의 지도 및 시 · 군 단위의 조직을 담당한다.

㉡ 시 · 도 단위에서는 시 · 도의 건강 관련 담당국(경상북도에는 복지건강국)이 지방의 보건의료조직을 총괄한다.

㉢ 국내에 건강 관련 과를 두고, 각종 규제 · 감시업무, 병원의 운영, 보건소 및 보건지소의 지원 등을 담당한다.

㉣ 시 · 군에서는 시(군)청의 보건소에서 건강 관련 업무를 담당한다.

② **고용노동부**: 근로자 근로조건 기준, 노사관계 조정, 노동위원회 및 최저임금심의위원회의 관리 등 노동에 관한 사무를 관장한다.

③ **여성가족부**: 가족과 청소년의 보건복지 관련 사항을 담당한다.

④ **환경부**: 자연환경 및 생활환경의 보존과 환경오염 방지에 관한 사무를 관장한다.

⑤ **교육부**: 학교보건과 관련된 사항은 교육부 교육정책실 학생복지안전관의 학생건강안전과에서 담당한다.

Plus⁺ POINT

행정안전부와 보건복지부

구분	내용
행정안전부	• 시 · 도 및 시 · 군 · 구 지방자치단체의 공무원 인사에 관한 사항 및 재정에 관한 사무 등 지휘 권한 관장 • 지방 보건행정조직들은 조직, 인사, 예산과 같은 일반행정에 대해서는 국무총리 또는 행정안전부장관의 지휘 · 감독을 받음
보건복지부	보건 관련 기술행정에 대해서는 보건복지부장관의 지도 · 감독을 받음

장관
대변인
• 홍보기획담당관
• 디지털소통팀
장관정책보좌관
감사관
• 감사담당관
• 복지급여조사담당관
제1차관
운영지원과
인사과
기획조정실
• 보건복지상담센터
정책기획관
• 기획조정담당관
• 재정운용담당관
• 혁신행정담당관
• 규제개혁법무담당관
• 양성평등정책담당관
• 정보통계담당관
• 정보보호팀
국제협력관
• 국제협력담당관
• 통상개발담당관
비상안전기획관
사회복지정책실
복지정책관
• 복지정책과
• 기초생활보장과
• 자활정책과
• 기초의료보장과
복지행정지원관
• 지역복지과
• 급여기준과
• 복지정보기획과
• 복지정보운영과
연금정책관
• 국민연금정책과
• 연금급여팀
• 국민연금재정과
• 기초연금과
차세대사회보장정보시스템 구축추진단
인구정책실
사회서비스정책관
• 사회서비스정책과
• 사회서비스사업과
• 사회서비스자원과
• 사회서비스일자리과
인구아동정책관
• 인구정책총괄과
• 청년정책팀
• 출산정책과
• 아동정책과
• 아동보호자립과
• 아동학대대응과
노인정책관
• 노인정책과
• 노인지원과
• 요양보험제도과
• 요양보험운영과
• 노인건강과
보육정책관
• 보육정책과
• 보육사업기획과
• 보육기반과

장애인정책국
- 장애인정책과
- 장애인권익지원과
- 장애인자립기반과
- 장애인서비스과
- 장애인건강과

사회보장위원회사무국
- 사회보장총괄과
- 사회보장조정과
- 사회보장평가과

제2차관

보건의료정책실

보관의료정책관
- 보건의료정책과
- 의료인력정책과
- 의료자원정책과
- 간호정책과
- 의료기관정책과
- 약무정책과

공공보건정책관
- 질병정책과
- 공공의료과
- 응급의료과
- 재난의료대응과
- 생명윤리정책과
- 혈액장기정책과

공공보건정책관
- 한의약정책과
- 한의약산업과

건강보험정책국
- 보험정책과
- 보험급여과
- 보험약제과
- 보험평가과

필수의료지원관
- 필수의료총괄과
- 지역의료정책과

건강정책국
- 건강정책과
- 건강증진과
- 구강정책과

정신건강정책관
- 정신건강정책과
- 정신건강관리과
- 자살예방정책과

보건산업정책국
- 보건산업정책과
- 보건의료기술개발과
- 보건산업진흥과
- 보건산업해외진출과

첨단의료지원관
- 의료정보정책과
- 보건의료데이터진흥과
- 재상의료정책과

임시조직

국민연금개혁지원단 | 바이오헬스혁신추진단 | 의료개혁추진단

보건복지부 조직도 기출 14, 16, 17, 18

2. 민간보건의료조직

(1) 대한결핵협회

① 대한결핵협회는 국가결핵관리사업을 지원한다.

② 우리나라의 결핵병 근절과 호흡기 질환 퇴치에 기여하며 나아가서 국제 항결핵 운동에 기여함을 목적으로 1953년에 발족하였다.

③ 대한결핵협회는 「결핵예방법」 제21조의 규정에 의한 결핵에 관한 조사 · 연구와 예방 및 퇴치사업을 수행함으로써 국민보건 향상에 이바지함을 목적으로 아래와 같은 사업을 수행한다.

국내결핵퇴치사업	결핵환자 진료, 결핵환자 발견, 결핵균 검사, 결핵관리시설 운영, 흉부 X선 원격 판독, 교육협력, 결핵예방홍보, 결핵퇴치 기금모금, 결핵연구, 학생행복나눔
국외결핵퇴치사업	국제협력사업, 공적개발원조, 결핵교육 및 기술지원, 민간기업 지원 원조

(2) 인구보건복지협회

① 인구보건복지협회는 1961년 4월에 대한가족계획협회로 설립되었다.

② 1999년에 대한가족보건복지협회로, 2006년에 인구보건복지협회로 개칭되었다.

③ 전국에 어머니회를 조직하여 가족계획에 대한 계몽, 피임시술 홍보, 연구요원 훈련 등을 수행하여 우리나라의 가족계획사업을 성공적으로 이끌어 왔으며 세계적으로 널리 알리는 데 큰 역할을 하였다.

④ 주요 사업으로는 인구변화 대응, 출산모자보건, 가족보건의료, 국제교류 및 협력 강화 등이 있다.

(3) 대한적십자사

① 대한적십자사는 인도 · 공평 · 중립 · 독립 · 봉사 · 단일 · 보편의 국제적십자 운동의 기본 원칙 아래 구한말 시대인 1905년에 인도주의를 실현하고 세계 평화와 인류의 복지에 공헌하는 것을 목적으로 설립되었다.

② 1949년 「대한적십자사 조직법」이 공포되었다.

③ 적십자는 재난구호사업, 복지사업(평시구호), 국제사업, 교육 및 연구, 인도주의 활동가 양성, 공공의료사업, 혈액사업 등의 다양한 사업을 전개하였다.

④ 전국에 6개의 적십자병원, 1개의 재활센터병원과 15개의 적십자 혈액원, 1개의 혈장분획센터, 1개의 혈액수혈연구원, 3개의 혈액검사센터를 운영 중이다.

(4) 한국한센복지협회

① 한국한센복지협회는 1948년 9월에 대한나병예방협회로 창립되어 2000년 7월에 한국한센복지협회로 개칭되었다.

② 국가시책에 따라 한센병 등에 관한 진료 · 조사연구 및 교육홍보사업을 수행하고, 국제교류를 통한 정보 교환 등으로 한센병을 퇴치, 예방하고 장애인에 대한 의료적, 사회적 재활사업을 추진하여 국민보건 향상에 기여하였다.

(5) 한국건강관리협회

① 한국건강관리협회는 1964년 창립된 이래 1986년 11월에 한국기생충박멸협회를 병합하여 「감염병의 예방 및 관리에 관한 법률」에 따라 기생충 감염병에 관한 조사연구 등 예방사업을 지원한다.

② 비전염성 만성 질환과 보건복지부장관이 국민보건의료 시책상 필요로 하는 질환의 조기발견, 예방을 위한 효율적인 건강검진과 치료, 역학적 조사연구 및 보건교육을 실시하여 국민건강증진에 기여함을 목적으로 한다.

(6) 기타

대한산업보건협회, 직업건강협회, 대한의사협회, 대한간호협회, 대한한의사협회, 대한치과의사협회, 대한조산사협회, 대한약사회, 대한보건협회, 대한병원협회 등이 있다.

제3장 국제보건과 다문화 건강

1 국제보건의 이해

1. 국제보건기구

국제보건은 범세계적인 건강 수준 향상과 건강 불평등 감소, 국경을 넘어 위협이 되는 질병으로부터 인류를 보호하는 것이다.

Plus⁺ POINT

국제보건과 세계보건의 구분

구분	국제보건(International health)	세계보건(Global health)
접근 방법	2개 이상의 국가의 보건문제에 초점을 두고, 특히 저소득·중간소득 국가의 보건문제에 우선순위를 두고 접근함	건강에 직·간접적 영향을 주는 보건문제, 특히 국가의 경계를 초월한 보건문제에 우선순위를 두고 접근함
협력 수준	대부분 상대 국가 간의 협력을 필요로 하는 보건문제 해결책의 개발과 수행	범세계적 협력을 필요로 하는 보건문제 해결책의 개발과 수행
대상자	인구 집단을 대상으로 한 질병 예방과 개인을 대상으로 한 임상간호 포함	인구 집단을 대상으로 한 질병 예방과 개인을 대상으로 한 임상간호 포함
목표	다른 나라 보건문제 해결을 돕기 위함	자국민을 포함한 모든 국가와 대상자들의 건강평등달성을 목표로 함
연구범위	직접적인 보건문제 해결과 관련된 몇몇 학문을 포함하나 다학문적 접근은 강조하지 않음	학제 간 협력과 다학문적 접근을 강조함

(1) 세계보건기구(WHO; World Health Organization)

① **설립목적**: 모든 사람이 가능한 한 최고 수준의 건강을 영위하게 하는 것이다.

② **세계보건기구에서 제시한 의제**

㉠ **2개의 목표**: 건강과 개발증진, 건강보장 강화

㉡ **2개의 전략**: 건강전달체계 강화, 연구와 정보 및 근거 제공

㉢ **2개의 조작적 접근**: 파트너십 확대, 효과적이고 효율적인 수행

③ **주요 기능(세계보건기구 헌장 제1조)**

㉠ 국제적인 보건사업을 지휘 및 조정하고, 보건에 중요한 문제들에 지도력을 제시한다.

㉡ 보건서비스의 강화를 위한 각국 정부의 요청에 대한 지원 및 공동 행동이 필요한 경우에는 파트너십에 참가한다.

㉢ 각국 정부의 요청 시 적절한 기술을 지원하고 응급상황 발생 시 필요한 도움을 제공한다.

㉣ 감염병 및 기타 질병 등의 예방과 관리에 대한 업무를 지원한다.

ⓜ 영양, 주택, 위생, 경제 혹은 작업여건, 환경 등에 대한 다른 전문기관과의 협력을 지원한다.

ⓑ 생의학과 보건서비스 연구를 지원하고 조정한다.

ⓢ 보건, 의학 그리고 관련 전문 분야의 교육과 훈련의 기준을 개발 및 개발 지원, 기술 지원, 변화 촉진 및 지속 가능한 역량 개발을 지원한다.

ⓞ 생물학, 제약학 그리고 유사물질들에 대한 국제적 표준을 개발하고 진단기법을 표준화한다.

ⓙ 정신 분야의 활동지원 및 윤리적 근거에 기반을 둔 정책대안을 형성한다.

ⓒ 선진국과 후진국 사이의 건강불평등 해소를 목적으로 여성건강, 아동건강, HIV/AIDS, 감염병에 대한 보건서비스 및 연구를 지원한다.

ⓚ 보건상태를 모니터링하고 보건의 추이를 평가한다.

ⓣ 규범과 표준을 마련하고, 전파하며 그 이행을 모니터링한다.

ⓟ 연구과제를 형성하며, 가치 있는 지식을 생산하고 전파한다.

④ **구조**

ⓖ **본부**: 스위스 제네바

ⓝ **세계보건기구의 조직**

ⓐ **세계보건총회(WHA; World Health Assembly)**: 세계보건총회는 각 회원국의 대표로 구성되며, 우리나라는 1949년 8월 17일 세계에서 65번째로 회원국에 가입하였다.

ⓑ **집행이사회**: 집행이사회는 세계보건총회에서 지명된 이사국(32개국)으로 구성되며 세계보건총회의 결정사항과 정책을 집행한다.

ⓒ **사무국**: 사무국은 사무총장, 5인의 사무차장과 그 하부에 기술 및 행정요원으로 구성된다.

ⓓ 지역위원회

ⓔ **지역사무소(6개 지역에 지역사무소 및 소재지)**: 지역위원회의 행정기관으로 세계보건총회와 이사회에서 결정된 사항을 지역 내에서 집행한다.

- **동지중해 지역**: 이집트 카이로
- **동남아시아 지역**: 인도 뉴델리
- **서태평양 지역**: 필리핀 마닐라
- **범미주 지역**: 미국 워싱턴
- **아프리카 지역**: 콩고 브라자빌
- **유럽 지역**: 덴마크 코펜하겐

Plus⁺ POINT

우리나라의 WHO 정리

1. 우리나라는 1949년 WHO에 가입하였다.
2. 세계보건기구의 6개 지역기구 중 우리나라는 서태평양 지역에 속한다.
3. 서태평양 지역(Western pacific region)사무소의 소재지는 필리핀 마닐라이다.

(2) 기타 국제보건기구

기구	내용
유엔인구활동기금 (UNFPA; United Nations Fund for Population Activities)	인구 및 가족계획 분야에서 각국 정부 및 연구기관 등에서 활동자금 제공
유엔개발계획 (UNDP; United Nations Development Programme)	개발도상국의 경제적, 사회적 개발을 촉진하기 위한 기술 원조
유엔환경계획 (UNEP; United Nations Environmental Programme)	환경문제 조정기능 및 촉매기능 유지, 환경상태 평가 및 환경관리, 환경보호를 위한 지원조치
유엔마약류통제계획 (UNDCP; United Nations International Drug Control Programme)	마약에 관한 국제협력의 이행을 감시, UN 마약남용 통제기금을 통합하여 세계적인 마약남용을 방지
경제협력개발기구 (OECD; Organization for Economic Cooperation and Development)	모든 경제·사회·복지 문제를 망라하는 포괄적 경제 협의, 회원국 간 경제·산업정책에 대한 정보 교류와 공동연구 및 정책 협조
유엔경제사회이사회 (UNECOSOC; United Nations Economic and Social Council)	UN체제 및 UN 회원국에 대한 정책적 권고사항 제시, 경제·사회·문화·교육·보건에 관한 연구·보고
유엔아동기금 (UNICEF; United Nations Children's Fund)	1946년 12월 제2차 세계대전이 끝난 직후 UN 총회의 결의에 의해 전쟁의 피해로 고통받고 있는 전후 어린이와 청소년을 구호하기 위한 목적으로 설립
국제간호협의회 (ICN)	1899년에 설립된 국제적으로 가장 오랜 역사를 가지는 동시에 보건의료 분야에서 가장 오래된 전문단체로 각 회원협회가 자국 간호의 질적 수준을 높이고 사회적 지위의 향상을 도모하기 위한 조언, 원조 등을 하고 있으며, 본부는 스위스 제네바에 있음
시그마 국제학회 (STTI; Sigma Theta Tau International)	1992년 미국 인디애나 대학교에서 간호사들의 학습, 지식, 전문직 개발 지원을 위해 설립된 단체
세계식량계획 (WFP; World Food Programme)	목적은 식량원조와 긴급구호활동을 통해 저개발국과 개발도상국의 경제 개발을 촉진시키고 사회 발전을 돕는 것

2. 국제보건의 최근 동향

(1) 새천년개발목표(MDGs; Millennium Development Goals)

"새천년에는 인간이 더욱 존엄성 있는 모습으로 살아가게 하자. 그러기 위해 온 세계가 하나 되어 힘을 합쳐서 개발도상국을 돕자"라는 취지 속에서 다음과 같이 8개의 목표를 설정하였다.

① 절대빈곤 및 기아 퇴치
② 보편적 초등교육 실현
③ 양성평등 및 여성능력 고양
④ 아동사망률 감소
⑤ 모성보건 증진
⑥ 에이즈 등 질병 퇴치
⑦ 지속가능한 환경 확보
⑧ 개발을 위한 글로벌 파트너십 구축

새천년개발목표(MDGs)의 8개의 목표 중 3개의 목표인 아동사망률 감소, 모성보건증진, 에이즈 등 질병 퇴치는 직접적으로 국제보건에 관련되며 주요 지표가 되었다.

(2) 지속가능발전목표(SDGs)

새천년개발목표(MDGs)와 지속가능발전목표(SDGs) 기출 20, 21

구분	새천년개발목표(MDGs)	지속가능발전목표(SDGs)
구성	8개 목표, 21개 세부목표	17개 목표, 169개 세부목표
대상	개발도상국	(보편성) 개발도상국 중심이나, 선진국도 대상
분야	빈곤 · 의료 등 사회 분야 중심	(변혁성) 경제 성장, 기후 변화 등 경제 · 사회 · 환경 통합 고려
참여	정부 중심	(포용성) 정부, 시민사회, 민간기업 등 모든 이해관계자 참여

Plus⁺ POINT

UN - 지속가능발전목표(UN - SDGs)

UN 지속가능발전목표 169개 세부목표 및 지표

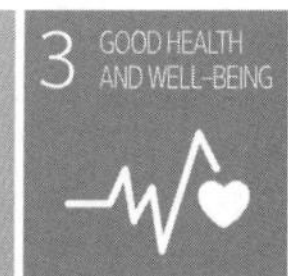

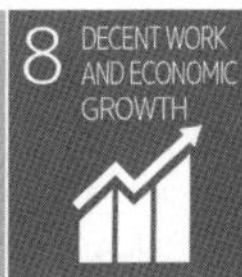

1. No Poverty
   모든 곳에서 모든 형태의 빈곤 종식
2. Zero Hunger
   기아 종식, 식량 안보와 개선된 영양상태의 달성, 지속가능한 농업 강화
3. Good Health and Well - Being
   ① 모든 연령층을 위한 건강한 삶 보장과 복지 증진
   ② 전 연령대의 건강한 삶을 보장하고 복지를 증진하는 것은 지속가능한 발전에 필수
4. Quality Education
   모두를 위한 포용적이고 공평한 양질의 교육 보장 및 평생학습 기회 증진
5. Gender Equality
   성평등 달성과 모든 여성 및 여아의 권익 신장
6. Clean Water and Sanitation
   모두를 위한 물과 위생의 이용가능성과 지속가능한 관리 보장
7. Affordable and Clean Energy
   적정한 가격에 신뢰할 수 있고 지속가능한 현대적인 에너지에 대한 접근 보장
8. Decent Work and Econimic Growth
   포용적이고 지속가능한 경제 성장, 완전하고 생산적인 고용과 모두를 위한 양질의 일자리 증진
9. Industry, Innovation and Infrastructure
   회복력 있는 사회기반시설 구축, 포용적이고 지속가능한 산업화 증진과 혁신 도모
10. Reduced Inequalities
    국내 및 국가 간 불평등 감소
11. Sustainable Cities and Communities
    포용적이고 안전하며 회복력 있고 지속가능한 도시와 주거지 조성
12. Responsible Consumption and Production
    지속가능한 소비와 생산 양식의 보장
13. Climate Action
    기후 변화와 그로 인한 영향에 맞서기 위한 긴급 대응
14. Life Below Water
    지속가능발전을 위한 대양, 바다, 해양자원의 보전과 지속가능한 이용
15. Life on Land
    육상 생태계의 지속가능한 보호·복원·증진, 숲의 지속가능한 관리, 사막화 방지, 토지황폐화의 중지와 회복, 생물다양성 손실 중단
16. Peace, Justice and Strong Institutions
    지속가능발전을 위한 평화롭고 포용적인 사회 증진, 모두에게 정의를 보장, 모든 수준에서 효과적이며 책임감 있고 포용적인 제도 구축
17. Partnerships for the Goals
    이행수단 강화와 지속가능발전을 위한 글로벌 파트너십의 활성화

출처: UN 홈페이지

Plus⁺ POINT

새천년개발목표(MDGs)와 지속가능발전목표(SDGs) 비교

<table>
<tr><th>MDGs(2001 ~ 2015)</th><th>SDGs(2016 ~ 2030)</th><th>가치</th></tr>
<tr><td rowspan="2">[1] 절대 빈곤 및 기아 퇴치</td><td>[1] 모든 곳에서 모든 형태의 빈곤 종식</td><td rowspan="5">인간(People)</td></tr>
<tr><td>[2] 기아 종식, 지속 가능한 농업 강화</td></tr>
<tr><td>[4] 아동사망률 감소
[5] 모성보건 증진
[6] HIV/AIDS, 말라리아 등 질병 퇴치</td><td>[3] 보건과 복지</td></tr>
<tr><td>[2] 보편적 초등교육 실현</td><td>[4] 양질의 교육</td></tr>
<tr><td>[3] 성평등 및 여성능력 고양</td><td>[5] 양성평등 및 여성능력 고양</td></tr>
<tr><td rowspan="7">[7] 지속 가능한 환경 확보</td><td>[6] 물과 위생</td><td rowspan="5">지구(Planet)</td></tr>
<tr><td>[13] 기후 변화 대응</td></tr>
<tr><td>[14] 해양 생태계 보존 및 지속가능한 활용</td></tr>
<tr><td>[15] 육상 생태계의 보호, 복원 및 지속가능한 활용</td></tr>
<tr><td>[12] 지속 가능한 소비 및 생산 패턴 확보</td></tr>
<tr><td>[11] 지속 가능한 도시 및 주거 여건 조성</td><td rowspan="5">번영(Prosperity)</td></tr>
<tr><td>[7] 클린 에너지</td></tr>
<tr><td rowspan="4">해당 없음</td><td>[8] 일자리와 경제 성장</td></tr>
<tr><td>[9] 산업, 혁신과 인프라</td></tr>
<tr><td>[10] 불평등 완화</td></tr>
<tr><td>[16] 평화롭고 포용적인 사회 증진, 정의에 대한 접근성 제고, 신뢰할만하고 포용적인 제도 구축</td><td>평화(Peace)</td></tr>
<tr><td>[8] 개발을 위한 글로벌 파트너십 구축</td><td>[17] 이행수단과 글로벌 파트너십(Partnership) 강화</td><td>-</td></tr>
</table>

출처: 국제사회의 개발 협력 패러다임과 북한 개발 협력, 2016, 박지연 외

건강도시계획의 핵심 요소
1. 고도의 정치적 공약
2. 부문 간 협조
3. 지역사회 참여
4. 기본적인 환경에서의 활동의 통합
5. 도시건강의 윤곽과 지역활동계획의 개발
6. 주기적 감시와 평가
7. 참여적 연구와 분석
8. 정보 공유
9. 대중매체의 참여
10. 지역사회 내 모든 집단 간 의견 통합
11. 건강도시계획의 지속을 위한 기제
12. 지역사회의 발전과 개개인의 발전의 연계
13. 국가 차원에서의 연계망과 국제사회 차원에서의 연계망 구축

2 건강한 지역사회

1. 건강도시 기출 15

(1) 세계보건기구의 정의

건강도시는 지역사회의 물리적 · 사회적 · 환경적 여건을 지속적으로 개선해 나가면서, 개인의 잠재능력을 최대한 발휘하고, 시민들이 상호 협력함으로써 최상의 삶을 누리는 도시이다.

(2) 세계보건기구가 제시한 건강도시 네트워크 가입 필수조건

① 깨끗하고 안전하며, 질 높은 도시의 물리적 환경
② 안정되고, 장기적으로 지속 가능한 생태계
③ 계층 간, 부문 간 강한 상호지원체계와 착취하지 않는 지역사회
④ 개개인의 삶, 건강 및 복지에 영향을 미치는 문제에 대한 시민의 높은 참여와 통제
⑤ 모든 시민을 위한 기본적 요구(음식, 물, 주거, 소득, 안전, 직장 등)의 충족
⑥ 시민들 간의 다양한 만남, 상호작용 및 의사소통을 가능하게 하는 기회와 자원에 대한 접근성
⑦ 다양하고 활기 넘치며, 혁신적인 도시 경제
⑧ 모든 시민에 대한 적절한 공중보건 및 치료서비스의 최적화
⑨ 높은 수준의 건강과 낮은 수준의 질병 발생
⑩ 이상의 요건들이 서로 양립할 뿐만 아니라 더불어 이 요소들을 증진시키는 도시 형태

2. 세계보건기구가 제시한 9가지 건강도시의 지표

(1) 인구
(2) 건강 수준
(3) 생활양식(흡연, 음주, 운동, 체중 조절 등)
(4) 공중보건정책 및 서비스
(5) 주거환경
(6) 사회경제적 여건(교육, 취업, 수입, 범죄, 문화행사)
(7) 물리적 환경(대기, 수질, 소음, 식품관리)
(8) 불평등
(9) 물리적 및 사회적 하부구조(교통, 도시계획 등)

3 건강형평성과 문화적 다양성

1. 건강권과 건강형평성

(1) 개념 기출 22

건강권	① 국민이 건강하게 살 권리 ② 국민의 기본권적 생존 권리로서의 건강 개념
건강형평성	① 누구나 차별 없이 보건의료서비스의 혜택을 누리는 것 ② 보건의료형평성은 의료자원 배분의 형평성을, 건강형평성은 건강 수준의 차이에 중점을 둠
건강불평등 (건강비형평성)	① 상대적으로 건강상태가 다른 것을 의미함 ② 소득, 교육, 직업, 재산 등과 같은 사회경제적 위치에 따른 건강상의 차이 ③ Whitehead • 건강비형평성은 피할 수 있고(Avoidable), 불필요하며(Unnecessary), 공정하지 않은(Unfair) 건강상의 차이를 말함 • 건강행태나 물질적 요인만으로 건강불평등을 설명할 수 없고, 사회심리적 요인의 중요성을 강조함
건강문해력 (Health literacy)	① 의료정보 이해능력, 의료정보 활용능력을 의미함 ② 개인이 보건의료서비스를 이용할 때 적절한 의사결정을 할 수 있도록 건강 관련 정보를 얻고, 생각하고 이해하는 능력 ③ 현대에서 다양한 매체를 통한 건강정보와 지식의 과잉시대에서 올바른 정보를 선택하여 의사 결정을 내릴 수 있는 건강문해력의 중요성이 커지고 있음 ④ 최근 건강불평등을 해소하기 위한 중요한 변인으로 대두됨

(2) 건강격차의 해소를 위한 보고서

① WHO

㉠ **세대 간 격차 해소(Closing the Gap in a Generation) 보고서**: 건강불평등 감소는 보건에만 국한하지 않고 사회 전반의 문제로서 다루어야 함을 강조하였다.

㉡ **건강불평등 감소를 위한 정책 3가지**

ⓐ 일상생활조건의 개선

ⓑ 권력 · 돈 · 자원의 불평등 해결

ⓒ 건강불평등의 이해와 건강의 사회적 결정요인에 관한 평가

② 영국

㉠ **블랙 보고서**

ⓐ 1980년 영국에서 발간된 블랙 보고서(Black Report)는 건강과 사회경제적 불평등에 관한 중요한 자료이다.

ⓑ 이 보고서는 1948년 이후 국가보건의료서비스제도를 실시하였지만 직업계층 간 사망률 불평등이 해소되지 않은 사실에 대하여 역사적, 학술적 측면에서의 사회경제적 건강불평등의 메커니즘(Mechanism, Pathway)을 설명하였다.

ⓒ 블랙 보고서는 사회계층의 결정에 관련되는 물질적, 구조적 조건(절대적, 상대적 빈곤)이 사회경제적 건강불평등을 초래하며 건강 수준에 따라 사회경제적 위치가 선택된다고 한다.

Plus⁺ POINT

블랙 보고서의 건강불평등 해결을 위한 보건 분야 우선순위 3가지

1. 아동에게 보다 더 나은 출발선을 보장해야 한다.
2. 장애인에게 누적되는 불 건강과 박탈을 완화시켜야 한다.
3. 더 나은 건강을 위해 예방 및 교육 활동을 강화해야 한다.

ⓛ 애치슨 보고서

ⓐ 1997년 애치슨 보고서(Acheson Report)는 불평등 해소를 위한 영역으로 공공정책이 건강불평등에 미치는 영향을 중심으로 건강영향평가 실시, 아동이 있는 가족의 건강관리에 우선순위 두기, 소득불평등 감소시키기, 빈곤가구 생활 수준 개선하기 등을 제안하였다.

ⓑ 구체적으로 7가지의 정책 영역[빈곤 · 소득 · 조세 및 복지급여, 교육, 고용, 주거 및 환경, 이동(교통)수단, 환경오염, 영양과 일반농업정책, 국가보건서비스]과 생애주기별(모자와 가정, 청년과 노동 생산층, 노인, 소수인종, 성) 접근을 권고하였다.

ⓒ 마못 리뷰

ⓐ 2010년 마못 리뷰(The Marmot Review)는 실질적인 영국의 건강불평등 정책의 기본 방향을 제시하였다.

ⓑ 마못 리뷰(The Marmot Review)에서는 건강불평등 지표영역을 사회적 결정요인 관점에서의 지표, 주제 · 쟁점 · 사안 등 안건에 영향을 미치는 지표, 건강과 웰빙 관련 지표로 구분하여 제시하였다.

③ **미국**: 질병 및 사망과 관련하여 흑인과 다른 소수인종을 국가의 평균과 비교하여 그 차이를 보여주는 Health, United States 보고서(1982)를 발표하였다.

(3) 의료 이용의 형평성

① **의료 이용의 형평성**

㉠ 의료 이용의 형평성은 의료서비스 이용의 '차이' 및 '격차'로 설명할 수 있다.

ⓛ 의료 이용의 '격차'는 두 집단 간의 의료 이용 '차이'로 의료 이용에 대한 선호도, 의료 이용량의 균등성 등 실제 의료 이용량에서의 형평성을 측정하는 방법을 이용한다.

예 도시와 농촌의 병원 이용에서의 접근성의 부족, 경제적인 격차로 인한 병원 이용 차이 등

② **보건의료욕구의 충족**

㉠ 보건욕구의 공평한 충족은 건강증진에 중요한 요소이며, 건강욕구의 충족은 일차적으로 정상기능성(Normal functioning)을 증진하는 것으로, 현대에 와서 많은 사람들의 요구가 증가하고 있다.

ⓒ 보건의료서비스는 사회적 삶의 모든 공간에서 시민으로서의 완전한 참여를 가능하게 해준다.

③ **건강욕구의 공정한 충족**

㉠ 건강에 영향을 미치는 제도는 보건정책 분야에만 국한되지 않는다.

ⓒ 공공보건정책의 형성과 결정의 분배에 대한 의사결정의 공정성이 확보되어야 한다.

ⓒ 정책의 의사 결정자는 한정된 국가의 자원을 어떻게 배분해야 합당한 것인지 해명할 책임이 있기 때문이다.

④ **보건의료서비스의 불평등 인식**

㉠ 불평등 인식(Perception of inequality)은 현실적으로 발생하는 불평등만큼이나 중요한 사회적 현상이다.

ⓒ 즉, 불평등, 복지, 빈곤 등에 대한 주관적 인식(Subjective perceptions)은 사회를 바라보는 시각과 반사회적 행위에 영향을 준다.

ⓒ 특히 보건의료서비스의 불평등 인식은 건강문제 해결을 위한 접근성에 영향을 미치기 때문이다.

(4) 건강불평등과 건강지표

교육 수준과 건강행위	① 교육 수준은 건강행위, 태도 및 지식과 밀접하게 관련됨 ② 교육 수준이 건강을 예측하는 지표로서 가치를 가지는 이유는 학교를 졸업하는 것 자체가 어릴 적의 환경보다 경제적으로 유리한 여건에 있다는 것을 나타내기 때문임 ③ 교육이 건강행위를 선택하고 문제를 해결하는 능력에 영향을 주어 질병에 대처하도록 하며, 주위에서 적극적으로 사회적·심리적·경제적인 지원과 자긍심을 얻도록 하는 데도 유리함
소득 수준과 건강 수준	① 소득 수준은 사망 수준을 보다 잘 예측하는 지표 ② 소득 수준에 대한 자료조사가 어렵다는 단점이 있지만 가구소득은 저체중아 출생, 인지 발달, 신장 발달, 영유아기 사망과 성인기 사망 등 여러 종류의 낮은 건강상태와 가장 밀접한 관련성을 보이는 지표로 제시됨 ③ 교육 수준이나 직업보다는 소득이 고용상태, 물질적인 상태, 계층 등을 가장 잘 나타내는 지표 ④ 결과적으로 소득 수준이 건강에 중요한 영향을 미치기 때문에 건강불평등을 보다 잘 나타냄 ⑤ 소득과 직업의 연관성은 교육 수준과 소득의 연관성보다 강하며, 교육 수준은 현재의 직업과 고용상태 이전에 획득
고용의 형태와 건강 수준	① 정규직일수록 해당 직장에서 건강관리를 해주기 때문에 건강 수준이 높음 ② 비정규직 및 비정형적인 근로 형태는 소규모 사업장으로 분류될 경우가 높고, 이 경우 보건관리자의 부재로 건강관리 사각지대에 놓임

(5) 건강형평성 증진정책 기출 22

① 건강한 공공정책

㉠ 우리나라도 2005년 새 국민건강증진종합계획(HP 2010)을 통해 처음으로 건강형평성 제고를 국가적 목표로 제시하였다.

㉡ 제3차 국민건강증진종합계획(HP 2020)에서도 계속 그 기조를 유지하였다.

㉢ 연구자와 실무자, 정책결정자가 상호 교류하고 학습할 수 있는 정책공동체(Policy community) 형성을 위해 노력한다.

㉣ 건강형평성을 달성하기 위한 정책이 지역사회에 어떻게 반영되고 수행되었는지, 반영한 지표에 대한 연구를 지속적으로 실시한다.

② 건강형평성 증진정책

㉠ 건강불평등 해결을 위해서는 건강의 사회적 결정요인을 먼저 해결하는 것이 중요하다.

㉡ 지역의 건강불평등 해소는 그 자체가 목적이 되는 사업 수행보다는 지역균형 발전의 성과를 측정하는 핵심지표로 인식하는 것이 중요하다.

㉢ 지역의 다양한 자원과의 협력이 필수적이며 건강의 사회적 결정요인을 해결하기 위한 실질적 노력이 동반될 것을 요구한다.

㉣ 주민의 건강과 삶의 질은 지역균형 발전의 핵심적 가치이다.

③ 건강불평등 완화정책

㉠ 명확한 목표를 설정한다.

㉡ 요구도 조사에 근거한 공평한 예산 배분체계를 확립한다.

㉢ 지역보건행정체계의 관리기능을 확대하고 강화시킨다.

㉣ 건강불평등 해결정책의 효과적 수행 및 평가를 위한 지원체계를 구축한다.

④ 건강형평성 보장과 모니터링

㉠ 건강형평성 보장을 위하여 의료불평등이 어느 지점에서 어떻게 발생하는지 확인하여 발생을 줄이고, 이미 발생한 격차를 좁히려는 노력을 계획하고 실행하며 평가해야 한다.

㉡ 의료불평등과 건강불평등을 구분하여 구조화된 모니터링체계를 구축한다.

㉢ 의료불평등 모니터링에 적합한 지표를 개발한다.

㉣ 의료불평등 감소를 위한 보건의료와 사회적 결정요인에 대한 정책과 모니터링을 연계한 평가를 실시한다.

㉤ 건강불평등 모니터링을 위한 자료원에 대하여 지속적으로 보완하고, 개발한다.

⑤ 주민참여 활성화와 민주적 의사결정

㉠ HP 2030에서는 건강형평성 확보를 위한 정책적 전략이 더욱 중요하다.

㉡ 건강결정요인에 대한 취약지역 지원사업을 통해 지역 간 건강형평성을 제고함으로써 지역주민의 요구에 근거한 건강수명의 사회경제적 격차와 지역 간 격차를 감소시키는 궁극적 목표에 도달해야 한다.

㉢ 지역주민의 참여로 민주적 의사결정체계의 실현가능한 건강형평성을 강화한다.
㉣ 건강 취약지역 현황분석을 위해 공동으로 노력한다.
㉤ 지역보건의료정보시스템의 방문건강관리사업 자료를 분석하고 활용한다.
㉥ 지역사회 유관기관 연계를 통한 건강격차 해소를 위해 노력한다.
㉦ 부처 간 협력을 활성화한다(건강증진팀, 정신건강팀, 진료팀 등과의 취약계층 건강형평성 확보 위한 사업 기획).
㉧ 취약지역에 집중사례관리 전담간호사를 배치하고 주민참여 증진을 활성화한다.
㉨ 건강생활실천을 위한 인식 개선 홍보를 강화한다.
㉩ 자발적인 건강 캠페인을 운영하고 참여활동을 활성화한다.

2. 지역사회의 문화적 다양성

(1) 다문화사회의 이해

① 다문화주의의 '다문화'는 '다양한 문화의 생활양식'을 의미한다.
② 다문화는 하나의 제도권 안에서 여러 유형의 이질적 문화의 상호교류를 통하여 형성되는 것으로 인종, 민족, 언어, 종교, 성, 장애 등을 포괄한다.

(2) 다문화사회와 건강

① 다문화사회의 건강정책
㉠ 안정적 정착과 한국 문화 적응을 돕는다.
㉡ 가족생활 적응 등 소수인종을 위한 다문화정책 프로그램을 실시한다.
㉢ 영양 · 건강에 대한 교육, 산전 · 산후 도우미 파견, 건강검진 등의 의료서비스 지원을 실시한다.
㉣ 기초 선별검사 및 혈압, 혈당, 당화혈색소 검사를 실시한다.
㉤ 건강 행태 개선을 위한 건강정보를 제공한다.
㉥ 만성 질환 관리를 위한 보건교육과 투약지도를 실시한다.
㉦ 애로사항 해결을 위한 지역자원 연계서비스를 실시한다.
㉧ 방문 구강관리를 실시한다.
㉨ 재활기구 대여를 실시한다.
㉩ 방문 물리치료를 실시한다.

② 다문화사회의 건강프로그램
㉠ 가족역량강화 지원사업, 다문화가족자녀 성장 지원사업, 다문화가족 방문 교육사업, 결혼이민자 통번역서비스사업 등을 실시한다.
㉡ 결혼이민자 멘토링사업을 통해 가족의 사회적 지지, 가족건강, 임신, 출산, 심리정서 지원을 실시한다.
㉢ 통번역서비스를 실시한다.
㉣ 12세 이하의 자녀도 정서적 안정을 받을 수 있도록 지원한다.

③ 다문화가족의 건강문제 및 관리

㉠ **결혼이주여성**: 정신건강, 저체중과 비만, 식생활과 식습관 등과 스트레스 관리문제, 우울감 등의 건강문제가 많다.

㉡ **외국인근로자**

ⓐ 이민국의 문화에 적응하기보다 자신의 나라의 문화에서 벗어나지 못한다.

ⓑ 산업재해나 임금체불로 인한 경제적 부적응과 건강상의 문제가 겹치게 되는 악순환이 반복된다.

㉢ **북한이탈주민**

ⓐ '언어적 이질감'을 많이 호소한다.

ⓑ 새로운 인간관계를 시작할 때 외로움과 어려움을 겪고 있다.

ⓒ 두고 온 가족에 대한 죄책감으로 인한 심리적 고통이 가장 크다.

㉣ **다문화가족의 보건의료 이용**

ⓐ 보건 · 의료기관의 이용이 저조하다.

ⓑ 다문화가족이 의료기관 이용 시 '의사소통에서의 어려움'이 가장 큰 장애요인이다.

④ 다문화 관련 법과 조직

㉠ **「국적법」**: 대한민국 국민으로서의 신분이나 국민이 되는 자격을 정한 법률로 제2조에서 출생에 의한 국적 취득을 규정하였다.

ⓐ 출생 당시 부나 모가 대한민국의 국민인 자

ⓑ 출생하기 전에 부가 사망한 경우에는 그 사망 당시에 부가 대한민국의 국민이었던 자

ⓒ 부모가 모두 분명하지 않거나 국적이 없는 경우 대한민국에서 출생한 자

ⓓ 대한민국에서 발견된 기아는 대한민국에서 출생한 것으로 명시하였으며, 부칙 제7조에는 부모 양계 혈통주의 채택에 다른 모계 출생자에 대한민국 국적 취득의 특례에 대해 명시하고 있다.

㉡ **「출입국관리법」**: 대한민국에 입국하거나 출국하는 모든 국민 및 외국인의 출입국 관리를 통한 안전한 국경관리와 대한민국에 체류하는 외국인의 체류관리 및 난민 인정절차 등에 관한 사항을 규정에 명시하고 있다.

㉢ **「다문화가족지원법」**: 대한민국 국민과 혼인한 적이 있거나 혼인관계에 있는 재한외국인과 국적법에 의해 대한민국 국적을 취득한 자로 이루어진 '다문화가족'을 지원하기 위한 법이다.

⑤ 지역사회간호와 문화적 역량 - 간호대학생에게 요구되는 문화적 역량

㉠ 문화적 지식

ⓐ 간호대학생이 문화적 역량을 갖추기 위해 반드시 필요한 교육적 기초이며 다른 문화를 이해하기 위한 학습을 의미한다.

ⓑ 문화와 건강의 관계에 대한 지식에 초점을 둔 것이다. 문화는 각 다문화 대상자에게 건강, 질병, 임신 및 출산, 죽음에 대한 인식, 보건의료기관 이용 및 건강관리행위 등에 영향을 주기 때문에 간호대학생은 문화건강 관련 지식을 습득해야 한다.

㉡ 문화적 기술

ⓐ 대상자의 문화적 배경과 관련된 자료 수집, 문화에 기초한 건강사정뿐만 아니라, 문화 간 의사소통기술을 포함하며, 대상자에게 맞는 간호중재를 제공하도록 하는 기술이다.

ⓑ 각 나라로부터 이민 온 한국에 거주하는 대상자와 의사소통의 어려움으로 정보와 교육이 불충분하게 제공된다면 의사소통기술을 증진시켜야 할 것이다.

ⓒ 간호대학생은 대상자의 건강 유지 및 건강문제 해결을 위해 대상자의 문화적 신념체계를 고려하여 문화에 적합한 간호를 제공하기 위해 비판적 사고능력을 통한 간호과정을 적용해야 한다.

ⓓ 문화간호 사정방법, 문화적 특성을 고려한 간호진단, 문화적으로 적합한 간호목표 설정, 문화적 배경에 적합한 문화건강서비스 제공, 상담을 통한 간호 중재, 가족 중심 간호 및 지역사회 연계서비스 등으로 구성되어 있기 때문이다.

㉢ 문화적 경험

ⓐ 다른 문화에 대한 접촉 기회 및 다문화와 관련된 학습 경험으로 해외 자원봉사, 국제교류활동, 여행 등을 통한 외국인과의 경험 및 다문화 관련 교육 참여 등을 통한 환경적 요인이다.

ⓑ 간호대학생은 지역사회와 학교라는 울타리 안에서 다양한 문화에 대한 접촉과 체험, 문화 관련 학습과 교육을 통해 문화적 역량을 강화할 수 있으므로 문화적 경험은 중요하다.

㉣ **문화적 인식**: 문화적 역량의 필요성과 문화적 배경에 대한 심층적 탐구를 통해 자기 자신 및 타인의 문화적 세계관에 대하여 아는 것을 말한다.

㉤ **문화적 민감성**: 의도적이거나 정서적으로 문화적 다양성을 지각하는 것으로 문화적 차이에 대한 존중하는 마음과 수용적인 태도이다.

⑥ 여러 인류학자와 사회학자들의 문화에 대한 견해(Allender, et. al. 2014)

㉠ 문화의 학습성(Culture is learned)

ⓐ 인간은 태어나면서 가족 내에서 중요한 사람과의 상호작용을 통해 사회화되며 문화를 배운다.

ⓑ 그 사회의 신념이나 가치, 식습관, 행동양식뿐 아니라 남성이나 여성으로서의 역할 등도 포함된다.

ⓛ 문화의 통합성(Culture is integrated)

ⓐ 문화는 관습이나 습관들의 단순 집합체가 아니라 기능적이면서 통합된 하나를 의미한다.

ⓑ 문화는 생각과 행동의 통합망(Integrated web)이라 할 수 있는데, 건강에 대한 개인의 생각이나 신념은 건강행위와 연결되어 있다.

ⓒ 좋은 영양성분이 건강한 몸을 만들며 예방은 치료보다 유익하다는 신념은 하루 세 끼의 균형 잡힌 식습관이라는 행동과 연결될 수 있다.

ⓓ 신념은 영양, 건강, 경제, 종교 등 모든 요소와 상호작용한다.

ⓒ 문화의 공유성(Culture is shared)

ⓐ 개인의 특이한 생각이나 행동 유형은 개인의 습관일 뿐이며, 문화로 간주되지는 않는다.

ⓑ 같은 문화권에서 살아가는 사람들은 공통의 가치관을 가지고 살아가며, 이러한 가치관은 동일한 문화적 행위를 함으로써 개인에게 안정감과 소속감을 제공하게 된다.

ⓔ 문화의 암묵성(Culture is mostly tacit)

ⓐ 문화는 인간의 상호작용에 지침을 제공한다.

ⓑ 같은 문화권에 속한 인구집단은 상호작용과정에서 암묵적인 행동의 단서를 통해 어떻게 행동해야 하는지, 상대편이 무엇을 기대하는지 인지할 수 있다.

ⓒ 이러한 특성은 언어적 표현과는 구별되며, 동일 문화권의 사람들만이 종종 다른 문화권 사람들과의 상호작용에서 오해를 일으킬 수도 있다.

ⓜ 문화의 역동성(Culture is dynamic)

ⓐ 모든 문화는 그대로 전승되는 것이 아니라 변화의 과정을 겪게 된다.

ⓑ 새로운 지식과 생활방식이 축적되며, 일부는 소멸하면서 문화는 생명력을 가지게 된다.

ⓒ 문화의 역동성은 타 문화에 대한 노출 범위에 따라 달라질 수 있으며, 새로운 문화의 장점은 기존 행동이나 습관에 수용될 수 있다.

⑦ 문화 - 사회 이론적 모형

ⓖ 차별적 배제모형(Differential exclusionary model)

ⓐ 소수집단과의 접촉을 배제하거나 최소화하여 사회갈등을 회피하고자 하는 모형이다.

ⓑ 3D 직종의 노동시장 같은 특정 영역에서만 이민자를 받아들이며, 동시에 복지혜택과 국적·시민권 또는 선거권의 부여 같은 사회·정치적 영역에서는 강력한 배제정책을 취한다.

ⓒ 1960년대 독일에서 이주노동자를 받아들일 때 사용한 초청노동자(gastarbeiter), 손님노동자(guest worker)제도, 한국 사회의 생산기능직 외국인력제도인 고용허가제 등이 있다.

ⓛ 동화주의모형(Assimilationist model)

ⓐ 소수집단의 문화적 동화를 조건으로 국민으로의 합류를 허용하는 것으로, 이민자를 일방적으로 유입국 사회에 통합시키는 정책이다.

ⓑ 1960년대까지 미국 사회가 표방하였던 용광로 모형 등이 대표적인 사례이다.

ⓒ 다문화주의모형(Multicultural model)

ⓐ 주류문화뿐 아니라 다양한 문화가 공존하는 가운데 문화 간의 상호 존중이 목표이다.

ⓑ 소수집단의 문화적 동화가 아닌 공존이 정책의 목표이다.

핵심정리 문화적인 역량의 영향요인

문화적 인식(Cultural awareness)	문화적 역량의 필요성에 대한 인식
문화적 지식(Cultural knowledge)	다른 문화를 이해하기 위한 지식
문화적 민감성(Cultural sensitivity)	문화적 차이를 존중하고 수용하는 민감성
문화적 환경(Cultural encounters)	문화적으로 다양한 경험을 접할 수 있는 환경
문화적 기술(Cultural skill)	문화적 배경을 고려한 건강사정기술, 문화적 의사소통 기술 등 대상에게 문화적으로 적합한 간호기술

제7편

분야별 보건관리

제1장 산업보건

1 의의 기출 16, 17

1. 개념 및 목표

(1) WHO공동위원회(1950)와 국제노동기구(ILO)의 정의

① 모든 직업에서 일하는 근로자들의 육체적 · 정신적 · 사회적 건강을 고도로 유지 · 증진시키는 것이다.

② 작업으로 인해 발생할 수 있는 질병을 예방하는 것이다.

③ 건강에 유해한 사업장 취업을 방지하는 것이다.

(2) 산업보건학

① 모든 산업장의 근로자들이 건강한 심신으로 높은 작업능률을 유지하면서 작업을 계속할 수 있고, 생산성을 높이기 위하여 근로자의 근로 및 생활조건을 어떻게 관리, 정비해 나갈 것인가를 연구하는 과학이다.

② 근로자의 건강장해요소를 예방하고, 근로조건과 환경이 이들에게 적합하도록 개선하는 학문이다.

③ 직업병 발생 및 공업중독을 예방한다.

④ 안전사고를 예방하기 위하여 연구하는 학문이다.

(3) 산업보건사업의 권장 목표 3가지[국제노동기구(ILO, 1985)]

① 노동과 노동조건으로 인해 일어날 수 있는 건강장해로부터 근로자를 보호한다.

② 작업에 있어서 근로자들의 정신적 · 육체적 적응, 특히 채용 시 적성 배치에 기여한다.

③ 근로자의 정신적 · 육체적 안녕의 상태를 최대한으로 유지 · 증진시키는 데 기여한다.

Plus⁺ POINT

산업보건사업

1. 산업보건사업의 목표와 기본방향(1985년 ILO 총회에서 직업보건사업규약 161호와 권고 171호)
   ① 산업보건사업은 기본적으로 예방 중심이어야 하며 건강위험을 폭넓게 다루어 나갈 것
   ② 직장단위로 자주적 개선을 위하여 적극적 참여를 지원하는 팀 활동방식을 채택할 것
   ③ 직장생활의 다양성을 감안한 지역 중심 또는 직종 중심의 특징 있는 보건계획을 추진할 것

2. 세계보건기구(WHO)의 산업보건사업 목표(WHO Regional Office for Europe, 1985)
   ① 작업장 내 유해물질로부터 근로자의 건강보호(the protection and prevention principle)
   ② 업무와 작업환경을 근로자의 능력에 적응(the adaptation principle)
   ③ 근로자의 육체적, 정신적, 사회적 안녕 증진(the health promotion principle)
   ④ 유해물질, 사고와 상해, 업무 관련 질환의 최소화(the cure and rehabilitation principle)
   ⑤ 작업장 또는 기타 설비 근처에서 치료와 예방을 포함한 일반보건의료서비스를 근로자와 가족에게 제공(the general primary health care principle)

(4) 산업보건의 중요성

① **산업사회의 변화**: 노동집약적 산업사회 ⇨ 기술집약적 산업사회 ⇨ 지식집약적 산업사회(시설장비에 대해서만 컸던 관심이 인간자원관리에 대한 관심으로 커지게 됨)

② **인간관리의 합리화**: 최소의 근로시간과 최소의 노력으로 최대의 생산을 올릴 수 있도록 하는 것이다.

③ 산업보건을 통한 노동력을 보존하고 기업의 손실을 방지한다.

④ **인도적인 견지**: 근로자의 건강과 안전을 관리한다.

(5) 그 밖의 관련 학문 분야

산업의학	① 직업 또는 작업환경과 관련된 질병을 연구하는 의학의 한 분야 ② 1996년 산업의학 전문의제도 제정
산업위생학	① 근로자의 작업환경 개선과 관련된 공학기술면의 문제를 다룸 ② 작업환경조건을 넘어서 직업병 예방, 과로 방지, 생산능률 등 관심영역 확대
산업간호학	① 지역사회간호학의 한 분야 ② 산업간호는 산업공동체를 대상으로 근로자의 건강관리, 산업위생관리, 보건교육을 일차보건의료수분에서 제공하는 실천 ③ 1990년 한국산업간호학회 설립(현재 직업건강간호학회)
인간공학	① 인간과 작업환경의 관계를 과학적으로 연구하여 인간의 특성에 적합한 시스템을 구성하는 데 도움을 줌 ② 인간의 능력, 기계와 작업공간의 설계, 환경조건, 조직과 체계 등의 영역에 관하여 연구

2. 역사

Plus+ POINT

산업보건의 발달 기출 14, 15, 17, 18, 19, 20

1. 개요
   ① 19세기 말까지는 감염병과 빈곤으로 인한 영양실조가 중심이었다.
   ② 20세기에 들어와 산업재해와 직업병에 대한 높은 관심 속에서 그 예방을 위하여 위생공학이 발전하였다.
   ③ 제2차 세계대전 이후에는 각종 공업중독이 중심이 되었다.

2. 외국의 산업보건
   ① 히포크라테스(Hippocrates, B.C. 460 ~ 370): 광부의 호흡곤란, 기침, 진료 시 직업문진, 납에 의한 선통발작 보고
   ② 아그리콜라(Agricola, 1494 ~ 1553): De Re Metallica에서 분진과 관련된 질병
   ③ 라마찌니(Bernadino Ramazzini, 1633 ~ 1714): 산업보건의 기틀을 마련하였고, 근로자의 질병(Morbis Artificum Diatriba)에서 작업환경과 질병의 관련성에 대해 기술함(『직업인의 질병』 출간, 1713)
   ④ Percivall Pott(1714 ~ 1788): 굴뚝 청소부의 음낭암(scrotal cancer) 보고
   ⑤ George Baker(1722 ~ 1809): 연중독 증세 보고
   ⑥ Charles Turner Thackrah(1795 ~ 1833): 영국에서 첫 번째로 직업병에 대해 기술
   ⑦ Max Von Pettenkofer(1818 ~ 1901): 독일, 실험위생학의 기초 수립
   ⑧ Bismark: 「근로자 질병보험법」(1883), 「공장재해보험법」(1884) 제정
   ⑨ Loriga(1911): Raynaud 증후군 보고
   ⑩ 국제노동기구(ILO): 직업보건에 관한 국제 기구 창설
   ⑪ Alice Hamilton(1869 ~ 1970): 미국의 산업의학 창시자, 연 중독의 병리학적 보고

3. 우리나라 산업보건
   ① 정부 수립 전
      ㉠ 철도 공사자의 소음성 난청(1913), 광산 진폐증(1938)
      ㉡ 철교 가설자의 잠함병(1938), 미군정청 상무부 광공국 노동과
   ② 1945 ~ 1960년
      5인 이상의 근로자를 가진 사업장 대상으로 근로기준법 공포(1953)
   ③ 1960 ~ 1980년
      ㉠ 근로기준법 시행령(1962), 산업재해보상보험법(1963), 노동청(1963)
      ㉡ 가톨릭 산업의학연구소(1962), 대한산업보건협회(1963), 연세대 산업보건연구소(1978)
   ④ 1980 ~
      ㉠ 노동부(1981), 산업안전보건법(1981), 시행령(1982), 진폐법(1984)
      ㉡ 산업안전공단(1987), 원진레이온 이황화탄소 중독(1988)
      ㉢ 서울 올림픽(1988), 산업위생학회(1989), 산업간호학회(1990)
      ㉣ 산업의학전문의(1997), IMF(1997)
      ㉤ 부산가톨릭대학교 산업위생학과(1988, 대학 학과로 전국 최초 개설)

3. 체계

(1) 공공보건 조직

고용노동부	근로기준, 산업안전보건, 고용정책, 국제협력 등 노동에 대해서 전반적인 업무를 관장하는 중앙행정조직
근로복지공단	산업재해 보상에 관한 업무를 총괄하고, 재해근로자의 복지 후생, 산업재해 환자의 진료 등의 업무를 수행
안전보건공단	산업재해 예방에 관한 사업을 효율적으로 수행함으로써 근로자의 안전과 보건을 유지, 증진하고 사업주의 산업재해예방활동을 촉진
근로자건강센터	보건관리자 선임의무가 없는 50인 미만의 소규모 사업장 근로자의 건강을 체계적으로 보호하고 지속적으로 관리하기 위하여 산업재해보상보험 기금으로 운영되는 근로자건강센터를 설치·운영('우리회사 주치의'로 근로자의 건강관리서비스를 무료로 시행)

(2) 민간기관·단체

대한산업 보건협회	사업장 근로자의 건강을 위한 건강진단, 작업환경 개선을 위한 작업환경 측정, 보건관리자 교육, 산업안전보건사업 및 근로자 건강관리 등 보건관리 대행업무 실시
보건안전센터	① 한국직업건강간호협회가 운영하며 소규모 사업장 근로자를 대상으로 맞춤형 산업보건사업을 시행하여 직업병 및 뇌심혈관 질환 등 업무상 질병을 예방하여 근로자 건강 수준을 향상시킴 ② **소규모 사업장 건강관리사업**: 안전보건 민간위탁, 사업장 건강증진사업, 서비스기초안전지원사업, 감정노동 관련 사업 등 ③ 전국 22개 센터 운영 중
한국직업건강 간호협회	산업간호에 관계되는 학술연구와 기술 개발을 수행하여 사업장 근로자의 건강증진과 국가 산업발전에 기여함

4. 책무와 의무(「산업안전보건법」) 기출 16, 19

정부의 책무 (제4조)	① 정부는 제1조의 목적을 달성하기 위하여 다음의 사항을 성실히 이행할 책무를 진다. • 산업안전·보건정책의 수립·집행·조정 및 통제 • 사업장에 대한 재해 예방 지원 및 지도 • 유해하거나 위험한 기계·기구·설비 및 방호장치(防護裝置)·보호구(保護具) 등의 안전성 평가 및 개선 • 유해하거나 위험한 기계·기구·설비 및 물질 등에 대한 안전·보건상의 조치기준 작성 및 지도·감독 • 사업의 자율적인 안전·보건 경영체제 확립을 위한 지원 • 안전·보건의식을 북돋우기 위한 홍보·교육 및 무재해운동 등 안전문화 추진 • 안전·보건을 위한 기술의 연구·개발 및 시설의 설치·운영 • 산업재해에 관한 조사 및 통계의 유지·관리

	• 안전 · 보건 관련 단체 등에 대한 지원 및 지도 · 감독 • 그 밖에 근로자의 안전 및 건강의 보호 · 증진 ② 정부는 ①의 사항을 효율적으로 수행하기 위한 시책을 마련하여야 하며, 이를 위하여 필요하다고 인정할 때에는 「한국산업안전보건공단법」에 따른 한국산업안전보건공단(이하 "공단"이라 한다), 그 밖의 관련 단체 및 연구기관에 행정적 · 재정적 지원을 할 수 있다.
사업주 등의 의무 (제5조)	① 사업주는 다음의 사항을 이행함으로써 근로자의 안전과 건강을 유지 · 증진시키는 한편, 국가의 산업재해 예방시책에 따라야 한다. • 이 법과 이 법에 따른 명령으로 정하는 산업재해 예방을 위한 기준을 지킬 것 • 근로자의 신체적 피로와 정신적 스트레스 등을 줄일 수 있는 쾌적한 작업환경을 조성하고 근로조건을 개선할 것 • 해당 사업장의 안전 · 보건에 관한 정보를 근로자에게 제공할 것 ② 다음의 어느 하나에 해당하는 자는 설계 · 제조 · 수입 또는 건설을 할 때 이 법과 이 법에 따른 명령으로 정하는 기준을 지켜야 하고, 그 물건을 사용함으로 인하여 발생하는 산업재해를 방지하기 위하여 필요한 조치를 하여야 한다. • 기계 · 기구와 그 밖의 설비를 설계 · 제조 또는 수입하는 자 • 원재료 등을 제조 · 수입하는 자 • 건설물을 설계 · 건설하는 자
근로자의 의무 (제6조)	근로자는 이 법과 이 법에 따른 명령으로 정하는 기준 등 산업재해 예방에 필요한 사항을 지켜야 하며, 사업주 또는 근로감독관, 공단 등 관계자가 실시하는 산업재해 방지에 관한 조치에 따라야 한다.

5. 산업안전보건 인력체계(「산업안전보건법 시행령」)

(1) 보건관리자 기출 07, 20

자격조건 (제21조)	보건관리자는 다음 각 호의 어느 하나에 해당하는 사람으로 한다. ① 법 제143조 제1항에 따른 산업보건지도사 자격을 가진 사람 ② 「의료법」에 따른 의사 ③ 「의료법」에 따른 간호사 ④ 「국가기술자격법」에 따른 산업위생관리산업기사 또는 대기환경산업기사 이상의 자격을 취득한 사람 ⑤ 「국가기술자격법」에 따른 인간공학기사 이상의 자격을 취득한 사람 ⑥ 「고등교육법」에 따른 전문대학 이상의 학교에서 산업보건 또는 산업위생 분야의 학위를 취득한 사람(법령에 따라 이와 같은 수준 이상의 학력이 있다고 인정되는 사람을 포함)
선임 기준 (제20조)	① 50인 이상의 사업장은 보건관리자를 선임해야 함 ② 단, 300인 이상의 산업장에는 전임보건관리자를 두어야 함 ③ 300인 미만 사업장은 업무에 지장이 없는 범위에서 다른 업무를 겸할 수 있음 ④ 「산업안전보건법 시행령」 [별표 5] 참고

업무 (제22조)	① 보건관리자의 업무는 다음과 같다. • 산업안전보건위원회 또는 노사협의체에서 심의 · 의결한 업무와 안전보건관리규정 및 취업규칙에서 정한 업무 • 안전인증대상기계 등과 자율안전확인대상기계 등 중 보건과 관련된 보호구(保護具) 구입 시 적격품 선정에 관한 보좌 및 지도 · 조언 • 법 제36조에 따른 위험성평가에 관한 보좌 및 지도 · 조언 • 법 제110조에 따라 작성된 물질안전보건자료의 게시 또는 비치에 관한 보좌 및 지도 · 조언 • 영 제31조 제1항에 따른 산업보건의의 직무(보건관리자가 [별표 6] 제2호에 해당하는 사람인 경우로 한정) • 해당 사업장 보건교육계획의 수립 및 보건교육 실시에 관한 보좌 및 지도 · 조언 • 해당 사업장의 근로자를 보호하기 위한 다음 각 목의 조치에 해당하는 의료행위(보건관리자가 [별표 6] 제2호 또는 제3호에 해당하는 경우로 한정) - 자주 발생하는 가벼운 부상에 대한 치료 - 응급처치가 필요한 사람에 대한 처치 - 부상 · 질병의 악화를 방지하기 위한 처치 - 건강진단 결과 발견된 질병자의 요양지도 및 관리 - 위 의료행위에 따르는 의약품의 투여 • 작업장 내에서 사용되는 전체 환기장치 및 국소 배기장치 등에 관한 설비의 점검과 작업 방법의 공학적 개선에 관한 보좌 및 지도 · 조언 • 사업장 순회점검, 지도 및 조치 건의 • 산업재해 발생의 원인 조사 · 분석 및 재발 방지를 위한 기술적 보좌 및 지도 · 조언 • 산업재해에 관한 통계의 유지 · 관리 · 분석을 위한 보좌 및 지도 · 조언 • 법 또는 법에 따른 명령으로 정한 보건에 관한 사항의 이행에 관한 보좌 및 지도 · 조언 • 업무 수행 내용의 기록 · 유지 • 그 밖에 보건과 관련된 작업관리 및 작업환경관리에 관한 사항으로서 고용노동부장관이 정하는 사항 ② 보건관리자는 제1항 각 호에 따른 업무를 수행할 때에는 안전관리자와 협력해야 한다. ③ 사업주는 보건관리자가 제1항에 따른 업무를 원활하게 수행할 수 있도록 권한 · 시설 · 장비 · 예산, 그 밖의 업무 수행에 필요한 지원을 해야 한다. 이 경우 보건관리자가 [별표 6] 제2호 또는 제3호에 해당하는 경우에는 고용노동부령으로 정하는 시설 및 장비를 지원해야 한다. ④ 보건관리자의 배치 및 평가 · 지도에 관하여는 제18조 제2항 및 제3항을 준용한다. 이 경우 "안전관리자"는 "보건관리자"로, "안전관리"는 "보건관리"로 본다.

보건관리자 업무의 위탁 (제23조)	① 법 제18조 제4항에 따라 보건관리자의 업무를 위탁할 수 있는 보건관리전문기관은 지역별 보건관리전문기관과 업종별 · 유해인자별 보건관리전문기관으로 구분한다. ② 법 제18조 제4항에서 "대통령령으로 정하는 사업의 종류 및 사업장의 상시근로자 수에 해당하는 사업장"이란 다음 각 호의 어느 하나에 해당하는 사업장을 말한다. • 건설업을 제외한 사업(업종별 · 유해인자별 보건관리전문기관의 경우에는 고용노동부령으로 정하는 사업을 말한다)으로서 상시근로자 300명 미만을 사용하는 사업장 • 외딴 곳으로서 고용노동부장관이 정하는 지역에 있는 사업장 ③ 보건관리자 업무의 위탁에 관하여는 영 제19조 제2항을 준용한다. 이 경우 "법 제17조 제4항 및 이 조 제1항"은 "법 제18조 제4항 및 이 조 제2항"으로, "안전관리자"는 "보건관리자"로, "안전관리전문기관"은 "보건관리전문기관"으로 본다.

(2) 산업보건의(「산업안전보건법 시행령」) 기출 16

자격 (제30조)	산업보건의의 자격은 「의료법」에 따른 의사로서 직업환경의학과 전문의, 예방의학 전문의 또는 산업보건에 관한 학식과 경험이 있는 사람으로 한다.
선임기준 (제29조)	① 법 제22조 제1항에 따라 산업보건의를 두어야 하는 사업의 종류와 사업장은 영 제20조 및 [별표 5]에 따라 보건관리자를 두어야 하는 사업으로서 상시근로자 수가 50명 이상인 사업장으로 한다. 다만, 다음 각 호의 어느 하나에 해당하는 경우는 그렇지 않다. • 의사를 보건관리자로 선임한 경우 • 법 제18조 제4항에 따라 보건관리전문기관에 보건관리자의 업무를 위탁한 경우 ② 산업보건의는 외부에서 위촉할 수 있다. ③ 사업주는 제1항 또는 제2항에 따라 산업보건의를 선임하거나 위촉했을 때에는 고용노동부령으로 정하는 바에 따라 선임하거나 위촉한 날부터 14일 이내에 고용노동부장관에게 그 사실을 증명할 수 있는 서류를 제출해야 한다. ④ 제2항에 따라 외부에서 위촉된 산업보건의가 담당할 사업장 수 및 근로자 수, 그 밖에 필요한 사항은 고용노동부장관이 정한다.
직무 (제31조)	① 산업보건의의 직무 내용은 다음 각 호와 같다. • 법 제134조에 따른 건강진단 결과의 검토 및 그 결과에 따른 작업 배치, 작업 전환 또는 근로시간의 단축 등 근로자의 건강보호 조치 • 근로자의 건강장해의 원인 조사와 재발 방지를 위한 의학적 조치 • 그 밖에 근로자의 건강 유지 및 증진을 위하여 필요한 의학적 조치에 관하여 고용노동부장관이 정하는 사항 ② 산업보건의에 대한 지원에 관하여는 영 제14조 제2항을 준용한다. 이 경우 "안전보건관리책임자"는 "산업보건의"로, "법 제15조 제1항"은 "제1항"으로 본다.

(3) 안전보건관리자(「산업안전보건법 시행령」)

<table>
<tr><td>선임기준
(제24조)</td><td>① 다음 각 호의 어느 하나에 해당하는 사업의 사업주는 법 제19조 제1항에 따라 상시근로자 20명 이상 50명 미만인 사업장에 안전보건관리담당자를 1명 이상 선임해야 한다.
• 제조업
• 임업
• 하수, 폐수 및 분뇨 처리업
• 폐기물 수집, 운반, 처리 및 원료 재생업
• 환경 정화 및 복원업
② 안전보건관리담당자는 해당 사업장 소속 근로자로서 다음 각 호의 어느 하나에 해당하는 요건을 갖추어야 한다.
• 영 제17조에 따른 안전관리자의 자격을 갖추었을 것
• 영 제21조에 따른 보건관리자의 자격을 갖추었을 것
• 고용노동부장관이 정하여 고시하는 안전보건교육을 이수했을 것
③ 안전보건관리담당자는 영 제25조 각 호에 따른 업무에 지장이 없는 범위에서 다른 업무를 겸할 수 있다.
④ 사업주는 ①에 따라 안전보건관리담당자를 선임한 경우에는 그 선임 사실 및 영 제25조 각 호에 따른 업무를 수행했음을 증명할 수 있는 서류를 갖추어 두어야 한다.</td></tr>
<tr><td>업무
(제31조)</td><td>안전보건관리담당자의 업무는 다음과 같다.
① 법 제29조에 따른 안전보건교육 실시에 관한 보좌 및 지도 · 조언
② 법 제36조에 따른 위험성평가에 관한 보좌 및 지도 · 조언
③ 법 제125조에 따른 작업환경측정 및 개선에 관한 보좌 및 지도 · 조언
④ 법 제129조부터 제131조까지의 규정에 따른 각종 건강진단에 관한 보좌 및 지도 · 조언
⑤ 산업재해 발생의 원인 조사, 산업재해 통계의 기록 및 유지를 위한 보좌 및 지도 · 조언
⑥ 산업안전 · 보건과 관련된 안전장치 및 보호구 구입 시 적격품 선정에 관한 보좌 및 지도 · 조언</td></tr>
</table>

(4) 그 밖의 인력체계

<table>
<tr><td>안전보건
관리 책임자</td><td>① 「산업안전보건법」 제15조 제2항에 따른 안전보건관리책임자(이하 "안전보건관리책임자"라 한다)를 두어야 하는 사업의 종류 및 사업장의 상시근로자 수(건설공사의 경우에는 건설공사 금액을 말한다. 이하 같다)는 [별표 2]와 같다.
② 사업주는 안전보건관리책임자가 법 제15조 제1항에 따른 업무를 원활하게 수행할 수 있도록 권한 · 시설 · 장비 · 예산, 그 밖에 필요한 지원을 해야 한다.
③ 사업주는 안전보건관리책임자를 선임했을 때에는 그 선임 사실 및 법 제15조 제1항 각 호에 따른 업무의 수행내용을 증명할 수 있는 서류를 갖추어 두어야 한다.</td></tr>
</table>

관리감독자	사업주는 사업장의 관리감독자(경영조직에서 생산과 관련되는 업무와 그 소속 직원을 직접 지휘 · 감독하는 부서의 장 또는 그 직위를 담당하는 자를 말함. 이하 같음)로 하여금 직무와 관련된 안전 · 보건에 관한 업무로서 안전 · 보건점검 등 대통령령으로 정하는 업무를 수행하도록 하여야 한다. 다만, 위험 방지가 특히 필요한 작업으로서 대통령령으로 정하는 작업에 대하여는 소속 직원에 대한 특별교육 등 대통령령으로 정하는 안전 · 보건에 관한 업무를 추가로 수행하도록 하여야 한다.
안전관리자	① 사업주는 사업장에 안전관리자를 두어 「산업안전보건법」 제15조 제1항 각 호의 사항 중 안전에 관한 기술적인 사항에 관하여 사업주 또는 관리책임자를 보좌하고 관리감독자에게 지도 · 조언하는 업무를 수행하게 하여야 한다. ② 안전관리자를 두어야 할 사업의 종류 · 규모, 안전관리자의 수 · 자격 · 업무 · 권한 · 선임방법, 그 밖에 필요한 사항은 대통령령으로 정한다. ③ 고용노동부장관은 산업재해 예방을 위하여 필요하다고 인정할 때에는 안전관리자를 정수(定數) 이상으로 늘리거나 다시 임명할 것을 명할 수 있다. ④ 대통령령으로 정하는 종류 및 규모에 해당하는 사업의 사업주는 고용노동부장관이 지정하는 안전관리 업무를 전문적으로 수행하는 기관(이하 "안전관리전문기관"이라 한다)에 안전관리자의 업무를 위탁할 수 있다. ⑤ 안전관리전문기관의 지정 요건 및 절차에 관한 사항은 대통령령으로 정하고, 안전관리전문기관의 업무수행기준, 안전관리전문기관이 위탁업무를 수행할 수 있는 지역, 그 밖에 필요한 사항은 고용노동부령으로 정한다.

2 근로자 건강관리

1. 근로자 건강진단

근로자의 건강관리는 채용 시부터 퇴직 시까지 계속된다.

(1) 건강진단의 목적

① 질병, 건강장해를 일으킬 수 있는 소인을 갖고 있는 근로자를 발견한다.

② 직업성 질환 및 건강장해를 조기에 발견한다.

③ 일반질환을 조기에 발견한다.

(2) 건강진단의 구분

① **배치 전 건강진단**: 근로자가 특정 근무부서에 처음 배치되거나 재직 중인 근로자가 타부서로 재배치되기 전, 해당 부서에의 건강상 적성 여부를 평가하기 위해 특수 건강진단 대상 업무 또는 법정 유해인자 노출 부서의 근로자를 대상으로 사업주가 비용을 부담하여 실시하는 건강진단이다.

② **일반 건강진단** 기출 18, 19, 20

㉠ 상시 근로자의 건강관리를 위하여 사업주가 주기적으로 질병의 조기발견, 적절한 사후관리, 신속한 치료, 근로자의 건강 유지 · 보호 등을 목적으로 실시하는 건강진단이다.

㉡ 5인 이상 근로자가 있는 사업장이 일정한 주기로 실시하는 건강진단이다.

③ **특수 건강진단** 기출 17, 18

㉠ 특수 건강진단 대상 업무 종사자, 법정 유해인자에 노출되는 근로자를 대상으로 사업주가 비용을 부담하여 실시하는 건강진단이다.

㉡ 지방노동관서의 장이 지정한 특수 건강진단기관에서 실시한다.

㉢ 근로자 전원을 대상으로 직업병에 의심이 있는 자를 색출하기 위한 것이다.

유해인자별 특수 건강진단 시기 및 주기(「산업안전보건법 시행규칙」) 기출 18

구분	대상 유해인자	배치 후 첫 번째 특수 건강진단	주기
1	N, N-디메틸아세트아미드 N, N-디메틸포름아미드	1개월 이내	6개월
2	벤젠	2개월 이내	6개월
3	1, 1, 2, 2-테트라클로로에탄 사염화탄소 아크릴로니트릴 염화비닐	3개월 이내	6개월
4	석면, 면 분진	12개월 이내	12개월
5	광물성 분진 나무 분진 소음 및 충격소음	12개월 이내	24개월
6	제1호부터 제5호까지의 규정의 대상 유해인자를 제외한 [별표 12의2]의 모든 대상 유해인자	6개월 이내	12개월

특수 건강진단 교육내용(고용노동부고시 제2020-60호)

구분	교육 과목	최소 교육 시간
1	「산업안전보건법」과 근로자건강진단제도	1시간
2	**특수건강진단 원리의 이해**: 직업환경의학적 평가, 업무관련성과 적합성	1시간
3	**야간작업의 건강영향**: 최신지견과 문진 및 설문지 이해	1시간
4	**야간작업 특수건강진단 실무**: 야간작업 문진과 결과 판정	1시간
총계		4시간

교육 방법
모든 교육과정은 집체교육으로 실시하여야 한다.

④ **수시 건강진단**: 사업주가 특수 건강진단 대상자 중 직업성 천식, 직업성 피부질환, 직업성 피부염, 기타 건강장해가 의심되는 증상을 보이거나 소견이 있는 근로자를 대상으로 사업주의 비용부담으로 특수 건강진단의 실시 여부와 관계 없이 필요할 때마다 실시하는 건강진단이다. 기출 14, 18, 19

⑤ **임시 건강진단**: ㉠ ~ ㉢ 중 하나에 해당하는 경우, 질병의 발생 원인을 확인하기 위해 지방노동관서 장의 명령으로 사업주가 비용을 부담하여 실시하는 건강진단이다.
㉠ 동일 부서 근로자, 동일 유해인자 노출근로자에게 유사한 질병의 자각, 타각 증상이 발생하는 경우(유해인자에 의한 중독이나 질병의 이환 여부 확인)
㉡ 직업병 유소견자가 발생하거나 다수 발생할 우려가 있는 경우
㉢ 기타 지방노동관서의 장이 필요하다고 판단하는 경우

⑥ **2차 건강진단**: 1차 건강진단 결과 건강이상자(요주의자)와 직업병 여부의 최종적 판정기준을 확인하기 위해 실시한다.

핵심정리 건강진단

구분	일반 건강검진	배치 전 건강검진	특수 건강검진	수시 건강진단	임시 건강진단
검진 시기	• 사무직: 2년 • 생산직: 1년	신규 배치 전	주기적	작업 관련 증상을 호소하는 경우	지방노동 관서의 장이 명령하는 경우
검진 대상자	상시근로자	유해부서에 배치되는 자	유해부서 근로자	작업 관련 증상을 호소하는 자	당해 근로자 또는 동일부서 근로자
검진 목적	모든 질환의 조기 진단	• 적성배치 • 기초 건강 자료 축적	직업병 조기 진단		집단 직업병 발생 예방
비용부담	사업주 (국민건강보험)	사업주			

2. 건강관리의 구분 기출 12, 15, 16, 17, 18, 19, 20

구분		내용
A		건강관리상 사후관리가 필요 없는 근로자(건강한 근로자)
C	C_1	직업성 질병으로 진전될 우려가 있어 추적검사 등 관찰이 필요한 근로자(직업병 요관찰자)
	C_2	일반질병으로 진전될 우려가 있어 추적관찰이 필요한 근로자(일반질병 요관찰자)
	C_N	질병으로 진전될 우려가 있어 야간작업 시 사후관리가 필요한 근로자(질병 요관찰자)
D	D_1	직업성 질병의 소견을 보여 사후관리가 필요한 근로자(직업병 유소견자)
	D_2	일반 질병의 소견을 보여 사후관리가 필요한 근로자(일반질병 유소견자)
	D_N	질병의 소견을 보여 야간작업 시 사후관리가 필요한 근로자(질병 유소견자)
R		건강진단 제1차 검사 결과 건강수준의 평가가 곤란하거나 질병이 의심되는 근로자(제2차 건강진단 대상자)

※ "U"는 제2차 건강진단 대상임을 통보하고 30일을 경과하여 해당 검사가 이루어지지 않아 건강관리구분을 판정할 수 없는 근로자 "U"로 분류

관련 법령

「산업안전보건법 시행규칙」 [별표 22]

특수건강진단 대상 유해인자(제201조 관련)

1. 화학적 인자
   가. 유기화합물(109종)
   나. 금속류(20종)
   다. 산 및 알카리류(8종)
   라. 가스 상태 물질류(14종)
   마. 영 제88조에 따른 허가 대상 유해물질(12종)
2. 분진(7종)
   가. 곡물 분진(Grain dusts)
   나. 광물성 분진(Mineral dusts)
   다. 면 분진(Cotton dusts)
   라. 목재 분진(Wood dusts)
   마. 용접 흄(Welding fume)
   바. 유리 섬유(Glass fiber dusts)
   사. 석면 분진(Asbestos dusts; 1332 - 21 - 4 등)
3. 물리적 인자(8종)
   가. 안전보건규칙 제512조 제1호부터 제3호까지의 규정의 소음작업, 강렬한 소음작업 및 충격소음작업에서 발생하는 소음
   나. 안전보건규칙 제512조 제4호의 진동작업에서 발생하는 진동
   다. 안전보건규칙 제573조 제1호의 방사선
   라. 고기압
   마. 저기압
   바. 유해광선
      1) 자외선
      2) 적외선
      3) 마이크로파 및 라디오파
4. 야간작업(2종)
   가. 6개월간 밤 12시부터 오전 5시까지의 시간을 포함하여 계속되는 8시간 작업을 월 평균 4회 이상 수행하는 경우
   나. 6개월간 오후 10시부터 다음날 오전 6시 사이의 시간 중 작업을 월 평균 60시간 이상 수행하는 경우

   ※ 비고: "등"이란 해당 화학물질에 이성질체 등 동일 속성을 가지는 2개 이상의 화합물이 존재할 수 있는 경우를 말한다.

관련 법령

「산업안전보건법 시행규칙」 [별표 5]

안전보건교육 교육대상별 교육내용(제26조 제1항 등 관련)

1. 근로자 안전보건교육(제26조 제1항 관련)

가. 근로자 정기교육

교육내용
• 산업안전 및 사고 예방에 관한 사항 • 산업보건 및 직업병 예방에 관한 사항 • 건강증진 및 질병 예방에 관한 사항 • 유해 · 위험 작업환경 관리에 관한 사항 • 산업안전보건법령 및 산업재해보상보험 제도에 관한 사항 • 직무스트레스 예방 및 관리에 관한 사항 • 직장 내 괴롭힘, 고객의 폭언 등으로 인한 건강장해 예방 및 관리에 관한 사항

나. 관리감독자 정기교육

교육내용
• 산업안전 및 사고 예방에 관한 사항 • 산업보건 및 직업병 예방에 관한 사항 • 유해 · 위험 작업환경 관리에 관한 사항 • 산업안전보건법령 및 산업재해보상보험 제도에 관한 사항 • 직무스트레스 예방 및 관리에 관한 사항 • 직장 내 괴롭힘, 고객의 폭언 등으로 인한 건강장해 예방 및 관리에 관한 사항 • 작업공정의 유해 · 위험과 재해 예방대책에 관한 사항 • 표준안전 작업방법 및 지도 요령에 관한 사항 • 관리감독자의 역할과 임무에 관한 사항 • 안전보건교육 능력 배양에 관한 사항   - 현장근로자와의 의사소통능력 향상, 강의능력 향상 및 그 밖에 안전보건교육 능력 배양 등에 관한 사항. 이 경우 안전보건교육 능력 배양 교육은 [별표 4]에 따라 관리감독자가 받아야 하는 전체 교육시간의 3분의 1 범위에서 할 수 있다.

다. 채용 시 교육 및 작업내용 변경 시 교육

교육내용
• 산업안전 및 사고 예방에 관한 사항 • 산업보건 및 직업병 예방에 관한 사항 • 산업안전보건법령 및 산업재해보상보험 제도에 관한 사항 • 직무스트레스 예방 및 관리에 관한 사항 • 직장 내 괴롭힘, 고객의 폭언 등으로 인한 건강장해 예방 및 관리에 관한 사항 • 기계 · 기구의 위험성과 작업의 순서 및 동선에 관한 사항 • 작업 개시 전 점검에 관한 사항 • 정리정돈 및 청소에 관한 사항 • 사고 발생 시 긴급조치에 관한 사항 • 물질안전보건자료에 관한 사항

3. 건강진단의 사후관리

(1) 근로자 건강의 보호 · 유지를 목적으로 한다.

(2) 건강진단 결과 C, D로 나온 경우 해당 근로자의 실정을 고려하여 작업장소의 변경, 작업의 변환, 근로시간 단축, 야간근로의 제한 등의 제반조치를 강구한다.

(3) 사후관리 조치 결과를 건강진단 실시결과를 통보받은 날로부터 30일 이내에 관할 지방노동관서의 장에게 제출한다.

(4) 건강관리 구분 및 사후관리(고용노동부고시 제2020-60호)

구분	판정 기준	사후관리
A	건강관리상 사후관리가 필요없는 근로자(건강한 근로자)	사후관리 필요 없음
C	질병으로 진전될 우려가 있어 추적검사 등 관찰이 필요한 근로자(요관찰자)	의사의 소견에 따른 의학적 조치
D_1	직업성 질병의 소견을 보여 관리가 필요한 근로자(직업병 유소견자)	의사의 소견에 따른 요양 신청, 작업 전환, 취업장소의 변경 및 근무 중 치료
D_2	일반질병의 소견을 보여 사후관리가 필요한 근로자(일반질병 유소견자)	의사의 소견에 따른 근로시간 단축, 작업 전환, 휴직, 근무 중 치료, 그 밖의 의학적 조치
R	질환 의심 근로자	제2차 건강진단 대상자(제2차 건강진단 실시 통보일부터 30일 이내에 실시)

Plus⁺ POINT

사후관리 조치 내용(고용노동부고시 제2020-60호)

구분	사후관리 조치 내용[1]
0	필요없음
1	건강상담[2]
2	보호구 지급 및 착용지도(　　　　　　　　　　)
3	추적검사[3] (　　)검사항목에 대하여 20　년　월　일경에 추적검사가 필요
4	근무중(　　　　　　　　　　)
5	근로시간 단축(　　　　　　　　　　)
6	작업 전환(　　　　　　　　　　)
7	근로 제한 및 금지(　　　　　　　　　　)
8	산재요양신청서 직접 작성 등 당해 근로자에 대한 직업병 확진의뢰 안내[4]
9	기타[5](　　　　　　　　　　)

※ 1) 사후관리 조치 내용은 한 근로자에 대하여 중복하여 판정할 수 있음
2) 생활습관 관리 등 구체적으로 내용 기술

3) 건강진단의사가 직업병 요관찰자(C_1), 직업병 유소견자(D_1) 또는 '야간작업' 요관찰자(C_N), '야간작업' 유소견자(D_N)에 대하여 추적검사 판정을 하는 경우에는 사업주는 반드시 건강진단의사가 지정한 검사항목에 대하여 지정한 시기에 추적검사를 실시하여야 함
4) 직업병 유소견자(D_1) 중 요양 또는 보상이 필요하다고 판단되는 근로자에 대하여는 건강진단을 한 의사가 반드시 직접 산재요양신청서를 작성하여 해당 근로자로 하여금 근로복지공단과 관할지사에 산재요양신청을 할 수 있도록 안내하여야 함
5) 교대근무 일정 조정, 야간작업 중 사이잠 제공, 정밀업무적합성평가 의뢰 등 구체적으로 내용 기술

관련 법령

「근로자 건강진단 실시기준」 제20조【사후관리 조치】 ① 사업주는 건강진단 실시결과에 따라 작업장소 변경, 작업전환, 근로시간 단축, 야간근무 제한 등의 조치를 시행할 때에는 사전에 해당 근로자에게 이를 알려주어야 한다. 이 경우 해당 조치의 이행이 어려울 때에는 건강진단을 실시한 의사 또는 산업보건의(의사인 보건관리자를 포함한다)의 의견을 들어 사후관리 조치의 내용을 변경하여 시행할 수 있다.
② 사업주는 건강진단 실시결과에 따라 건강상담, 보호구 지급 및 착용 지도, 추적검사, 근무 중 치료 등의 조치를 시행할 때에 다음 각 호의 어느 하나를 활용할 수 있다.
1. 건강진단기관
2. 산업보건의
3. 보건관리자
4. 공단 근로자 건강센터
③ 근로자는 사업주가 실시하는 제2항의 조치를 받아야 한다. 이 경우 근로자가 원할 때에는 다른 전문기관에서 이에 상응하는 조치를 받아 그 결과를 증명하는 서류를 사업주에게 제출할 수 있다.

4. 업무수행 적합성 여부 판정 기출 15, 18

건강진단 결과 질병 유소견자(D_1, D_2)로 판정받은 근로자에 대하여 반드시 업무수행 적합성 여부를 판정하여 관리해야 한다.

평가구분	업무수행 적합성 여부 평가 기준
가	건강관리상 현재의 조건하에서 작업이 가능한 경우
나	일정한 조건(환경 개선, 보호구 착용, 건강진단의 주기 단축 등)하에서 현재의 작업이 가능한 경우
다	건강장해가 우려되어 한시적으로 현재의 작업을 할 수 없는 경우 (건강상 또는 근로조건상의 문제를 해결한 후 작업 복귀 가능)
라	건강장해의 악화 혹은 영구적인 장해의 발생이 우려되어 현재의 작업을 해서는 안 되는 경우

5. 건강진단 결과 보존

(1) 사업주는 건강진단 결과표 및 근로자가 제출한 건강진단 결과를 증명하는 서류를 5년간 보존해야 한다.

(2) 고용노동부장관이 정하여 고시하는 물질을 취급하는 근로자에 대한 건강진단 결과의 서류 또는 전산입력 자료는 30년간 보존해야 한다.

관련 법령

건강관리카드 건강진단

「산업안전보건법」 제137조 【건강관리카드】 ① 고용노동부장관은 고용노동부령으로 정하는 건강장해가 발생할 우려가 있는 업무에 종사하였거나 종사하고 있는 사람 중 고용노동부령으로 정하는 요건을 갖춘 사람의 직업병 조기발견 및 지속적인 건강관리를 위하여 건강관리카드를 발급하여야 한다.
② 건강관리카드를 발급받은 사람이 산업재해보상보험법 제41조에 따라 요양급여를 신청하는 경우에는 건강관리카드를 제출함으로써 해당 재해에 관한 의학적 소견을 적은 서류의 제출을 대신할 수 있다.
③ 건강관리카드를 발급받은 사람은 그 건강관리카드를 타인에게 양도하거나 대여해서는 아니 된다.
④ 건강관리카드를 발급받은 사람 중 제1항에 따라 건강관리카드를 발급받은 업무에 종사하지 아니하는 사람은 고용노동부령으로 정하는 바에 따라 특수건강진단에 준하는 건강진단을 받을 수 있다.
⑤ 건강관리카드의 서식, 발급 절차, 그 밖에 필요한 사항은 고용노동부령으로 정한다.

「산업안전보건법 시행규칙」 제215조 【건강관리카드 소지자의 건강진단】 ① 법 제137조 제1항에 따른 건강관리카드(이하 "카드"라 한다)를 발급받은 근로자가 카드의 발급 대상 업무에 더 이상 종사하지 않는 경우에는 공단 또는 특수건강진단기관에서 실시하는 건강진단을 매년(카드 발급 대상 업무에서 종사하지 않게 된 첫 해는 제외한다) 1회 받을 수 있다. 다만, 카드를 발급받은 근로자(이하 "카드소지자"라 한다)가 카드의 발급 대상 업무와 같은 업무에 재취업하고 있는 기간 중에는 그렇지 않다.
② 공단은 제1항 본문에 따라 건강진단을 받는 카드소지자에게 교통비 및 식비를 지급할 수 있다.
③ 카드소지자는 건강진단을 받을 때에 해당 건강진단을 실시하는 의료기관에 카드 또는 주민등록증 등 신분을 확인할 수 있는 증명서를 제시해야 한다.
④ 제3항에 따른 의료기관은 건강진단을 실시한 날부터 30일 이내에 건강진단 실시 결과를 카드소지자 및 공단에 송부해야 한다.
⑤ 제3항에 따른 의료기관은 건강진단 결과에 따라 카드소지자의 건강 유지를 위하여 필요하면 건강상담, 직업병 확진 의뢰 안내 등 고용노동부장관이 정하는 바에 따른 조치를 하고, 카드소지자에게 해당 조치 내용에 대하여 설명해야 한다.
⑥ 카드소지자에 대한 건강진단의 실시방법과 그 밖에 필요한 사항은 고용노동부장관이 정하여 고시한다.

「산업안전보건법 시행규칙」[별지 제87호서식]

근로자 건강관리카드

(앞면)

사진 2.5㎝×3㎝	발급번호: 성　명: 생년월일: 주　소: 물 질 명:

「산업안전보건법」 제137조에 따라 근로자 건강관리카드를 발급합니다.

년　월　일

한국산업안전보건공단 이사장 직인

(뒷면)

주 의 사 항

1. 이 카드는 「산업안전보건법」 제137조에 따라 발급한 건강관리카드입니다.
2. 이 카드를 소지하신 분은 매년 1회 정기적으로 무료 건강진단을 받을 수 있습니다.
3. 이 카드는 다른 사람에게 양도하거나 대여할 수 없으며, 카드의 기재내용은 사실과 달리 수정 · 변경해서는 안 됩니다.
4. 이 카드는 여러분의 건강관리를 위한 귀중한 자료이며 「산업재해보상보험법」에 따른 요양급여 신청 시 증명자료가 될 수 있으므로 소중히 보관해 주시기 바랍니다.
5. 카드를 분실하거나 손상된 경우에는 카드를 발급받은 한국산업안전보건공단에 신고하여 재발급 받으시기 바랍니다.(www.kosha.or.kr)

3 직업 관련성 질환의 예방과 관리

1. 근골격계 질환

(1) 개념

① 「산업안전보건기준에 관한 규칙」 제656조(2015): 근골격계 질환이란 반복적인 동작, 부적절한 작업자세, 무리한 힘의 사용, 날카로운 면과의 신체 접촉, 진동 및 온도 등의 요인에 의하여 발생하는 건강장해로서 목, 어깨, 허리, 팔다리의 신경·근육 및 그 주변 신체조직 등에 나타나는 질환이다.

② 산업안전보건공단(2021): 무리한 힘의 사용, 반복적인 동작, 부적절한 작업자세, 날카로운 면과의 신체 접촉, 진동 및 온도 등의 요인으로 인해 근육과 신경, 힘줄, 인대, 관절 등의 조직이 손상되어 신체에 나타나는 건강장해를 총칭한다. 근골격계질환은 요통(LowBack Pain), 수근관증후군(Carpal Tunnel Syndrome), 건염(Tendonitis), 흉곽출구증후군(Thoracic Outlet Syndrome), 경추자세증후군(Tension Neck Syndrome) 등이 있다.

(2) 발생 단계(산업안전보건공단)

단계	그림	증상
1단계	작업시간 동안 통증, 피로감	① 작업중 통증, 피로감 ② 하룻밤 지나면 증상 없음 ③ 작업능력 감소 없음 ④ 몇일 동안 지속 - 악화와 회복 반복
2단계	작업시간 초기부터 통증	① 작업 시간 초기부터 통증 발생 ② 하룻밤 지나도 통증 지속 ③ 화끈거려 잠을 설침 ④ 작업능력 감소 ⑤ 몇 주, 몇 달 지속 - 악화와 회복 반복
3단계	통증 때문에 잠을 못 이룸	① 휴식시간에도 통증 ② 하루종일 통증 ③ 통증으로 불면 ④ 작업수행 불가능 ⑤ 다른 일도 어려움 통증 동반

직업병

1. 직업성 질환
   직업적인 활동 중에 작업환경에 존재하는 유해인자로 인해 발생하는 급·만성적인 질환이다(진폐증, 소음성 난청, 금속중독, 유기용제중독 등).
2. 직업 관련성 질환
   개인 질병 등 업무 외적 요인과 복합적으로 작용하여 발생하는 질환이다(뇌심혈관 질환, 근골격계 질환 등).

(3) 발생원인

① 부적절한 자세

무릎을 굽히거나 쪼그리는 자세 작업

팔꿈치를 반복적으로 머리 위 또는 어깨 위로 들어올리는 작업

목, 허리, 손목 등을 과도하게 구부리거나 비트는 작업

② 과도한 힘 필요작업

반복적인 중량물 취급

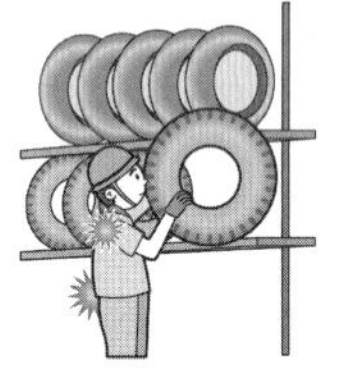

어깨 위에서 중량물 취급

허리를 구부린 상태에서 중량물 취급

강한 힘으로 공구를 작동하거나 물건을 집는 작업

③ 접촉 스트레스

손이나 무릎을 망치처럼 때리거나 치는 작업

④ 진동공구 취급작업

착암기, 연삭기 등 진통이 발생하는 공구 취급작업

⑤ 반복적인 작업

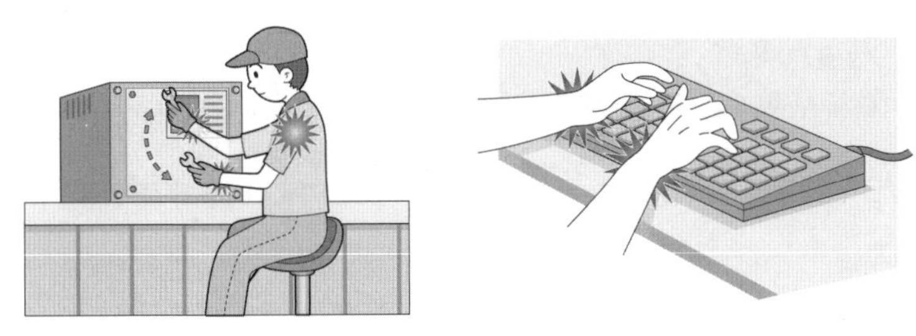

목, 어깨, 팔, 팔꿈치, 손가락 등을 반복하는 작업

⑥ 그 밖에도 비직업성 요인과 정신 · 사회적 요인도 있다.

(4) 치료의 목적

증상과 손상의 제거 및 감소이며, 건강을 유지할 수 있는 상태로 근로자를 작업에 복귀시키는 것이 목적이다.

(5) 예방대책 및 관리

① **예방대책**: 반복성, 강력한 힘, 부적절한 자세, 진동, 기계적 스트레스, 저온 등과 같은 위험요인에 대한 노출 감소와 관련한 대책이 필요하다.

② 관리

㉠ 사업주는 정기적인 유해요인 조사를 실시해야 한다(매 3년마다 주기적으로 실시).

㉡ 인간공학적인 설계를 통한 작업환경을 개선해야 한다.

㉢ 근골격계 질환 예방 프로그램으로 지속적인 관리가 필요하다.

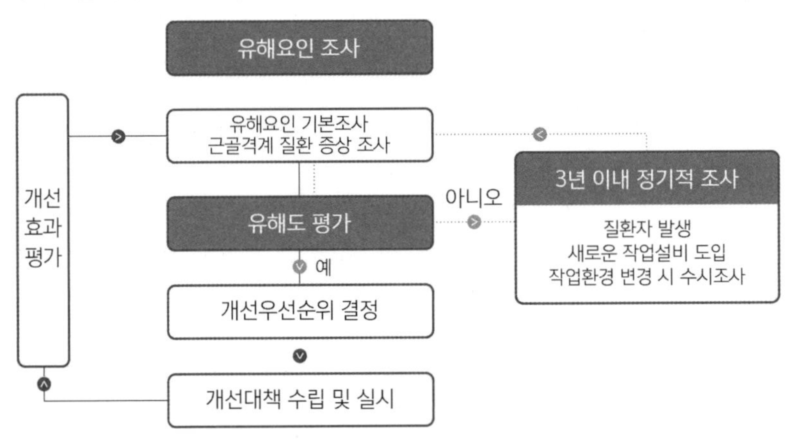

2. 요통

(1) 개념

① 요통은 전 인구의 60 ~ 80%가 경험하고 있다.

② 척추근육의 심한 경련과 함께 허리에 발생하는 편측성, 양측성 통증으로 일시적인 허리 부위의 통증, 방사통, 압통과 근육경직, 운동제한이 발생한다.

③ 반복적인 직업성 요통으로 발전되는 경우 인대도 늘어나고 추간판의 형태가 변하여 척수신경을 눌러 통증을 유발한다.

(2) 예방대책

① 적절한 작업환경과 올바른 자세 및 작업활동 원리를 습득해야 한다(신체역학 이용).

② 꾸준한 운동을 통하여 긴장을 완화시키고 근력을 강화해야 한다.

3. VDT 증후군(Visual Display Terminal Syndrome) 기출 12, 13, 15, 18, 19, 21

(1) 개념

① VDT 작업은 대부분 좌식작업이기 때문에 척추의 정상 요추만곡을 유지하기 힘들게 되고 허리에 통증을 유발하며, 엉덩이 부분에 과다한 압력이 집중되기 때문에 다리 부종, 다리 혈액순환 저하, 피로를 유발한다.

② 특히 적지 않은 대상자가 호소하는 목 부위의 근육통증은 대부분 작업 시 머리를 많이 숙이는 것으로 인해 유발된다.

(2) 유해위험요인

① **작업조건**: 휴식시간, 작업부하 등

② **작업자세**: 머리와 목의 각도, 상완 외전 및 들어올림, 손목의 구부러짐과 신전, 정적인 작업자세, 혈관과 신경조직의 압박 등

③ **작업환경**: 조명, 소음, 온 · 습도, 환기 등

(3) 예방대책

① 의자나 책상, 스크린, 키보드 등 작업장의 치수에 따라 작업자세가 결정되므로 작업설계 시 다양한 체격의 작업자 특성을 고려하여 불편함이 없도록 설계되어야 한다.

② 휴식시간을 제공한다.

③ 스트레칭을 실시하도록 한다.

1

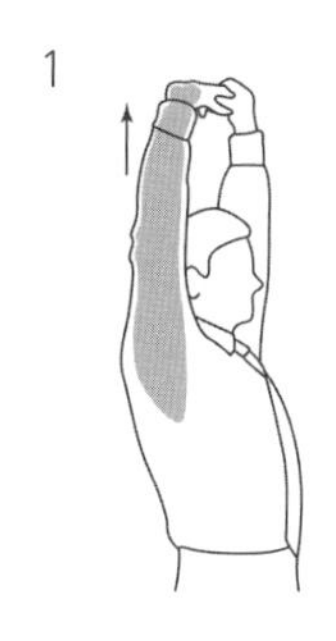

양쪽 각 5초
양손을 깍지 끼고
한 팔씩 위쪽으로 뻗친다.

2

양쪽 각 5초
팔꿈치를 잡고
옆으로 굽힌다.

3

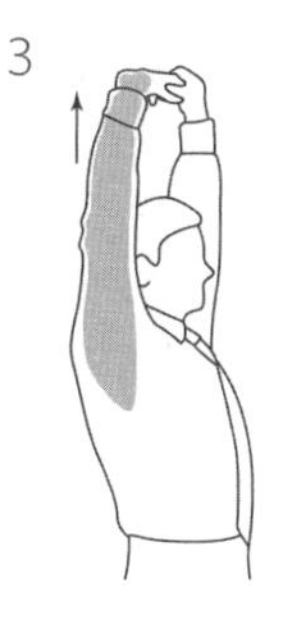

양쪽 각 5초
양손을 깍지 끼고
한 팔씩 위쪽으로 뻗친다.

4

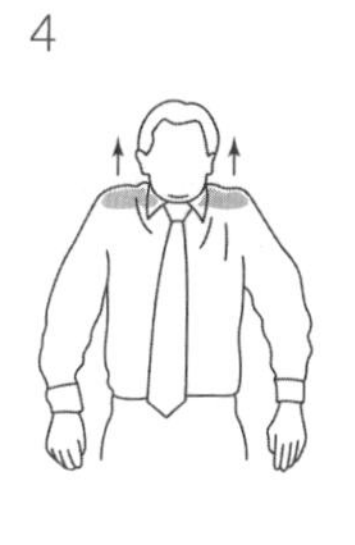

10초
양 어깨를
위쪽으로 올린다.

5

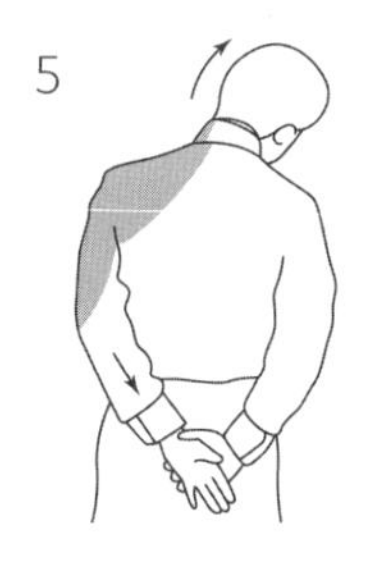

양쪽 각 5초
몸통 뒤에서 손목을 잡고
밑으로 잡아당기며
목은 반대로 굽힌다.

6

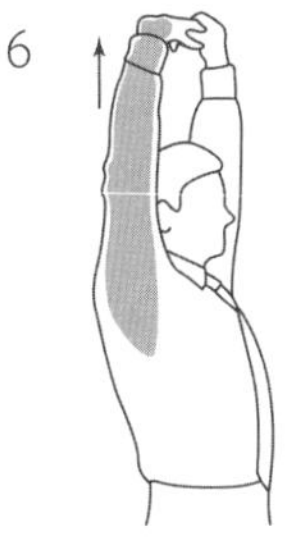

양쪽 각 5초
양손을 깍지 끼고
한 팔씩 위쪽으로
뻗친다.

7

8초
양손을 모으고
아래로 힘을 준다.

8

8초
양손을 모으고
몸쪽으로 힘을 준다.

⬆ VDT 작업자를 위한 스트레칭(산업안전보건공단)

4. 심뇌혈관 질환

구분		내용
개념		① **뇌혈관 질환**: 뇌의 혈관이 막히거나 터져서 생기는 질환(뇌출혈이나 뇌경색) ② **심혈관 질환**: 심장과 주요 동맥에 발생하는 질환(협심증이나 심근경색)
증상	뇌혈관 질환	① 어지러움증, 구토 ② 말이 새고 어눌해짐 ③ 물체가 겹쳐 보이거나 한쪽 눈이 보이지 않음 ④ 힘이 빠지거나 신체 감각이 둔해짐
	심혈관 질환	① 이유없이 지속적으로 심장 두근거리는 증상이 나타날 경우 심근경색, 부정맥을 의심하여야 함 ② 앉았다 일어설 때 어지러움을 느끼거나, 초점이 흐려져 사물이 잘 안보임 ③ 협심증이나 심근경색의 경우 어깨, 겨드랑이, 턱까지 통증을 느낄 수 있음 ④ 혈관이 수축하고 혈류가 감소할 경우 저린 증상이 나타날 수 있음

<table>
<tr><td>원인</td><td colspan="2">① 직업적인 원인: 교대근무, 장시간 근무, 밀폐공간작업, 업무량, 스트레스
② 물리적 원인: 소음, 고열작업, 한랭작업
③ 화학물질: 이황화탄소, 황화수소, 일산화탄소, 유기용제
④ 개인적 원인의 고정요인: 나이, 성별, 성격 등
⑤ 개인적 원인의 변동요인: 혈압, 혈당, 과체중, 음주, 흡연</td></tr>
<tr><td rowspan="2">예방대책</td><td>조직적 차원</td><td>① 건강검진 후 기초질환자 등을 중심으로 사후관리, 보건교육, 금연 및 업무조정 등 종합적이고 지속적인 예방활동이 필요함
② 고위험 근로자들은 교대작업, 심야작업 등의 업무 시 중점관리가 필요함
③ 직원들에게 심폐소생술 훈련을 받을 수 있도록 지원이 필요함
④ 심장응급센터와 밀접한 관계를 맺어 응급상황 대처에 대비해야 함</td></tr>
<tr><td>개인적 차원</td><td>① 정기적으로 혈압, 혈당, 콜레스테롤을 측정하여 기초질환을 관리
② 규칙적인 운동을 실시하여 표준 체중을 유지
③ 금연하고 음주량을 절제
④ 콜레스테롤이 많은 음식 섭취를 줄이고, 섬유질이 많은 채소의 섭취를 늘림
⑤ 매사에 밝고 적극적인 기분으로 생활하여 스트레스를 해소함</td></tr>
</table>

5. 직무스트레스

<table>
<tr><td>개념</td><td colspan="2">맡은 일로 인해 심하게 압박감을 받을 때 나타나는 신체적 · 심리적 반응으로, 업무상 요구사항이 근로자의 능력이나 자원, 요구 등과 일치하지 않을 때 생기는 유해한 반응</td></tr>
<tr><td rowspan="2">원인</td><td>작업장의 물리적 환경</td><td>소음, 진동, 조명, 온열, 환기 및 위험한 상황</td></tr>
<tr><td>사회 심리적 환경</td><td>① 시간적 압박 업무시간
② 조직구조
③ 조직에서의 역할
④ 대인관계갈등
⑤ 조직 외적인 스트레스 요인</td></tr>
<tr><td>증상</td><td colspan="2">혈관계, 위장관계, 호흡기계, 생식기계, 내분비계, 신경계, 근육계, 피부계 등의 신체에 구조적 · 기능적 손상이 발생</td></tr>
<tr><td rowspan="2">예방대책</td><td>조직적 차원</td><td>① 근로자의 역할과 책임을 명확히 함
② 적절한 업무량 제공
③ 직위의 불안정성 감소 및 직무스트레스를 유발할 수 있는 작업장의 물리적 환경을 개선</td></tr>
<tr><td>개인적 차원</td><td>근로자 스스로 자신의 스트레스를 인지하고 적절히 대처할 수 있도록 교육하고 지원해 줌</td></tr>
</table>

6. 감정노동

<table>
<tr><td>개념</td><td colspan="2">직업상 고객을 대할 때 자신의 감정이 좋거나 슬프거나 화나는 상황이 있더라도 사업장에서 요구하는 감정과 표현을 고객에게 보여주는 등 고객응대 업무를 하는 노동[한국산업안전보건공단(KOSHA)]</td></tr>
<tr><td>증상</td><td colspan="2">① 감정노동과 신체건강 문제
② 감정노동과 정신건강</td></tr>
<tr><td rowspan="2">예방
대책</td><td>조직적
차원</td><td>① 감정노동 관리에 대한 정책을 마련
② 적정 서비스 기준 및 고객 응대 매뉴얼 등 '근로자 자기보호 매뉴얼'을 개발하여 보급하고 근로자들에게 교육
③ 근로자들의 고충을 직장에 전달할 수 있는 의사소통 채널을 마련
④ 민주적이고 합리적인 직장문화를 조성
⑤ 근로조건 및 근로환경을 개선
⑥ 근로자의 마음의 힘을 키울 수 있는 '건강증진 프로그램'을 운영</td></tr>
<tr><td>개인적
차원</td><td>① 자기 스스로 격려하기 등 자신의 감정을 다스리는 방법을 습득
② 힘들 때 어려움을 나눌 수 있는 상사나 동료 등 지지체계를 만듦
③ 효율적 의사소통방법 활용
④ 긍정적이고 올바른 생활습관 유지
⑤ 동호회 활동이나 취미활동 등을 통해 심리적으로 관리 필요</td></tr>
<tr><td>법령
(「근로
기준법」
제6장)</td><td colspan="2">① 제76조의2(직장 내 괴롭힘의 금지): 사용자 또는 근로자는 직장에서의 지위 또는 관계 등의 우위를 이용하여 업무상 적정범위를 넘어 다른 근로자에게 신체적·정신적 고통을 주거나 근무환경을 악화시키는 행위(이하 "직장 내 괴롭힘"이라 한다)를 하여서는 아니 된다.
② 제76조의3(직장 내 괴롭힘 발생 시 조치)
㉠ 누구든지 직장 내 괴롭힘 발생 사실을 알게 된 경우 그 사실을 사용자에게 신고할 수 있다.
㉡ 사용자는 ㉠에 따른 신고를 접수하거나 직장 내 괴롭힘 발생 사실을 인지한 경우에는 지체 없이 당사자 등을 대상으로 그 사실 확인을 위하여 객관적으로 조사를 실시하여야 한다.
㉢ 사용자는 ㉡에 따른 조사 기간 동안 직장 내 괴롭힘과 관련하여 피해를 입은 근로자 또는 피해를 입었다고 주장하는 근로자(이하 "피해근로자 등"이라 한다)를 보호하기 위하여 필요한 경우 해당 피해근로자 등에 대하여 근무장소의 변경, 유급휴가 명령 등 적절한 조치를 하여야 한다. 이 경우 사용자는 피해근로자 등의 의사에 반하는 조치를 하여서는 아니 된다.
㉣ 사용자는 ㉡에 따른 조사 결과 직장 내 괴롭힘 발생 사실이 확인된 때에는 피해근로자가 요청하면 근무장소의 변경, 배치전환, 유급휴가 명령 등 적절한 조치를 하여야 한다.
㉤ 사용자는 ㉡에 따른 조사 결과 직장 내 괴롭힘 발생 사실이 확인된 때에는 지체 없이 행위자에 대하여 징계, 근무장소의 변경 등 필요한 조치를 하여야 한다. 이 경우 사용자는 징계 등의 조치를 하기 전에 그 조치에 대하여 피해근로자의 의견을 들어야 한다.</td></tr>
</table>

	ⓑ 사용자는 직장 내 괴롭힘 발생 사실을 신고한 근로자 및 피해근로자 등에게 해고나 그 밖의 불리한 처우를 하여서는 아니 된다. ⓢ ⓛ에 따라 직장 내 괴롭힘 발생 사실을 조사한 사람, 조사 내용을 보고받은 사람 및 그 밖에 조사 과정에 참여한 사람은 해당 조사 과정에서 알게 된 비밀을 피해근로자 등의 의사에 반하여 다른 사람에게 누설하여서는 아니 된다. 다만, 조사와 관련된 내용을 사용자에게 보고하거나 관계 기관의 요청에 따라 필요한 정보를 제공하는 경우는 제외한다.

7. 교대근무 및 야간근로

<table>
<tr><td>정의</td><td colspan="2">① 교대근무: 각각 다른 근무시간대에 서로 다른 사람들이 일을 할 수 있도록 작업조를 2개조 이상으로 나누어 근무하는 것으로, 일시적 또는 임시적으로 시행되는 작업형태를 제외한 제도화된 근무형태
② 야간근무(Night work): 「근로기준법」 제56조에 의거한 저녁 10시부터 다음날 오전 6시까지 사이의 근로</td></tr>
<tr><td>증상</td><td colspan="2">① 일주기리듬 부조화(일주기시계, 빛이나 기온과 같은 외부 요인에 영향을 받음)
② 수면의 질 저하
③ 위장장애 발생: 소화불량, 변비, 복통 등
④ 심혈관계 질환: 분노, 업무에 대한 불만족, 가족과의 갈등, 수면부족, 만성피로 등
⑤ 생식건강: 자연유산, 저체중아, 조산, 난임, 불규칙한 월경주기, 월경통 등
⑥ 기존 질환의 악화: 천신, 당뇨, 뇌전증 등의 악화
⑦ 사회적인 역할의 제한: 저녁이나 주말의 가족행사에 참여율이 낮음
⑧ 교대 부적응증후군: 교대근무가 적응이 안 됨
⑨ 안전사고 증가: 야간근무 시 민감하지 못하여 실수율과 사고율이 높음</td></tr>
<tr><td rowspan="2">예방 대책</td><td>조직적 차원</td><td>교대근무 일정 조정</td></tr>
<tr><td>개인적 차원</td><td>① 잠들기 전 1 ~ 2시간 전에는 집안의 조명을 어둡게 유지
② 잠들기 전 2시간 이내 카페인 음료와 술 금지
③ 잠들기 전 TV 시청이나 스마트폰 등의 활동을 자제
④ 규칙적인 운동
⑤ 편안한 마음으로 잠들기</td></tr>
<tr><td>법령 (「근로기준법」 제70조)</td><td colspan="2">야간근로와 휴일근로의 제한
① 사용자는 18세 이상의 여성을 오후 10시부터 오전 6시까지의 시간 및 휴일에 근로시키려면 그 근로자의 동의를 받아야 한다.
② 사용자는 임산부와 18세 미만자를 오후 10시부터 오전 6시까지의 시간 및 휴일에 근로시키지 못한다. 다만, 다음의 어느 하나에 해당하는 경우로서 고용노동부장관의 인가를 받으면 그러하지 아니하다.
• 18세 미만자의 동의가 있는 경우
• 산후 1년이 지나지 아니한 여성의 동의가 있는 경우
• 임신 중의 여성이 명시적으로 청구하는 경우</td></tr>
</table>

	③ 사용자는 ②의 경우 고용노동부장관의 인가를 받기 전에 근로자의 건강 및 모성 보호를 위하여 그 시행 여부와 방법 등에 관하여 그 사업 또는 사업장의 근로자대표와 성실하게 협의하여야 한다.

야간작업 특수 건강진단의 검사항목	제1차 검사항목	① 작업력 및 노출력 조사 ② 주요 표적기관과 관련된 병력조사 ③ **임상검사 및 진찰** • **신경계**: 불면증 증상 문진 • **심혈관계**: 복부둘레, 혈압, 공복혈당, 총 콜레스테롤, 트리글리세라이드, HDL 콜레스테롤 • **위장관계**: 관련 증상 문진 • **내분비계**: 관련 증상 문진
	제2차 검사항목	**임상검사 및 진찰** ① **신경계**: 심층면담 및 문진 ② **심혈관계**: 혈압, 공복혈당, 당화혈색소, 총 콜레스테롤, 트리글리세라이드, HDL 콜레스테롤, LDL 콜레스테롤, 24시간 심전도, 24시간 혈압 ③ **위장관계**: 위내시경 ④ **내분비계**: 유방촬영, 유방초음파

8. 산업 피로 기출 11, 13, 19, 20

개념	정신적·육체적 그리고 신경적인 노동 부하에 반응하는 생체의 태도이며, 피로 자체는 질병이 아니라 원래 가역적인 생체 변화로서 건강장애에 대한 경고반응	
원인	작업요인	① 작업강도 ② 작업자세
	환경요인	① 고온과 저온환경 ② 저산소환경 ③ 조명 ④ 소음과 진동 ⑤ 작업자의 심적 태도
	개인요인	① 개인의 체격과 체력 ② 정신적 요인 적성 여부 ③ 근로자의 기초질병 ④ 연령, 성별 등 ⑤ 미숙련공, 여성의 월경 시
예방대책	① 작업환경 개선 ② 작업능률 향상을 위한 훈련 ③ 작업 전·후 가벼운 운동 ④ 충분한 수면 ⑤ 적합한 영양 섭취	

비교에너지 대사율 (RMR; Relative Metabolic Rate)에 따른 5단계 작업 강도

구분	RMR	작업
경노동	0 ~ 1	주로 앉아서 손가락이나 팔로 작업
중등노동	1 ~ 2	• 물체를 들거나 미는 일 등 • 지적 작업 또는 6시간 이상 쉬지 않고 하는 작업
강노동	2 ~ 4	일반적인 전신 노동, 전형적인 지속작업
중노동	4 ~ 7	• 곡괭이질 또는 삽질하는 일 등 • 휴식의 필요가 있는 작업, 노동시간 단축
격노동	7 이상	중량물 작업을 과격하게 하는 정도

① 기초 대사량
- 성인 기초 대사량: 1,500 ~ 1,800kcal/일
- 기초 + 여가 대사량: 2,300kcal/일
- 작업 시 정상적인 에너지 소비량: 4,300kcal/일

② 에너지 대사율

$$R = \frac{\text{작업 시 소비에너지} - \text{안정 시 소비에너지}}{\text{기초 대사량}} = \frac{\text{작업 대사량}}{\text{기초 대사량}}$$

4 유해 환경인자별 직업병 예방과 관리

1. 작업장의 먼지에 의한 직업병 기출 18, 19, 20

(1) 진폐증(Pneumoconiosis)

구분	내용
개념	분진의 종류를 불문하고(무기성 혹은 유기성), 폐에 침착된 분진이 조직반응, 즉 병리적인 변화를 일으킨 상태
증상	① 결절 형성이 극심하지 않는 한 일반적으로 자각증상이 없음 ② 호흡곤란, 기침, 다량의 객담 형성과 객담의 배출 곤란 ③ 흉통과 혈담이 발생
예방대책	① 분진 발생의 원인을 제거하고 분진 방지시설의 설치와 개선 및 방진마스크를 착용 ② 작업 시간의 조정 ③ 작업 강도의 경감과 같은 작업의 적정 관리와 분진 흡입을 적게 하는 작업자세를 유지 ④ 호흡기계 질환자, 결핵 기왕력이 있는 사람은 작업 배치를 금지 ⑤ 근로자들에게 정기적으로 건강진단을 시행

(2) 규폐증(Silicosis) 기출 21

구분	내용
개념 및 특징	① 대표적인 진폐증으로 유리규산의 분진 흡입으로 폐에 만성 섬유증식을 일으키는 질환 ② 규산분진이 폐포에 도달하게 되면, 조직세포나 대식세포에 섭취된 상태나 유리된 상태로 림프액을 통하여 간질 내에 침입함으로써 그 부위의 조직구 또는 섬유세포가 증가하게 됨

	③ 이것이 다시 규산분진을 섭취하여 변성된 결합조직섬유가 증식함으로써 전형적인 규폐결절(육아결절)을 형성함
증상	① 서서히 장애의식 없이 진행되어 폐의 기능장애를 가져옴 ② 주 증상은 호흡곤란, 기침, 흉통 등 ③ 규폐가 진행되면 폐활량, 흉위의 확축차의 감소가 나타남 ④ 규폐 말기에는 결핵을 합병하는 규폐성 폐결핵이 발생함
예방대책	① **설비의 개선 및 시설의 개량**: 분진시설 장비 개선, 분진 발생원 제거 ② **근로자의 분진흡입량 감소**: 방진마스크 착용 ③ **분진의 확산 방지**: 발진 직장의 격리, 발진 조작의 포위, 급습, 국소배기법 등 확산 방지 ④ **노무관리**: 작업시간 조정, 작업강도의 경감, 흡진을 적게 하는 작업자세 유지 관리 ⑤ **의무관리**: 신체검사에서 호흡기계 질환자 제외, 결핵 기왕증자 제외, 정기 건강진단 등 실시

(3) 석면폐증

정의 및 특징	① 소화용제, 절연체, 내화직물 등에 쓰이는데, 이들을 다루는 근로자에게 잘 발생함 ② 석면을 취급하는 작업에 4 ~ 5년 종사하면 폐포의 간질에 섬유증식이 발생함 ③ WHO는 석면을 1급 발암물질로 지정함 ④ 석면은 폐를 둘러싼 흉막을 비롯해서 복막, 심막 표면에 부착되어 발생하는 중피종이라는 악성종양의 원인이 됨
증상	① 흉부가 야윔 ② 객담에 석면소체가 배출됨 ③ 심하면 호흡곤란, 기침, 객담, 흉통 호소 등 ④ 체중 감소는 초기에 나타나며 대체적으로 규폐증과 비슷한 증상이 나타남
예방대책	진폐증, 규폐증과 유사함

2. 소음 기출 14, 15, 16, 18, 19, 20

개념	개인의 주관적 입장에서 '원하지 않는 소리' 또는 '듣기 싫은 소리'로 신체적으로 인간의 건강생활에 유해한 작용을 하는 음향	
영향	비청각기 영향	① **생리적 영향**: 교감신경과 내분비계통을 흥분시킴으로써 맥박 증가, 혈압 상승, 근육긴장, 혈액성분이나 소변의 변화, 타액과 위액분비 억제, 위장관 운동 억제, 부신호르몬의 이상 분비 등 ② **심리적 영향**: '시끄럽다'든지 '짜증난다'고 느끼는 불쾌감과 소음으로 인해 수면 방해, 사고(思考)나 집중력 방해, 두뇌작업이나 노동의 악영향, 대화나 텔레비전 청취 방해 등 일상생활의 초조해짐 등을 들 수 있음

	청각기 영향	① 강력한 소음에 노출되면 일시적 또는 영구적 청력 손실이 발생 ② 4,000Hz일 때 청력 손실이 가장 심함 ③ 좌우 한쪽으로 치우친 소음에 노출되는 경우를 제외하면 청력 손실은 양쪽 귀에 대칭적으로 발생 ④ 일시적 난청(Temporary hearing impairment) • 청신경세포의 피로현상으로 전형적인 공장 소음의 경우 4,000 ~ 6,000Hz에서 일시적 난청이 발생 • 노출 중지 후 1 ~ 2시간 내에 회복되나 시간이 걸리는 경우도 있음 • 일시적 청력 손실이 반복되고 완전히 회복되지 않은 상태가 지속되면, 소음의 노출은 영구적 난청이 발생할 수 있어 주의가 요구됨 ⑤ 영구적 난청(Permanent hearing impairment) • 보통 소음성 난청은 영구적 난청을 말함 • 장기간의 소음 노출로 내이의 corti 기관의 신경말단이 손상되어 영구적인 청력 손실이 발생함 • 난청 여부는 audiogram으로 평가함
예방대책	① 소음의 허용 기준을 지킴 ② 시설 등을 변경하여 소음원을 제거하거나 감소시킴 ③ 소음을 부분적으로 차단 ④ 보호구로 귀마개, 귀덮개를 사용 ⑤ 개인 관리로 정기적인 청력 검사를 시행	

진동수

1. 표시 - 헤르츠(Hz)
   ① 초당 측정 가능한 진동주기이다.
   ② 주기적 현상이 단위시간 동안 몇 번 일어났는지를 의미한다.
2. 장애를 유발하는 진동수
   ① 전신진동: 2 ~ 100Hz의 진동은 장해 원인이 된다.
   ② 국소진동: 8 ~ 1,520Hz의 진동이 장해 원인이 된다.

3. 진동

(1) 전신진동과 장해 기출 15, 16, 19

정의	지지 구조물을 통해 전신에 전파되는 진동
영향	① 노출되기 쉬운 직업은 교통기관 승무원 · 중기 운전공 · 분쇄기공 · 발전기 조작원 등인데, 전신적 진동이 작용한 경우 자율신경, 특히 순환기에 크게 영향을 미침 ② 말초혈관 수축, 혈압 상승, 맥박 증가, 발한, 피부 전기저항 저하, 소화기장애로 위하수 · 내장하수와 여성의 성기 이상, 월경장애가 나타날 수 있음
예방대책	진동의 원인 제거, 전파경로 차단, 완충장치, 작업시간 단축, 보건교육 등이며, 작업에 배치할 때 고려할 질병은 내장하수증, 다발성 신경염, 자궁탈수 등임

(2) 국소진동과 장해 기출 11, 15, 16, 17, 18, 19, 20, 21

정의	국소적으로 손과 발 등 특정 부위에 전파되는 진동이고 병타기, 착암기, 연마기, 자동 톱 등의 진동공구를 사용할 때 발생할 수 있음
영향	① 레이노드현상(Raynaud's phenomenion)이 있는데, 손가락의 감각마비, 간헐적인 창백, 청색증, 통증, 저림, 냉감이 나타나는 것을 말함 ② 'Dead finger', 'White finger'라고도 함 ③ 한랭에 노출되었을 때 증상이 더욱 악화되므로 보온과 금연을 함

예방대책	① 진동공구를 개선해서 진동 자체를 감소시키고, 강한 압력이 불필요하게 만드는 것 ② 14℃ 이하에서는 보온을 하고 작업시간을 단축하며(1일 2시간 이하, 1주 5일 근무, 월 40시간 이하), 다발성 신경염, 관절염, 류마티즘 질환, 레이노이드병을 가진 사람은 작업 배치 시 고려해야 하는 대상임

4. 중금속

(1) 납 중독 기출 12, 13, 14, 15, 16, 17, 18, 19, 20

노출경로	① 납 광산, 납 제련, 축전지 제조업, 크리스탈 제조업, 페인트나 안료의 제조, 도자기 제조, 인쇄업 등이며 납을 용광 · 용해 · 분쇄 · 용접할 때 발생함 ② 호흡기계 침입이 대부분을 차지함 ③ 경구 침입은 작업자의 손과 소화기로 침입함
증상과 징후	① 혈관 수축이나 빈혈로 인한 피부 창백 ② 구강 치은부에 암청회색의 황화연(Pbs)이 침착한 청회색선 ③ 호염기성 과립적혈구 수의 증가 ④ 소변 중의 코프로폴피린의 검출 ⑤ 혈색소량 저하, 적혈구 내 프로토폴피린의 증가, 혈청 내 철 증가
예방과 관리	① 호흡기를 통한 흡입과 소화기를 통한 섭취를 방지하는 것 ② 개인보호구를 착용 ③ 정기 건강진단을 실시하여 조기발견 및 치료를 시행하고, 필요 시 작업 배치 전환

(2) 수은 중독 기출 12, 16, 17, 18, 19, 20

노출경로	수은을 취급하는 작업을 할 때 바닥에 흩어진 수은방울이 증발하여 중독 발생 가능
증상과 징후	① **3대 증상**: 구내염, 근육진전 및 정신증상 • **구내염 증상**: 잇몸이 붓고, 압통 등 • **근육진전**: 근육의 떨림 • **정신증상**: 불면증, 근심, 걱정 등 ②**기타**: 복통, 설사, 소화불량, 구토 등
예방과 관리	① 작업환경에서 수은 농도 허용기준 지키기 ② 독성이 적은 대체품을 사용 ③ 환기장치 설치 ④ 밀폐장치 안에서 취급 ⑤ 바닥이나 작업대에 흘리지 않도록 주의 ⑥ 수은을 모으기 쉬운 작업대에 경사를 만듬 ⑦ 작업 후 반드시 목욕 청결 유지 ⑧ 급성 중독 시 우유와 달걀 흰자를 먹여 수은과 단백질을 결합시켜 침전시킴 ⑨ 위세척은 세척액 200 ~ 300mL 정도로 진행함 ⑩ 즉시 의사에게 의뢰하여 치료를 받아야 함

수은 중독
미나마타병을 일으킨다.

카드뮴 중독
이타이이타이병을 일으킨다.

(3) 카드뮴 중독 기출 14, 15, 16, 17, 18, 19, 20, 21

구분	내용
노출경로	① 카드뮴(Cd)은 가열하면 공기 중에 쉽게 증기로 되어 밝은 불꽃을 내며 타고 산소와 결합하여 황갈색의 산화카드뮴 흄을 생성 ② 카드뮴의 직업적 노출은 카드뮴 정련가공, 도금작업, 합금제조, 합성수지, 안료, 반도체, 보석, 자동차와 항공기 산업, 살균제, 살충제, 유리, 사진, 비료 제조 등에서 발생함
증상과 징후	① **급성 중독**: 구토 · 설사 · 급성 위장염 · 복통 · 착색뇨, 간 및 신장기능 장애 ② **만성 중독**: 폐기종, 신장기능 장애, 단백뇨, 뼈의 통증, 골연화증, 골다공증 등 골격계 장애
예방과 관리	① 공기 중 허용농도 준수 ② 정신질환 진단 여부 확인 ③ 적절한 보호구 사용 ④ 개인위생 철저 ⑤ 작업장 내에서의 음식 섭취 및 흡연 절대 금지 ⑥ 작업복을 자주 갈아입고 매일 작업 후 목욕

(4) 크롬 중독 기출 16, 17, 18, 19, 20

구분	내용
노출경로	크롬도금 작업장이나 크롬산염을 촉매로 취급하는 작업 등
증상과 징후	① 심한 신장장애를 일으켜 과뇨증이 발생 ② 더 진전되면 무뇨증을 일으켜 요독증으로 1 ~ 2일, 길면 8 ~ 10일 안에 사망 ③ 만성 중독은 코, 폐 및 위장의 점막에 병변을 일으키는 것이 특징 ④ 장기간 노출될 때는 기침 · 두통 · 호흡곤란이 발생 ⑤ 비중격의 연골부에 둥근 구멍이 뚫리는 비중격 천공이 나타남
예방과 관리	① 사고로 크롬을 먹었을 때는 응급조치로서 우유와, 환원제로서 비타민 C를 섭취 ② 호흡기 흡입에 의한 급성 중독의 경우 병원에 입원시켜 관리 ③ 예방으로는 작업장 공기를 허용농도 이하로 유지 ④ 고무로 된 장갑, 장화, 앞치마를 입고 피부에 이들 물질이 닿지 않도록 함 ⑤ 피부 보호용 크림을 노출된 피부에 바르고 비중격 점막에 바세린을 바르면 도움

(5) 베릴륨 중독 기출 19

구분	내용
노출경로	우주항공산업, 정밀기기 제작, 컴퓨터 제작, 형광등 제조, 네온사인 제조, 합금, 도자기 제조업, 원자력공업 등에 사용되며, 베릴륨 합금 작업자, 음극선 제조자, 우주항공산업 기술자, 원자력산업 종사자에게 노출될 위험이 크며 흄이나 분진의 형태로 흡입됨
증상과 징후	① **급성 중독**: 사고에 의해 베릴륨화합물을 흡입한 후 몇 시간 또는 1 ~ 2일 내에 인후염, 기관지염, 모세기관지염, 폐부종 등의 증세가 나타남

	② **만성 중독**: 베릴륨에 노출된 지 5 ~ 10년 후에 발생하며 특징적인 육아종성 변화가 폐에 주로 나타나고, 피부, 간장, 췌장, 신장, 비장, 림프절, 심근층에 나타나기도 함 ③ 노출 중단 후에 진행되기도 하는 만성 질환이기 때문에 조기진단과 예방이 중요함
예방과 관리	① 작업장의 허용 기준을 지키고 베릴륨 분진이나 흄이 발생하는 작업은 반드시 밀폐시키고 환기장치를 설치함 ② 습식 작업방법과 호흡 보호구 · 보호장갑 · 보호안경의 착용, 오염된 작업복을 갈아입는 등 개인 위생관리와 적절한 기술관리 대책, 근로자의 정기적인 건강진단이 필요함

(6) 비소 기출 14, 16, 17, 18, 19

증상과 징후	① 장기부전으로 사망할 수 있음 ② 뇌에 미치는 영향이 큼 ③ 급성 중독 시 복통, 팽만감, 삼키는 장애, 식도역류, 타액의 과다분비, 갈증, 발열, 설사, 경련, 눈 충혈 등
예방과 관리	① 중독 의심 시 즉시 병원에서 진찰하는 것이 중요 ② 급성 중독은 머리카락과 손톱 검사로 확인할 수 있음 ③ 장기 내 비소의 축적은 주로 골, 모발, 손톱에서 진행됨 ④ 흡수된 비소의 대부분은 소변으로 배설되고 소량만이 대변으로 배출됨

(7) 석면

노출경로	① 슬레이트, 지붕 외벽, 칸막이, 내장재로 많이 사용 ② 자동차의 브레이크 패드 등 일상생활에 널리 사용되는 물질 ③ 호흡기를 통해 인체에 흡입됨
증상과 징후	10 ~ 40년의 잠복기를 거쳐 폐암, 석면폐증, 악성중피종 등과 같은 질병 발생

(8) 망간

노출경로	채광, 분쇄, 제련 및 정련과정에서 노출되며, 철과의 합금, 비철합금 및 강철제조공장에서 분쇄작업과 환원로에서 작업 등
증상과 징후	① **초기 증상**: 피로감, 두통, 불면증, 성욕감퇴 등 ② 고농도 망간에 노출된 경우는 과민성, 부적절한 감정, 망상 또는 환상 등 정신증상 동반(망간정신병) ③ 경과가 진행되면 떨림, 운동완만, 근육경직 등 추체외로증상이 주로 나타나는 파킨슨병과 유사함
예방과 관리	① 노출 중단이 가장 중요함 ② 치료제가 있으나 큰 효과는 없음 ③ 망간 노출을 줄이기 위하여 작업공정을 밀폐하고 국소박이장치 설치 ④ 호흡기 보호구 착용

유기용제의 종류

1. **벤젠 중독**
석탄의 건류 또는 tar 염색의 원료로 쓰이는 용제로 독성이 강하며, 주로 흡입에 의한 중독증상으로 신경계 장애가 발생하고 만성 중독은 혈관, 혈액, 간에 중독을 일으킨다.
2. **PCB 중독**
방향족 염화탄화수소에 속하는 화학물질의 총칭으로 그의 절연성 때문에 변압기와 절연용액에 다양하게 사용되고 생태계에 분해되지 않는 환경오염 원인이 되며 인체조직에서 축적이 문제가 된다. 폭로 시 주로 피부에 홍반, 부종 및 비후 등의 이상이 온다.
3. **톨루엔**
벤젠과 같은 조혈장애는 없으나 일반 독성만 유발하는 데 남용한 사람에게는 가역적인 콩팥 세뇨관 산혈증이 나타난다.

5. 유기용제 기출 13, 14, 17, 18

개념	탄소를 포함하고 있는 유기화합물로서 피용해물질의 성질을 변화시키지 않고 다른 물질을 용해시킬 수 있는 물질
증상	① 마취작용(방향족 및 지방족 탄화수소, 염화탄화수소, 알코올류, 에테르류, 에스테르류, 케톤류) ② 눈 · 피부 및 호흡기 점막의 자극증상 ③ 중추신경의 억제증상으로 어지럼증 · 두통 · 구역 · 지남력 상실 · 도취감 · 혼돈 ④ 노출농도가 증가하면 의식상실 · 마비 · 경련 · 사망
중독 시 구급처치	① 용제가 있는 작업장소로부터 환자를 떼어 놓음 ② 호흡이 멎었을 때는 인공호흡을 실시 ③ 용제가 묻은 의복은 벗김 ④ 보온과 안정에 유의함 ⑤ 의식이 있는 환자에게는 따뜻한 물이나 커피를 마시게 함
예방과 관리	① 작업장을 항상 환기시킴 ② 밀폐 공간에 들어가기 전 유해가스 농도를 반드시 측정함 ③ 응급 시 활용할 병원과 연락망을 가짐 ④ 작업자는 송기마스크를 착용하도록 하며 안전담당자를 지정하여 작업을 지휘 · 감독함 ⑤ 작업 중 쓰러진 동료 구출은 구조장비를 완벽히 착용한 상태에서만 실시함 ⑥ 인쇄 및 배합작업 시 국소배기, 전체 환기장치를 반드시 가동함 ⑦ 유기용제용 방독마스크 등 해당 보호구를 착용함

Plus+ POINT

유해물질의 분류

물리적 성상에 의한 분류	기체, 증기, 액체 · 미스트, 안개(fog), 먼지, 훈연(fume), 연무질(aerosol), 스모그(smog)
화학적 성질에 의한 분류	할로겐 화합물, 산 및 알칼리 화합물, 페놀 화합물, 아민류 등
생리적 작용에 의한 분류	• 자극제: 상기도 점막을 자극하며 물에 잘 용해되는 것[알데히드, 알칼리성 먼지와 암모니아, 크롬산, 염화수소, 아황산가스, 오존, 포스겐($COCl_2$) 등] • 질식제: 조직 내의 산화작용을 방해하는 것(수소, 헬륨, 탄산가스, 질소, 에탄, 메탄, 일산화탄소, 니트로벤젠, 황화수소 등) • 마취제와 진정제: 마취작용과 중추신경작용을 억제하는 것(아세틸렌계의 탄화수소, 올레핀계의 탄화수소, 에틸에테르 및 이소프로필에테르, 지방족 알코올 등) • 전신중독제: 흡입 또는 피부를 통해 흡수되어 전신중독을 일으키는 물질(할로겐 탄화 수소, 벤젠, 납, 망간, 수은, 카드뮴, 베릴륨, 비소 화합물 등 중금속 물질)

6. 비전리 방사선의 건강장해

(1) 자외선(화학선) 기출 17, 19, 20, 21

구분	내용
장점	① 비타민 D를 생성하여 구루병을 예방 ② 피부결핵, 관절염 치료작용 ③ 신진대사 및 적혈구 생성 촉진, 혈압 강하작용 ④ 강한 살균작용(260 ~ 280nm)
단점	① 피부의 홍반 및 색소침착 ② 피부에 부종, 수포, 피부박리 ③ 결막염 · 백내장 발생

(2) 가시광선 기출 20, 21

① 망막 시세포를 자극해서 명암과 색채를 구별하게 하는 작용을 한다.
② 보석 세공사, 시계 제작공, 제도사, 전자기구 조립공 등이 노출되기 쉽다.

(3) 적외선(열선) 기출 19, 20

① 적외선(Infrared radiation)은 열선이라고도 하며 지구기온의 근원이다.
② 적외선이 인체에 미치는 영향은 피부온도의 상승이 있다.
③ 혈관 확장, 피부의 홍반, 습진과 피부의 암성 변화를 일으킨다.
④ 강력한 조직 조사는 피부와 심부조직에 화상을 일으킨다.

Plus⁺ POINT

전리 방사선

1. 정의 및 종류
 ① 방사선(복사선)은 파동 또는 입자의 형태로 방출, 전파, 흡수되는 에너지이다.
 ② X-선, α선, β선, γ선, 중성자 또는 우주선 등의 방사선은 물질을 통과할 때에 그 물질을 구성하는 원자로부터 전자를 떼어낸다. 전자를 잃은 원자는 높은 화학적 활성을 얻게 되는 동시에 나아가서 전리된 전자가 계속해서 반응을 일으키는데, 이런 성질을 가진 방사선을 전리 방사선이라고 한다.
2. 전리 방사선의 종류 및 단위

종류	내용
X-선	• X-선 발생장치에서 생성되는 빛과 같은 전자파 • 전자파보다는 에너지가 훨씬 강하며 투과력도 강함 • X-선은 병원에서 치료목적으로 이용
감마선 (γ)	• 방사성 원자가 붕괴할 때에 방출 • 감마선은 X-선과 같이 투과력이 상당히 강함 • 우리 몸을 X-선보다 더 쉽게 통과할 수 있어서, 암치료 등에 이용
알파 입자 (α)	• 알파 입자는 핵에서 방출되는 입자로 자연적으로 존재하는 우라늄과 플루토늄과 같은 인공방사성 원소로부터 나옴 • 헬륨 원자의 핵과 같이 두 개의 양자와 두 개의 중성자로 구성 • 알파선은 투과력이 아주 약하여, 종이 장으로 차단할 수 있음

비전리 방사선
전리능력이 없거나 또는 전리능력이 약한 방사선이다.

저주파와 고주파
1. 극저주파
 주파수가 3 ~ 300Hz 이하의 범위의 전자파이다.
2. 고주파(라디오파)
 3kHz ~ 300GHz 사이의 마이크로파이다.

전리 방사선 단위의 종류
1. 뢴트겐(R; roentgen)
 X-선과 γ선의 조사선량을 표시하는 것으로 R로 표시한다. 1R은 공기 $1cm^3$에 X-선 또는 γ선을 조사해서 발생한 ion에 의하여 1정전단위의 전기량이 운반되는 선량이다.
2. 퀴리(Ci)
 방사능으로 평가한 방사성 물질의 양으로 Ci로 표시하며, 이것은 radium이 붕괴하는 원자의 수를 기초로 해서 정하였다.
3. 렘(rem; roentgen equivalent man)
 인체에 대한 영향의 정도에 기초를 둔 단위로 생체실효선량이라고도 하며, rem으로 표시한다. rem = rad × RBE이다.
4. 래드(rad)
 흡수선량의 단위로 피조사체 1g에 대하여 100erg의 에너지가 흡수되는 경우를 말하며, rad로 표시한다.

베타 입자 (β)	• 방사성 원자의 원자핵으로부터 나오는 전자 • 알파 입자보다는 크기가 작지만 에너지가 많고 투과력이 알파 입자보다 강함 • 1 ~ 2cm 두께의 물을 투과할 수 있음 • 과도한 노출 시 피부화상 • 얇은 알루미늄 판으로 차단할 수 있음
중성자	• 투과력이 상당히 강한 입자 • 멀리 우주의 외계로부터 날아오기도 하고, 공기 중에 있는 원자가 서로 부딪칠 때에 나오기도 함 • 원자로 안에서 우라늄 원자가 핵분열할 때에 튀어나오기도 함 • 중성자 자체는 불안정하여 양자로 붕괴되면서 베타 입자를 방출 • 상대방 물질을 방사성 물질로 만들 수 있음

3. 전리 방사선의 대한 대책
   ① 허용 기준 준수
   ② 시설과 작업방법의 관리

Plus⁺ POINT

기관별 발암물질 분류

1. 국제암연구소(IARC)

그룹	정의	해석
Group 1	인체 발암성 물질	인체에 대한 충분한 발암성 근거 있음
Group 2A	인체 발암성 예측·추정물질	실험동물에 대한 발암성 근거는 충분하지만 사람에 대한 근거는 제한적임
Group 2B	인체 발암성 가능 물질	실험동물에 대한 발암성 근거가 충분하지 못하며, 사람에 대한 근거 역시 제한적임
Group 3	인체 발암성 미분류 물질	실험동물에 대한 발암성 근거가 제한적이거나 부적당하고 사람에 대한 근거 역시 부적당함
Group 4	인체 비발암성 추정 물질	동물, 사람 공통적으로 발암성에 대한 근거가 없다는 연구 결과

2. 미국 산업위생사협회(ACGIH)

그룹	정의	해석
Group A1	인체 발암성 확인 물질	역학적으로 인체에 대한 충분한 발암성 근거 있음
Group A2	인체 발암성 의심 물질	역학적 증거가 제한적이거나 1종 이상의 동물실험에서 발암성이 확인된 경우로서 암을 유발할 것으로 의심되는 물질
Group A3	동물 발암성 확인 물질이지만 인체 발암성은 알 수 없음	• 병리조직학적 소견이 상이한 실험 동물 연구에서 발암성이 입증된 경우 • 사람에 대한 역학적 연구도 발암성을 입증하지 못함

Group A4	인체 발암성 분류가 불가능한 물질	• 비록 인체 발암성은 의심되지만 확실한 연구 결과가 없음 • 실험동물 또는 시험관 연구의 결과가 해당 물질이 Group A1, A2, A3, A5 중 하나에 속한다는 근거를 제시하지 못함
Group A5	인체 비발암성 물질	충분한 인체 연구 결과 인체 발암물질이 아니라는 결론에 도달한 경우

3. EU

그룹	정의
Cat. 1	인체 발암성이 알려진 물질
Cat. 2	인간 발암성이 있다고 간주되는 물질
Cat. 3	인간에 대한 발암 관련성 정보가 충분하지는 않지만 발암성이 있다고 우려되는 물질

5 이상기온장애

1. 고온에 의한 건강장애

(1) 열 경련(Heat cramp) 기출 15, 16, 17, 18, 19, 20

① 고온 환경에서 심한 육체적 노동을 할 때 잘 발생한다.

② **발생기전**: 지나친 발한에 의한 탈수와 염분 소실이 발생한다.

③ **증상**: 작업할 때 많이 사용한 수의근(Voluntary muscle)에서 통증성 경련이 발생한다. 전구증상으로 현기증, 이명, 두통, 구역, 구토 등이 있다.

④ **관리**

㉠ 바람이 잘 통하는 곳에 대상자를 눕히고 작업복을 벗겨 전도와 복사에 의한 체열 방출을 촉진시킴으로써 더 이상 지나친 발한이 일어나지 않도록 해야 한다.

㉡ 생리식염수 1 ~ 2L를 정맥 주사하거나 0.1%의 식염수를 마시게 하여 수분과 염분을 보충하는 등의 방법이 있다.

(2) 열사병(Heat stroke) 기출 15, 16, 18, 19, 20

① 고온·다습한 작업환경에서 격심한 육체적 노동을 하거나 옥외에서 태양의 복사열을 머리에 직접 받는 경우에 발생한다.

② 중추성 체온 조절 기능장애로서, 땀의 증발에 의한 체온 방출에 장애가 와서 체내에 열이 축적되고 뇌막 혈관의 충혈과 뇌의 온도가 상승하여 생긴다.

③ **증상**: 땀을 흘리지 못하여 체온이 41 ~ 43℃까지 급격히 상승하여 혼수상태에 이르게 되며 피부는 건조해진다.

④ 치료를 안 하면 100% 사망한다.

⑤ 치료를 해도 체온이 43℃ 이상일 때에는 약 80%의, 43℃ 이하일 때에 40%의 치명률을 가진다.

⑥ **관리**

㉠ 체온을 빨리 떨어뜨리는 것이 무엇보다 중요하다.

㉡ 얼음물에 담가서 체온을 39℃까지 내려주어야 한다.

㉢ 찬물로 닦으면서 선풍기를 사용하여 증발 냉각을 시도하여야 한다.

㉣ 울혈 방지와 체열 이동을 돕기 위해 사지를 격렬하게 마찰시키고 호흡곤란 시 산소를 공급하고 체열 생산을 억제하기 위해 항신진대사제를 투여하기도 한다.

(3) 열 피로(Heat exhaustion) 기출 17, 18, 19, 20

① **주원인**: 고온 환경에 오랫동안 노출되어 말초혈관 운동신경의 조절장애와 심박출량 부족으로 순환부전(Circulatory failure), 특히 대뇌피질의 혈류량 부족이 주원인이다.

② 피부혈관의 확장과 탈수 증세를 보인다.

③ 고온 작업장에서 중노동에 종사하는 사람, 특히 미숙련공에게 많이 발생한다.

④ **전구증상**: 전신의 권태감 · 탈력감을 느끼며, 두통 · 현기증 · 귀울림 · 구역질 등 완전히 허탈상태에 빠져 의식을 잃기도 하며, 이완기 혈압의 하강이 현저하게 나타난다.

⑤ **관리**

㉠ 시원하고 쾌적한 환경에서 휴식시키고 탈수가 심하면 5% 포도당용액을 정맥 주사한다.

㉡ 더운 커피를 마시게 하거나 강심제를 써야 할 경우도 있다.

㉢ 며칠 동안 순환기 계통에 이상이 나타나지 않는지 주의 깊게 관찰한다.

(4) 열 쇠약(Heat prostration)

① 고열에 의한 만성 체력 소모를 의미한다.

② 만성형 건강장애로 만성 열중증이다.

③ **증상**: 전신권태, 식욕부진, 위장장애, 불면, 빈혈 등의 증상이 있다.

④ **관리**: 영양 공급, 비타민 B1 공급, 휴양 등을 통해 관리한다.

(5) 대책 및 관리

① 작업환경이 그늘이 없으면 천막 등의 그늘 휴게시설을 설치하고 주기적인 휴식 및 염분을 섭취할 수 있도록 물과 소금 등을 비치한다.

② 목이 마르지 않더라도 매 15분 간격으로 수분 섭취를 권장한다.

③ 작업자 간 의사소통을 통해 의식혼미, 현기증 등의 증상을 수시로 확인한다.

④ 충분한 휴식을 취하고 흡연 및 음주를 하지 않는다.

⑤ 몸에 달라 붙거나 늘어지지 않는 크기의 작업복을 입는다.

⑥ 명상 등의 방법으로 예민해져 있는 마음을 가라앉힌다.

⑦ 인내심을 기르고 너그럽게 일을 처리하도록 노력한다.

Plus⁺ POINT

1. 열사병 예방 기준(고온작업 예방 기준)

산업장에서 열사병을 예방하기 위해 열사병 예방지수인 습구·흑구·온도지수(Wet-Bulb Globe Temperature, WBGT)로, 미국에서 개발되어 현재 국제적으로 표준화 되었다.

① 기온, 습도, 복사열, 기류 등 열중증을 유발하는 4가지 환경 요소를 반영한 지수
② 실외노동과 동시 열중증 예방에 효과적
③ WT = 습구온도, GT = 흑구온도, DT = 건구온도
④ WBGT = 0.7WT + 0.2GT + 0.1DT(옥외)
⑤ WBGT = 0.7WT + 0.3GT(실내)

2. 고온의 노출 기준(고용노동부)

체계의 구성요소	작업 유형		
	경작업	중등작업	중작업
계속 작업	30.0	26.7	25.0
매 시간 75% 작업, 25% 휴식	30.6	28.0	25.9
매 시간 50% 작업, 50% 휴식	31.4	29.4	27.9
매 시간 25% 작업, 75% 휴식	32.2	31.1	30.0

① 경작업: 200kcal까지의 열량이 소요되는 작업을 말하며, 앉아서 또는 서서 기계의 조정을 하기 위하여 손 또는 팔을 가볍게 쓰는 일 등을 뜻함
② 중등작업: 시간당 200 ~ 350kcal의 열량이 소요되는 작업을 말하며, 물체를 들거나 밀면서 걸어다니는 일 등을 뜻함
③ 중작업: 시간당 350 ~ 350kcal의 열량이 소요되는 작업을 말하며, 곡괭이질 또는 삽질하는 일 등을 뜻함

2. 저온에 의한 건강장애 기출 16, 20

(1) 전신 체온강하(General Hypothermia)

① 몸의 심부 체온이 35℃ 이하로 내려간 것을 말한다.
② 장시간의 한랭 노출과 체열 상실에 따라 발생하는 급성 중증장해이다.
③ 체온이 떨어지면 일차적으로 혈관 수축이 발생하고 근육 수축으로 열 생산이 증가하나 몸의 떨림으로 피로가 오고 열 손실량이 많아진다.

(2) 동상(Frostbite)

① 혹심한 한랭에 노출됨으로써 표재성 조직이 동결되어 세포구조에 기계적 손상이 일어나 발생한다.
② 피부 창백, 감각 둔화, 통증, 삼출물 염증, 조직의 괴사를 초래한다.
③ 증상

구분	증상
1도 동상	발적·종창
2도 동상	수포 형성에 의한 삼출성 염증상태
3도 동상	국소조직의 괴사상태
기타	알레르기 반응, 상기도 손상, 피로증상 및 작업능률 저하

(3) 참호족(Trench foot), 침수족(Immersion foot) 기출 16, 20

① 참호족, 침수족은 지속적인 국소부위의 산소결핍과 한랭으로 모세혈관이 손상되는 것이다.

② 부종, 작열통, 소양감, 심한 통증이 발생하며 수포 형성, 표재성 피부의 괴사 및 궤양이 형성되기도 한다.

③ 한랭에 장기간 노출됨과 동시에 지속적으로 습기나 물에 잠기는 일을 할 때 발생한다.

(4) 예방대책

① 보온을 위해 겉옷은 통기성이 적고 함기성이 큰 것을 선택한다.

② 신발이나 구두가 발을 압박해 혈액순환장애를 일으키지 않도록 적절한 크기의 신발을 착용하고 신발 안에 습기가 없도록 건조하게 유지한다.

③ 바람 부는 장소에서 작업을 할 때는 체온이 저하하지 않도록 임시 방풍벽을 설치하고, 고혈압, 심혈관장애, 간장장애, 위장장애, 신장장애가 있는 사람은 되도록 한랭작업장에 배치하지 않도록 고려한다.

④ 실내작업 시 실온이 18℃ 이하로 떨어지지 않도록 주의한다.

기압
지구에서 위도 45도, 0℃일 때 공기압력은 평균 약 1kg/cm²이며, 이를 대기압 또는 1기압이라고 한다.

6 이상기압

1. 고압환경과 건강장해

(1) 질소마취

① 4기압 이상에서 공기 중 질소가스는 마취작용을 하며 작업능력 저하, 기분변화 등 다행증(Euphoria)이 발생하는데, 이는 알코올중독 증상과 유사하다.

② 질소의 마취작용은 대기압 상황으로 복귀 시 후유증 없이 회복되는 가역적 현상을 나타낸다.

③ **산소중독**: 손가락과 발가락의 작열통, 시력장애, 환청, 근육경련, 오심 등이 나타나며 고압산소에 대한 노출이 중지되면 즉시 회복할 수 있다.

④ **이산화탄소**

㉠ 이산화탄소는 산소의 독성과 질소의 마취작용을 증가시킨다.

㉡ 고압환경에서 이산화탄소의 농도는 3%를 초과해서는 안된다.

(2) 감압과정 환경과 건강장해 기출 12, 15, 17, 18, 19

① **잠함병(Cassion disease) 또는 감압병(Decompression sickness)**: 급격한 감압은 혈액과 조직에 용해되어 있던 질소가 산소나 이산화탄소와 함께 체외로 배출되지 않고 혈중으로 유입되어 기포를 형성하고 이들 기포가 순환장애와 조직 손상을 일으키는 것이다.

② **증상**

㉠ 통증성 관절장애, 근육통, 흉통, 호흡곤란 등이 발생한다.

㉡ 중증 합병증으로 근육의 강직성 마비증상이 있다.

ⓒ 만성 장애로 질소기포가 뼈의 소동맥을 막아서 일어나는 비감염성 골괴사(Aseptic bone necrosis)가 있다.

ⓓ **잠함병의 4대 증상(Heller 등)**: 피부 소양감과 사지 관절통, 척추증상에 의한 반신불수, 내이미로의 장애, 혈액순환장애와 호흡기계장애를 제시하였다.

③ **예방과 관리**

ⓐ 고압 작업이 끝난 후 감압표에 의한 단계적 감압(1기압 감압에 20분 이상 소요), 고압 노출시간의 단축, 감압 후 적합한 운동으로 혈액순환 촉진, 감압 후 산소 공급, 고압 작업 시 질소를 헬륨으로 대치한 공기 흡입, 고압 작업 시 고지질이나 알코올 섭취를 금한다.

ⓑ 일단 감압증에 걸리면 즉시 치료갑(Medical lock)에 넣어 다시 가압 후 아주 서서히 감압한다.

ⓒ 채용 전 적성검사를 실시하여 20세 미만 또는 50세 이상인 자, 여성, 비만자, 호흡기 또는 순환기 질환자, 골관절 질환자, 출혈성 소인자, 약물 중독자 등은 작업에서 제외한다.

ⓓ 연 2회 정기 건강진단을 실시한다.

2. 저압환경과 건강장해

저산소증, 급성 고산병, 폐수종 등도 발생한다.

7 작업환경 관리

1. 작업환경 측정의 의의 기출 16, 18

(1) 작업장의 유해인자 존재 유무, 유해인자의 인체에 해로운 정도를 측정하기 위해 정기적으로 실시한다.

(2) 작업환경 측정 후 시설 · 설비 등의 적절한 개선으로 깨끗한 작업환경을 조성하여 근로자의 건강 보호 및 생산성 향상에 기여한다.

2. 작업환경 관리의 기본 원리

(1) 작업환경 측정 원리 기출 14, 16, 17, 18, 19, 20, 21

① 대치

ⓐ 개념

ⓐ 유해 화학물질을 덜 유해하거나 유해하지 않는 물질로 변경하거나 공정과 시설을 변경하는 것이다.

ⓑ 직업병 및 안전사고 예방을 위한 근본적인 방법이다.

ⓒ 비용이 발생할 수 있고 기술적인 어려움이 있다.

㉡ 종류

구분	내용
물질 변경	• 성냥 제조 시 황인을 적인으로 대치 • 야광시계 자판의 라듐(Radium)을 인으로 대치
공정 변경	• 공정과정 중 유해한 공정과정을 안전하고 효율적인 공정과정으로 변경하는 것 • 페인트 성분의 비산 방지를 위해 페인트 분무를 담그는 것 • 전기 흡착적 방법으로 하는 일, 소음 감소를 위해 금속을 톱으로 자르는 일
시설 변경	• 화재 예방을 위해 가연성 물질을 철제 통에 저장하는 일 • 용해나 파손 방지를 위해 염화탄화수소 취급장에서 폴리비닐 알코올 장갑을 사용하는 것

격리
보호구 착용도 격리의 한 방법이다.

② **격리**: 유해인자에 영향을 받는 작업자와 유해인자 사이에 물체, 거리, 시간 등의 장벽을 만들어 작업자를 보호하는 방법이다.

구분	내용
격리 저장	• 지상의 큰 탱크에 인화성 물질 또는 격리를 요하는 물질을 저장하는 경우 • 물질들이 서로 섞이지 않도록 서로 격리하여 저장
위험시설의 격리	• 고압으로 가동하는 기계나 고속 회전을 요하는 시설은 위험하므로 특별히 따로 격리 • 강력한 콘크리트로 방호벽을 쌓고 기계 작동을 원격으로 조정하거나 자동화하고 현장 감시는 카메라 혹은 거울이나 전망경을 사용
공정과정의 격리	• 가장 비용이 많이 듦 • 전자 계산장치하에 가동(조정실에서 컴퓨터를 이용하여 작동하는 방법)

(2) 환기

① 개념

㉠ 실내의 공기정화 또는 온열환경 조건의 개선 등을 위해 거주자가 의도적으로 실내외의 공기를 교환하는 것이다.

㉡ 작업장에서의 환기는 공기매개 오염을 감소 또는 희석시킨다.

② 종류

구분	내용
전체 환기	• 분진, 냄새, 유해 증기를 희석하는 데도 사용 • 냉난방, 쾌적한 실내 유지
국소 환기	• 유해물질의 발생원 가까이에서 유해물질을 빨아들여 밖으로 배출시키는 장치를 설치함 • 이동식 국소박이, 유해물질의 발생원 처리

(3) 교육

산업재해 예방을 위해 지속적인 교육이 필요하다.

(4) 적합한 보호구 착용

개인보호구를 착용하여 유해요인으로부터 자신의 건강을 보호하는 것이다.

<table>
<tr><td>호흡 보호구</td><td>① 방진 마스크: 분지, 흄 및 미스트용
② 방독 마스크: 가스 마스크로 염산, 질산 및 황산 등의 산성 물질이 배출되는 곳에서 사용
③ 송기 마스크: 에어라인 마스크로 지하 맨홀작업 시 산소결핍의 위험성 있는 곳에서 사용</td></tr>
<tr><td>청력 보호구</td><td>① 소음이 인체 내로 들어오는 것을 막아주는 보호구
② 귀마개는 외이도에 직접 삽입하여 소음을 차단
③ 귀 덮개는 통신용 헤드폰과 비슷하게 귀 전체를 덮어줌</td></tr>
<tr><td>눈 보호구</td><td>먼지나 이물질로부터 눈을 보호하기 위하여 착용하는 보호구</td></tr>
</table>

관련 법령

「산업안전보건법 시행규칙」 [별표 4]

안전보건교육 교육과정별 교육시간(제26조 제1항 등 관련)

1. 근로자 안전보건교육(제26조 제1항, 제28조 제1항 관련)

<table>
<tr><th>교육과정</th><th colspan="2">교육대상</th><th>교육시간</th></tr>
<tr><td rowspan="4">가. 정기교육</td><td colspan="2">사무직 종사 근로자</td><td>매분기 3시간 이상</td></tr>
<tr><td rowspan="2">사무직 종사 근로자 외의 근로자</td><td>판매업무에 직접 종사하는 근로자</td><td>매분기 3시간 이상</td></tr>
<tr><td>판매업무에 직접 종사하는 근로자 외의 근로자</td><td>매분기 6시간 이상</td></tr>
<tr><td colspan="2">관리감독자의 지위에 있는 사람</td><td>연간 16시간 이상</td></tr>
<tr><td rowspan="2">나. 채용 시 교육</td><td colspan="2">일용근로자</td><td>1시간 이상</td></tr>
<tr><td colspan="2">일용근로자를 제외한 근로자</td><td>8시간 이상</td></tr>
<tr><td rowspan="2">다. 작업내용 변경 시 교육</td><td colspan="2">일용근로자</td><td>1시간 이상</td></tr>
<tr><td colspan="2">일용근로자를 제외한 근로자</td><td>2시간 이상</td></tr>
<tr><td rowspan="3">라. 특별교육</td><td colspan="2">[별표 5] 제1호 라목 각 호(제40호는 제외한다)의 어느 하나에 해당하는 작업에 종사하는 일용근로자</td><td>2시간 이상</td></tr>
<tr><td colspan="2">[별표 5] 제1호 라목 제40호의 타워크레인 신호작업에 종사하는 일용근로자</td><td>8시간 이상</td></tr>
<tr><td colspan="2">[별표 5] 제1호 라목 각 호의 어느 하나에 해당하는 작업에 종사하는 일용근로자를 제외한 근로자</td><td>• 16시간 이상(최초 작업에 종사하기 전 4시간 이상 실시하고 12시간은 3개월 이내에서 분할하여 실시 가능)
• 단기간 작업 또는 간헐적 작업인 경우에는 2시간 이상</td></tr>
<tr><td>마. 건설업 기초 안전·보건 교육</td><td colspan="2">건설 일용근로자</td><td>4시간 이상</td></tr>
</table>

[비고]

1. 상시근로자 50명 미만의 도매업과 숙박 및 음식점업은 위 표의 가목부터 라목까지의 규정에도 불구하고 해당 교육과정별 교육시간의 2분의 1 이상을 실시해야 한다.
2. 근로자(관리감독자의 지위에 있는 사람은 제외한다)가 「화학물질관리법 시행규칙」 제37조 제4항에 따른 유해화학물질 안전교육을 받은 경우에는 그 시간만큼 가목에 따른 해당 분기의 정기교육을 받은 것으로 본다.
3. 방사선작업종사자가 「원자력안전법 시행령」 제148조 제1항에 따라 방사선작업종사자 정기교육을 받은 때에는 그 해당 시간만큼 가목에 따른 해당 분기의 정기교육을 받은 것으로 본다.
4. 방사선 업무에 관계되는 작업에 종사하는 근로자가 「원자력안전법 시행령」 제148조 제1항에 따라 방사선작업종사자 신규교육 중 직장교육을 받은 때에는 그 시간만큼 라목 중 [별표 5] 제1호 라목 33에 따른 해당 근로자에 대한 특별교육을 받은 것으로 본다.

2. 안전보건관리책임자 등에 대한 교육(제29조 제2항 관련)

교육대상	교육시간	
	신규교육	보수교육
가. 안전보건관리책임자	6시간 이상	6시간 이상
나. 안전관리자, 안전관리전문기관의 종사자	34시간 이상	24시간 이상
다. 보건관리자, 보건관리전문기관의 종사자	34시간 이상	24시간 이상
라. 건설재해예방전문지도기관의 종사자	34시간 이상	24시간 이상
마. 석면조사기관의 종사자	34시간 이상	24시간 이상
바. 안전보건관리담당자	-	8시간 이상
사. 안전검사기관, 자율안전검사기관의 종사자	34시간 이상	24시간 이상

3. 특수형태근로종사자에 대한 안전보건교육(제95조 제1항 관련)

교육과정	교육시간
가. 최초 노무제공 시 교육	2시간 이상(단기간 작업 또는 간헐적 작업에 노무를 제공하는 경우에는 1시간 이상 실시하고, 특별교육을 실시한 경우는 면제)
나. 특별교육	16시간 이상(최초 작업에 종사하기 전 4시간 이상 실시하고 12시간은 3개월 이내에서 분할하여 실시가능)
	단기간 작업 또는 간헐적 작업인 경우에는 2시간 이상

비고: 영 제67조 제13호 라목에 해당하는 사람이 「화학물질관리법」 제33조 제1항에 따른 유해화학물질 안전교육을 받은 경우에는 그 시간만큼 가목에 따른 최초 노무제공 시 교육을 실시하지 않을 수 있다.

4. 검사원 성능검사 교육(제131조 제2항 관련)

교육과정	교육대상	교육시간
성능검사 교육	-	28시간 이상

8 사고 예방

1. 산업재해의 종류

(1) 업무상 사고

① 근로자가 근로계약에 따른 업무나 그에 따르는 행위를 하던 중 발생한 사고
② 사업주가 제공한 시설물 등을 이용하던 중 그 시설물 등의 결함이나 관리 소홀로 발생한 사고
③ 사업주가 제공한 교통수단이나 그에 준하는 교통수단을 이용하는 등 사업주의 지배 · 관리하에서 출퇴근 중 발생한 사고
④ 사업주가 주관하거나 사업주의 지시에 따라 참여한 행사나 행사 준비 중에 발생한 사고
⑤ 휴게시간 중 사업주의 지배 · 관리하에 있다고 볼 수 있는 행위로 발생한 사고
⑥ 그 밖에 업무와 관련하여 발생한 사고
예 넘어짐, 끼임, 떨어짐, 절단, 베임, 찔림 등

(2) 업무상 질병

① 업무수행과정에서 물리적 인자(因子), 화학물질, 분진, 병원체, 신체에 부담을 주는 업무 등 근로자의 건강에 장해를 일으킬 수 있는 요인을 취급하거나 그에 노출되어 발생한 질병
② 업무상 부상이 원인이 되어 발생한 질병
예 진폐증, 소음성 난청, 중금속 중독, 화학물질 중독, 심뇌혈관 질환, 근골격계 질환 등

(3) 중대재해 기출 22

업무상 고의나 질병으로 다음과 같이 일시에 다수의 사상자를 유발하는 재해이다.
① 사망자가 1인 이상 발생한 재해
② 3개월 이상 요양을 필요로 하는 부상자가 동시에 2인 이상 발생한 재해
③ 부상자 또는 질병자가 동시에 10인 이상 발생한 재해

Plus⁺ POINT

산업재해의 이론적 특성

1. 하인리히 법칙(Heinrich's law)
(1) 특징
① 하인리히(Heinrich)는 1931년 산업재해의 예방이라는 저서에서 산업재해에 의한 피해를 분석하여 큰 재해와 작은 재해 그리고 사소한 재해의 발생 비율을 발표하였다.

현성 재해(휴업재해) 1 : 불현성 재해 29 : 잠재성 재해 300

② 산업재해는 우연한 사건에 의해 발생하는 것이 아니라, 충분히 그럴 만한 개연성이 있었던 것을 방치할 때 발생하다는 의미이다.
(2) 하인리히의 도미노 이론
① 하인리히 법칙이 사고의 확산과정을 양적으로 보여준다면 하인리히의 도미노 이론은 사고 확산의 연쇄성을 설명하는 것이다.

산업재해의 정의(「산업안전보건법」 제2조 제1호)

산업재해란 노무를 제공하는 사람이 업무에 관계되는 건설물 · 설비 · 원재료 · 가스 · 증기 · 분진 등에 의하거나 작업 또는 그 밖의 업무로 인하여 사망 또는 부상하거나 질병에 걸리는 것을 말한다.

산업재해의 방지대책의 원칙

1. 손실 우연의 원칙
손실은 사고 발생의 조건 및 상황에 따라 달라지므로 우연성에 의해 결정된다.
2. 예방 가능 원칙
인재가 천재보다 많으므로 예방은 가능하다.
3. 원인 연계 원칙
재해의 원인은 여러 요수가 복합적으로 작용한다.
4. 대책 선정 원칙
재해의 원인은 각각 다르므로 원인을 정확히 규명하여 대책을 선정하고 적용하여야 한다.

② 도미노 이론은 사고가 발생하기 이전의 보다 근본적인 요인을 강조하고 있다.
③ 적극적인 제3요인을 관리한다면 연쇄적인 산업재해 발생 및 위험성을 차단할 수 있다는 산업재해 예방대책을 제시하였다.

(3) 산업재해 발생 5단계
① 제1요인 - 선천적 유전, 환경적 요인: 인간의 유적 내력 또는 사회적으로 바람직하지 못한 현상
② 제2요인 - 개인의 결함(무지, 미숙): 선척적 유전과 환경적 요인으로 발생하는 인간의 결함
③ 제3요인 - 불안전한 상태, 불안전한 행동: 개인의 결함으로 발생하는 불안전한 행동 및 기계적 · 물리적 위험
④ 제4요인 - 사고 발생
⑤ 산업재해의 과정 제시

2. 도미노 이론(Domino theory, 신 도미노 이론)
(1) 특징
① 하인리히의 도미노 이론은 버드와 로프투스에 의해 새로운 개념으로 발전되었다.
② 이 이론은 사고 발생의 원인에 기업의 안전관리경영의 영향 또는 경영상 문제를 추가하였고, 사고의 결과 나타나는 것을 손실로 표현하여 물적 손실과 인적 손실로 구분하였다.
③ 이 이론은 직접적인 원인과 기본적인 원인을 제거하면 사고를 예방할 수 있다는 주장이다.

3. 다수요인 이론(Multiple factor theory) 기출 18(6급), 19
(1) 특징
① 마늪(Manuele FA)은 도미노 이론이 너무 단순하다고 비판하면서 안전과 관련된 '적절하지 못한' 정책, 표준 및 공정이 사고의 가장 중요한 원인이라고 하였다.
② 그로스(Grose)의 다수요인 이론은 4M을 사용하여 사고의 원인을 설명하였다.
(2) 다수요인 이론의 4M

사람(Man)	사람의 심리적 상태, 성별, 나이, 생리적 차이(신장, 체중, 건강상태), 인지요인 등
기계(Machine)	기계의 형태, 유형, 크기, 안전장치, 기계운전, 사용된 에너지 유형 등
매체(Media)	기상조건, 바닥의 물기, 건물의 온도 등
관리(Management)	다른 3가지 요인(Man, Machine, Media)을 관리하는 것

4. 인간요인 이론(Human factor theory)
(1) 특징
인간요인 이론은 사고가 인간의 실수의 결과로 나타난다는 개념에 근거하고 있으며, 사람의 실수를 유발하는 요인은 과부하, 부적절한 행동, 부적절한 반응의 세 가지로 요약된다.

(2) 실수 유발요인 3가지

과부하	근로자가 맡은 업무 또는 책임이 과중한 것
부적절한 행동	근로자의 실수와 같은 의미로 사용됨
부적절한 반응	근로자가 위험한 상황을 인지하였지만, 그 상황에 적절한 대처를 하지 못하거나 생산성 향상을 위하여 기계의 안전장치를 제거하는 등의 행위

2. 산업재해의 원인

산업재해 원인		간접원인	직접원인
인적 원인	신체적 원인	① 개인의 성격이나 건강에 영향을 주는 유전적 원인 등 ② 신체적, 정신적 문제 등	불안전 행동
	정신적 원인	① 고혈압, 당뇨, 요통, 난청 등 ② 질병과 수면부족, 피로, 과음, 흡연, 운동부족 등	
	교육적 원인	① 작업을 안전하게 수행하는 방법에 대한 지식 부족이나 훈련 미숙, 작업 미숙 ② 작업 순서나 규칙의 미준수 또는 경험 부족 ③ 잘못된 습관	불안전 상태
환경 원인	기계 · 기술적 원인	① 불안전한 시설물, 부적절한 공구, 불량한 작업환경, 작업장소의 면적과 위치, 온도나 습도, 소음, 화학적 요인, 기계의 결함이나 안전장치의 미비 등 ② 보호구 미정비	
	관리적 원인	① 경영자의 안전보건에 대한 인식 부족을 비롯하여 작업 기준이 명확하지 않은 경우 ② 안전보건 담당자나 관리자의 미배치 ③ 안전보건관리 규정의 미준수 ④ 부적절한 작업 규칙이나 순서, 과다한 업무량 및 속도의 요구 ⑤ 야간근로, 연장근무 ⑥ 부적절한 작업대 높이, 과도한 힘을 필요로 하는 작업 등	

3. 산업재해의 통계 - 산업재해의 지표

(1) 재해율 기출 17, 18, 20

① 조사기간 중의 근로자 100명당 발생하는 재해자의 수의 비율이다.
② 1,000명당 재해자 수의 비율로 천인율로 나타낸다.
③ 작업시간이 고려되지 않은 것이 결점이다.
④ 산업재해의 현황을 나타내는 대표적인 지표이다.

(2) 도수율 기출 09, 11, 16, 17, 18, 19, 20, 21

① 연 작업 100만 근로시간당 재해 발생 건수이다.
② 위험에 노출된 단위시간당 재해가 얼마나 발생하였는가를 나타낸다.
③ 재해 발생상황을 파악하기 위한 표준지표이다.
④ 순수한 재해 빈도나 건수를 파악하는 데 도움을 주는 자료이다.

직업병의 일반적인 특성

1. 모든 근로자에게 발생할 수 있다.
2. 유해환경으로부터 장기적 노출 이후 발생할 수 있다.
3. 잠복기가 길다.
4. 직업병과 일반질병의 차이의 구분이 어렵다.

(3) 강도율 기출 13, 14, 15, 16, 17, 18, 19, 20, 22

① 근로시간 1,000시간당 재해로 인한 근로 손실일수로서, 재해에 인한 손상의 정도를 나타낸다.

② 사망 또는 영구 완전 노동 불능의 경우에는 작업 손실일수를 7,500일로 계산한다.

③ 사망만인율이나 사망십만인율은 나라별 산업재해를 비교하는 지표로 활용된다.

(4) 건수율 기출 14, 15, 16, 17, 18, 19, 20, 21

① 근로자 1,000명당 재해 발생 건수이다.

② 산업재해 발생상황을 총괄적으로 파악하기 적합하다.

③ 작업시간은 고려하지 못한다.

(5) 평균손실일수

재해 건수당 평균 작업 손실 규모가 어느 정도인가를 나타내는 지표이다.

(6) 산업재해 지표 공식

이환율

$$\frac{\text{업무상 질병자 수}}{\text{평균 실근로자 수}} \times 1{,}000$$

① **재해율(천인율)** $= \dfrac{\text{재해자 수}}{\text{상시 근로자 수}} \times 100(1{,}000)$

② **도수율** $= \dfrac{\text{재해 건수}}{\text{연 근로시간 수}} \times 1{,}000{,}000$

③ **강도율** $= \dfrac{\text{총 근로손실 일수}}{\text{연 근로시간 수}} \times 1{,}000$

④ **건수율** $= \dfrac{\text{재해 건수}}{\text{평균 작업자 수}} \times 1{,}000$

⑤ **사망만인율(사망십만인율)** $= \dfrac{\text{사망자 수}}{\text{근로자 수}} \times 10{,}000(100{,}000)$

⑥ **평균손실일수** $= \dfrac{\text{손실작업 일수}}{\text{재해 건수}}$

Plus⁺ POINT

작업동태 지표

1. 결근일수율 $= \dfrac{\text{결근 일수}}{\text{전체 근로자 수}} \times 100$
2. 결근건수율(도수율) $= \dfrac{\text{결근 건수}}{\text{전체 근로자 수}} \times 100$
3. 결근손실율 $= \dfrac{\text{결근 근로자 수}}{\text{전체 근로자 수}} \times 100$
4. 질병·결근발생률 $= \dfrac{\text{해당 질병 결근 건수}}{\text{전체 근로자 수}} \times 100$

4. 산업재해 근로자의 관리

(1) 재해 보상(「산업재해보상보험법」상 근거) 기출 13, 14, 16, 17, 18, 19, 20

구분	내용
요양급여	① 근로자가 업무상의 사유로 부상을 당하거나 질병에 걸린 경우 지급 ② 부상 또는 질병이 3일 이내의 요양으로 치유될 수 있으면 요양급여를 지급하지 아니함 ③ 요양급여의 범위 • 진찰 및 검사 • 약제 또는 진료재료와 의지(義肢) 그 밖의 보조기의 지급 • 처치, 수술, 그 밖의 치료 • 재활치료 • 입원 • 간호 및 간병 • 이송 • 그 밖에 고용노동부령으로 정하는 사항
간병급여	요양급여를 받은 자 중 치유 후 의학적으로 상시 또는 수시로 간병이 필요하여 실제로 간병을 받는 자에게 지급함
유족급여	① 유족급여는 근로자가 업무상의 사유로 사망한 경우에 유족에게 지급함 ② 유족급여는 [별표 3]에 따른 유족보상연금이나 유족보상일시금으로 하되, 유족보상일시금은 근로자가 사망할 당시 제63조 제1항에 따른 유족보상연금을 받을 수 있는 자격이 있는 사람이 없는 경우에 지급함 ③ 제2항에 따른 유족보상연금을 받을 수 있는 자격이 있는 사람이 원하면 [별표 3]의 유족보상일시금의 100분의 50에 상당하는 금액을 일시금으로 지급하고 유족보상연금은 100분의 50을 감액하여 지급함 ④ 유족보상연금을 받던 사람이 그 수급자격을 잃은 경우 다른 수급자격자가 없고 이미 지급한 연금액을 지급 당시의 각각의 평균임금으로 나누어 산정한 일수의 합계가 1,300일에 못 미치면 그 못 미치는 일수에 수급자격 상실 당시의 평균임금을 곱하여 산정한 금액을 수급자격 상실 당시의 유족에게 일시금으로 지급함
휴업급여	업무상 사유로 부상을 당하거나 질병에 걸린 근로자에게 요양으로 취업하지 못한 기간에 대하여 지급하되, 1일당 지급액은 평균 임금의 100분의 70에 상당하는 금액으로 함. 다만, 취업하지 못한 기간이 3일 이내이면 지급하지 아니함
장례비	장례비는 근로자가 업무상의 사유로 사망한 경우에 지급하되, 평균임금의 120일분에 상당하는 금액을 그 장례를 지낸 유족에게 지급함. 다만, 장례를 지낼 유족이 없거나 그 밖에 부득이한 사유로 유족이 아닌 사람이 장례를 지낸 경우에는 평균임금의 120일분에 상당하는 금액의 범위에서 실제 드는 비용을 그 장례를 지낸 사람에게 지급함

산업재해보상보험의 특징 기출 24

1. 산재보험은 강제보험이다.
2. 사업주의 산재보험 가입 여부와 관계없이 고용관계가 성립되는 모든 근로자는 수혜자가 된다.
3. 산업재해의 재원 조달은 전적으로 사업주의 몫이다.
4. 가입자는 사업주, 수혜자는 근로자이다.
5. 산재보험은 현금 및 현물급여를 모두 제공한다.

산업재해보상보험의 원리

원리	내용
무과실 책임주의	근로자에게 발생한 사고와 업무상 질병에 대해 사업주에게 책임을 부과하는 것
정률보상 방식	평균임금을 기초로 법령에서 정하는 기준에 따라 산정하는 보상방식
사회보험 방식	기업인 국가가 보상주체가 되는 것
현실우선 주의	현재 부양상태를 고려하여 지급하는 것

「산업재해보상보험법」 제53조 【부분휴업급여】

① 요양 또는 재요양을 받고 있는 근로자가 그 요양기간 중 일정기간 또는 단시간 취업을 하는 경우에는 그 취업한 날에 해당하는 그 근로자의 평균 임금에서 그 취업한 날에 대한 임금을 뺀 금액의 100분의 80에 상당하는 금액을 지급할 수 있다. 다만, 제54조 제2항 및 제56조 제2항에 따라 최저임금액을 1일당 휴업급여 지급액으로 하는 경우에는 최저임금액 [별표 1] 제2호에 따라 감액하는 경우에는 그 감액한 금액에서 취업한 날에 대한 임금을 뺀 금액을 지급할 수 있다.
② 제1항에 따른 부분휴업급여의 지급 요건 및 지급 절차는 대통령령으로 정한다.

상병보상 연금	① 요양급여를 받는 근로자가 요양을 시작한 지 2년이 지난 날 이후에 다음 각 호의 요건 모두에 해당하는 상태가 계속되면 휴업급여 대신 상병보상연금을 그 근로자에게 지급함 • 그 부상이나 질병이 치유되지 아니한 상태일 것 • 그 부상이나 질병에 따른 중증요양상태의 정도가 대통령령으로 정하는 중증요양상태등급 기준에 해당할 것 • 요양으로 인하여 취업하지 못하였을 것 ② 상병보상연금은 [별표 4]에 따른 중증요양상태등급에 따라 지급함
장해급여	장해급여는 근로자가 업무상의 사유로 부상을 당하거나 질병에 걸려 치유된 후 신체 등에 장해가 있는 경우에 그 근로자에게 지급함
직업재활 급여	① 장해급여 또는 진폐보상연금을 받은 사람이나 장해급여를 받을 것이 명백한 사람으로서 대통령령으로 정하는 사람(이하 "장해급여자"라 함) 중 취업을 위하여 직업훈련이 필요한 사람(이하 "훈련대상자"라 함)에 대하여 실시하는 직업훈련에 드는 비용 및 직업훈련수당 ② 업무상의 재해가 발생할 당시의 사업에 복귀한 장해급여자에 대하여 사업주가 고용을 유지하거나 직장적응훈련 또는 재활운동을 실시하는 경우(직장적응훈련의 경우에는 직장 복귀 전에 실시한 경우도 포함함)에 각각 지급하는 직장복귀지원금, 직장적응훈련비 및 재활운동비

(2) 응급처치와 신속한 치료

① 근로자가 재해로부터 빠르게 회복하고 직업에 복귀하도록 한다.

② 후유증을 최소화한다.

(3) 직업복귀 지원

① 환자의 회복과 안정된 업무복귀를 촉진한다.

② 치료의 초기부터 재활과 직업복귀에 초점을 맞춘 간호를 제공한다.

5. 산업재해의 예방대책

공적 예방대책	① 제도·정책적 지원 및 관리 인프라 구축 ② 공적 비용 지원 ③ 대기업과 중소기업의 협력 네트워크 추진 ④ 건강증진사업 지원
사업장 예방대책	① 안전한 작업설비 및 공정 유지 ② 안전보건관리자 등 전문인력 배치 및 교육 ③ 쾌적한 작업환경 유지 ④ 근로자 건강증진을 위한 대책 마련 ⑤ 신체·심리적 특성에 맞는 부서 배치 ⑥ 안전보건 관련 법령 준수 ⑦ 응급의료시스템 구축

산업간호사의 재해 예방업무	① 기초의료 및 의약품 투여 ② 건강증진 프로그램의 운영 ③ 업무 관련성 질환 관리 ④ 건강진단 실시 및 사후 관리 ⑤ 보건교육 실시 ⑥ 작업환경 관리 ⑦ 산업재해 발생의 원인 조사 · 분석

6. 유해인자 노출 기준 기출 14, 15, 16, 17, 18, 19, 20

구분	내용
시간가중 평균 노출 기준 (TLV - TWA; Time Weighted Average)	① 1일 8시간씩 1주 40시간 작업을 기준으로 하여 노출되는 평균 수치 ② 근로자에게 노출되어도 건강상 문제가 발생하지 않는 수치
단시간 노출 기준 (TLV - STEL; Short Time Exposure Limit)	① 근로자가 1회에 15분간 유해요인에 노출되는 경우의 기준 ② 1일 4회까지 노출 허용
최고 노출 기준 (TLV - C; Ceiling Limit = 천장치)	① 근로자가 1일 작업시간 동안 잠시라도 노출되어서는 안 되는 기준 ② 노출 기준 앞에 'C'를 붙여 표시

미국산업위생기협회의 노출 기준(TLVs)

1. 거의 모든 근로자(Nearly all Workers)가 건강장해를 입지 않고 매일 반복하여 노출될 수 있다고 생각되는 공기 중 유해인자의 농도 또는 강도이다.
2. 개인의 감수성에 따라 차이가 있으므로 소수의 근로자는 노출 기준 이하에서도 불쾌감을 느낄 수 있고, 극소수에서는 직업병을 초래하거나 기존의 질병상태가 악화될 수 있다.

7. 물질안전보건자료(MSDS; Material Safety Data Sheet) 기출 17

(1) 개념 및 목적

화학물질을 제조 · 수입 · 취급하는 사업주가 해당 물질에 대한 유해성 평가결과를 근거로 작성한 자료이다.

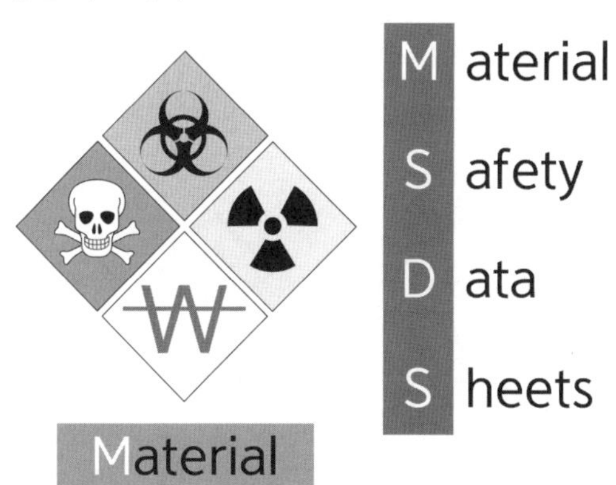

(2) MSDS 적용 대상물질

① **대상**: 화학물질이나 화학물질을 함유한 제제이다.

㉠ 순수 화학물질(Pure chemicals)

㉡ **단일 화학물질(Single chemicals)**: 물리 · 화학적으로 별다른 영향을 미치지 않는 다른 물질의 혼합물이다.

물질안전보건자료(MSDS)[「산업안전보건법 시행규칙」 제170조(경고표시 방법 및 기재항목) 제2항]

제1항 각 호 외의 부분 본문에 따른 경고표지에는 다음 각 호의 사항이 모두 포함되어야 한다.

1. **명칭**
   제품명
2. **그림문자**
   화학물질의 분류에 따라 유해 · 위험의 내용을 나타내는 그림
3. **신호어**
   유해 · 위험의 심각성 정도에 따라 표시하는 "위험" 또는 "경고" 문구
4. **유해 · 위험 문구**
   화학물질의 분류에 따라 유해 · 위험을 알리는 문구
5. **예방조치 문구**
   화학물질에 노출되거나 부적절한 저장 · 취급 등으로 발생하는 유해 · 위험을 방지하기 위하여 알리는 주요 유의사항
6. **공급자 정보**
   물질안전보건자료대상물질의 제조자 또는 공급자의 이름 및 전화번호 등

㉢ 혼합물(Mixture)

㉣ 유해 화학물질 + 유해 화학물질

㉤ **유해 화학물질 + 무해 화학물질**

ⓐ **발암물질**: 0.1% 이상

ⓑ **독성물질, 부식성 물질, 자극성 물질**: 1% 이상

② **종류**

물리적 위험물질	폭발성 물질, 산화성 물질, 극인화성 물질, 고인화성 물질, 인화성 물질, 금수성 물질
건강 장해물질	고독성 물질, 독성 물질, 유해물질, 부식성 물질, 자극성 물질, 과민성 물질, 발암성 물질, 변이원성 물질, 생식독성 물질, 산화성 물질
환경 유해물질	• 환경생태 독성 • 난분해성 또는 옥탄올 분배계수가 3 이상인 물

③ **물질안전보건자료의 구성** 기출 20

• 화학제품과 회사에 대한 정보	• 물리화학적 특성
• 유해성 · 위험성	• 안전성 및 반응성
• 구성성분의 명칭 및 함유량	• 독성에 관한 정소
• 응급조치 요령	• 환경에 미치는 영향
• 폭발 · 화재 시 대처방안	• 폐기 시 주의사항
• 주출사고 시 대처방법	• 운송에 필요한 정보
• 취급 및 저장 방법	• 법적 규제현황
• 누출 방지 및 개인 보호구	• 그 밖의 참고사항

(3) GHS(Globally Harmonized System of chemical classification and labeling)

화학물질 분류 및 경고표시의 통일화 방안으로 전 세계적으로 통일된 MSDS를 작성한다.

1. 폭발성 물질

2. 인화성 물질

3. 산화성 물질

4. 급성독성 물질

5. 부식성 물질

6. 고압가스

7. 호흡기과민성, 생식독성물질, 발암성 물질

8. 수생환경유해성

9. 경고(건강성, 환경성)

8. 사업장의 위험성 평가

(1) 위험성 평가

① 사업장의 유해 위험요인을 사전에 파악하고 이에 대한 개선대책을 사전에 수립하여 산업재해를 예방하기 위한 제도이다.

② 해당 유해 위험요인에 의한 부상 또는 질병의 발생가능성(빈도)과 중대성(강도)을 추정, 결정하고 감소대책을 수립하여 실행하는 일련의 과정을 말한다.

③ 위험성 평가는 사업주의 의지와 책임 의식이 산업재해 예방에 매우 중요함에 근거하여 사업주가 적극적으로 산업재해 예방에 참여하도록 하는 제도이다.

(2) 분야별 주요 역할

① **사업주**: 위험성 평가의 중요성을 인식하고 이에 대한 의지를 명확하게 사업장 방침으로 정하여 추진한다.

② **고용노동부**: 사업장의 위험성 평가에 대한 효과적인 추진방안을 강구한다.

③ **한국산업안전보건공단**

㉠ 위험성 평가자료를 개발 및 보급한다.
㉡ 우수 사업장을 발굴 및 홍보한다.
㉢ 사업장 관계자에 대해 교육한다.
㉣ 사업장 컨설팅 전문가를 양성한다.
㉤ 지원시스템을 구축 및 운영한다.
㉥ 위험성 평가 사업장 인정제도를 운영한다.

(3) 사업장 유해 · 위험요인

① 기계기구, 설비 등에 의한 위험요인
② 폭발성, 발화성, 인화성, 부식성 물질 등에 의한 위험요인
③ 전기, 열 등 에너지에 의한 위험요인
④ 작업방법으로부터 발생하는 위험요인
⑤ 작업장소에 관계된 위험요인
⑥ 작업행동 등으로부터 발생하는 위험요인
⑦ 원재료, 가스, 증기, 분진 등에 의한 유해요인
⑧ 방사선, 고온, 저온, 초음파, 소음, 진동, 이상기압 등에 의한 유해요인
⑨ 작업행동 등으로부터 발생하는 유해요인

(4) 사업장 위험성 평가 방법 및 절차

① **1단계 - 사전준비**

㉠ 위험성 평가 실시규정의 작성
㉡ 위험성 평가에 대한 교육 실시
㉢ 위험성 평가 대상 선정
㉣ 평가 대상 작업별 분류
㉤ 안전 보건정보에 대한 사전조사

② **2단계 - 유해 위험요인 파악**
㉠ 사업장 순회점검에 의한 방법
㉡ 청취 조사에 의한 방법
㉢ 안전보건자료에 의한 방법
㉣ 안전보건 체크리스트에 의한 방법
㉤ 그 밖에 사업장의 특성에 적합한 방법

③ **3단계 - 위험성 추정**
㉠ 가능성과 중대성을 행렬(Matrix)을 이용 · 조합하는 방법
㉡ 가능성과 중대성을 곱하는 방법
㉢ 가능성과 중대성을 더하는 방법
㉣ 그 밖에 사업장의 특성에 적합한 방법

핵심정리 위험성의 추정

1. 위험성의 가능성
매우 높음(5), 높음(4), 보통(3), 낮음(2), 매우 낮음(1) 등으로 구분하며, 중대성은 최대(사망, 4), 대(장해 발생, 3), 중(병원치료, 2), 소(비치료, 1) 등으로 구분하여 수치화하고 매트릭스법, 곱하기, 더하기 등의 수식을 적용하여 위험성을 수치로 추정한다.

2. 가능성 추정 예시

가능성(빈도)		내용
매우 높음	5	피해가 발생할 가능성이 매우 높음
높음	4	피해가 발생할 가능성이 높음
보통	3	부주의하면 피해가 발생할 가능성이 있음
낮음	2	피해가 발생할 가능성이 낮음
매우 낮음	1	피해가 발생할 가능성이 없음

3. 중대성 추정 예시

구분	중대(강도)	내용
최대	사망	사망재해
대	장해 발생	휴업 1월 이상인 재해
중	병원치료	휴업 1월 미만이 재해
소	치료 불필요	휴업이 수반되지 않는 재해

④ **4단계 - 위험성 결정**: 위험성 결정은 가능성과 중대성의 계산법에 의하여 산정한 위험성 크기에 따라 우선순위를 결정한다.

⑤ **5단계 - 위험성 감소대책 수립 · 실행**: 위험성을 결정한 결과, 허용가능한 위험성이 아니라고 판단한 경우 위험성의 크기, 영향을 받는 근로자 수, 우선순위 등을 고려하여 위험성 감소대책을 수립하여 실행한다.

⑥ **기록 및 보존**: 사업주가 위험성 평가를 실시한 경우, 위험성 평가대상의 유해위험요인, 위험성 결정내용, 위험성 결정에 따른 조치내용, 위험성 평가를 위해 사전조사한 안전보건정보 등 실시 내용 및 결과를 기록 및 보존한다.

(5) 위험성 평가 실시 시기 및 범위

① **최초 평가**: 처음 위험성 평가를 실시하는 것을 말하며 전체 작업과 모든 유해 위험요인을 대상으로 실시한다.

② **수시 평가**

㉠ 사업장 건설물의 설치, 이전, 변경 또는 해체

㉡ 기계 기구 및 설비 원재료 등의 신규 도입 또는 변경

㉢ 건설물, 기계, 기구 및 설비 등의 정비 또는 보수

㉣ 작업 방법 또는 작업 절차의 신규 도입 또는 변경

㉤ 중대 산업사고 또는 산업재해(휴업 이상의 요양을 요하는 경우에 한정)가 발생한 경우

③ **정기 평가**: 최초 평가 후 매년 정기적으로(연 1회) 실시한다.

위험성 평가
최초 평가 및 수시 평가, 정기 평가로 구분하여 실시한다.

Plus⁺ POINT

위험성 평가 예시

1. 사업주는 산업재해 예방을 위하여 위험성 평가를 실시하였다. 사업장 내에 업무를 관찰한 후 가능성과 강도성을 측정하였다.

구분	가능성	강도성
근골격계 질환 위험성	4점	3점
끼임 위험성	3점	3점
베임 위험성	3점	2점
화상 위험성	4점	2점

2. 4가지의 문제점을 도출하였고, 가장 우선적으로 산업재해 발생위험성을 감소시킬 요인은 12점으로 근골격계 질환이었으며, 끼임 9점, 화상 8점, 베임 6점 순이었다.

관련 법령

사업장 위험성 평가의 관한 지침 [고용노동부고시 제2020-53호]

제2조 【적용범위】 이 고시는 위험성 평가를 실시하는 모든 사업장에 적용한다.

제3조 【정의】 ① 이 고시에서 사용하는 용어의 뜻은 다음과 같다.

1. "위험성 평가"란 유해 · 위험요인을 파악하고 해당 유해 · 위험요인에 의한 부상 또는 질병의 발생 가능성(빈도)과 중대성(강도)을 추정 · 결정하고 감소대책을 수립하여 실행하는 일련의 과정을 말한다.
2. "유해 · 위험요인"이란 유해 · 위험을 일으킬 잠재적 가능성이 있는 것의 고유한 특징이나 속성을 말한다.
3. "유해 · 위험요인 파악"이란 유해요인과 위험요인을 찾아내는 과정을 말한다.
4. "위험성"이란 유해 · 위험요인이 부상 또는 질병으로 이어질 수 있는 가능성(빈도)과 중대성(강도)을 조합한 것을 의미한다.

5. "위험성 추정"이란 유해·위험요인별로 부상 또는 질병으로 이어질 수 있는 가능성과 중대성의 크기를 각각 추정하여 위험성의 크기를 산출하는 것을 말한다.
6. "위험성 결정"이란 유해·위험요인별로 추정한 위험성의 크기가 허용 가능한 범위인지 여부를 판단하는 것을 말한다.
7. "위험성 감소대책 수립 및 실행"이란 위험성 결정 결과 허용 불가능한 위험성을 합리적으로 실천 가능한 범위에서 가능한 한 낮은 수준으로 감소시키기 위한 대책을 수립하고 실행하는 것을 말한다.
8. "기록"이란 사업장에서 위험성평가 활동을 수행한 근거와 그 결과를 문서로 작성하여 보존하는 것을 말한다.

② 그 밖에 이 고시에서 사용하는 용어의 뜻은 이 고시에 특별히 정한 것이 없으면 「산업안전보건법」(이하 "법"이라 한다), 같은 법 시행령(이하 "영"이라 한다), 같은 법 시행규칙(이하 "규칙"이라 한다) 및「산업안전보건기준에 관한 규칙」(이하 "안전보건규칙"이라 한다)에서 정하는 바에 따른다.

관련 법령

「근로기준법」 제2조 【정의】 ① 이 법에서 사용하는 용어의 뜻은 다음과 같다.
1. "근로자"란 직업의 종류와 관계없이 임금을 목적으로 사업이나 사업장에 근로를 제공하는 사람을 말한다.
2. "사용자"란 사업주 또는 사업 경영 담당자, 그 밖에 근로자에 관한 사항에 대하여 사업주를 위하여 행위하는 자를 말한다.
3. "근로"란 정신노동과 육체노동을 말한다.
4. "근로계약"이란 근로자가 사용자에게 근로를 제공하고 사용자는 이에 대하여 임금을 지급하는 것을 목적으로 체결된 계약을 말한다.
5. "임금"이란 사용자가 근로의 대가로 근로자에게 임금, 봉급, 그 밖에 어떠한 명칭으로든지 지급하는 모든 금품을 말한다.
6. "평균임금"이란 이를 산정하여야 할 사유가 발생한 날 이전 3개월 동안에 그 근로자에게 지급된 임금의 총액을 그 기간의 총 일수로 나눈 금액을 말한다. 근로자가 취업한 후 3개월 미만인 경우도 이에 준한다.
7. "1주"란 휴일을 포함한 7일을 말한다.
8. "소정(所定)근로시간"이란 제50조, 제69조 본문 또는 산업안전보건법 제139조 제1항에 따른 근로시간의 범위에서 근로자와 사용자 사이에 정한 근로시간을 말한다.
9. "단시간근로자"란 1주 동안의 소정근로시간이 그 사업장에서 같은 종류의 업무에 종사하는 통상 근로자의 1주 동안의 소정근로시간에 비하여 짧은 근로자를 말한다.

관련 법령

「근로기준법」 제4장 근로시간과 휴식

제50조 【근로시간】 ① 1주간의 근로시간은 휴게시간을 제외하고 40시간을 초과할 수 없다.
② 1일의 근로시간은 휴게시간을 제외하고 8시간을 초과할 수 없다.
③ 제1항 및 제2항에 따라 근로시간을 산정하는 경우 작업을 위하여 근로자가 사용자의 지휘·감독 아래에 있는 대기시간 등은 근로시간으로 본다.

제51조의2 【3개월을 초과하는 탄력적 근로시간제】 ① 사용자는 근로자대표와의 서면 합의에 따라 다음 각 호의 사항을 정하면 3개월을 초과하고 6개월 이내의 단위기간을 평균하여 1주간의 근로시간이 제50조 제1항의 근로시간을 초과하지 아니하는 범위에서 특정한 주에 제50조 제1항의 근로시간을, 특정한 날에 제50조 제2항의 근로시간을 초과하여 근로하게 할 수 있다. 다만, 특정한 주의 근로시간은 52시간을, 특정한 날의 근로시간은 12시간을 초과할 수 없다.

1. 대상 근로자의 범위
2. 단위기간(3개월을 초과하고 6개월 이내의 일정한 기간으로 정하여야 한다)
3. 단위기간의 주별 근로시간
4. 그 밖에 대통령령으로 정하는 사항

② 사용자는 제1항에 따라 근로자를 근로시킬 경우에는 근로일 종료 후 다음 근로일 개시 전까지 근로자에게 연속하여 11시간 이상의 휴식 시간을 주어야 한다. 다만, 천재지변 등 대통령령으로 정하는 불가피한 경우에는 근로자대표와의 서면 합의가 있으면 이에 따른다.
③ 사용자는 제1항 제3호에 따른 각 주의 근로일이 시작되기 2주 전까지 근로자에게 해당 주의 근로일별 근로시간을 통보하여야 한다.
④ 사용자는 제1항에 따른 근로자대표와의 서면 합의 당시에는 예측하지 못한 천재지변, 기계 고장, 업무량 급증 등 불가피한 사유가 발생한 때에는 제1항 제2호에 따른 단위기간 내에서 평균하여 1주간의 근로시간이 유지되는 범위에서 근로자대표와의 협의를 거쳐 제1항 제3호의 사항을 변경할 수 있다. 이 경우 해당 근로자에게 변경된 근로일이 개시되기 전에 변경된 근로일별 근로시간을 통보하여야 한다.
⑤ 사용자는 제1항에 따라 근로자를 근로시킬 경우에는 기존의 임금 수준이 낮아지지 아니하도록 임금항목을 조정 또는 신설하거나 가산임금 지급 등의 임금보전방안(賃金補塡方案)을 마련하여 고용노동부장관에게 신고하여야 한다. 다만, 근로자대표와의 서면합의로 임금보전방안을 마련한 경우에는 그러하지 아니하다.
⑥ 제1항부터 제5항까지의 규정은 15세 이상 18세 미만의 근로자와 임신 중인 여성 근로자에 대해서는 적용하지 아니한다.

제51조의3【근로한 기간이 단위기간보다 짧은 경우의 임금 정산】 사용자는 제51조 및 제51조의2에 따른 단위기간 중 근로자가 근로한 기간이 그 단위기간보다 짧은 경우에는 그 단위기간 중 해당 근로자가 근로한 기간을 평균하여 1주간에 40시간을 초과하여 근로한 시간 전부에 대하여 제56조 제1항에 따른 가산임금을 지급하여야 한다.

제52조【선택적 근로시간제】 ① 사용자는 취업규칙(취업규칙에 준하는 것을 포함한다)에 따라 업무의 시작 및 종료 시각을 근로자의 결정에 맡기기로 한 근로자에 대하여 근로자대표와의 서면 합의에 따라 다음 각 호의 사항을 정하면 1개월(신상품 또는 신기술의 연구개발 업무의 경우에는 3개월로 한다) 이내의 정산기간을 평균하여 1주간의 근로시간이 제50조 제1항의 근로시간을 초과하지 아니하는 범위에서 1주 간에 제50조 제1항의 근로시간을, 1일에 제50조 제2항의 근로시간을 초과하여 근로하게 할 수 있다.

1. 대상 근로자의 범위(15세 이상 18세 미만의 근로자는 제외한다)
2. 정산기간
3. 정산기간의 총 근로시간
4. 반드시 근로하여야 할 시간대를 정하는 경우에는 그 시작 및 종료 시각
5. 근로자가 그의 결정에 따라 근로할 수 있는 시간대를 정하는 경우에는 그 시작 및 종료 시각
6. 그 밖에 대통령령으로 정하는 사항

② 사용자는 제1항에 따라 1개월을 초과하는 정산기간을 정하는 경우에는 다음 각 호의 조치를 하여야 한다.

1. 근로일 종료 후 다음 근로일 시작 전까지 근로자에게 연속하여 11시간 이상의 휴식 시간을 줄 것. 다만, 천재지변 등 대통령령으로 정하는 불가피한 경우에는 근로자대표와의 서면 합의가 있으면 이에 따른다.
2. 매 1개월마다 평균하여 1주간의 근로시간이 제50조 제1항의 근로시간을 초과한 시간에 대해서는 통상임금의 100분의 50 이상을 가산하여 근로자에게 지급할 것. 이 경우 제56조 제1항은 적용하지 아니한다.

제53조【연장 근로의 제한】 ① 당사자 간에 합의하면 1주간에 12시간을 한도로 제50조의 근로시간을 연장할 수 있다.

② 당사자 간에 합의하면 1주간에 12시간을 한도로 제51조 및 제51조의2의 근로시간을 연장할 수 있고, 제52조 제1항 제2호의 정산기간을 평균하여 1주간에 12시간을 초과하지 아니하는 범위에서 제52조 제1항의 근로시간을 연장할 수 있다.

③ 상시 30명 미만의 근로자를 사용하는 사용자는 다음 각 호에 대하여 근로자대표와 서면으로 합의한 경우 제1항 또는 제2항에 따라 연장된 근로시간에 더하여 1주간에 8시간을 초과하지 아니하는 범위에서 근로시간을 연장할 수 있다.

1. 제1항 또는 제2항에 따라 연장된 근로시간을 초과할 필요가 있는 사유 및 그 기간
2. 대상 근로자의 범위

④ 사용자는 특별한 사정이 있으면 고용노동부장관의 인가와 근로자의 동의를 받아 제1항과 제2항의 근로시간을 연장할 수 있다. 다만, 사태가 급박하여 고용노동부장관의 인가를 받을 시간이 없는 경우에는 사후에 지체 없이 승인을 받아야 한다.
⑤ 고용노동부장관은 제4항에 따른 근로시간의 연장이 부적당하다고 인정하면 그 후 연장시간에 상당하는 휴게시간이나 휴일을 줄 것을 명할 수 있다.
⑥ 제3항은 15세 이상 18세 미만의 근로자에 대하여는 적용하지 아니한다.
⑦ 사용자는 제4항에 따라 연장 근로를 하는 근로자의 건강 보호를 위하여 건강검진 실시 또는 휴식시간 부여 등 고용노동부장관이 정하는 바에 따라 적절한 조치를 하여야 한다.

제54조【휴게】 ① 사용자는 근로시간이 4시간인 경우에는 30분 이상, 8시간인 경우에는 1시간 이상의 휴게시간을 근로시간 도중에 주어야 한다.
② 휴게시간은 근로자가 자유롭게 이용할 수 있다.

제55조【휴일】 ① 사용자는 근로자에게 1주에 평균 1회 이상의 유급휴일을 보장하여야 한다.
② 사용자는 근로자에게 대통령령으로 정하는 휴일을 유급으로 보장하여야 한다. 다만, 근로자대표와 서면으로 합의한 경우 특정한 근로일로 대체할 수 있다.

제56조【연장 · 야간 및 휴일 근로】 ① 사용자는 연장근로(제53조 · 제59조 및 제69조 단서에 따라 연장된 시간의 근로를 말한다)에 대하여는 통상임금의 100분의 50 이상을 가산하여 근로자에게 지급하여야 한다.
② 제1항에도 불구하고 사용자는 휴일근로에 대하여는 다음 각 호의 기준에 따른 금액 이상을 가산하여 근로자에게 지급하여야 한다.
1. 8시간 이내의 휴일근로: 통상임금의 100분의 50
2. 8시간을 초과한 휴일근로: 통상임금의 100분의 100

③ 사용자는 야간근로(오후 10시부터 다음 날 오전 6시 사이의 근로를 말한다)에 대하여는 통상임금의 100분의 50 이상을 가산하여 근로자에게 지급하여야 한다.

제57조【보상 휴가제】 사용자는 근로자대표와의 서면 합의에 따라 제51조의3, 제52조 제2항 제2호 및 제56조에 따른 연장근로 · 야간근로 및 휴일근로 등에 대하여 임금을 지급하는 것을 갈음하여 휴가를 줄 수 있다.

관련 법령

「근로기준법」 제5장 여성과 소년

제64조 【최저 연령과 취직인허증】 ① 15세 미만인 사람(「초 · 중등교육법」에 따른 중학교에 재학 중인 18세 미만인 사람을 포함한다)은 근로자로 사용하지 못한다. 다만, 대통령령으로 정하는 기준에 따라 고용노동부장관이 발급한 취직인허증(就職認許證)을 지닌 사람은 근로자로 사용할 수 있다.
② 제1항의 취직인허증은 본인의 신청에 따라 의무교육에 지장이 없는 경우에는 직종(職種)을 지정하여서만 발행할 수 있다.
③ 고용노동부장관은 거짓이나 그 밖의 부정한 방법으로 제1항 단서의 취직인허증을 발급받은 사람에게는 그 인허를 취소하여야 한다.

제65조 【사용 금지】 ① 사용자는 임신 중이거나 산후 1년이 지나지 아니한 여성(이하 "임산부"라 한다)과 18세 미만자를 도덕상 또는 보건상 유해 · 위험한 사업에 사용하지 못한다.

② 사용자는 임산부가 아닌 18세 이상의 여성을 제1항에 따른 보건상 유해 · 위험한 사업 중 임신 또는 출산에 관한 기능에 유해 · 위험한 사업에 사용하지 못한다.
③ 제1항 및 제2항에 따른 금지 직종은 대통령령으로 정한다.

제66조 【연소자 증명서】 사용자는 18세 미만인 사람에 대하여는 그 연령을 증명하는 가족관계기록사항에 관한 증명서와 친권자 또는 후견인의 동의서를 사업장에 갖추어 두어야 한다.

제67조 【근로계약】 ① 친권자나 후견인은 미성년자의 근로계약을 대리할 수 없다.
② 친권자, 후견인 또는 고용노동부장관은 근로계약이 미성년자에게 불리하다고 인정하는 경우에는 이를 해지할 수 있다.
③ 사용자는 18세 미만인 사람과 근로계약을 체결하는 경우에는 제17조에 따른 근로조건을 서면(「전자문서 및 전자거래 기본법」 제2조 제1호에 따른 전자문서를 포함한다)으로 명시하여 교부하여야 한다.

제68조 【임금의 청구】 미성년자는 독자적으로 임금을 청구할 수 있다.

제69조 【근로시간】 15세 이상 18세 미만인 사람의 근로시간은 1일에 7시간, 1주에 35시간을 초과하지 못한다. 다만, 당사자 사이의 합의에 따라 1일에 1시간, 1주에 5시간을 한도로 연장할 수 있다.

제71조 【시간외근로】 사용자는 산후 1년이 지나지 아니한 여성에 대하여는 단체협약이 있는 경우라도 1일에 2시간, 1주에 6시간, 1년에 150시간을 초과하는 시간외근로를 시키지 못한다.

제74조 【임산부의 보호】 ① 사용자는 임신 중의 여성에게 출산 전과 출산 후를 통하여 90일(한 번에 둘 이상 자녀를 임신한 경우에는 120일)의 출산전후휴가를 주어야 한다. 이 경우 휴가 기간의 배정은 출산 후에 45일(한 번에 둘 이상 자녀를 임신한 경우에는 60일) 이상이 되어야 한다.
② 사용자는 임신 중인 여성 근로자가 유산의 경험 등 대통령령으로 정하는 사유로 제1항의 휴가를 청구하는 경우 출산 전 어느 때라도 휴가를 나누어 사용할 수 있도록 하여야 한다. 이 경우 출산 후의 휴가 기간은 연속하여 45일(한 번에 둘 이상 자녀를 임신한 경우에는 60일) 이상이 되어야 한다.
③ 사용자는 임신 중인 여성이 유산 또는 사산한 경우로서 그 근로자가 청구하면 대통령령으로 정하는 바에 따라 유산 · 사산 휴가를 주어야 한다.
다만, 인공 임신중절 수술(「모자보건법」 제14조 제1항에 따른 경우는 제외한다)에 따른 유산의 경우는 그러하지 아니하다.
④ 제1항부터 제3항까지의 규정에 따른 휴가 중 최초 60일(한 번에 둘 이상 자녀를 임신한 경우에는 75일)은 유급으로 한다. 다만, 「남녀고용평등과 일 · 가정 양립 지원에 관한 법률」 제18조에 따라 출산전후휴가급여 등이 지급된 경우에는 그 금액의 한도에서 지급의 책임을 면한다.
⑤ 사용자는 임신 중의 여성 근로자에게 시간외근로를 하게 하여서는 아니 되며, 그 근로자의 요구가 있는 경우에는 쉬운 종류의 근로로 전환하여야 한다.
⑥ 사업주는 제1항에 따른 출산전후휴가 종료 후에는 휴가 전과 동일한 업무 또는 동등한 수준의 임금을 지급하는 직무에 복귀시켜야 한다.
⑦ 사용자는 임신 후 12주 이내 또는 36주 이후에 있는 여성 근로자가 1일 2시간의 근로시간 단축을 신청하는 경우 이를 허용하여야 한다. 다만, 1일 근로시간이 8시간 미만인 근로자에 대하여는 1일 근로시간이 6시간이 되도록 근로시간 단축을 허용할 수 있다.
⑧ 사용자는 제7항에 따른 근로시간 단축을 이유로 해당 근로자의 임금을 삭감하여서는 아니 된다.
⑨ 사용자는 임신 중인 여성 근로자가 1일 소정근로시간을 유지하면서 업무의 시작 및 종료 시각의 변경을 신청하는 경우 이를 허용하여야 한다. 다만, 정상적인 사업 운영에 중대한 지장을 초래하는 경우 등 대통령령으로 정하는 경우에는 그러하지 아니하다.
⑩ 제7항에 따른 근로시간 단축의 신청방법 및 절차, 제9항에 따른 업무의 시작 및 종료 시각 변경의 신청방법 및 절차 등에 관하여 필요한 사항은 대통령령으로 정한다.

제2장 학교보건

1 학교보건

1. 학교보건(School Health)의 개념

(1) 정의와 목적

① 정의

㉠ 학생과 교직원을 포함한 인구집단이 건강하고 안전하게 살 수 있도록 하는 학문이며 사업이다.

㉡ 학생과 교직원에게 보건봉사와 환경관리 및 보건교육을 제공하여 각자가 건강의 중요성을 인식하고, 불건강요인을 스스로 해결해 갈 수 있는 능력을 가지게 하는 포괄적인 보건사업이다.

② 목적

㉠ 학생과 교직원이 건강하고 안전하게 생활할 수 있도록 질병을 예방하고 건강을 보호·증진함으로써 건강한 학교생활의 유지와 학교교육의 능률화를 목표로 한다.

㉡ 「학교보건법」 제1조에서 학교보건의 목적을 "학교의 보건관리에 필요한 사항을 규정하여 학생 및 교직원의 건강을 보호·증진함을 목적으로 한다."라고 제시하였다.

㉢ 학교보건의 목표를 달성하기 위해 학교에서 다루는 내용은 보건교육, 건강한 식습관, 신체활동, 구강보건, 손상 예방, 영적 안녕이다.

(2) 필요성 기출 09, 12, 14, 15, 16, 17, 18, 19, 20

① 학교인구 대상자가 많다(대략 인구 25%).

② 학교인구 대상자는 학습효과가 높은 시기이므로 좋은 건강습관이 쉽게 형성될 수 있는 평생 건강행동 습관에 미치는 영향력이 크다.

③ 학령기는 면역력 저하와 감염병에 대한 전파 파급력에 미치는 영향력이 크다.

④ 학령기는 성장 발달이 활발히 일어나는 시기로 질병을 조기 발견하여 장애를 예방하거나 적은 경비로 큰 성과를 올릴 수 있다.

⑤ 학교는 지역사회의 중심이며, 지역사회 전체의 건강문제를 해결하기 위해서는 학교보건문제 해결이 우선적으로 이루어져야 한다.

(3) 범위

① 학교보건봉사(School Health Service)

② 건전한 학교생활(Healthful School Living) 환경 조성

③ 학교보건교육(School Health Education)

④ 학교와 지역사회와의 관계(Relationship between the school and the community)

Plus⁺ POINT

학교보건사업 수행에 필요한 구성요소 기출 07, 10, 12, 13, 16, 17, 18, 19

미국 CDC(Center for Disease Control and Prevention)는 포괄적인 학교보건사업 수행에 필요한 구성요소를 8가지로 구분하였다. 보건교육, 체육교육, 보건서비스, 영양서비스, 상담과 정신건강서비스, 학교 환경보건, 교직원을 위한 건강증진, 학부모 및 지역사회 참여가 포함된다.

보건교육	건강의 신체적, 정신적, 정서적, 사회적 특면을 다루며 학생들의 건강을 유지, 증진하고 질병을 예방하고 건강위험 행동을 감소시키도록 자극하고 지지하도록 고안된 교육과정
체육교육	계획된 신체활동으로 최상의 신체, 정신, 정서, 사회적인 건강을 추구하고 학생들이 일생동안 신체활동과 스포츠를 추구하고 즐길 수 있도록 장려
보건서비스	학생의 건강을 평가하고 보호하고 증진할 수 있도록 제공되는 서비스로 건강검진, 일차 진료, 의뢰, 응급처치, 감염성 질환 예방 및 위생관리 등의 서비스가 포함
영양서비스	다양한 영양소가 포함된 급식의 제공으로 학생의 건강과 영양 요구를 충족시키고 교과과정 내의 영양교육과 실습을 제공하는 한편, 지역사회 영양서비스와의 연계를 모색
상담과 정신건강서비스	학생의 정신적, 정서적, 사회적 건강을 증진시키기 위한 서비스로 개인과 그룹 사정, 중재, 의뢰서비스 포함
학교 환경보건	학교의 물리적, 심미적 환경으로 학교의 심리사회적 분위기와 학교의 문화를 의미하며 학생과 교직원의 안녕과 관련이 있는 물리적, 심리적, 사회적 환경을 포함
교직원을 위한 건강증진	교직원의 건강사정, 보건교육, 운동 프로그램 등의 제공으로 교직원의 건강을 증진하여 학생들에게 역할모델이 되도록 함
학부모 및 지역사회 참여	학생의 건강 요구에 더 효과적으로 대처하기 위하여 학부모와 지역사회의 학교보건프로그램 참여를 지지하고 적극적으로 권장하는 통합된 접근방법으로 학생의 건강과 안녕을 증진

(4) 학교보건 관련 용어 정의

학교인구	학생과 교직원(전체 인구의 약 25%)
학교보건 대상	학교인구(학생, 교직원)를 포함한 학부모, 가족 및 그 학교가 속해 있는 지역사회 주민
학교보건 전문인력	학교에 상근하는 보건교사와 학교장이 위촉하는 학교의사(의사, 한의사, 치과의사) 및 학교약사
학교보건 인력	학교보건 전문인력 외에 상담교사, 사회사업가, 체육교사, 영양교사, 담임교사, 학부모 등

2. 학교건강증진

(1) 건강증진학교(Health Promoting School)

배우고, 일하며, 생활하기 위한 건강한 장소로서 지속적으로 능력을 강화하는 학교이다.

(2) 건강증진학교의 목표

학교가 학생, 교직원의 건강증진에 도움이 되는 지지적 환경을 개발하여 학교 구성원 전체가 건강한 생활습관을 형성하도록 한다.

① 학교건강증진의 원칙

㉠ 특정 질병을 가진 학생만 대상이 아닌 전체 학생들의 일상생활에 전반적인 내용을 포함한다.

㉡ 학생들의 건강문제 원인이나 결정요인에 초점을 둔 활동이다.

㉢ 학생들의 건강 유해요인을 감소시키기 위한 의사소통, 교육, 학교활동, 경제적 도움, 학교조직의 변화, 학교 개발 등 다양한 활동을 포함한다.

㉣ 효과적이고 확실한 학생들의 참여를 목표로 한다.

㉤ 학교건강증진 활성화의 중점 역할은 학교 의사가 아닌 일차 건강관리자인 보건교사이다.

② 학교건강증진의 내용(WHO) 기출 17, 18

1	건강한 학교 정책	교육적 요구 촉진 학교활동 문서, 실행
2	학교의 물리적 환경	교내외 건물, 운동장, 시설, 감염병 방지시설, 급수시설, 공기정화 등
3	학교의 사회적 환경	교직원 간, 학생 간, 교직원과 학생 간, 부모, 지역사회와의 관계
4	지역사회 연계	• 학교와 가족과의 연계 • 학교와 지역사회 주요 단체와 개인과의 연계
5	개인 건강기술과 활동능력	• 공식, 비공식적 교과과정 관련 • 발달, 연령별 지식과 이해, 기술과 경험을 획득하여 스스로 건강증진 활동 수행능력을 가짐
6	학교 건강서비스	아동, 청소년기 건강관리와 건강증진에 대한 책임을 가지는 학교 기반의, 학교와 연계된 서비스

Plus⁺ POINT

미국의 학교건강증진 목표

1. 교육효과 촉진
   학생들의 학업 능력을 최대화하는 것에 기여한다.
2. 건강지식, 태도와 기술을 향상한다.
3. 건강행위와 건강 수준을 향상한다.
4. 사회적 문제를 예방한다.

(3) 학교건강증진사업 운영(국민건강증진 종합계획)

① **목적**: 학교건강증진사업을 통해 학생(초 · 중 · 고등학교)들의 질병과 사고를 예방하고, 건강에 대한 올바른 지식을 습득하게 하고 건강한 태도 및 습관의 형성으로 성인기의 질병 예방과 평생건강의 기틀을 형성한다.

② **추진방향**

㉠ 학교보건교육의 강화를 통해 행동변화를 수반한 건강역량을 향상시킨다.

㉡ 학생의 건강에 영향을 주는 가정, 지역사회 등을 포괄하는 학교보건사업을 실시한다.

㉢ 교육부와 연계한 건강증진학교 조성 및 확대사업을 실시한다.

③ **세부 추진계획**

㉠ **학생건강지원기구의 설립**

ⓐ 교육부 산하의 총괄 기능의 학생건강지원기구와 각 시 · 도 교육청 산하에 1개의 기구를 설립한다(서울시는 설립되어 있음).

ⓑ 건강증진학교 시범학교 지원사업을 실시하고, 점진적으로(초 ⇨ 중 ⇨ 고) 확대한다.

ⓒ 건강증진학교에 대한 평가 기준 개발 및 주기적 평가를 통한 인증제를 실시한다.

ⓓ 학교건강증진학교 네트워크를 형성한다.

ⓔ 국제 건강증진학교 네트워크 결성을 통한 세계 수준의 건강증진학교로 변모할 수 있도록 지원한다.

㉡ **학생들의 건강행태 및 건강상태의 개선**

ⓐ 흡연 예방사업, 음주 예방사업, 비만 예방 및 관리사업, 나트륨 섭취 감소사업, 학교 스포츠클럽 활성화사업, 약물사용 예방사업 등

ⓑ 건강증진학교 활성화를 통해 불건강한 보건행태를 감소 또는 예방할 수 있는 학교정책을 개발한다.

ⓒ 알레르기 질환을 보유한 학생의 응급처치 및 관리가 가능한 아토피 ⇨ 천식 안심학교를 단계적으로 확대한다.

㉢ **학생들의 개인위생 실천율 증가**

ⓐ **손씻기 강화사업**: 손씻기 교육 실시 및 손씻기 시설 설치

ⓑ **칫(잇)솔질 활성화 및 강화사업**: 칫솔질 교육, 점심식사 후 칫솔질 할 수 있는 환경 조성

㉣ **학생들의 정신건강 수준 향상**

ⓐ 자살예방사업

ⓑ 스트레스 인지 감소사업

㉤ **학생들의 건강한 성 태도 함양**

ⓐ 건강한 성 가치관 형성을 위한 발달단계에 맞는 성교육 실시

ⓑ 학교 성교육 담당교사 전문성 제고를 위한 교사연수 실시

㉥ **학생들의 손상 예방 및 안전사고 발생 감소**

ⓐ **안전사고 예방행동 실천율 향상사업**: 안전사고 예방교육, 교통안전 현장교육, 교통안전 캠페인, 안전벨트 및 헬멧(오토바이, 자전거, 인라인 스케이트 등)과 보호대 착용교육 실시 등

ⓑ **학교 내 안전사고 발생 감소사업**: 안전사고 유발 학교시설에 대한 안전장치 강화

ⓒ 학교손상 모니터링 시스템 구축

ⓢ 학생들의 인터넷 중독 감소사업
  ⓐ 인터넷 유해 사이트 차단 프로그램 보급
  ⓑ 인터넷 게임 중독 감소사업
ⓞ 건강한 학교 환경 조성
  ⓐ 학교 건축물 석면 함유 조사
  ⓑ 단계적 석면 함유 학교 건축물 개선 실시

3. 학교보건 인력

(1) 학교보건 인력 배치 기준 -「학교보건법 시행령」 기출 09, 15, 17, 19, 20

학생의 건강관리를 강화하기 위하여 일정 규모 이상의 고등학교 이하 학교에는 2명 이상의 보건교사를 배치하도록 하는 등의 내용으로 「학교보건법」이 개정됨에 따라, 2명 이상의 보건교사를 배치해야 하는 학교를 36학급 이상의 고등학교 이하 학교로 정하는 등 법률에서 위임된 사항과 그 시행에 필요한 사항을 정하는 한편, 학교의 장이 학교의 특성을 고려하여 학교에 자율적으로 의사 및 약사를 둘 수 있도록 하기 위하여 학교에 두는 의사 및 약사의 구체적인 배치기준을 삭제하는 등 현행 제도의 운영상 나타난 일부 미비점을 개선 · 보완하려는 것이다.

(2) 학교보건 인력 종류와 직무 기출 16, 18, 19, 23

「학교보건법」 제9조 【학생의 보건관리】
학교의 장은 학생의 신체발달 및 체력증진, 질병의 치료와 예방, 음주·흡연과 마약류를 포함한 약물 오용(誤用)·남용(濫用)의 예방, 성교육, 이동통신단말장치 등 전자기기의 과의존 예방, 도박 중독의 예방 및 정신건강 증진 등을 위하여 보건교육을 실시하고 필요한 조치를 하여야 한다.

「학교보건법」 제15조 제1항에 따라 학교에 두는 의사(치과의사 및 한의사를 포함하며, 이하 "학교의사"라 한다) 및 학교에 두는 약사(이하 "학교약사"라 한다)와 같은 조 제2항 · 제3항에 따른 보건교사의 직무는 다음과 같다.

보건교사	특징	1953년 교육공무원법(제4조)에 양호교사(현재 보건교사로 개칭)를 교사 자격으로 규정한 이후, 보건교사는 학교에 상주하며 법적으로 학교보건에 있어 중요한 역할을 담당하는 의료인
	직무	① 학교보건계획의 수립 ② 학교 환경위생의 유지 · 관리 및 개선에 관한 사항 ③ 학생과 교직원에 대한 건강진단의 준비와 실시에 관한 협조 ④ 각종 질병의 예방처치 및 보건지도 ⑤ 학생과 교직원의 건강관찰과 학교의사의 건강상담, 건강평가 등의 실시에 관한 협조 ⑥ 신체가 허약한 학생에 대한 보건지도 ⑦ 보건지도를 위한 학생가정 방문 ⑧ 교사의 보건교육 협조와 필요 시의 보건교육 ⑨ 보건실의 시설 · 설비 및 약품 등의 관리 ⑩ 보건교육자료의 수집 · 관리 ⑪ 학생건강기록부의 관리 ⑫ **다음의 의료행위(간호사 면허를 가진 사람만 해당)** • 외상 등 흔히 볼 수 있는 환자의 치료 • 응급을 요하는 자에 대한 응급처치 • 부상과 질병의 악화를 방지하기 위한 처치

		• 건강진단결과 발견된 질병자의 요양지도 및 관리 • 위 4가지 의료행위에 따르는 의약품 투여 ⑬ 그 밖에 학교의 보건관리
의사	특징	① 1967년에 제정된 「학교보건법」과 1969년에 제정된 「학교보건법 시행령」에 의거, 학교에는 학교약사, 학교의사(치과의사와 한의사)를 두도록 함 ② 대부분 촉탁 의사나 약사로서 학교장이 위촉을 하며, 학교보건에 대한 협력관계도 학교마다 다소 차이가 있음
	직무	① 학교보건계획의 수립에 관한 자문 ② 학교 환경위생의 유지 · 관리 및 개선에 관한 자문 ③ 학생과 교직원의 건강진단과 건강평가 ④ 각종 질병의 예방처치 및 보건지도 ⑤ 학생과 교직원의 건강상담 ⑥ 그 밖에 학교보건관리에 관한 지도
약사	직무	① 학교보건계획의 수립에 관한 자문 ② 학교환경위생의 유지 · 관리 및 개선에 관한 자문 ③ 학교에서 사용하는 의약품과 독극물의 관리에 관한 자문 ④ 학교에서 사용하는 의약품 및 독극물의 실험 · 검사 ⑤ 그 밖에 학교보건관리에 관한 지도
영양교사	특징	① 1977년에 경상북도 교육위원회에서 급식시설을 갖춘 학교에 영양사를 일용직으로 배치하기 시작함 ② 1978년 전국적으로 급식학교의 전담직원으로 상용 잡급직이 배치됨 ③ 1979년 「국가공무원법」에 의한 정규 보건직 공무원으로 임명되어 학교급식을 담당함 ④ 2004년 영양교사가 되는 법적 기준 마련(「학교급식법 시행령」, 교사 임용후보자명부작성규칙) ⑤ 2006년 「학교급식법」 제7조(영양조사 등의 배치)가 개정되면서 영양사를 영양교사로 전환 배치
	직무	① 식단 작성, 식재료의 선정 및 검수 ② 위생 · 안전 · 작업관리 및 검식 ③ 식생활 지도, 정보 제공 및 영양상담 ④ 조리실 종사자의 지도 · 감독 ⑤ 그 밖에 학교급식에 관한 사항(「학교급식법 시행령」 제23조)

4. 우리나라 학교보건의 역사

연도	내용
1949	교육법에서 시작된 학교보건법제로 신체검사와 양호시설의 설비에 관한 규정을 둠
1951	학교신체검사규칙 제정
1953	양호교사(현재 보건교사)가 1953년에 법제화되어 1961년부터 임용
1954	학교보건교육을 실시
1961	양호교사 배치
1967	「학교보건법」이 제정되면서 학교보건사업이 본격적으로 시작
1968	「학교보건법 시행령」 제정 · 시행
1979	① 학교보건행정 담당기구는 문교부(현재 교육부) 학교보건과에 설치 ② 시 · 도 교육위원회 체육보건계는 보건계와 체육계로 분리
1981	① 문교부의 사회국제교육국과 체육국 기능이 통 · 폐합되면서 '학교보건과' 폐지 ② 신설된 체육국의 '학교체육과'에서 학교보건업무를 수행 ③ 학교보건은 문교부의 보통교육국 '의무교육과'에서, 학교급식은 체육부 체육진흥국 '학교체육과'에서 담당
1986	전국 양호교사회 창설
1993	양호교사 직무 삽입(「학교보건법 시행령」 개정)
1998	① 양호실이 보건실로 명칭 변경 ② 교육부 교육환경개선국 학교보건환경과로 개편
2002	① 「학교보건법 시행규칙」 제정 · 시행 ② 양호교사 ⇨ 보건교사로 명칭 변경
2003	보건장학사 배치
2006	① 학교신체검사규칙을 학교건강검사규칙으로 명칭 변경 ② 신체검사 ⇨ 건강검사로 명칭 변경
2007	① 「학교보건법」이 개정되면서 보건교육의 법적 근거가 마련된 후 2009년부터 초 · 중등학교에서 체계적인 보건교육을 실시(「학교보건법」 제9조의2 신설) ② 보건교사 확대 배치
2009	① 초등학교 5 ~ 6학년 · 중학교 1학년 · 고등학교 1학년 학생들에게 17시간의 보건교육이 체계적으로 실시 ② 중 · 고등학교 보건과목 교육과정 해설서 최초 발간(교육과학기술부, 2009) ③ 교육부에서 건강증진학교를 도입하여 전국 16개 학교에서 시범 운영
2010	중등학교에서 보건교과가 선택과목으로 설치 · 운영
2011	① **2011년 보건교과목 개정**: 7개 영역에서 4개 영역으로 통합 ② 보건 수석교사 선발(서울, 강원)
2012	① 「학교보건법」 제2조 건강검사에 '정신건강' 항목 추가 ② 교육부의 건강증진학교가 전국 98개교로 확대 지정되어 운영 ③ 보건교사 의료인 보수교육 8시간 최초 실시

2013	① 「학교보건법」 일부 개정(4개의 신설조항) • 학생건강증진계획의 수립 · 시행(「학교보건법」 제7조의2) • 비밀누설의 금지(「학교보건법」 제18조의2) • 학생 정신건강 검사 실시 후 결과에 따른 사후 조치 및 지원(「학교보건법」 제11조) • 학생 · 교직원대상 심폐소생술 등 응급처치에 관한 교육 실시(「학교보건법」 제9조의2) ② 보건교사 승진법 신설 ③ 15시간의 학교 성교육 의무화를 권고하고, 이 중 3시간은 성희롱 · 성폭력 교육이 반드시 포함하도록 함
2015	2015 교육부 국가수준 학교 성교육 표준안 제작 및 배포
2016	「학교보건법」 및 시행령에 감염병 발생 현황에 관한 정보 공유와 감염병 예방대책 마련에 관한 조항이 신설됨
2017	「교육환경 보호에 관한 법률」으로 명칭 변경 시행 ① 학교환경위생정화구역 ⇨ 교육환경보호구역 ② 절대정화구역 ⇨ 절대보호구역 ③ 상대정화구역 ⇨ 상대보호구역

5. 학교보건 관련 법상 권한

(1) 시 · 도 교육감, 시 · 군 · 구 교육장

감염병 예방과 학교보건을 위한 휴교를 명령할 수 있다(「학교보건법」 제14조).

(2) 학교의 설립 · 경영자

① 학교보건에 필요한 시설 및 기구를 구비하여야 한다(「학교보건법」 제3조).

② 보건실을 설치한다(「학교보건법 시행령」 제2조).

(3) 학교의 장 기출 09, 16, 17, 18, 19, 20

학교 환경위생 및 식품위생의 유지	교사 안에서의 환기 · 채광 · 조명 · 온 · 습도 조절, 상하수도 · 화장실 설치 및 관리, 오염공기 · 석면 · 폐기물 · 소음 · 휘발성 유기화합물 · 세균 · 먼지 등의 예방 및 처리 등 환경위생과 식기, 식품 · 먹는 물의 관리 등 식품위생을 적절히 유지 · 관리하여야 함(「학교보건법」 제4조)
건강검사	학생과 교직원에 대하여 건강검사를 하여야 한다. 다만, 교직원에 대한 건강검사는 「국민건강보험법」 제52조에 따른 건강검진으로 갈음할 수 있음(「학교보건법」 제7조)
등교 중지	건강검사의 결과나 의사의 진단결과 감염병에 감염되었거나, 감염된 것으로 의심되거나, 감염될 우려가 있는 학생 및 교직원에 대하여 대통령령으로 정하는 바에 따라 등교를 중지시킬 수 있음(「학교보건법」 제8조)
학생의 보건관리	학교의 장은 학생의 신체발달 및 체력증진, 질병의 치료와 예방, 음주 · 흡연과 마약류를 포함한 약물 오용(誤用) · 남용(濫用)의 예방, 성교육, 정신건강 증진 등을 위하여 보건교육을 실시하고 필요한 조치를 하여야 함(「학교보건법」 제9조)

예방접종 완료 여부의 검사	초등학교와 중학교의 장은 학생이 새로 입학한 날로부터 90일 이내에 시장 · 군수 · 구청장에게 「감염병 예방 및 관리에 관한 법률」 제27조에 따른 예방접종 증명서를 발급받아 같은 법 제24조 및 제25조에 따른 예방접종을 모두 받았는지를 검사한 후 이를 교육정보시스템에 기록하여야 하며, 검사결과 예방접종을 모두 받지 못한 입학생에게는 필요한 예방접종을 받도록 지도하여야 하고, 필요하면 관할 보건소장에게 예방접종 지원 등의 협조를 요청할 수 있음(「학교보건법」 제10조)
치료 및 예방조치	건강검사 결과 질병에 감염되었거나 감염될 우려가 있는 학생에 대하여 질병의 치료 및 예방에 필요한 조치를 하여야 함(「학교보건법」 제11조)
학생의 안전관리	학생의 안전사고를 예방하기 위하여 학교의 시설 · 장비의 점검 및 개선, 학생에 대한 안전교육, 그 밖에 필요한 조치를 하여야 함(「학교보건법」 제12조)
교직원의 보건관리	건강검사 결과 또는 건강검사를 갈음하는 건강검진의 결과 필요한 교직원에 대하여 질병의 치료와 근무여건 개선 등 필요한 조치를 하여야 함(「학교보건법」 제13조)
질병의 예방	감독청의 장은 감염병 예방과 학교의 보건에 필요하면 해당학교의 휴업을 명할 수 있으며, 학교의 장은 필요할 때에 휴업할 수 있음(「학교보건법」 제14조)

6. 학교환경 관리

(1) 학교환경 관리 목적

① 학생 및 교직원의 건강, 안전 학습 등에 지장이 없도록 학교와 학교 주변의 유해 요소를 통제하고 관리하는 것이 목적이다.

② 학생과 교직원이 건강하고 쾌적한 환경에서 교육 활동을 할 수 있도록 실내 환경을 적정하게 유지 · 관리함으로써, 학생의 건강을 보호 · 증진하고, 학습 능률을 향상시킨다.

Plus⁺ POINT

교육환경 관리 목적

1. 학생의 건강을 유지 · 증진한다.
2. 학생을 안전하게 한다.
3. 학습능률을 향상시킨다.
4. 청결하고 아름다운 환경을 유지한다.
5. 편리하고 유쾌한 생활을 할 수 있도록 한다.

(2) 교내 환경 기출 10, 15, 16, 17, 18, 19, 20

온도	18 ~ 28℃ 이하(냉방 시 26 ~ 28℃, 난방 시 18 ~ 20℃)
습도	비교습도 30 ~ 80% 이하
환기	수시로 환기, 1인당 환기량이 21.6m³/hr 이상
소음	55db 이하
조도(인공조명)	① 책상면을 기준으로 300lux 이상 ② **최대조도 : 최소조도** = 3 : 1을 넘지 아니하도록 함
채광(자연조명)	① 직사광선을 포함하지 아니하는 천공광에 의한 옥외 수평조도와 실내조도와의 비가 평균 5% 이상으로 하되, 최소 2% 미만이 되지 아니하도록 할 것(**최대조도 : 최소조도** = 10 : 1을 넘지 아니하도록) ② 채광의 방향은 좌측 또는 좌후방이 이상적임 ③ 창문은 교실면적의 1/5 이상이 적당함
폐기물	학교 내에는 폐기물소각시설을 설치 · 운영하지 아니하도록 할 것
대변기와 소변기	수세식으로 할 것
화장실 유지	**청결하게 소독 실시**: 4 ~ 9월까지는 주 3회 이상, 10 ~ 3월까지는 주 1회 이상

관련 법령

「학교보건법 시행규칙」 [별표 4의2]

공기 질 등의 유지 · 관리기준(제3조 제1항 제3호의2 관련)

1. 유지기준

오염물질 항목	기준(이하)	적용 시설	비고
가. 미세먼지	35㎍/m³	교사 및 급식시설	직경 2.5㎛ 이하 먼지
	75㎍/m³	교사 및 급식시설	직경 10㎛ 이하 먼지
	150㎍/m³	체육관 및 강당	직경 10㎛ 이하 먼지
나. 이산화탄소	1,000ppm	교사 및 급식시설	해당 교사 및 급식시설이 기계 환기장치를 이용하여 주된 환기를 하는 경우 1,500ppm 이하
다. 폼알데하이드	80㎍/m³	교사, 기숙사(건축 후 3년이 지나지 않은 기숙사로 한정) 및 급식시설	건축에는 증축 및 개축 포함
라. 총부유세균	800CFU/m³	교사 및 급식시설	-
마. 낙하세균	10CFU/실	보건실 및 급식시설	-
바. 일산화탄소	10ppm	개별 난방 교실 및 도로변 교실	난방 교실은 직접 연소 방식의 난방 교실로 한정

사. 이산화질소	0.05ppm	개별 난방 교실 및 도로변 교실	난방 교실은 직접 연소 방식의 난방 교실로 한정
아. 라돈	148Bq/m³	기숙사(건축 후 3년이 지나지 않은 기숙사로 한정), 1층 및 지하의 교사	건축에는 증축 및 개축 포함
자. 총휘발성유기화합물	400㎍/m³	건축한 때부터 3년이 경과되지 아니한 학교	건축에는 증축 및 개축 포함
차. 석면	0.01개/cc	석면안전관리법 제22조 제1항 후단에 따른 석면건축물에 해당하는 학교	-
카. 오존	0.06ppm	교무실 및 행정실	적용 시설 내에 오존을 발생시키는 사무기기(복사기 등)가 있는 경우로 한정
타. 진드기	100마리/m²	보건실	-
파. 벤젠	30㎍/m³	건축 후 3년이 지나지 않은 기숙사	건축에는 증축 및 개축 포함
하. 톨루엔	1,000㎍/m³	건축 후 3년이 지나지 않은 기숙사	건축에는 증축 및 개축 포함
거. 에틸벤젠	360㎍/m³	건축 후 3년이 지나지 않은 기숙사	건축에는 증축 및 개축 포함
너. 자일렌	700㎍/m³	건축 후 3년이 지나지 않은 기숙사	건축에는 증축 및 개축 포함
더. 스티렌	300㎍/m³	건축 후 3년이 지나지 않은 기숙사	건축에는 증축 및 개축 포함

2. 관리기준

대상 시설	중점관리기준
가. 신축 학교	1) 「실내공기질 관리법」 제11조 제1항에 따라 오염물질 방출 건축자재를 사용하지 않을 것 2) 교사 안에서의 원활한 환기를 위하여 환기시설을 설치할 것 3) 책상·의자 및 상판 등 학교의 비품은 「산업표준화법」 제15조에 따라 한국산업표준 인증을 받은 제품을 사용할 것 4) 교사 안에서의 폼알데하이드 및 휘발성유기화합물이 유지기준에 적합하도록 필요한 조치를 강구하고 사용할 것
나. 개교 후 3년 이내인 학교	폼알데하이드 및 휘발성유기화합물 등이 유지기준에 적합하도록 중점적으로 관리할 것

다. 개교 후 10년 이상 경과한 학교	1) 미세먼지 및 부유세균이 유지기준에 적합하도록 중점 관리할 것 2) 기존 시설을 개수 또는 보수하는 경우 「실내공기질 관리법」 제11조 제1항에 따라 오염물질 방출 건축자재를 사용하지 않을 것 3) 책상·의자 및 상판 등 학교의 비품은 「산업표준화법」 제15조에 따라 한국산업표준 인증을 받은 제품을 사용할 것
라. 「석면안전관리법」 제22조 제1항 후단에 따른 석면건축물에 해당하는 학교	석면이 유지기준에 적합하도록 중점적으로 관리할 것
마. 개별 난방(직접 연소 방식의 난방으로 한정한다) 교실 및 도로변 교실	일산화탄소 및 이산화질소가 유지기준에 적합하도록 중점적으로 관리할 것
바. 급식시설	미세먼지, 이산화탄소, 폼알데하이드, 총부유세균 및 낙하세균이 유지기준에 적합하도록 중점적으로 관리할 것
사. 보건실	낙하세균과 진드기가 유지기준에 적합하도록 중점적으로 관리할 것

관련 법령

「학교보건법 시행규칙」 [별표 6]

학교시설에서의 환경위생 및 식품위생에 대한 점검의 종류 및 시기
(제3조 제3항 관련)

점검종류	점검시기
일상점검	매 수업일
정기점검	매 학년: 1회 이상(법 제4조의2 제1항에 따른 공기 질의 위생점검의 경우에는 상반기·하반기에 각각 1회 이상으로 한다). 다만, 제3조 제1항 각 호의 규정에 의하여 별도의 점검횟수를 정한 경우에는 그 규정을 따름
특별점검	• 전염병 등에 의하여 집단적으로 환자가 발생할 우려가 있거나 발생한 때 • 풍수해 등으로 환경이 불결하게 되거나 오염된 때 • 학교를 신축·개축·개수 등을 하거나, 책상·의자·컴퓨터 등 새로운 비품을 학교시설로 반입하여 폼알데하이드 및 휘발성유기화합물이 발생할 우려가 있을 때 • 그 밖에 학교의 장이 필요하다고 인정하는 때

[비고]
[별표 4의2]에 따른 오염물질 중 라돈에 대한 정기점검의 경우 최초 실시 학년도 및 그 다음 학년도의 점검 결과가 각각 유지기준의 50퍼센트 미만에 해당하는 기숙사(건축 후 3년이 지나지 않은 기숙사로 한정한다) 및 1층 교사에 대해서는 교육부장관이 정하는 바에 따라 정기점검의 주기를 늘릴 수 있다.

(3) 교육환경보호구역 관리 기출 12, 14, 15, 16, 17, 18, 19, 20

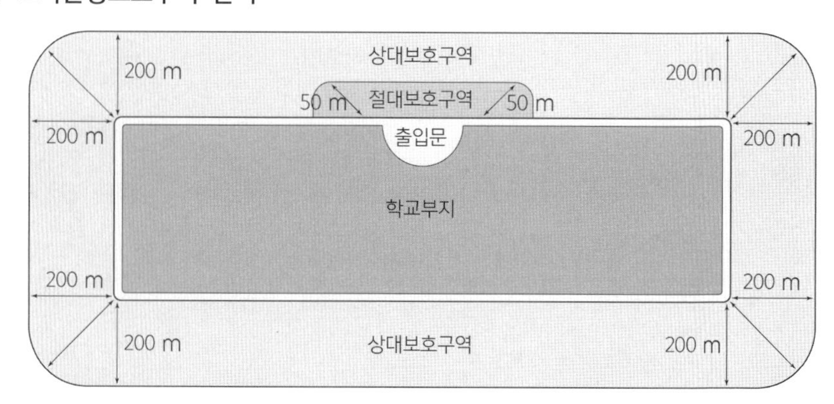

교육환경보호구역 관리

절대보호구역	학교 출입문으로부터 직선거리 50m까지의 지역
상대보호구역	학교 경계선으로부터 직선거리 200m까지의 지역 중 절대보호구역을 제외한 지역

(4) 교육환경보호구역의 설정

① 교육감은 학교경계 또는 학교설립예정지 경계(이하 "학교경계 등"이라 한다)로부터 직선거리 200m의 범위 안의 지역을 「교육환경 보호에 관한 법률」 제8조 제1항 각 호의 구분에 따라 교육환경보호구역으로 설정 · 고시한다.

② 학교설립예정지를 결정 · 고시한 자나 학교설립을 인가한 자는 학교설립예정지가 확정되면 지체 없이 관할 교육감에게 그 사실을 통보한다.

③ 교육감은 학교설립예정지가 통보된 날부터 30일 이내에 교육환경보호구역을 설정 · 고시한다.

④ 설정 · 고시된 교육환경보호구역이 다음 각 호의 어느 하나에 해당하게 된 때에는 그 효력을 상실한다.

㉠ 학교가 폐교되거나 이전(移轉)하게 된 때(대통령령으로 정하는 바에 따른 학교설립계획 등이 있는 경우는 제외)

㉡ 학교설립예정지에 대한 도시 · 군 관리계획결정의 효력이 상실된 때

㉢ 유치원이나 특수학교 또는 대안학교의 설립계획이 취소되었거나 설립인가가 취소된 때

(5) 교육환경보호구역 관리자

① 보호구역이 설정된 학교장이 관리한다.

② 보호구역이 중복되는 경우

㉠ 상·하급 학교 간의 보호구역이 중복되면 하급학교(단, 유치원인 경우 상급학교)에서 관리한다.

㉡ 같은 급인 경우 학생 수가 많은 학교에서 관리한다.

㉢ 절대보호구역과 상대보호구역이 서로 중복되는 경우는 그 중복된 보호구역에 대한 관리는 절대보호구역이 설정된 학교의 장이 관리한다.

(6) 학교보건위원회 구성

① 학생과 교직원의 건강을 보호·증진하기 위한 기본계획을 수립·시행하고, 이에 필요한 시책을 마련하기 위해 기본계획 및 학교보건의 중요시책을 심의하기 위하여 교육감 소속으로 시·도 학교보건위원회를 둔다.

② 시·도 학교보건위원회는 학교의 보건에 경험이 있는 15명 이내의 위원으로 구성한다.

③ 보건위원회 위원은 해당 교육청의 국장급 공무원 및 학교보건에 관하여 학식이 있거나 경험이 있는 사람 중에서 교육감이 임명하거나 위촉한다.

④ 위촉한 위원의 임기는 2년으로 하되, 연임할 수 있다. 다만, 보궐위원의 임기는 전임자 임기의 남은 기간으로 한다.

⑤ 시·도 학교보건위원회의 기능·운영과 그 밖에 필요한 사항은 대통령령으로 정한다.

⑥ 보건위원회의 기능 및 심의사항

㉠ 학생과 교직원의 건강증진에 관한 시·도의 중·장기 기본계획

㉡ 학교보건과 관련되는 시·도의 조례 또는 교육규칙의 제정·개정안

㉢ 교육감이 회의에 부치는 학교보건정책 등에 관한 사항

7. 학교건강검사규칙 기출 08, 09, 12, 17, 18, 19, 20

(1) 건강검사의 실시 – 학교건강검사의 실시 배경 및 목적

① 학생들의 건강위험요인 조기발견·관리로 학생 건강보호·증진 및 악화 방지, 학생건강관리대책 강구, 국가 수준의 학생 건강지표 개발을 목적으로 한다.

② 학교의 장은 건강검사의 결과를 교육과학기술부령으로 정하는 기준에 따라 작성·관리해야 한다.

③ 교육정보시스템을 이용하여 처리한다.

④ 신체의 발달상황, 신체의 능력, 정신건강 상태검사, 건강조사 및 건강검진을 실시한다.

(2) 건강검사의 구분

신체 발달상황	① 검사항목은 키와 몸무게이며, 키와 몸무게를 이용해 비만도를 산출 ② 학교건강검사규칙 [별표 1] 신체의 발달상황에 대한 검사항목 및 방법(제4조 제2항 관련)
신체 능력검사	① 체력요소를 평가하여 신체의 능력등급을 판정하는 필수평가와 신체활동에 대한 인식 정도 등 필수평가에 대한 심층평가를 하는 선택평가로 구분 ② 학교건강검사규칙 [별표 3] 신체능력검사 항목 및 방법(제7조 제5항 관련)
건강조사	① 예방접종 및 병력, 식생활 및 비만, 위생관리, 신체활동, 학교생활 및 가정생활, 텔레비전 · 인터넷 및 음란물의 이용, 안전의식, 학교폭력, 흡연 · 음주 및 약물의 사용, 성 의식, 사회성 및 정신건강, 건강상담 등을 실시 ② 학교건강검사규칙 [별표 1의 2] 건강조사 항목 및 방법(제4조의2 제2항 관련)
정신건강 상태검사	① 설문조사 등의 방법으로 시행하며, 그 결과처리는 교육정보시스템을 통하여 알 수 있음 ② 학교의 장은 학교건강검사규칙 제4조의3의 정신건강 상태 검사를 실시할 때 필요한 경우에는 학부모의 동의 없이 실시할 수 있음. 이 경우 학교의 장은 지체 없이 해당 학부모에게 검사 사실을 통보하여야 함
건강검진	① 척추, 눈 · 귀 · 콧병, 목병, 피부병, 구강, 병리검사, 허리둘레 등에 대해 검사 혹은 진단하여야 함 ② 건강상의 결함이나 질병의 유무에 대하여 국민건강보험법상 검진기관에 의뢰하여 실시 ③ 학교건강검사규칙 [별표 2] 건강검진 항목 및 방법(제5조 제2항 관련)
별도검사	① 건강검진을 받지 아니하는 초 · 중 · 고등학생에 대하여 소변검사, 시력검사, 결핵검사, 구강검사를 실시 ② 「학교건강검사규칙」 제6조 • **소변검사 및 시력검사**: 초등학교 · 중학교 및 고등학교의 학생 중 교육감이 지정하는 학년의 학생 • **결핵검사**: 고등학교의 학생 중 교육감이 지정하는 학년의 학생 • **구강검사**: 중학교 및 고등학교의 학생 중 교육감이 지정하는 학년의 학생 ③ 위 세 검사의 시기 및 방법 등 검사에 필요한 사항은 교육감이 정함 ④ 「초 · 중등교육법」 제2조 제1호의 학교와 이에 준하는 특수학교 · 각종학교의 1학년 및 4학년 학생. 다만, 구강검진은 전 학년에 대하여 실시하되, 그 방법과 비용 등에 관한 사항은 지역실정에 따라 교육감이 정함(「학교보건법」 제7조 제1항 제1호)

관련 법령

학교건강검사규칙 [별표 1]

신체의 발달상황에 대한 검사항목 및 방법(제4조 제2항 관련)

검사항목	측정단위	검사방법
키	센티미터 (㎝)	1. 검사대상자의 자세 가. 신발을 벗은 상태에서 발꿈치를 붙일 것 나. 등·엉덩이 및 발꿈치를 측정대에 붙일 것 다. 똑바로 서서 두 팔을 몸 옆에 자연스럽게 붙일 것 라. 눈과 귀는 수평인 상태를 유지할 것 2. 검사자는 검사대상자의 발바닥부터 머리끝까지의 높이를 측정
몸무게	킬로그램 (㎏)	옷을 입고 측정한 경우 옷의 무게를 뺄 것
비만도	-	1. 비만도는 학생의 키와 몸무게를 이용하여 계산된 체질량지수(BMI, Body Mass Index: ㎏/m²)를 성별·나이별 체질량지수 백분위수 도표에 대비하여 판정한다. 2. 비만도의 표기방법은 다음 각 목과 같다. 가. 체질량지수 백분위수 도표의 5 미만인 경우: 저체중 나. 체질량지수 백분위수 도표의 85 이상 95 미만인 경우: 과체중 다. 체질량지수 백분위수 도표의 95 이상인 경우: 비만 라. 가목부터 다목까지의 규정에 해당되지 않는 경우: 정상

※ 비고: 수치는 소수 첫째자리까지 나타낸다(측정값이 소수 둘째자리 이상까지 나오는 경우에는 둘째자리에서 반올림 한다).

관련 법령

학교건강검사규칙 [별표 1의2]

건강조사 항목 및 방법(제4조의2 제2항 관련)

1. 조사항목 및 내용

조사항목	조사내용
1. 예방접종/병력	가. 전염병 예방접종 나. 가족병력 다. 개인병력
2. 식생활/비만	가. 식습관 나. 인스턴트 및 그 밖에 식품의 섭취형태 다. 다이어트 행태
3. 위생관리	가. 손 씻기 나. 양치질
4. 신체활동	가. 근지구력 향상을 위한 운동 나. 심폐기능 향상을 위한 운동 다. 수면
5. 학교생활/가정생활	가. 가족 내 지지 정도 나. 학교생활 적응 정도 다. 교우관계

6. 텔레비전/인터넷 /음란물의 이용	가. 텔레비전 시청 나. 인터넷 이용 다. 음란물에의 노출 여부 및 정도
7. 안전의식	가. 안전에 대한 인식 나. 안전사고의 발생
8. 학교폭력	가. 학교폭력에의 노출 여부 및 정도
9. 흡연/음주/약물의 사용	가. 흡연 나. 음주 다. 흡입제의 사용 여부 및 약물의 오·남용 여부 등
10. 성 의식	가. 성문제 나. 성에 대한 인식
11. 사회성/정신건강	가. 사회성(자긍심, 적응력 등) 나. 정신적 건강(우울, 자살, 불안증, 주의력 결핍 등)
12. 건강상담	가. 건강에 대한 상담의 요구 등

2. 조사방법

시·도교육감은 위 조사항목 및 내용을 포함한 구조화된 설문지를 마련하고, 학교의 장을 통하여 조사할 수 있도록 한다.

관련 법령

학교건강검사규칙 [별표 2]

건강검진 항목 및 방법(제5조 제2항 관련)

검진항목		검진방법(세부항목)
1. 척추		척추옆굽음증(척추측만증) 검사
2. 눈	가. 시력측정	1) 공인시력표에 의한 검사 2) 오른쪽과 왼쪽의 눈을 각각 구별하여 검사 3) 안경 등으로 시력을 교정한 경우에는 교정시력을 검사
	나. 안질환	결막염, 눈썹찔림증, 사시 등 검사
3. 귀	가. 청력	1) 청력계 등에 의한 검사 2) 오른쪽과 왼쪽의 귀를 각각 구별하여 검사
	나. 귓병	중이염, 바깥귀길염(외이도염) 등 검사
4. 콧병		코곁굴염(부비동염), 비염 등 검사
5. 목병		편도선비대·목부위림프절비대·갑상샘비대 등 검사
6. 피부병		아토피성피부염, 전염성피부염 등 검사
7. 구강	가. 치아상태	충치, 충치발생위험치아, 결손치아(영구치로 한정) 검사
	나. 구강상태	치주질환(잇몸병)·구내염 및 연조직질환, 부정교합, 구강위생상태 등 검사
8. 병리 검사 등	가. 소변	요컵 또는 시험관 등을 이용하여 신선한 요를 채취하며, 시험지를 사용하여 측정(요단백·요잠혈 검사)
	나. 혈액	1회용 주사기나 진공시험관으로 채혈하여 다음의 검사 1) 혈당(식전에 측정), 총콜레스테롤, 고밀도지단백(HDL) 콜레스테롤, 중성지방, 저밀도지단백(LDL) 콜레스테롤 및 간 세포 효소(AST·ALT) 2) 혈색소

	다. 결핵	흉부 X-선 촬영 및 판독
	라. 혈압	혈압계에 의한 수축기 및 이완기 혈압
9. 허리둘레		줄자를 이용하여 측정
10. 그 밖의 사항		제1호부터 제9호까지의 검진항목 외에 담당의사가 필요하다고 판단하여 추가하는 항목(검진비용이 추가되지 않는 경우로 한정)

※ 적용범위 및 판정기준

1. 다음 각 목의 검진항목에 대한 검사 또는 진단은 해당 목에 따른 학생을 대상으로 하여 실시한다.
   가. 위 표 제8호 나목 1) 및 같은 표 제9호의 검진항목: 초등학교 4학년과 중학교 1학년 및 고등학교 1학년 학생 중 비만인 학생
   나. 위 표 제8호 나목 2)의 검진항목: 고등학교 1학년 여학생
   다. 위 표 제8호 다목의 검진항목: 중학교 1학년 및 고등학교 1학년 학생
2. 위 표에서 정한 건강검진 방법에 관하여 필요한 세부적인 사항 및 건강검진 결과의 판정기준은 교육부장관이 정하여 고시하는 기준에 따른다.
3. 위 표 제1호부터 제10호까지의 검진항목 외의 검진항목에 대한 검진방법 및 건강검진 결과의 판정기준은 「국민건강보험법」 제52조 제4항 및 같은 법 시행령 제25조 제5항에 따라 보건복지부장관이 정하여 고시하는 기준에 따른다.

(3) 실시 대상 및 기관

① **초등학교 1학년과 4학년, 각종 1학년 학생**: 건강검진 실시기관에 의뢰하여 건강검사를 시행한다.

② **신체 능력검사**: 초등학교 5학년 및 6학년 학생, 중학교 및 고등학교 학생을 대상으로 한다(다만, 학교의 장은 학교의 여건을 고려하여 초등학교 4학년에 대한 필수평가 또는 선택평가의 실시 여부를 자율적으로 결정한다).

구분	초등학교		중학교		고등학교	
	1, 4학년	2, 3, 5, 6학년	1학년	2, 3학년	1학년	2, 3학년
신체 발달	검진기관	당해학교	검진기관	당해학교	검진기관	당해학교
건강 조사	검진기관	당해학교	검진기관	당해학교	검진기관	당해학교
건강 검진	검진기관	검진기관 (구강)	검진기관	-	검진기관	-
별도 검사	구강	구강, 소변, 시력	구강	소변, 시력, 구강	구강	소변, 시력, 결핵, 구강

검진기관에서 실시
「학교건강검사규칙」상 건강검진을 실시하는 학생에 대한 신체의 발달상황에 대한 검사는 검진기관에서 실시할 수 있다.

「학교건강검사규칙」 제6조 【별도의 검사】
① 학교의 장은 법 제7조 제3항에 따른 별도의 검사를 다음 각 호의 학생에 대하여 실시할 수 있다.
1. 소변검사 및 시력검사: 초등학교·중학교 및 고등학교의 학생 중 교육감이 지정하는 학년의 학생
2. 결핵검사: 고등학교의 학생 중 교육감이 지정하는 학년의 학생
3. 구강검사: 중학교 및 고등학교의 학생 중 교육감이 지정하는 학년의 학생

② 제1항의 규정에 의한 검사의 시기 및 방법 등 검사에 필요한 사항은 교육감이 정한다.

<table>
<tr><th>구분</th><th>초등학교 1학년</th><th>초등학교 4학년</th><th>중학교 1학년</th><th>고등학교 1학년</th></tr>
<tr><td>기본
공통
항목</td><td colspan="4">근 · 골격 및 척추, 눈 · 귀 · 코 · 목 · 피부, 구강, 기관능력, 소변검사, 혈압</td></tr>
<tr><td rowspan="2">추가
항목</td><td rowspan="2">혈액형</td><td>색각검사</td><td>• 색각검사
• 간염검사
• 결핵검사</td><td>• 결핵검사
• 혈색소
(여학생)</td></tr>
<tr><td colspan="3">비만학생(혈당, 총콜레스테롤, AST · ALT)</td></tr>
</table>

(4) 건강검진 절차

① **건강검진기관 선정**: 학교의 장이 학교운영위원회의 심의 또는 자문을 받아 2개 이상 복수로 선정한 후 학생 건강검진 계약을 체결한다.

② **건강검진 실시**: 검진기관은 검진을 실시한 후 검진결과통보서 2부를 작성하여 해당 학생 또는 학부모 및 해당 학교의 장에게 각각 통보한다.

(5) 건강검사 기록

① 학생건강체력평가시스템을 교육정보시스템(NEIS: National Education Information System)과 연계하여 구축하고 학생, 학부모가 조회할 수 있도록 관리한다.

② 학생건강 기록부는 해당 학생이 고등학교를 졸업할 때 교부하여야 하며, 학생이 진학을 못하거나 휴학, 퇴학으로 졸업하지 못하면 최종 제적된 고등학교에서 5년간 보존한다.

(6) 건강검사 표본학교의 지정 및 보고

표본학교의 장은 건강검사를 실시한 때에는 그 결과를 교육감을 거쳐 교육부장관에게 보고한다.

(7) 건강검사실시의 예외

학교의 장은 천재지변 등 부득이한 사유가 있어 당해연도에 건강검사를 실시할 수 없는 경우에는 관할 교육감 또는 교육장의 승인을 받아 신체의 발달상황 및 능력과 건강조사는 생략할 수 있으며, 건강검진은 다음 학년도로 연기할 수 있다.

예 2021년 코로나바이러스 감염증 19로 인하여 전국 학교 건강검진 미실시, 2022년 건강검사 실시 대상은 초등학교 1, 2, 4, 5학년, 중학교 1 ~ 2학년, 고등학교 1 ~ 2학년

8. 학교 감염 관리

(1) 학교감염병 대응체계

평상시 학교의 대비 및 대응

단계	상황	기간	주요 내용
예방	학교 내 감염병이 없거나 감기 혹은 단순한 설사 등 특이사항 없이 일반적인 상황을 유지하는 경우	-	• 감염병 환자 발생에 대비하여 다음 체계를 구축(조직 구성, 계획 수립) 및 예방활동 수행 • 학생 감염병 예방·관리계획 수립 • 학생 감염병 관리 조직 • 예방접종 관리 • 감염병 예방교육 • 수동감시체계 운영 • 방역활동
대응 제1단계: 학교 내 감염병 유증상자의 발견 및 확인단계	감염병 유증상자가 있음	감염병 유증상을 발견한 후부터 의료기관 확인을 통해 감염병(의심) 환자 발생 혹은 감염병이 아닌 것을 확인할 때까지	의료기관에 진료를 의뢰하여 결과를 확인한 후 감염병(의심) 환자 발생 여부 확인
대응 제2단계: 학교 내 감염병 유행의심 여부를 확인하는 단계	의료기관으로부터 확인받은 감염병(의심) 환자가 있음	학교 내 감염병(의심) 환자 발생을 확인한 순간부터 추가(의심) 환자 발생 확인을 통해 유행 의심기준을 충족하거나 기존(의심) 환자의 완치 및 추가(의심) 환자가 발생하지 않은 경우	감염병(의심) 환자의 추가 발생을 파악하여 유행 의심 여부를 판단함
대응 제3단계: 학교 내 유행 확산 차단	감염병(의심) 환자가 2명 이상 있음	유행의심을 확인한 후부터 해당 감염병으로 인한 기존(의심) 환자가 모두 완치되고 최대 잠복기까지 추가(의심) 환자 발생이 없을 때까지	학생 감염병 관리 조직의 유행 시 대응활동을 통해 유행 확산을 방지함
복구단계: 학교 내 유행 종결 및 복구	유행 종결 및 복구	기존(의심) 환자가 모두 완치되고 최대 잠복기까지 추가(의심) 환자 발생이 없을 때부터 사후조치가 완료될 때까지	유행 종결 보고 및 사후조치 실시

평소 수준
학교 내 감염병이 없거나 감기 혹은 단순한 설사 등 특이사항 없이 일반적인 상황을 유지하는 경우

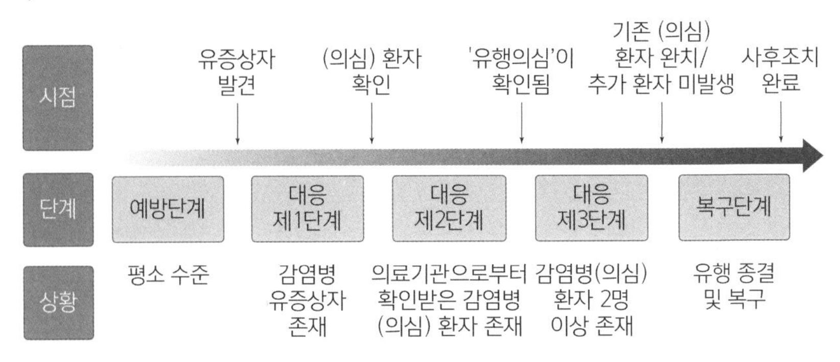

감염병으로 인한 국가위기단계별 학교 및 교육행정기관 대응

단계		판단 기준	학교 내 발생가능성	대응
예방		평상시	없음	• 일반적 대비 • 대응체계 구축
국가위기단계	관심 (Blue)	해외 신종 감염병 발생 (세계보건기구: '국제 공중보건 위기상황' 선포)	없음	• 감염병 발생 동향 파악 • 구체적 대응방안 검토
		국내의 원인불명 · 재출현 감염병 발생	산발적	• 구체적 대응방안 검토 • 징후 감시 활동 (필요 시)
	주의 (Yellow)	• 해외 신종 감염병의 국내 유입 및 제한적 전파 (세계보건기구: '감염병 주의보' 발령) • 국내에서 원인불명 · 재출현 감염병의 제한적 전파	해당 지역	• 구체적 대응방안 마련 • 유관기관 협조체계 가동 • 환자발생 지역에 대한 감시 및 대응 실시
	경계 (Orange)	• 해외 신종 감염병의 국내 유입 후 추가 전파에 따른 지역사회 전파 • 국내 원인불명 · 재출현 감염병의 추가 전파에 따른 지역 전파	해당 지역	• 대응체제 가동 • 유관기관 협조체계 강화 • 환자발생 지역에 대한 감시 및 대응 강화
	심각 (Red)	• 해외 신종 감염병의 전국적 확산 징후 • 국내 원인불명 · 재출현 감염병의 전국적 확산 징후	전국적	• 대응역량 총동원 • 범정부적 협조체계 강화 • 전국으로 감시 및 대응 강화 확대
복구		유행 종료	산발적	• 평가 및 보완 • 복구 • 감시 활동 유지

(2) 학교 감염병 보고 및 신고

구분	보고 및 신고 대상
교육청 보고	① 모든 감염병 환자 발생 ② 법정 감염병 환자 ③ 비법정 감염병 중 같은 학급에 2명 이상 발생 시 ④ 보고 시 감염병의 종류, 발생일자, 학교조치사항을 함께 보고
교육청 보고와 관할 보건소 신고	① 집단으로 감염병 환자가 발생 시 ② 신고대상 감염병(「감염병의 예방 및 관리에 관한 법률 시행규칙」 제8조)인 홍역, 결핵과 유행성 이하선염 환자가 발생한 경우는 교육청 보고와 함께 관할 보건소에도 즉시 신고

(3) 학교 빈발 감염병 관리방안

감염병	임상 증상	전염 가능 기간	전파 차단을 위한 등교 중지(격리) 기간[1)2)]	잠복기[3)]	밀접 접촉자 파악	일시적 격리[4)]	마스크 착용
B형 헤모필루스 인플루엔자	수막염, 후두개염, 폐렴, 관절염 등	항생제 치료 후 48시간	항생제 치료 시작 후 24시간까지	2 ~ 4일	○	○	×
감기군	발열, 기침, 객담 등 호흡기계 증상	이환기간 내내	등교 중지 안 함	병원체마다 다양 (보통 2 ~ 14일)	×	○	○
결핵	발열, 전신 피로감, 식은땀, 체중 감소	약물 치료 시작 후 2주까지	약물 치료 시작 후 2주까지	수년까지 가능 (50% 2년 이내)	○	○	○
급성 출혈성 결막염	충혈, 안통, 이물감, 많은 눈물, 눈곱, 눈부심, 결막하출혈	발병 후 4일 ~ 1주일	격리없이 개인위생수칙을 철저히 지킬 것을 권장	8 ~ 48시간	○	○	×
노로 바이러스	오심, 구토, 설사, 복통, 권태감, 발열	급성기부터 설사가 멈추고 48시간 후까지	증상 소실 후 48시간까지	24 ~ 48시간 (평균 33시간)	○	○	×
백일해	상기도 감염 증상, 발작적 기침, 구토	2주간 전염력이 높으며 증상발생 4주 후에는 전염성이 소실	항생제 투여 후 5일까지	7 ~ 20일 (평균 5 ~ 10일)	○	○	○
성홍열	미만성 구진, 발열, 두통, 구토, 복통, 오한 및 인후염	항생제 치료 시작 후 24시간까지	항생제 치료 시작 후 24시간까지	1 ~ 3일	○	○	○

수두	피부 발진, 수포, 발열, 피로감	수포가 생기기 1 ~ 2일 전부터 모든 수포에 가피가 형성이 될 때까지	모든 수포에 가피가 형성될 때까지	10 ~ 21일 (평균 14 ~ 16일)	○	○	○
수막구균성 수막염	두통, 발열, 경부경직, 오심, 구토	항생제 치료 시작 후 24시간까지	항생제 치료 시작 후 24시간까지	2 ~ 10일 (평균 3 ~ 4일)	○	○	○
수족구병	발열, 손, 발바닥 및 구강 내 수포 및 궤양	발병 후 7일간이 가장 전염력 강함, 피부 병변(수포)에 가피가 생성될 때까지	수포 발생 후 6일간 또는 가피가 형성될 때까지	3 ~ 7일	○	○	○
유행성 각결막염	충혈, 안통, 이물감, 많은 눈물, 눈곱, 눈부심, 결막하출혈	발병 후 14일까지	격리 없이 개인위생수칙을 철저히 지킬 것을 권장	5 ~ 7일	○	○	×
유행성 이하선염	이하선 부종, 발열, 두통, 근육통	증상 발생 3일 전부터 발생 후 5일까지	증상 발생 후 5일까지	14 ~ 25일 (평균 14 ~ 18일)	○	○	○
인플루엔자	발열, 두통, 근육통, 인후통, 기침, 객담	증상 발생 1일 전부터 5일까지	유행 차단을 위한 등교 중지는 의미없지만 환자상태에 따라 실시	1 ~ 4일 (평균 2일)	×	○	○
풍진	구진성 발진, 림프절 종창, 미열 등 감기 증상	발진 생기기 7일 전부터 생긴 후 7일까지	발진이 나타난 후 7일까지	14 ~ 23일 (평균 16 ~ 18일)	○	○	○
홍역	발진, 발열, 기침, 콧물, koplik 반점	발진 발생 4일 전부터 발진 발생 4일 후까지	발진이 나타난 후 4일까지	7 ~ 21일 (평균 10 ~ 12일)	○	○	○

1) 전파 차단을 위한 등교 중지 기간으로 관련 질환에 대한 질병관리청 매뉴얼의 환자 격리 기간을 바탕으로 작성함
2) 등교 중지 기간은 휴일을 포함
3) 감염 시작 시점부터 증상과 징후 발생 시점까지의 기간
4) 전파 우려가 있는 감염병 의심 학생이 의료기관에 진료를 받으러 가기 전까지 격리하여 관찰하는 것

Plus⁺ POINT

수동감시와 능동감시 정의

수동감시	평소에 학생들을 관찰하거나 보건실 이용 과정을 통해 감염병(의심) 환자를 발견하는 것
능동감시	유행이 의심되는 일정 기간 동안 증상 유무 묻기, 검사 등을 통해 감염병(의심) 환자를 적극적으로 파악하는 것

2 학교보건실 운영

1. 학교보건조직 운영

(1) 학교보건반 운영

① 학교 지역사회 내에서의 효율적인 건강관리전달체계의 1차 예방 활동자로서, 각 학습에서 발생하는 건강상의 문제점에 대한 신속한 정보 제공자의 역할과 기능을 기대할 수 있다.

② 보건교사는 간단한 응급처치방법 또는 이상증상에 관한 관찰방법 등에 대한 사전 보건교육을 실시한 후에 이들을 활용할 수 있다.

③ **학교보건반에서 기대되는 활동**

㉠ 각 학급에서 발생하는 응급상황에 최대한 안전한 방법으로 학교보건실에 환자를 데리고 올 수 있다.

㉡ 각 학급에서 학교보건실을 이용해야 할 학생이 있는지 관찰하여, 담임교사를 거쳐 보건교사에게 보고할 수 있다.

㉢ 매일매일의 학급 내의 보건 관련 상태, 사건, 활동 등을 보건활동 일지에 기록하여 보고하도록 할 수 있다.

㉣ 체격검사 시에 측정도구를 준비 · 점검하며 신장, 체중, 좌고 등을 직접 측정 · 기록할 수 있다.

㉤ 각 학급 내에 속해 있는 보건반 학생들로 하여금, 보건교육을 통한 보건지식이나 건강 상식 등의 내용을 효과적으로 전달할 수 있다.

㉥ 각 학급 내에서 행해지는 각종 검사물의 수집요원으로 활용할 수 있다.

㉦ 보건교육에 필요한 요원으로 활용할 수 있다(역할극의 참여, 시범요원, 교육매체 준비 등).

(2) 교사 · 보건교사 회의

체육교사, 담임교사, 보건교사들로 구성하여 학교의 건강문제 해결을 위한 자료 수집, 실태 분석, 대책 수립을 강구하도록 한다.

(3) 학부모 · 보건교사 회의

학생들의 질병을 예방하고 건강을 유지 · 증진하기 위해, 학부모와 보건교사의 정기적인 만남을 통해서 가정과 학교가 긴밀한 의사소통을 함으로써 협력한다면, 더욱 효율적으로 학생들의 학습활동을 도모할 수 있을 것이다.

(4) 보건실 이용절차

보건교사가 학교보건실을 효율적으로 이용하기 위해서는 학생들에게 보건실 이용절차를 알릴 필요가 있다.

2. 각종 기록과 보고서 작성

(1) 기록의 목적

① 보건교사의 학교보건사업 활동에 관한 확실한 근거서류가 된다.
② 학교보건사업활동에 관한 기초자료가 되므로 재계획 수립과 방침 결정에 참고자료가 된다.
③ 학교보건사업의 평가도구로 사용될 수 있다.
④ 학교와 보건의료전문인 사이의 정확한 의사소통수단으로 활용할 수 있다.
⑤ 학교보건사업에 관한 통계자료로 연구활동에 활용할 수 있다.
⑥ 보건교사가 제공한 간호활동에 관한 기록은 학생의 건강상태에 관한 추가적이면서 계속적인 정보를 제공하게 된다.
⑦ 학생을 위한 교육적 도구로 활용할 수 있다.
⑧ 기록은 보고서로의 가치가 있다.

(2) 기록의 종류(주요 기록의 예)

① 학생건강기록부
② 건강이상 학생 상담일지
③ 약품수불대장
④ 비품대장
⑤ 각종 병리검사 실시 명단
⑥ 학교급식 점검일지
⑦ 각종 예방접종 명단
⑧ 학교환경 상태 점검일지
⑨ 개인 건강기록 카드
⑩ 학생 신체의 발달상황 검사 통계표
⑪ 보건실 일일 업무일지
⑫ 보건실 월별 업무일지
⑬ 요양아동 및 특수아동 관리기록부
⑭ 수업연구 참관기록지

(3) 기록 유지의 기준(정확하고 읽기 쉬운 기록을 위한 기준)

① 정확성
② 시간의 적절성
③ 완전성
④ 문제에 대한 타당성 및 합리성

(4) 기록의 보관

기록의 종류에 따라 보관기간이 다르지만 보통 5년 이내이다.

(5) 보고의 종류(실제, 학교보건실 현장에서 이루어지는 보고의 예)

① 흡연 · 음주 등 약물남용 예방추진 실적 보고
② 학생 비만예방 추진 실적 보고
③ 학교와 보건소 연계 학생건강관리사업 전개 실적 보고
④ 학생 건강검진 추진 현황 보고
⑤ 학교보건 연구(시범)학교 지정 현황 보고
⑥ 난치병 학생 현황 보고
⑦ 학생 건강검사 결과 처리 현황 보고
⑧ 학교 보건교육 실시 현황 보고
⑨ 학교 학생 별도검사 실시 현황 보고
⑩ 학교 음용수 수질검사 결과 보고
⑪ 기타 상위기관에서 공문서에 의한 보고를 요청하는 보고 등

(6) 보고 공문 작성요령

① 보고 받는 사람이 내용을 잘 이해할 수 있도록 보고내용을 명료하게 정리 · 종합하여 보고한다.
② 보고의 목적에 맞게 보고 공문을 작성한다.
③ 보고 기한일을 넘기지 않도록 하기 위하여 사전에 충분한 기간을 두고 작성하도록 한다.
④ 정해진 보고서식을 사용한다.

3 학교 내 응급 건강문제와 응급처치

1. 응급상황 발생

(1) 응급상황 시 보건교사의 역할

① 신속하고 침착하게 대처한다.
② 사고원인, 환자상태를 파악하고 생명을 위협하는 위급상황은 즉시 사정 후 해결한다.
③ **가까운 의료기관에 이송**: 후송 및 사고 경위, 상태, 발견 장소, 시간, 처치 상황, 주위 환경을 기록한다.
④ 이송 중에 환자를 살펴 모든 손상을 발견한다.

(2) 위급이나 위독한 경우 병원 후송체계

① **보건교사**: 응급처치 후 119에 연락하고, 다른 후송방법을 모색한다.
② **환자 발생 및 후송방법 보고**: 학교별 보고체계에 따른다.
③ **담임교사**: 부모에게 연락한다.
④ **병원 후송**: 보건교사와 담임교사가 담당한다.
⑤ 학생의 진료상황을 학교에 보고하고 학부모를 위로한다.

2. 심폐소생술 기출 14, 16, 17, 18, 19

(1) 정의

심장마비 환자에게 응급으로 호흡과 혈액순환을 보조해 주는 과정으로 심장마비가 발생한 사람을 살리기 위해 시행되는 일련의 생명 구조행위를 말한다.

Plus⁺ POINT

2015년 심폐소생술 가이드라인에 포함된 분야 내용

구분	내용
기본소생술	• 생존 사슬, 심폐소생술의 법적 측면, 심폐소생술에서의 소아와 성인의 구분, 심정지 환자에 대한 구조자의 행동요령, 응급의료전화상담원을 위한 권고사항 • 기본소생술에서의 주요 변경사항, 성인 심정지환자의 심폐소생술 순서, 인공순환, 인공호흡, 가슴압박소생술, 자동제세동기, 이물질에 의한 기도폐쇄, 심폐소생술과 관련된 윤리
전문소생술	심정지의 치료, 전문기도유지술, 제세동, 인공심장박동조율술, 서맥의 치료, 빈맥의 치료, 자동흉부압박기, 체외심폐소생술, 특수상황에서의 심정지의 치료
심정지 후 치료	심정지 후 증후군, 심정지 후 통합치료의 목표, 심정지 후 통합치료전략, 신경학적 예후 예측, 심정지 후 장기 기증, 심정지 후 치료 병원
소아기본소생술	소아 심정지에서의 생존사슬, 일반인을 위한 소아기본소생술, 의료제공자를 위한 소아기본소생술, 가슴압박소생술, 이물에 의한 기도폐색, 특수 상황의 소생술
소아전문소생술	전문소생술 중 고려해야 할 기본소생술, 전문기도유지술, 흡입도구, 체외순환보조, 소생술 중의 환자 감시, 주사로의 확보와 유지, 수액과 약물 투여, 소아전문소생술에 사용되는 약물, 심정지의 치료, 제세동기, 제세동과 소생술 순서의 통합, 서맥의 치료, 빈맥의 치료, 특수 소생술 상황, 특별한 처치가 필요한 환자에서의 소생술, 소생 후 치료, 병원 간 이송, 소생술 시 가족의 참관, 소아에서 소생시도의 종료, 설명되지 않는 갑작스런 사망
신생아 소생술	출생 전후의 생리적 반응, 첫 단계, 양압 환기, 가슴압박, 약물 요법, 소생술 후 관리, 소생술 보류 및 소생술 중단, 소생술 교육 프로그램
교육 가이드라인	심폐소생술 교육에서의 핵심 권장사항, 심폐소생술 수행 의지를 높이기 위한 교육 원칙, 효과적인 교육법 고안, 재교육 기간, 소생술 술기 능력 향상을 위한 방법, 심폐소생술 교육방법, 소셜 미디어 기술의 역할, 지역사회 가이드라인의 보급, 교육과정 필수 권장사항, 심폐소생술 교육의 질 관리

(2) 기본소생술 순서(2020년 한국심폐소생술 가이드라인)

① 병원 밖 심장정지 기본소생술 순서(일반인 구조자)

㉠ 심장정지가 의심되는 환자를 발견한 일반인 구조자는 현장이 안전한지 확인한 다음 환자에게 다가가 반응을 확인한다.

㉡ 반응이 없으면 119 신고 및 자동심장충격기(일반인 구조자 대상으로 자동제세동기 대신 자동심장충격기 용어를 사용)를 요청하고 구급상황(상담)요원의 조언에 따른다. 환자의 호흡이 정상이라면 관찰하면서 구급대를 기다리고, 호흡이 없거나 정상이 아니라면 가슴압박소생술을 시작한다.

㉢ 인공호흡을 교육받았고 시행할 의지가 있다면 30 : 2로 가슴압박과 인공호흡을 시행한다. 자동심장충격기를 사용할 수 있으면 음성지시에 따라 제세동을 시행한다.

㉣ 제세동이 필요하지 않거나 제세동을 한 직후에는 바로 2분 동안 심폐소생술을 시행한 다음 자동심장충격기로 심장 리듬을 다시 분석한다. 심폐소생술은 구급대가 도착하거나 환자가 움직이거나 호흡이 정상화될 때까지 시행하여야 한다.

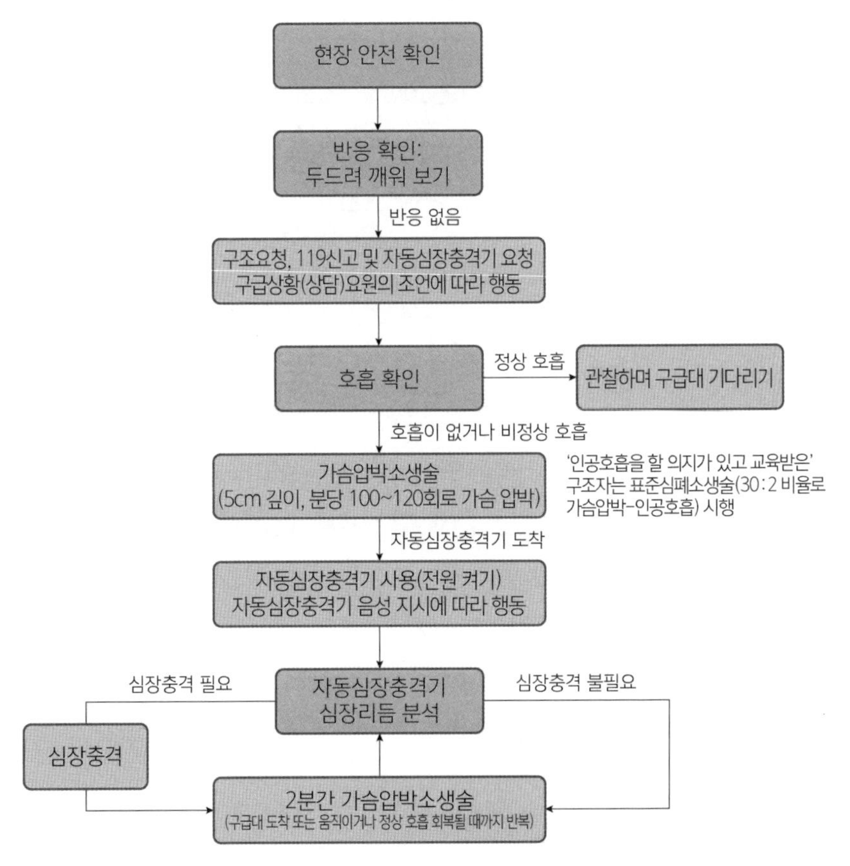

⊙ 2020년 성인 병원 밖 심장정지 기본소생술 순서(일반인 구조자용)

② **병원 밖 심장정지 기본소생술 순서(의료종사자)**

㉠ 기본적으로 일반인 구조자의 알고리즘과 같지만 일부 다른 부분이 있다. 반응이 없는 환자에 대해 구조 요청을 한 다음 10초 이내로 맥박과 호흡을 동시에 확인한다.

㉡ 맥박이 없거나 호흡이 정상적이지 않으면 가슴압박과 인공호흡을 30 : 2의 비율로 반복 시행한다.

㉢ 자동제세동기가 도착하면 2분마다 심장리듬을 분석하면서 필요하면 제세동을 시행한다.

㉣ 직접의료지도가 가능하면 의료지도에 따라 행동하고, 현장 심폐소생술을 6분간 시행한 다음에는 병원으로의 이송을 고려한다.

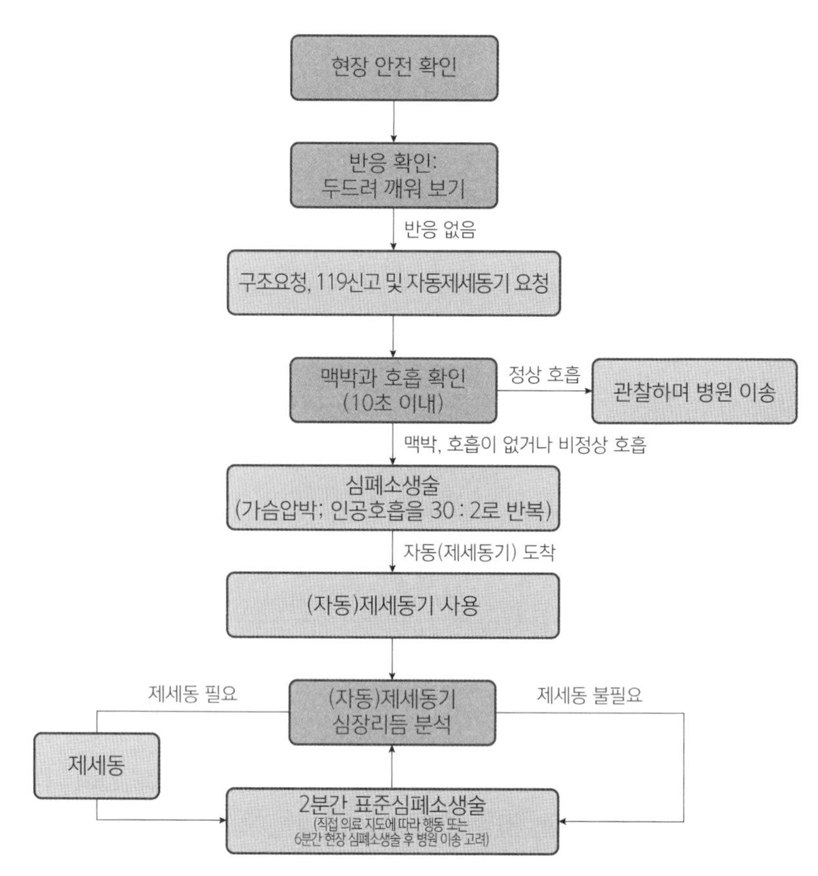

2020년 성인 병원 밖 심장정지 기본소생술 순서(의료종사자용)

<table>
<tr><th colspan="2">구분</th><th>성인</th><th>소아</th><th>영아</th></tr>
<tr><td colspan="2">심정지의 확인</td><td colspan="3">• 무반응
• 무호흡 혹은 심정지 호흡
• 10초 이내 확인된 무맥박(의료제공자만 해당)</td></tr>
<tr><td colspan="2">심폐소생술의 순서</td><td colspan="3">가슴압박 ⇨ 기도유지 ⇨ 인공호흡</td></tr>
<tr><td colspan="2">가슴압박 속도</td><td colspan="3">분당 100 ~ 120회</td></tr>
<tr><td colspan="2">가슴압박 깊이</td><td>약 5cm</td><td>가슴 두께의 최소 1/3 이상 (4 ~ 5cm)</td><td>가슴 두께의 최소 1/3 이상 (4cm)</td></tr>
<tr><td colspan="2">가슴 이완</td><td colspan="3">가슴압박 사이에는 완전한 가슴 이완</td></tr>
<tr><td colspan="2">가슴압박 중단</td><td colspan="3">가슴압박의 중단은 최소화
(불가피한 중단은 10초 이내)</td></tr>
<tr><td colspan="2">기도유지</td><td colspan="3">머리 기울임 - 턱 들어올리기(head tilt - chin lift)</td></tr>
<tr><td rowspan="2">가슴압박대 인공호흡 비율</td><td>전문기도 확보 이전</td><td>30 : 2</td><td colspan="2">• 30 : 2(1인 구조자)
• 15 : 2(2인 구조자, 의료제공자만 해당)</td></tr>
<tr><td>전문기도 확보 이후</td><td colspan="3">가슴압박과 상관없이 6초마다 인공호흡</td></tr>
<tr><td colspan="2">일반인 구조자</td><td>가슴압박 소생술</td><td colspan="2">심폐소생술</td></tr>
</table>

3. 응급처치교육 기출 17, 19

(1) 계획 및 주기

학교장은 매 학년도 3월 31일까지 응급처치교육의 대상 내용 방법 및 그 밖에 필요한 사항을 포함하여 해당 학년도의 응급처치교육계획을 수립해야 하고, 모든 교직원이 매 학년도 교육을 받을 수 있도록 해야 한다.

(2) 내용, 시간 및 강사

<table>
<tr><th>구분</th><th>내용</th><th>시간</th><th>강사</th></tr>
<tr><td>이론 교육</td><td>① 응급상황 대처요령
② 심폐소생술 등 응급처치 시 주의사항
③ 응급의료 관련 법령</td><td>2시간</td><td rowspan="2">① 의사(응급의학과 전문의 우선)
② 간호사(심폐소생술 등 응급처치와 관련된 자격을 가진 사람 한정)
③ 「응급의료에 관한 법률」 제36조에 따른 응급구조사 자격을 가진 사람으로서 응급의료 또는 구조 구급 관련 분야(응급처치교육 강사경력 포함)에서 5년 이상 종사하고 있는 사람</td></tr>
<tr><td>실습 교육</td><td>심폐소생술 등 응급처치</td><td>2시간</td></tr>
</table>

4 학교 급식

1. 개념 기출 12

학교급식 등에 관한 사항을 규정함으로써 학교급식의 질을 향상시키고 학생의 건전한 심신의 발달과 국민 식생활 개선에 기여함을 목적으로 학교 또는 학급의 학생을 대상으로 학교의 장이 실시하는 급식을 말한다(「학교급식법」 제2조).

2. 목적

(1) 성장기 어린이의 발육과 심신의 발달 및 건강증진
(2) 올바른 식생활습관 및 식생활의 예절 교육
(3) 편식의 교정 및 결핍증 예방
(4) 질서의식과 협동정신 함양
(5) 영양에 관한 지식 및 식품의 생산과 소비에 관한 지식
(6) 학력 향상 등에 기여

Plus⁺ POINT

학교 급식의 목적

구분	내용
건강적 측면	합리적인 영양 섭취, 연령에 알맞은 영양 공급, 건강증진 및 체위향상 등
교육적 측면	질서의식과 예절교육, 생활규칙 습득, 바람직한 식습관 형성 및 개선, 위생습관 확립, 학습 효율 상승 등
경제적 측면	효율적인 급식을 통하여 최소의 경비로 최고의 영양식 공급
사회적 측면	농수산업 구조 개선 촉진, 국민 식생활 개선

3. 중요성

(1) 어린이의 성장 발달, 체력 향상은 물론 결핍증이나 영양장애 등 질병관리 측면에서도 중요하다.

(2) 감수성이 높은 어린 시기에 올바른 학교급식을 실시하는 것은 미래에 건강한 생활을 할 수 있다는 것으로 보건교육학적인 의미를 가진다.

4. 영양관리 및 영양교사

(1) 배치 · 관리

영양교사

(2) 학교장

「학교급식법」에 의거하여 학교장은 학생의 영양불균형을 바로잡고, 저체중, 비만학생 등에게 영양상담 지도를 하도록 한다.

(3) 영양교사 직무

① 식단 작성, 식재료의 선정 및 검수
② 위생 · 안전 · 작업관리 및 검식
③ 식생활 지도, 정보 제공 및 영양상담
④ 조리실 종사자의 지도 · 감독
⑤ 그 밖에 학교급식에 관한 사항

국가 비만관리 종합대책

목표	• 비만예방 · 관리를 통한 국민의 건강한 삶 구현 • **2022년 비만율(추정)을 2016년 수준으로 유지** – **성인 전체:** 41.5%(2022년 추정비만율) ⇨ 34.8%(6.7% ↓) – **아동 · 청소년:** 19.7%(2022년 추정비만율) ⇨ 16.5%(3.2% ↓)			
전략	• 올바른 식습관 교육 강화 및 건강한 식품소비 유도 • 신체활동 활성화 및 건강친화적 환경 조성 • 고도비만자 적극치료 및 비만관리 지원 강화 • 비만에 대한 대국민 인식 개선 및 과학적 기반 구축			
분야	식습관 교육 강화 및 건강한 식품 소비 유도	신체활동 활성화 및 건강친화적 환경 조성	고도비만자 적극 치료 및 비만관리 지원 강화	대국민 인식 개선 및 과학적 기반 구축
추진 과제	**영양교육 및 식품 지원 강화** • 영양플러스사업 확대 • 모유수유 촉진 및 시설 위생관리 강화 • 아동 · 청소년 비만예방교육 강화 • 돌봄서비스 이용 아동 비만예방 관리 강화	**학교기반 아동 · 청소년 체육활동 강화** • 학교 스포츠클럽 활성화 • 건강증진 우수 프로그램 발굴 및 확산 • 스포츠강좌 이용권 지원 강화	**지역사회기반 비만 · 운동클리닉사업 추진**	**홍보 강화 및 정보 지원체계 구축** • 대국민 홍보활동 강화 • 생활단위 비만정보 시스템 구축 • 영양 · 식생활 · 신체활동 • 통합정보플랫폼 구축
	건강한 식품 선택 환경 조성 • 비만 조장 환경 개선 • 영양표시 식품 확대 • 어린이비만 유발식품 광고모니터링 강화 • 가공식품 · 외식 · 급식당류 · 나트륨저감 지원	**지역사회기반 청소년 비만 예방 관리** • 청소년 비만 예방 관리사업 추진 • 비만청소년 건강체험캠프 확대 • 비만청소년 자발적 체력증진 역량 강화	**고도비만자에 대한 적극적 치료 및 지원** • 병적 고도비만 수술치료 건강보험 적용 • 고도비만 교육 · 상담 – 건강 보험 적용 검토 • 비만집중관리 가이드라인 개발 • 비만학생 건강 관리 강화	**근거기반 비만예방 관리정책 체계 정비** • 국민건강증진정책심의위원회 기능 강화 • 비만전망 보고서 발간 • 비만관리 R&D 강화
	단체급식소의 영양 · 위생관리 강화 • 학생급식 영양관리기준 개선 및 관리 • 단체급식소 영양 및 위생관리 역량 강화	**성인 및 노인 대상 비만 예방 관리** • 건강인센티브제 도입 • 모바일 헬스케어사업 확대 • 노인신체활동프로그램 확대 • 근로자건강센터 확충	–	–
	–	**생활 속 환경 조성** • 신체활동 활성화 법적근거 마련 • 건강친화기업 인증 • 건강도시 활성화 • 국민체육센터 건립 • 장애인스포츠 활동 강화	–	–

제3장 보건교육

1 보건교육의 이해

1. 보건교육(Health Education)의 개념 · 목적 · 필요성

(1) 개념 기출 13, 17

① 건강을 유지하는 데 필요한 바람직한 행동을 실천하기 위해 인간이 가지고 있는 잠재능력을 개발하는 과정이다.

② 개인 또는 집단의 건강에 관여하는 지식(Knowledge), 태도(Attitude), 행위(Practice or Behavior)에 변화가 오도록 영향을 주는 모든 경험의 총합(Sum of experience)이다(미국 학교보건교육 용어제정위원회).

③ 보건교육 대상자가 질병을 예방하고 건강을 유지 · 증진함으로써 적정기능 수준의 건강을 향상하고 유지하는 데 필요한 지식을 습득하고, 스스로가 건강을 지켜야 한다는 긍정적인 건강태도를 형성하여 건강에 좋은 행동을 할 수 있도록 변화시켜 주는 것이다.

④ 우리나라 「국민건강증진법」에서는 보건교육을 '개인 또는 집단으로 하여금 건강에 유익한 행위를 자발적으로 수행하도록 하는 교육'이라고 규정하였다.

⑤ 미국 미네소타대학의 보건교육학 교수였던 그라우트(R. Grout)는 "보건교육이란 건강에 관한 지식을, 교육이라는 수단을 통하여 개인, 집단 또는 지역사회 주민의 행동을 바람직한 방향으로 바꾸어 놓는 것이다."라고 하였다.

(2) 목적 기출 11, 13, 14, 17, 19

① 건강에 관한 지식습득뿐 아니라 건강행위를 충분히 할 수 있도록 태도 형성에 영향을 주는 학습경험을 제공하는 것으로 건강행위의 실천을 통한 삶의 질을 향상시킨다.

② WHO 보건교육전문위원회에서 규정한 보건교육의 기본목적

㉠ 지역사회 구성원의 건강은 지역사회 발전에 중요한 자산임을 인식시킨다.

㉡ 개인이나 집단이 자신의 건강을 스스로 관리할 능력을 가지도록 하는 것이다.

㉢ 지역사회가 자신들의 건강문제를 인식하고 스스로 행동하여 해결함으로써 지역사회 건강을 자율적으로 유지 · 증진시키도록 하는 힘을 가지게 하는 것이다.

WHO의 일차 보건의료(Primary health care)의 주요 사업내용

1. 보건교육, 영양, 예방접종, 모자보건 및 가족계획, 음용수 관리, 기본위생, 풍토병 관리, 흔한 질병치료, 기본 의약품의 제공을 제시한다.
2. 이 중 보건교육은 열거한 다른 보건 사업에 비할 때, 가장 중요하며 우선시 되는 사업 내용이다.

보건의료의 목적

1. 건강의 유지와 증진으로서, 건강한 사람이 자신의 건강을 잘 관리한다.
2. 위험요인 관리와 질병의 예방으로서, 건강의 위험요인을 발견하여 이를 관리한다.
3. 조기 질병진단과 치료로서, 초기 질병단계에서 조기 발견하여 조기에 치료한다.
4. 질병의 계속관리와 재활로서, 건강을 되찾는다.

⇨ 생산된 보건의료의 목적을 달성하기 위해서, 보건의료 소비자인 국민에게 보건교육이 제공이 중요하다.

핵심정리 보건교육의 목표 - 바람직한 건강행위로 변화하도록 지원하는 것

1. 자신의 건강을 잘 관리하는 데 필요한 올바른 지식을 가지도록 한다.
2. 스스로 건강에 유익한 태도를 형성하도록 한다.
3. 건강문제를 스스로 인식하도록 한다.
4. 자신의 선택으로 행위를 변화시키도록 한다.
5. 건강문제를 갈등 없이 해결하고, 건강을 유지·증진하며, 건강한 생활을 영위할 수 있는 능력을 가지도록 돕는다.

(3) 필요성

① 경제 수준 향상과 의료기술의 발달로 인간의 수명이 연장되었다.

② 급성 감염성 질환이 감소하고 상대적으로 만성 질환 증가에 의한 국민 의료비가 상승하였다.

③ 국민소득 및 생활 수준과 삶의 질의 향상으로 건강서비스 수요가 증대되고 건강권이 강화되었다.

④ **U - Health 확산**: 건강상태의 주기적 점검·사전예방·원격진료 및 사후관리가 가능해지고 있다.

Plus⁺ POINT

국내 도입된 U - Health 사업

1. 원격자문으로 특별히 전문성을 인정받은 의사를 통해 환자 곁에 있는 의사가 전문적인 의학적 자문을 구하거나 협진을 하는 형태의 서비스이다.
2. 원격 화상진료로 비의사 의료인과 함께 있는 환자가 화상을 통하거나 생체정보 측정수치의 공유를 통하여 원격 지역 의사의 진료를 받는다.
3. U - 방문간호로 방문간호사가 가정방문을 통해 환자의 상태를 측정 및 파악한 후 의사의 지침을 전달한다.
4. 원격 응급진료로 응급상황에 처한 환자와 함께 있는 비의료인에게 원격지의 의사가 적절한 지침을 제공한다.
5. 재택 건강관리로 거주지의 환자가 직접 본인의 생체정보를 측정하고 의사에게 전달함으로써 지속적으로 모니터링을 가능하게 하고 이를 기반으로 의사와 의학적 상담이 가능하도록 한다.
6. 지역별 U - Health를 이용한 대사증후군 관리서비스로 U - Health 센터에서 서비스 이용자의 생체정보를 측정하고 U - Health 센터 소속의 운동처방사와 영양사에게 전달하여 지속적인 모니터링과 상담을 제공한다.

2. 보건교육의 일반적인 원리

(1) 대상

모든 연령층을 대상으로 한다.

(2) 목적

개인이나 집단의 건강에 관한 지식, 태도, 행위를 바람직한 방향으로 변화시키는 것이다.

WHO 제1차 보건교육전문위원회(1974)의 보건교육의 계획과 추진 지침

1. 보건교육은 전체 보건사업 계획의 일부로서 처음부터 함께 계획되어야 한다.
2. 지역사회 진단(예비조사)이 선행되어야 한다.
3. 보건교육 계획에 교육대상자들이 참여해야 한다.
4. 지역사회 자원을 파악한다.
5. 보건교육은 뚜렷한 목표가 있어야 하며, 그 목표달성을 위하여 구체적인 계획을 세워야 한다.
6. 작은 범위의 시범사업으로부터 시작하여, 점차 확대하는 방법이 바람직하다.
7. 모든 보건요원은 훌륭한 보건교육의 실천자가 되어야 한다.
8. 보다 효율적인 보건교육사업 수행을 위하여 보건교육 전문가의 자문을 받는다.
9. 보건교육에는 예산이 요구되며, 이 예산은 사업의 우선순위에 따라 사용되어야 한다.

(3) 목표 설정

명확한 목표를 설정하는 것이 필수적이다.

(4) 활용

그 지역사회에 있는 가정, 학교 및 지역사회 간의 접촉수단이 되어야 한다.

(5) 내용 선정

단편적인 지식이나 기능을 전달하는 것이 아니다. 일상생활에서 응용할 수 있는 내용을 선정하고, 인간의 신체적 · 정신적 · 사회적 측면의 조화를 고려해서 실시해야 한다.

(6) 계획 시 준비사항 기출 11, 16, 17

① 그 지역사회 주민의 건강에 대한 태도, 신념, 미신, 습관, 금기 사항, 전통 등 일상생활의 전반적 사항을 알고 있어야 한다.

② 보건교육의 양과 질을 측정할 수 있는 평가지표의 준비가 필요하다. 사전 · 중간 · 사후 평가를 실시하여 재계획에 반영한다.

③ 개인, 가족, 지역사회 주민의 요구 또는 흥미에 근거한 보건교육이어야 효과적이다.

④ 연령, 교육 수준, 경제 수준에 맞게 실시한다.

(7) 보건교육에 대상자가 자발적으로 참여하도록 유도해야 한다.

(8) 보건교육은 일종의 창의적인 과정임을 인식해야 한다.

(9) 보건교육은 다른 분야와의 협조적인 노력인 다학제적 접근이 있어야 한다.

(10) 보건교육은 실제경험과 비슷한 학습환경에서 이루어질 때 그 효과가 크다.

3. 보건교육의 내용과 대상자

(1) 내용(「국민건강증진법 시행령」 제17조) 기출 10, 14, 15, 17, 21

① 금연 · 절주 등 건강생활의 실천에 관한 사항

② 만성 퇴행성 질환 등 질병의 예방에 관한 사항

③ 영양 및 식생활에 관한 사항

④ 구강건강에 관한 사항

⑤ 공중위생에 관한 사항

⑥ 건강증진을 위한 체육활동에 관한 사항

⑦ 그 밖에 건강증진사업에 관한 사항

(2) 대상자

현장	대상	내용	관련 법
학교	학생, 교직원, 학부모	정규교과과정 내 수시교육	「학교보건법」 제9조, 제9조의2
산업장	근로자 및 전체 관련자	산재예방을 위한 안전보건교육	「산업안전보건법 시행령」 제17조
지역사회 (보건소, 보건진료소, 정신보건센터 등)	지역사회 주민, 보건인력, 공공단체, 민간단체	지역사회건강	① 「지역보건법」 제9조 ② 「국민건강증진법 시행령」 제17조 ③ 「농어촌 등 보건의료를 위한 특별조치법 시행령」 제14조 ④ 「정신건강증진 및 정신질환자 복지서비스 지원에 관한 법률 시행령」 제5조 등

4. 보건교육 전문가

(1) 역할

건강정보의 수집 및 분석	사회문화적인 환경, 성장과 발달요인, 흥미, 관심, 요구 등 대상자와 관련된 건강정보를 수집하고, 바람직하거나 바람직하지 못한 건강행위를 구별하며, 보건교육의 요구를 도출
보건교육프로그램의 기획	목표 설정, 인력 개발, 시설 및 장비, 예산 확보, 전략 수립, 서비스 연계 및 조정, 조직화를 통한 프로그램 설계
보건교육방법의 개발	대상자의 특성에 맞는 다양한 방법 개발
교육자료의 개발	건강문제의 해결방법을 구체적으로 알 수 있도록 대상자의 특성에 맞는 교육매체 개발
보건교육의 홍보전략 개발	교육적 자료를 선정하고, 건강문제를 인식시키며, 관리하는 일
보건교육의 실시	계획한 프로그램을 수행하고, 감시하며, 목표나 행동을 조정
보건교육프로그램의 효과 평가	목표달성 정도를 파악하기 위한 평가수행, 평가결과의 해석 및 다음 계획을 위한 제안
보건교육서비스의 조정	보건교육서비스의 준비를 위한 조정계획 수립, 보건교육에 참여하는 인력 · 기관 및 조직 간의 조정
보건교육의 자원인력	다른 보건교육 전문가의 자원인력으로 활동하는 일, 자문관계 수립
상담	대상자의 보건교육 요구, 관심, 자원에 관하여 의사소통하기, 보건의료 공급자와 소비자 간의 요구를 예측하고 의사소통하기, 보건교육프로그램에 영향을 미치는 사회적 가치체계 예측하기, 다양한 의사소통기법 활용하기

(2) 보건교육 전문가로서의 자세

① 좋은 대인관계를 형성한다.
② 분명한 의사소통을 한다.
③ 학습자를 교육에 능동적으로 참여시킨다.
④ 편견을 배제한다.

5. 보건교육의 전략방법

구분	내용
학습자 측면	① 학습자의 준비도 ② 기존 학습경험(선수학습) ③ 학습자의 개인차 ④ 학습동기 유발 정도 ⑤ 학습자의 신체적 조건 고려
교육자 측면	① **교육자의 준비도**: 교육 시간, 옷차림 ⇨ 역할 모델 ② 학습지도 방법 ③ 운동을 하며 긴장을 풀고 적절한 동기부여 ④ 전체 학습자를 보며 교육 ⑤ 교육 시 현장감 있는 예시로 설명
학습환경 측면	① 소음이 없고 채광이 좋은 곳을 선택 ② 좌석은 가능한 한 교육자와 학습자 간 거리를 가깝게 배열 ③ 신체에 맞는 책걸상 준비 ④ 교육장소의 냉·난방시설에 관심을 두고 적절한 실내온도를 유지 ⑤ 교육장소의 시설 및 교육 기자재의 상태를 점검

2 학습이론

1. 행동주의 학습이론

구분	내용	
특징	① 경험의 결과로 발생하는 관찰할 수 있는 행동의 변화 ② 바람직한 행동변화를 가져올 수 있는 조건, 즉 외적인 환경을 적절히 조성하여 학습자의 행동을 변화시키는 것 ③ **학습의 평가 기준**: 대상자에게 목표한 행동의 변화가 일어났는가? ④ **교수**: 바람직한 행동을 유도해 내도록 자극을 조정하는 것 ⑤ **주요 개념** – 강화(Reinforcement): 정적 강화, 부적 강화, 벌(Punishment), 반복학습	
유형	파블로프(Pavlov)의 고전적 조건화 이론	① 개에게 먹이를 주기 전에 종소리를 들려주는 것을 반복적으로 시행한 결과, 개는 먹이와 관계없이 종소리를 들으며 침을 흘림 ② 종소리는 '조건자극', 종소리를 듣고 침을 흘리는 것은 '조건반응' ③ 학습은 학습자가 자극과 반응을 연결함으로써 발생한다는 것

	스키너(Skinner)의 조작적 조건 형성	① 실험실에서 쥐에게 지렛대를 누르는 행동을 학습하는 실험 실시 ② 인간행동(반응)의 대부분은 물리적 또는 사회적 환경으로부터 오는 강화물(자극제)에 의해 일정한 유형의 행동(반응)을 일으키는 조작적 조건 형성을 설명 ③ 강화는 긍정적 강화(보상, 칭찬 등)와 부정적 강화(벌)가 있으며, 특히 부정적인 강화의 비효과성을 강조
학습 원리	① **연습의 원리**: 반복은 학습을 증진 ② **강화의 원리**: 새로운 자료를 간격을 두고 제시함으로써 학습에 도움을 주고 최종의 학습 목표달성 ③ **효과의 원리**: 어떤 행동이 일어난 직후이거나 그 행동이 일어나고 있는 상황에서 회환을 주는 것이 학습에 도움 ④ **각성의 원리**: 각성은 주의집중에 영향 ⑤ **시간의 원리**: 긍정적인 보상은 시간적 간격을 두고 적절하게 제공 ⑥ **계속성의 원리**: 반복되는 행동은 강화가 이루어지고 있으며 반복 자체가 강화인지 ⑦ **일관성의 원리**: 동일한 조건의 자극을 일관성 있게 제시 ⑧ **강도의 원리**: 나중의 자극이 먼저의 자극보다 강하거나 동일하여야 함	

2. 인지주의 학습이론

특징	① 사람의 내면에 있는 지식, 기술, 태도, 가치, 신념과 같은 인지적 요인을 행동으로 변화시키도록 교육하거나 설득하는 접근방식(내적 역동 강조) ② 인간의 행위 변화과정에서 교육이나 정보라는 새로운 자극이 가해지면, 즉시 행위가 변화하는 것이 아니라 내적으로 지식의 필요성을 인지하고 그 행위를 실천하려고 하는 신념을 가지게 됨. 이로 인해 태도 변화가 유도된 후에야 행위가 유발(S - O - R 이론) ③ 학습을 수용적 과정이 아니라 학습자에 의해서 이루어지는 능동적이고 구성적인 과정으로 간주 ④ 학습은 사고나 문제해결과 같은 방법으로 정보를 조직하고 재정비하는 과정 ⑤ 학습은 정보의 처리를 위한 지적 구조를 사용하는 것 ⑥ **핵심 키워드**: 유의미화, 연습, 정보의 조직, 순서적 위치, 전이와 간섭	
유형	쾰러(Köhler)의 통찰이론 (Insight theory)	① 학습은 손다이크(Thorndike)의 주장과 같이 시행착오에 의해 성립되는 것이 아니라 통찰에 의해 이루어진다는 결론 ② 원숭이는 결국 바나나를 따려는 목적을 달성하기 위해 우리 안에 있는 장대나 상자를 수단으로 이용하게 된 것을 설명 ③ 원숭이는 '아하' 하는 것을 경험하며, 주어진 형태에 맞게 목적과 수단을 연결시키는 통찰을 경험 ④ 이런 상황을 결정하는 것이 곧 '학습'이며, 통찰에 의해 이루어지므로 '통찰학습'

<table>
<tr><td rowspan="3"></td><td></td><td>⑤ 문제상황을 어떻게 지각하여 통찰하는가가 곧 문제를 해결하는 데 필수적이고 그 해결이 즉각적이며 완전할 수 있다고 보는 점이 통찰학습의 특징
⑥ 통찰에 의한 답은 반복될 수 있으며 상당기간 동안 유지되고 새로운 사태에 적용된다고 보기 때문</td></tr>
<tr><td>레빈(Lewin)의 장 이론 (Field theory)</td><td>① 전체적인 역동성을 이해한다고 가정
② 레빈(Lewin)은 학습을 '생활공간에 대한 인지구조의 변화과정'이라고 정의
③ 학습은 단순한 행동의 변화라기보다는 인지구조의 변화로서 이는 환경과 개인의 내면적인 힘에 의한 인지구조의 변화 또는 성립을 의미
④ 장 이론에서 인지구조는 생활공간에서 필요나 목적에 부합되는 환경적 단서들을 지각하고 관계를 통찰하는 능력
⑤ 장 이론에서 인지구조의 변화는 곧 학습이며, 인지구조의 변화는 새로운 의미를 발견하고 새로운 관계를 통찰</td></tr>
<tr><td>정보처리이론 (Information processing theory)</td><td>① 인간을 감각기관을 통하여 생활 속에 있는 정보들을 습득하고 이를 정보로 저장하였다가 필요 시 인출하여 사용하는 정보처리의 존재로 봄
② 이러한 정신적인 조작으로 정보를 처리하는 과정을 학습으로 봄</td></tr>
<tr><td>학습 원리</td><td colspan="2">① 주의집중은 학습을 증가시킴
② 정보자료를 조직화할 때 학습이 증진
③ 정보를 관련지음으로써 학습을 증가시킴
④ 신기함이나 새로움은 정보 저장에 영향을 미침
⑤ 우선적인 것은 정보 저장에 영향을 미침
⑥ 각 사람들의 학습유형은 다양
⑦ 새로이 학습한 내용을 다양한 배경에서 적용하는 것은 그 학습의 일반화를 도와줌
⑧ 모방은 하나의 학습방법</td></tr>
</table>

3. 인본주의 학습이론

<table>
<tr><td>특징</td><td>① 유기체를 내적으로 자기 동기화시켜 본래적인 성향이 성장되도록 도와주고 잠재력을 실현시키려 하는 것
② 인간의 긍정적 자기 지향성과 선택의 자유 및 자아성장과 실현을 다루며 자율성 강조
③ 관찰과 인상 및 사색에 기초를 두고 인간이 가진 잠재력에 관심
④ 인간 스스로 자신의 삶을 결정할 수 있고, 자신의 잠재력을 충분히 발달시킬 수 있는 자아실현적 존재라고 전제
⑤ 인본주의란 추상적 이론이나 행동주의의 반응보다는 인간의 성취와 흥미에 관심을 갖는 철학이나 태도를 의미함
⑥ 핵심 키워드: 자아실현, 잠재력</td></tr>
</table>

유형	매슬로우(Maslow)의 욕구이론	① 인간의 욕구를 하위 수준부터 생리적 욕구, 안전의 욕구, 소속과 애정의 욕구(사회적 욕구), 존중의 욕구, 자기실현의 욕구로 위계화 ② **매슬로우(Maslow)**: 인간의 욕구는 단계를 가지며, 학습을 통해 최대한 자발적인 자기실현을 위한 경험을 하도록 하며 경험을 촉진시키는 것이 교사의 역할 ③ 욕구단계 최상위의 자아실현을 추구하는 것이 학습목표
	로저스(Rogers)의 인간중심이론	① 자신의 경험을 통해 비지시적 또는 인간 중심의 상담이 보건교육에서도 성공할 수 있다고 함 ② 심리치료과정에서 로저스(Rogers)는 치료자가 환자의 잘못을 지적하기보다는 따뜻하고 긍정적이며 수용적인 태도로 환자의 느낌과 생각을 감지하고 공감할 수 있을 때 치료가 잘 되고 환자 스스로도 자신에 대해 더 잘 알고 수용한다는 사실을 알게 됨 ③ **로저스(Rogers)**: 완전기능인(교육의 목적), 유의미학습(자기 주도적 학습방법)
학습 원리	① 학습자의 생물, 심리·사회적 및 문화적 현실은 학습경험에 대한 학습자의 지각을 형성함 ② 학습자가 자신의 학습과정을 조절할 때 학습이 증가 ③ 학습에는 적극적인 참여가 필요함 ④ 동기화는 학습을 강화시킴 ⑤ 학습자로 하여금 자신의 감정을 표현하고 통찰과 행동을 통한 새로운 통합을 실행함으로써 자신의 문제를 해결하는 학습경험을 제공함 ⑥ 학습자의 자율성을 존중하고 적극적인 참여를 유도함으로써 학습을 증대시킬 수 있음 ⑦ 학습자의 욕구 중에서 그들에게 유익한 것을 학습목표로 설정하게 하여 스스로 동기화	

4. 구성주의 학습이론

특징	① 실세계를 반영하는 풍부한 맥락 속에서 상황이 제시되면 학습자가 개인의 주관적인 경험에 근거해서 해석을 내리고, 의미를 개발하는 능동적인 과정을 거치며 그 학습의 결과는 학습자 개인에 따라 다르게 나타남 ② 지식이 개인별로 구성되어 사람의 마음에 내재되어 있는 것으로 봄 ③ **학습**: 학습자가 외부환경과의 상호작용을 바탕으로 한 유의미한 경험이나 지식을 내부로 표상하고, 이를 자신의 이해와 해석을 통해 구성해가는 능동적인 문제해결과정 ④ **구성**: 학습자가 스스로 설계해 나가는 구성과정 ⑤ **교육자**: 학습자가 능동적인 문제해결을 통해 학습하도록 좋은 문제를 제시하여야 하고, 협력을 이끌어내기 위한 학습 환경을 제공해주어야 함 ⑥ 구성주의에서의 학습은 능동적인 지식 구성과정이며, 학습자들은 문제의 해결이나 창의적인 사고를 통하여 지식을 학습함 ⑦ 최근 의학, 간호학의 학습방법으로 도입된 문제중심학습(PBL; Problem Based Learning)의 철학적 배경이 되며 의미 만들기, 알아가기 이론이라고 함

학습 원리	① 지식은 인식의 주체에 의해 만들어짐 ⇨ 개인에 의해 주관적으로 구성됨 ② 지식은 상호작용을 통해 형성됨 ③ 지식은 구체적인 상황을 중심으로 한 맥락적인 것 ④ 지식은 능동적인 구성과정 ⑤ 평가는 수행평가나 역동적 평가 등의 실제 과제를 수행하는 학습과정 속에서 자연스럽게 이루어지는 질적인 평가로 다룸

3 건강행위이론

구분	내용
개인적 차원의 이론과 모형	① 건강신념모형 ② 계획된 행위이론 ③ 합리적 행위이론 ④ 건강증진모형 ⑤ 범이론적 모형
개인 간 차원의 이론과 모형	① 사회인지이론 ② 동기화 면담
집단 및 지역사회 차원의 이론과 모형	① 의사소통이론 ② 혁신의 확산모형 ③ 지역사회조직이론 ④ PRECEDE-PROCEED 모형

1. 건강신념모형(HBM; Health Belief Model) 기출 12, 14, 15, 16, 17, 18, 22

(1) 개념

① 1950년대 미국 사회심리학자들에 의해 개발되었다.

② 정부에서 제공하는 질병 조기발견 검사과정에서 사람들이 참여하지 않는 이유를 규명하기 위함이 목적이다.

(2) 구성요소 기출 12, 13, 14, 16, 17, 18, 19

구성요소	내용
지각된 감수성(민감성)	개인이 질병에 걸릴 위험이 있다는 가능성에 대한 인지 정도 예 인구학적 특성, 환경 등
지각된 심각성	개인이 특정 질병을 얼마나 심각하게 인지하는가에 대한 지각 예 불구, 통증 등
지각된 이익성(유익성)	자신이 건강행위를 실행함으로써 질병에 감염될 위험 및 위험 결과의 심각성 감소효과를 지각하는 신념
지각된 장애성	특정 행위를 수행하는 데 부딪힐 어려움에 대한 인지 정도
행동의 계기	사람들이 특정 행위를 하도록 촉진 또는 자극하는 단서 예 개인교육, 상담, 홍보, 건강 관련 이벤트 등

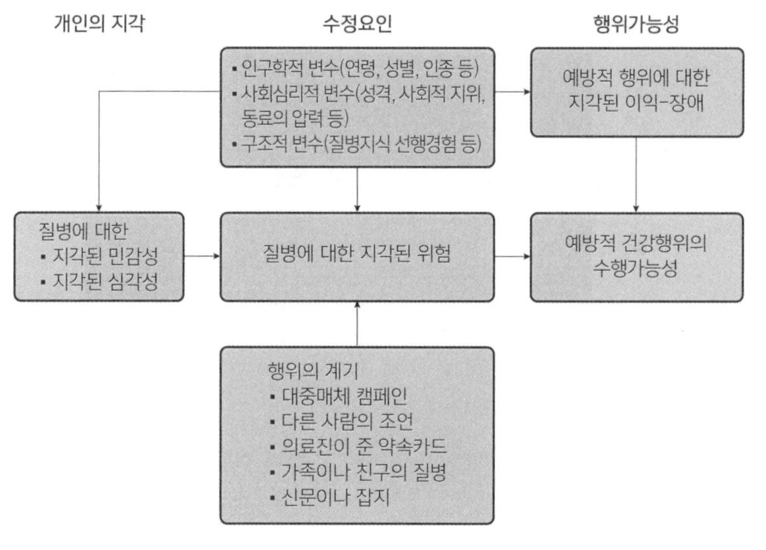

⊙ 건강신념모형

2. 건강증진모형

(1) 펜더(Pender)의 건강증진모형

① 개념

구분			내용
특징			• 건강행위에 영향을 미치는 요인을 설명 • 건강신념모형과 사회학습이론에 기초하여 개발
가정			• 인간은 각 개인의 독특한 건강 잠재력을 표현할 수 있음 • 반성적인 자기 지각을 할 수 있는 능력을 가지고 있음 • 개인이 수용할 수 있는 변화와 안정 사이의 균형을 얻고자 노력 • 개인은 자신의 행동을 능동적으로 조절
구성 요소	개인의 특성과 행위의 결과 경험	이전의 관련된 행위	현재와 비슷하거나 같은 행위를 과거 얼마나 자주 했는지 의미하며, 건강행위 예측의 중요한 요인
		개인적 요인	생물학적, 심리적, 사회문화적 요인
	행동과 관련된 인지와 감정	지각된 유익성	• 내적 이득과 외적 이득이 있음 • 건강행위를 지속하는 동기화에는 내적 이득이 더 유력 예 피로감 감소, 상호작용 증가, 경제적 보상 등
		지각된 장애	• 행위를 방해하는 어려움이 있거나 발생할 수 있다고 인식되는 것 • 불가능함, 값이 비쌈, 어려움, 시간소요가 많음, 만족감 감소 등
		지각된 자기 효능감	• 특정 활동을 계획하고 실행하게 하는 자신의 능력을 판단하는 것 • 지각된 자기 효능감이 클수록 지각된 장애 정도는 감소

		행위와 관련된 정서	• 행위를 시작하기 전, 하는 동안, 후에 일어나는 주관적 느낌으로 행동 자체가 가지는 자극의 특성 • 행동 관련 정서, 자아 관련 정서, 상황 관련 정서
		대인관계의 영향	다른 사람의 태도, 신념, 행위를 고려하는 인자(민감성은 개인 차이, 문화 차이 있음)
		상황적 영향	행위를 직접적, 간접적으로 촉진 또는 방해
	행위의 결과	행동계획 수립	건강행위를 강화시키는 전략 선택
		즉각적인 갈등적 요구 및 선호	• **갈등적 요구**: 다른 가족의 건강을 책임져야하므로 자신의 건강에 방해되는 행위 선택 • **선호**: 개인 차원의 조절이 가능하나 자신의 기호 때문에 건강에 방해되는 행위 선택
		건강증진행위	건강증진모형의 종착지, 행동의 결과, 긍정적인 삶의 경험

② 장단점

장점	• 인지 – 지각요인을 변화시켜 건강증진행위를 촉진 • 모든 행위에 정서가 동반 • 긍정과 부정의 자기효능감 수준 높임
단점	• 많은 변수들이 등장하고 간편성이 부족 • 실제 적용이 어려움

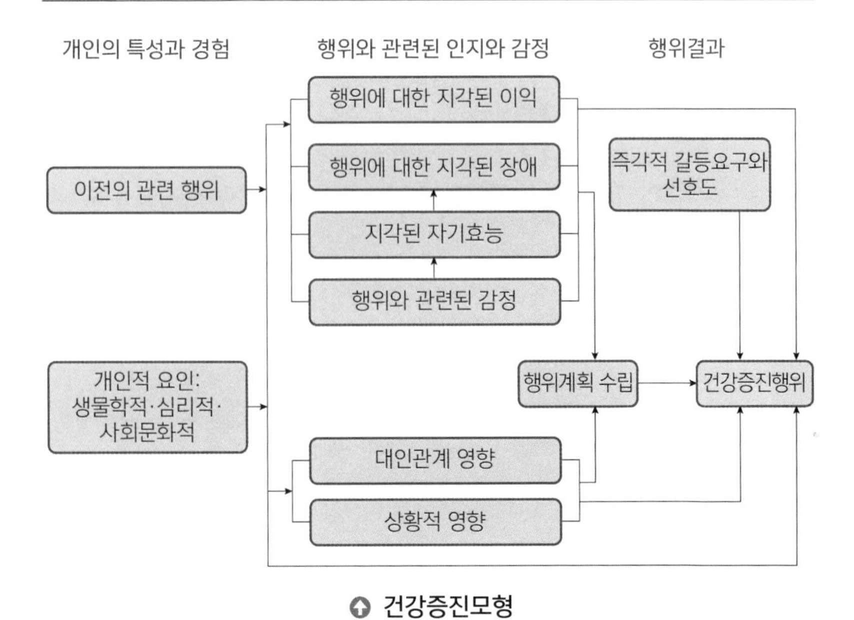

건강증진모형

(2) 타나힐의 건강증진모형의 구성 개념 기출 17, 20

① **보건교육**: 보건교육을 통해 건강과 사회적 돌봄에서의 예방적인 서비스, 질병 – 건강의 예방과 긍정적인 건강에 도움이 되는 지지적인 행동과 격려를 하고 건강 대처능력을 촉진시키는 것이다.

② **예방**: 의학적 중재를 통해 질병과 불건강을 감소시키는 것이다.

㉠ **일차 예방**: 건강위험요인을 감소시켜 질병이나 특정 건강문제가 발생하지 않도록 하는 것이다.

㉡ **이차 예방**: 질병이나 건강문제를 조기발견하여 예방하는 것이다.

㉢ **삼차 예방**: 질병이나 건강문제로 인해 발생할 수 있는 합병증을 예방하고 재발을 방지하는 것이다.

③ **건강보호**: 환경에서 발생하는 환경적 위험과 감염을 통제하려는 노력이다.

Plus⁺ POINT

타나힐의 건강증진모형

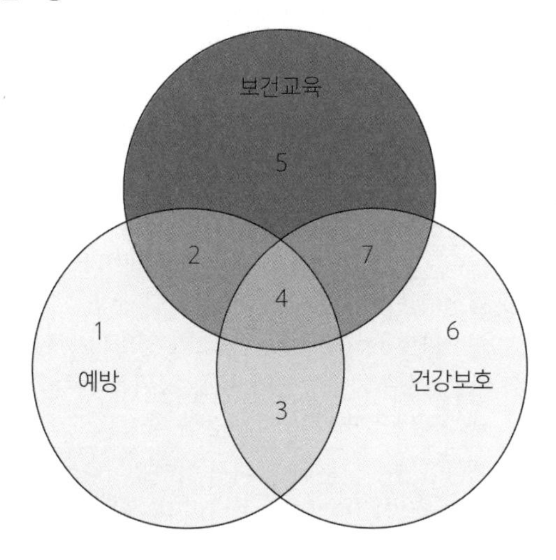

1. 예방 영역
2. 예방적 보건교육 영역
3. 예방적 건강보호 영역
4. 예방적 건강보호를 위한 보건교육
5. 적극적 보건교육 영역
6. 적극적 건강보호 영역
7. 적극적 건강보호를 위한 보건교육 영역

3. 합리적 행위이론과 계획된 행위이론 기출 11, 16, 18, 19, 20

(1) 가치기대이론에 근거한다.

(2) 합리적 행위이론

인간이 어떤 특정한 행동을 선택하는 것은 그 행동의 결과로 야기될 수 있는 것들 중 좋은 것은 최대로 하고 나쁜 것은 최소로 하기 때문에 선택한다고 본다.

(3) 계획된 행위이론

아이젠에 의해서 개발되었으며, 합리적 행위이론에 행위통제에 대한 지각을 포함하여 행위의도를 예측함으로써 사회적 행위나 건강 관련 행위를 예측할 수 있다고 본다.

구분	내용
행동에 대한 태도	① 개인이 특정 행위에 대해 내리는 긍정적 혹은 부정적 평가의 정도 ② 행위의 결과에 대한 태도 ③ **행위 신념**: 행위에 대한 태도는 특정 행위의 결과에 대해 갖는 신념 ④ **결과 평가**: 행위의 결과를 좋아하거나 싫어하거나 하는 정도 예 당뇨 환자의 '당뇨식이 행위에 대한 부정적 태도'
주관적 규범	① 건강행동을 하려고 하는 생각에 대한 개인의 신념 ② 행위 수행 여부에 대해 느끼는 사회적 압력을 개인이 인지하는 것 ③ **규칙적 신념(규범적 신념)**: 어떤 행위를 하기를 원할 경우 사회적 압력을 통해 행동하게 되는 것 ④ **순응동기**: 자신에게 중요한 사람이 바라는 의도를 따르려는 것
행동에 대한 의도	① 특정 행동에 대한 동기 유발이나 준비를 의미하는 것으로 인간이 어떤 행동을 실행할 동기가 얼마나 강한지 알 수 있음 ② 행위 여부를 결정하며 특정 행위를 하는가, 하지 않는가를 예측하거나 설명하는 데 도움을 줌
지각된 행동통제	① 행동을 수행하는 데 있어서 어려움이나 용이함을 지각하는 정도 ② 특정 행위를 수행하는 데 어려울 것이라고 지각하거나 쉽게 해낼 수 있을 것이라고 지각하는 것 ③ **통제 신념**: 행위 수행에 필요한 자원과 기회의 존재가능성에 대한 인식 ④ **지각된 영향력**: 행동의 촉진요인 또는 장애요인이 행위 수행을 쉽게 또는 어렵게 만드는 영향력을 얼마나 가지고 있는가에 대한 인식을 의미함

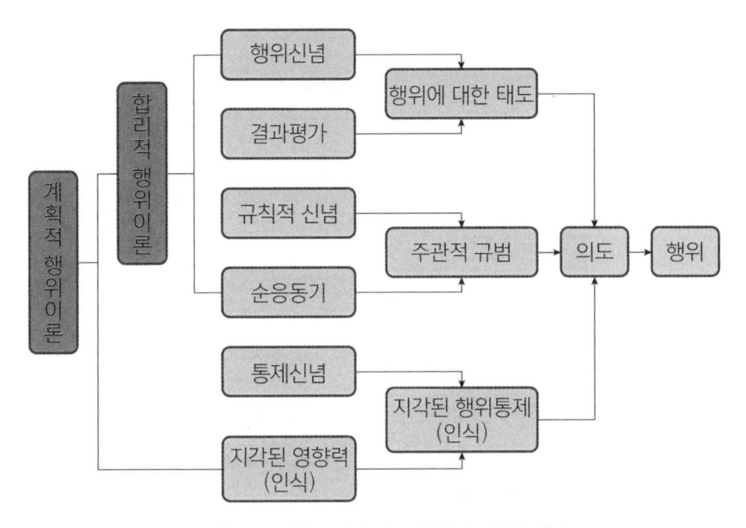

⊙ 합리적 행위이론과 계획적 행위이론

4. 사회인지이론(Social Cognitive Theory) 기출 12, 14, 15, 16, 18, 19

(1) 개요

① 반두라(Bandura, 1977)에 의해 제시되었다.

② 학습은 인간의 행위, 인지를 포함한 개인적 요소, 환경적 영향이 서로 역동적으로 상호작용하여 개인의 행위를 결정한다.

③ 인간이 건강과 관련된 행동을 하게 하는 사회 · 심리적 요소들의 역동적 관계와 행동변화를 촉진하는 방법을 설명하는 이론이다.

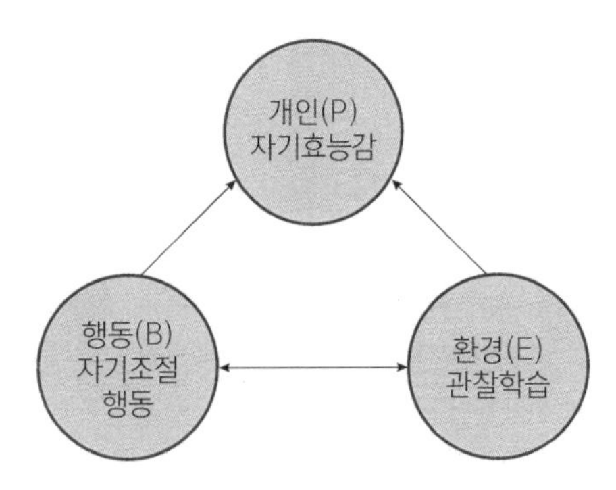

⊙ 사회인지이론의 개념틀

(2) 구성요소

① 개인적 요소(자기효능감)

㉠ **개념**: 특정한 상황에서 특정한 행동의 조직과 수행을 얼마나 잘 할 수 있는가에 대한 주관적 판단이다.

㉡ **자기효능감을 강화하는 요소**

ⓐ **수행경험**: 직접 수행을 통해 성공의 경험을 얻는다.

ⓑ **대리경험**: 타인의 목표 수행을 관찰함으로써 자신의 효능감이 발달한다.

ⓒ **언어적인 설득**: 목표행동을 수행할 수 있는 능력에 대한 자신감은 타인으로부터 격려 · 비판의 말에 영향을 받는다.

ⓓ **생리적 상태**: 아픔, 피로 등은 과제 수행에 영향을 준다.

㉡ 자기효능감의 영향요소

ⓐ **효능기대**: 자신의 능력에 대한 신념을 인간의 행동으로 연결시키는 매개역할을 한다.

ⓑ **결과기대**: 특정 행동이 특정 결과를 가져올 것이라는 개인의 기대를 의미한다.

② 행동요소(자기조절행동)

㉠ **개념**: 인간이 타인을 관찰하거나 사회화되는 과정 속에서 세운 행동수행의 기준에 의해 자기 자신의 행동을 평가하는 것이다.

㉡ 자기조절행동의 단계

자기관찰단계	강력한 학습경험이므로 사람들은 공식적이거나 비공식적인 학습경험을 통하여 인간행동의 다양한 측면에 대해 더 많이 알게 될수록 이전에는 중요하지 않게 생각했던 자신들의 행동의 많은 부분에 좀 더 관심을 기울이게 됨
자기평가단계	개인이 타당하고 현 상황에서 적용 가능하다고 생각하는 일련의 내면화된 기준에 의하게 됨
자기반응단계	특정한 일을 하는 자신을 관찰하고 판단한 후 그에 따른 보상을 주거나 처벌을 하는 과정

③ 환경요소(관찰학습)

㉠ 타인의 행동을 관찰함으로써 학습이 이루어진다.

㉡ 개인은 강화를 통해서뿐만 아니라 관찰을 통한 타인들로부터의 대리경험을 통해서 배울 수 있다.

㉢ **관찰학습의 유형**: 대리강화, 대리 처벌, 모방

㉣ **관찰학습의 과정**: 주의집중과정 ⇨ 파지과정 ⇨ 운동재생과정 ⇨ 동기화과정

㉤ 관찰학습과 관련된 강화의 형태

ⓐ **직접강화**: 직접적인 강화를 받는 경우

ⓑ **대리강화**: 타인의 경험을 관찰한 후 강화를 받은 것

ⓒ **자기강화**: 스스로 자신에게 강화를 주거나 자신만의 어떤 강화요인을 통제하는 경우

5. 범이론적 모형(TTM; Trans - Theoretical Model) - 행동변화단계모형

기출 16, 18, 19

(1) 개요

① 프로차스카(Prochaska, 1979)가 심리치료연구를 바탕으로 발전시킨 모형이다.

② 개인이 어떻게 건강행동을 시작하고, 이를 유지하는가에 대한 행동 변화의 원칙과 과정을 설명하는 통합적 모형이다.

(2) 구성요소 기출 15, 16, 17, 18, 19, 20

계획이전단계	① 6개월 이내 행동 변화의 의지가 없는 단계(무관심단계), 성공할 자신이 없거나 무기력하기 때문에 문제를 간과 ② 변화의 이익을 강조하고, 압력이 적은 정보를 많이 제공하는 것이 효과적
계획단계	① 문제를 인식하고, 행위 변화를 심각하게 생각하지만 행동으로 옮기지 않는 시기로, 6개월 안에 행동 변화를 하고자 하는 사람이 머무는 단계 ② 변화의 장단점을 알고 있어 만성 고민이나 행동지연이 나타남
준비단계	① 구체적인 행동실행계획이 잡혀져 있는 단계로, 1개월 이내에 건강행동을 하려는 의도를 가짐 ② 실행 가능한 목표를 설정하는 것이 중요 ③ 금연이나 비만클리닉 같은 전통적인 행동지향적 프로그램에서 모집 가능 ④ 자가 학습용 인쇄물을 통한 교육방법도 효과적임
행동단계	① 문제를 극복하기 위해 행동이나 경험 또는 환경을 눈에 띄게 변화하는 시기(1일 ~ 6개월) ② 행동 변화가 완성되기 위한 하나의 과정
유지단계	① 변화가 지속되며 중독행위의 경우 변화된 행위가 생활의 일부분으로 정착되는 단계로, 예전의 행동으로 돌아가지 않기 위해 계속 노력함 ② 생활습관이 6개월 이상 지속되는 경우 ③ 변화된 행동을 유지할 수 있는 자신감을 갖게 됨 ④ **종료단계**: 사람들이 더 이상 유혹에 빠지지 않고 완전한 자기효능감을 갖게 된 단계

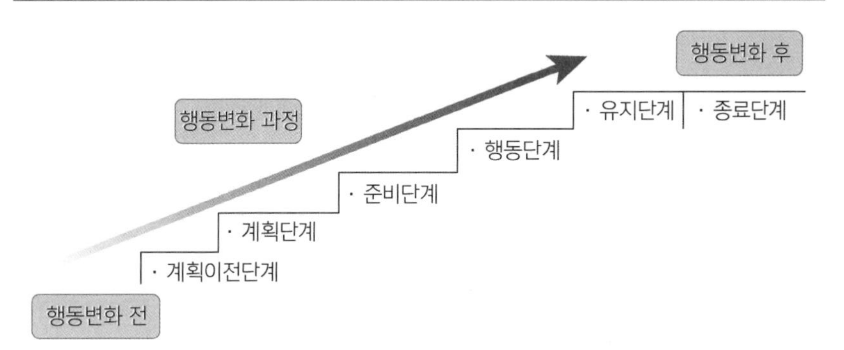

범이론적 모형 – 행동변화단계모형

(3) 인지적 과정단계 기출 14, 17

인식제고	① 높은 수준의 의식과 정보를 찾는 과정 ② 특별한 문제행동에 대한 새로운 정보를 추구하고 문제를 이해하며 피드백을 얻고자 하는 개인의 노력 예 피드백, 대면하기, 설명하기, 책 읽기, 미디어 캠페인 등
극적 전환 (정석적 각성)	문제행위의 결과에 대한 감정을 경험하고 느끼고 표현하는 과정 예 역할극, 심리극, 우울감 해결 등
환경 재평가	① 환경에 미치는 영향을 재평가하는 것 ② 자기 환경과 문제들에 대한 감정적 · 인지적 재인식 과정 예 정서적 · 인지적 사정하고 고려하는 과정, 글쓰기, 가족 중재, 다큐멘터리 등
사회적 해방	① 사회적으로 행동이행에 대한 대안이나 환경적 기회를 증가시키는 것이 바람직하다는 인식과 환영의 분위기를 조성하는 과정 ② 상대적으로 박탈당하고 억압받는 사람들을 위해 사회적 기회나 대안방법을 많이 제공하는 것 예 옹호, 힘 북돋우기, 정책의 개입 등
자기재평가	계획단계에서 준비단계로 이동할 때 자신의 가치관과 신념에 맞추어 자신의 행동을 정서적, 인지적으로 재평가하는 과정 예 가치 명료화, 심상요법 등

(4) 행동과정단계

자극 통제	행동을 방해하는 원인이 되는 사람이나 상황을 조절하고 이를 극복할 대안을 시도하여 행동을 일으키는 선행적 상황을 조정하는 과정 예 환경을 재구성, 회피, 자조집단 형성 등
조력관계	타인과의 행동에 대한 지지관계를 형성하는 것 예 자조모임, 사회적 지지, 자유적 연대 등
역조건 형성	① 행동단계나 유지단계에서 자극과 반응과의 연결을 끊어주는 것과 관련된 과정 ② 행동하는 상황이나 환경을 대체할 수 있는 능력이나 대처방법 및 기술 등 예 이완, 둔감하기, 자기주장, 긍정적인 자기 기술 등
강화 관리	준비와 행동단계, 긍정적인 행위에 대한 보상을 늘리고, 불건강 행동에 대한 보상을 줄임 예 명시적 또는 은밀한 강하제, 집단 표창, 조건부 계약 등
자기 해방	변화하겠다는 능력에 대한 믿음으로 실제 행동화하는 선택과 노력, 변화하려는 결심을 공개하고 의지를 더욱 강화시킴 예 대중 앞에서 공언하기, 새해결심 등

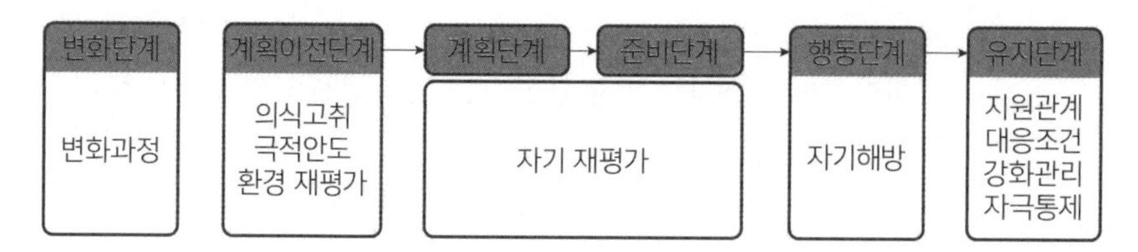

⬆ 변화단계에 따른 변화과정

(5) 의사결정균형

① 개인이 어떤 행동을 변화시킬 때 자신에게 발생하는 긍정적인 측면과 부정적인 측면이 균형을 이루어야 한다.

㉠ **긍정적인 측면**: 행동 변화에 대한 촉진제

㉡ **부정적인 측면**: 행동 변화에 대한 장애요인

② 변화단계 중 계획이전단계에서 계획단계로 이동 시 예측에 유용하다.

(6) 자기효능감

개인이 직면하게 되는 상황에서 필요한 행동을 성공적으로 수행할 수 있는 스스로에 대한 개인의 신념이다.

6. PRECEDE - PROCEED 모형

(1) 의의

① 보건교육기획에 있어 로드맵과 같은 역할의 모형이다.

② 1974년 그린(Green)의 교육적 진단목적의 PRECEDE와 1990년 크루터(Kreuter)의 행정적 진단단계인 PROCEED를 연결하여 보건교육 요구를 사정하고 계획하는 과정을 체계적으로 안내하는 논리적 모형으로 발전하였다.

③ 집단을 대상으로 적용하는 것이 적합하다.

④ 여러 측면의 사정과정을 통하여 건강과 건강행위에 영향을 미치는 다양한 요인들을 복합적으로 분류하여 조직화할 수 있는 접근체계를 제시하였다.

⑤ 건강 및 건강행위에 사회적 · 생태학적 측면들이 중요한 요인임을 강조하여 건강행위 변화에 대한 책임을 대상자 중심으로 보고 있는 다른 이론들과 구별된다.

(2) 모형 단계

① **1단계 - 사회적 사정**: 지역사회 주민의 사회문제를 파악하여 삶의 질에 영향을 미치는 요인을 주 · 객관적으로 사정한다.

② **2단계 - 역학적 · 행위적 · 환경적 사정**: 가장 큰 건강문제를 규명하고 이와 연결된 것으로 보이는 건강 관련 행위와 환경요인을 규명한다(예 보건교육사업 기획 시 흡연율 조사 등).

③ **3단계 - 교육 생태학적 사정**

㉠ **소인성 요인**: 건강행위의 근거나 동기를 제공하는 것(예 지식, 태도, 신념, 가치, 자기효능 등)

ⓛ **촉진요인**: 건강행위수행을 가능하게 도와주는 요인, 보건의료 및 지역사회자원의 이용가능성, 접근성, 제공성과 개인의 기술, 개인의 자원 및 지역사회 자원 등

ⓒ **강화요인**: 보상, 칭찬, 벌 등 건강행위가 지속되거나 없어지게 하는 요인으로, 사회적 유익성, 신체적 유익성, 사회적 지지, 친구의 영향, 의료인의 피드백, 권고 등

④ **4단계 - 행정적 및 정책적 사정 및 계획**: 건강증진 프로그램을 촉진 또는 방해하는 행정, 정책, 자원 및 환경을 사정하는 단계이다.

⑤ **5단계 - 프로그램 수행**: 계획, 예산, 조직과 정책을 지지하고 인력 조정과 감독을 포함한다.

⑥ **6단계 - 과정평가**: 수행한 프로그램의 과정에 대해 평가한다.

⑦ **7단계 - 영향평가**: 프로그램의 효과성에 대해 평가한다.

⑧ **8단계 - 결과평가**: 프로그램이 건강과 삶의 질에 어떠한 효과를 주었는지 평가한다.

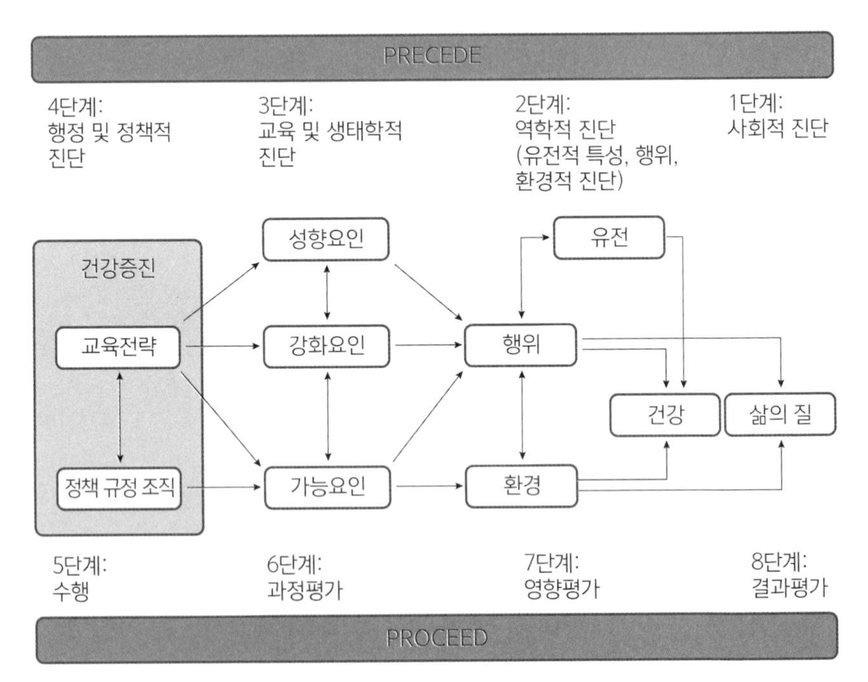

수정된 PRECEDE - PROCEED 모형

4 보건교육 프로그램의 개발 및 과정

1. 보건교육 요구도

(1) 보건교육 요구도 조사

① **개념**: 현재의 상태와 바람직한 상태와의 차이를 규명하고, 목표달성을 위해 해결되어야 할 요인과 조직 또는 지역의 문제해결능력과 한계를 규명하는 과정이다.

② 목적

㉠ 대상 집단의 건강문제를 찾아내기 위해 실시한다.

㉡ 발견된 건강문제가 실제 상황에서 해결이 가능한가를 파악하기 위함이다.

㉢ 대상 집단과 그들이 소속된 지역사회의 문제해결능력을 파악하는 것이다.

㉣ 보건프로그램의 결과를 평가하기 위한 기초자료를 확보하기 위하여 실시되어야 한다.

③ **요구의 유형**: 브래드쇼(Bradshaw, 1972)는 두 가지 이상을 복합적으로 확인해야 대상자에 대한 편견을 줄이고 그들의 정확한 요구를 나타낼 수 있다고 하였다.

㉠ **규범적 요구(Normative Need)**: 전문가가 자신의 경험과 지식에 비추어 바람직하다고 여기는 이상적인 수준

㉡ **내면적 요구(Felt Need)**: 대상자 자신이 바라는 상태

㉢ **외향적 요구(Expressed Need)**: 대상자들의 행동으로 나타난 요구

㉣ **상대적 요구(Comparative Need)**: 대상자와 다른 집단의 비교에 기초한 것

Plus⁺ POINT

요구도 사정 중 학습자의 학습능력과 준비성 확인을 위해 검토해야 할 내용

신체적 준비 정도	'학습자의 신체적 기능 정도가 건강행위를 수행할 수 있는가' 또는 '학습자의 건강 수준이 복잡한 건강행위 시범을 따라할 수 있는가'에 대한 준비 예 학습자의 성별, 기능 정도, 건강상태, 신체상태 등
정서적 준비 정도	건강행위에 필요한 노력을 최대한 투입하려는 학습자의 동기 예 불안 수준, 지지체계, 동기화 정도, 마음상태, 발달단계 등
경험적 준비 정도	새로운 학습과 관련된 교육 이전의 경험이나 훈련 예 학습자가 가지고 있는 배경, 성공 경험, 과거의 대처기전, 내적·외적 통제, 지향점 등
지식적 준비 정도	학습자의 지식기반, 학습능력 정도, 선호하는 학습 유형 예 지식 정도, 인지적 능력, 학습장애, 학습 유형 등

요구도 조사단계

1. 기준과 표준 정하기
2. **자료수집단계**
   1차 자료, 2차 자료 수집
3. **자료분석단계**
   최종 중재프로그램의 핵심요소 규명
4. **요구도 조사분석 자료의 종합단계**
   우선순위 결정

(2) 대상자의 학습 요구도 사정

① 학습 요구를 사정하는 단계

㉠ **대상자 요구 사정**: 대상자의 특성을 파악하고 건강문제를 조사하여 대상자의 문제와 요구를 적극적으로 사정한다.

㉡ **기관 요구 사정**: 기관의 목적과 목표 및 전략적 계획을 사정한다.

② 학습 요구도의 우선순위를 정하는 기준

㉠ **필수적 요구**: 생명이나 안전이 위협당하는 상황에서 발생하는 요구이다.

㉡ **바람직한 요구**: 안녕이나 전반적인 자가 건강관리능력과 관련된 요구이다.

㉢ **가능한 요구**: 간헐적으로 발생하는 요구이다.

(3) 보건교육 요구도 사정방법

① **환자 병록지**: 의사의 기록, 간호사의 기록, 퇴원계획서 등

② **면접**

㉠ **비공식적 대화**: 부담 없이 학습요구를 파악할 수 있으며, 보건교육자는 적극적으로 청취한다.

㉡ **구조화된 면담**: 가장 흔히 사용하며, 신뢰관계를 형성하는 것이 필요하다.

㉢ **관찰**: 여러 번의 건강행위 관찰로 학습요구를 파악한다.

㉣ **초점그룹토의**: 나이, 성별, 토의주제에 대한 경험이 유사한 사람들로 구성한다.

㉤ **자가보고서**: 행동보고서(체크리스트)를 가장 많이 사용한다.

㉥ **지식검사**: 학습 전 시험 등으로 지식과 요구를 파악한다.

2. 보건교육자

(1) 학습목적에 도달하기 위한 보건교육자의 역할

① **촉진자(Facilitator)**: 언어적 · 비언어적 학습활동을 촉진한다.

② **역할 모델(Role Model)**: 보건교육자의 긍정적인 행위는 학습자의 비평적 행동을 격려하고 어려운 질문에도 답변함으로써 학습자에게 영향을 준다.

③ **자원(Resource)**: 보건교육자는 자원으로 기여하고, 학습자들의 목표 달성을 위한 다른 적절한 자원을 알려준다.

④ **전문가(Expert)**: 학습자의 수동성을 최소화하고 능동성을 증진시키도록 이끌어주는 역할이다.

⑤ **평가자(Assessor)**: 학생들의 요구를 사정, 학습에 대한 동기나 의지를 파악, 평가 기준 설정에 협력하고 범주에 어긋나는 학생들의 능력을 평가한다.

(2) 학습목표에 도달하기 위한 보건교육자의 기능

① 학습자들이 교육에 능동적으로 참여하도록 유도한다.

② 학습자에게 제시한 문제나 학습자가 질문한 내용에 대해서 명확한 답을 제시한다.

③ 교육 내용을 재구성해서 학습자가 쉽게 이해하도록 한다.

④ 교육 시작 전에 학습목표나 방향을 제시한다.

⑤ 교육을 실시할 때 설정된 학습목표에 도달하고 있는지를 계속 확인한다.

⑥ 질문, 보고서 제출, 실제 관찰, 필기시험 등을 활용한다.

⑦ 학습자의 개인차를 인정하고 교육 중에 개인차를 최소화하도록 한다.

⑧ 교육방법을 다양하게 제공한다.

⑨ 동기부여, 학습자의 요구에 맞는 구체적인 교육계획서를 작성한다.

⑩ 질문은 공정하게 하고 대답을 강요하지 않도록 자유롭고 즐거운 분위기를 유지한다.

⑪ 교육 내용은 간단한 것에서 복잡한 것으로 진행하고, 너무 많은 내용을 주입하지 않는다.

⑫ 교육의 끝에 학습자로부터 질문을 받고, 기억하여 실천해야 할 지식, 태도, 행동 등을 촉진한다.
⑬ 중요한 점을 요약해 주며, 과제를 부여하고 다음 시간을 예시한다.

3. 환경

(1) 학습에 적당한 소음은 40phon 이하로 조용한 주택이나 공원 등에 위치한 학습 환경이 적합하다.

(2) 교육기자재는 교육장소의 사정에 맞게 점검하고 전기, 암막, 필요한 기구 등을 사전에 준비한다.

(3) 15℃ 내외의 온도가 근육활동에 적합하며, 습도는 50% 정도를 유지한다.

(4) 조명은 칠판의 글씨나 얼굴의 표정 등 작은 움직임을 볼 수 있도록 충분히 밝아야 하나 간접 조명이 되도록 한다.

(5) 통풍되도록 한다.

(6) 의자는 너무 딱딱하거나 푹신하지 않은 중간 정도의 것으로 선정한다.

(7) 보건교육자와 학습자 간의 거리를 가깝게 하여 좌석을 배열하면 거리감이 없어지고 반응 관찰도 용이하다.

4. 보건교육을 위한 문제의 우선순위 결정

보건문제의 크기	학습자들이 가장 문제라고 지적한 영역
보건문제의 시급성	신속하게 문제가 해결되어야 하는 문제
보건문제의 심각성	대상자의 건강에 심각한 영향을 미치는 문제
대상자의 관심도	대상자의 관심이 높은 문제
자원활용의 용이성	보건교육자가 보건교육을 할 자원을 동원하기 쉬운 문제

5 학습목표의 설정

1. 학습목표의 설정 시 고려할 점

(1) 학습영역의 결정
(2) 교육자의 철학
(3) 학습자의 준비성
(4) 목표집단의 요구와 적절성
(5) 환경
(6) 시간관리의 지속성
(7) 보건교육 자원의 한계
(8) 행동 변화 정도 결정

2. 학습목표의 범위

일반적 목표	① 추상적 ② 학습의 전반적인 방향 제시 ③ 구체적 목표에 대한 상위목표 ④ 여러 개의 구체적 학습목표 포괄
구체적 목표	1차시당 약 3개 정도 기술

3. 학습목표의 기술 기출 18

학습목표의 기술 기준	관련성, 실현가능성, 대상자 규명, 논리성, 관찰가능성, 행동적 용어, 구체성, 측정가능성
학습목표의 구성요소	① 교육 후 기대되는 최종행위 ② 최종 행동의 달성 상황이나 조건 ③ 최종 행동의 달성 정도를 판단할 수 있는 기준 ④ 변화의 내용

4. 학습목표의 분류

(1) 인지적 영역

① 행동의 복합성에 따라 단순한 것에서 복잡한 수준으로 체계화된다.

② 낮은 수준은 다음 수준의 기초가 된다.

③ 인지적 영역의 수준이 높아질수록 그 지식의 사용능력이 증가한다.

④ 지식(암기) ⇨ 이해 ⇨ 적용 ⇨ 분석 ⇨ 합성 ⇨ 평가

⑤ 행동 용어

지식(암기)	정의하다, 나열하다, 기억하다, 서술하다, 분류하다, 진술하다, 연결하다, 묘사하다 등
이해	설명하다, 묘사하다, 표현하다, 보고하다 등
적용	해석하다, 응용하다, 예시하다, 시범하다 등
분석	분류하다, 구별하다, 검증하다, 대조하다 등
합성	설계하다, 구성하다, 조립하다, 수립하다 등
평가	판단하다, 평가하다, 채점하다 등

⑥ 예시

지식(암기)	당뇨병의 발생요인과 기전을 서술
이해	혈당이 높아졌을 때 어떠한 증상이 일어나는지 설명
적용	생활하면서 혈당치의 변화가 있을 것인가를 예측
분석	일상생활에서의 행동양상에 대해 혈당치와 관련시켜 추론
합성	자신의 일상생활을 재구성
평가	자신의 일상생활을 계획하여 그 결과를 평가

(2) 정의적 영역

① 인간의 느낌이나 정서의 내면화과정을 통해 학습자의 성격과 가치체계에 통합되어 가는 과정이다.

② 내면화 수준이 올라갈수록 성격과 가치체계의 통합이 증가함을 의미한다.

③ 행동 용어

수용	수용하다, 유의하다, 집중하다, 경청하다 등
반응	시도하다, 동의하다, 표현하다, 설명하다 등
가치화	행동하다, 요청하다, 토의하다, 진술하다 등
조직화	결정하다, 정의하다, 조작하다, 동합하다 등
인격화	고수하다, 지속하다, 방어하다, 내면화하다 등

④ 예시

수용	당뇨로 괴사된 발의 사진을 봄
반응	고혈당이 자신에게 매우 해롭다고 표현
가치화	식이요법 계획을 세우고 식단을 자신이 볼 수 있는 곳에 붙여 놓음
조직화	피해야 할 음식의 극복법을 실천하는 체계적인 생활양식을 실행함
인격화	당뇨환자 식이요법 성공사례의 지역사회 자원봉사자로 활동함

(3) 심동적 영역

① 신체적 능력과 기능을 다루는 영역이다.

② 행동으로 변화될 수 있는 영역으로 관찰, 확인, 측정이 가능하다.

③ 역의 단계가 높을수록 신체적 기술 수행 능력이 커진다.

④ 행동 용어

지각	고르다, 기술하다, 발견하다, 분리하다 등
태세	시작하다, 착수하다, 전시하다, 반응하다 등
인도된 반응	측정하다, 조정하다, 분석하다, 조직하다 등
기계화	자신감을 가지고 수행하다, 습관적으로 행동하다 등
복합적 외형반응	복잡한 것을 수행하다 등
적응	적응하다, 바꾸다 등

⑤ 예시

지각	간호사가 시범보이는 인슐린 주사를 관찰 후 기술
태세	자신이 인슐린 자가주사를 해보겠다고 지원
인도된 반응	간호사의 도움을 받아 인슐린 자가주사를 수행
기계화	간호사의 도움 없이 가정에서도 인슐린 자가주사를 수행
복합적 외형반응	인슐린 자가주사 부위를 적절하게 선택
적응	혈당검사 결과에 따라 인슐린 용량을 조절하여 자가주사
창조	새로운 운동활동이나 자료를 다루는 방법을 창안해 내는 행동

6 보건교육의 내용

1. 학습내용 선정의 원리

(1) 타당성의 원리
(2) 중요성의 원리
(3) 유용성의 원리
(4) 인간 발달의 원리
(5) 흥미의 원리
(6) 학습가능성의 원리
(7) 실현가능성의 원리
(8) 경제성의 원리

2. 학습내용 조직의 원칙

(1) 계열성의 원칙

① 배워야 할 학습내용의 순서를 정한다.
② 선행 내용을 기초로 후속 내용을 전개한다.
③ 점차적으로 학습내용이 심화·확대된다.

(2) 계속성의 원칙

① 경험의 여러 요소가 어느 정도 계속해서 반복되는 것이다.
② 동일 요소의 단순한 반복이 아니라 점진적으로 심화·확대 향상을 꾀하는 반복을 의미한다.

(3) 범위의 원칙

① 학습자가 배우게 될 내용의 폭과 깊이를 정한다.
② 학습자의 발달 수준과 제한된 여건 속에서 가장 알맞은 범위로 조직하고, 지적, 정의적, 운동 기능적 영역의 범위도 고려한다.

(4) 통합성의 원칙

① 개개인의 학습경험이 상호 연결되고 통합됨으로써 보다 효과적인 학습과 성장을 촉진할 수 있다.
② 여러 분야의 지식을 동원해야 해결될 수 있는 문제나 주제를 중심으로 교과과정을 편성한다.
③ 관련성 있는 학습내용을 하나의 교과나 과목 또는 단원으로 묶어서 동시에 혹은 비슷한 시간대에 배열한다.

3. 교육내용의 구성방법

(1) 심리적 구성방법

① 학습자의 심리적인 특성을 기초로 교육내용을 배열하는 방법이다.
② 학습에 미치는 학습의 곤란도 또는 성공과 실패 여부를 연구하여 교육내용을 배열한다.

(2) 논리적 구성방법

① 학습 내용은 쉬운 것에서 어려운 것으로 구성한다.
② 간단한 것에서 복잡한 것으로 구성한다.
③ 구체적인 것에서 추상적인 것으로 구성한다.
④ 가까운 것에서 먼 것으로 구성한다.
⑤ 익숙한 것에서 미숙한 것으로 구성한다.
⑥ 부분적인 것에서 전체적인 것으로 구성한다.

(3) 절충적 구성방법

① 심리적 · 논리적 구성방법을 절충한 것이다.
② 학습자의 흥미와 교재의 논리적인 순서가 조합되어 확실한 발전방향으로 배열하는 것이다.

7 보건교육의 수행

1. 보건교육계획서

(1) 개념

보건교육계획서는 교육자의 자질과 교육의 효과를 높이는 매우 중요한 수단으로 종합적으로 정리한 것이다.

(2) 교육활동

① 도입단계
㉠ 학습의욕을 환기시켜 학습의 진행을 효과적으로 이끌어가도록 하는 준비단계이다.
㉡ 전체 학습과정에서 가장 중요한 단계로, 학습자들과 긍정적인 관계를 형성한다.
㉢ 대상자들에게 학습목표를 알려주어 주의를 집중시키고, 학습동기를 유발하도록 하여 전개단계로 이행될 수 있도록 해야 한다.
㉣ 흥미유발과 동기부여를 위해 설명이나 해석 혹은 제시한다.

② 전개단계
㉠ 계획에 따라 학습을 전개시켜 나가는 학습의 중심부분으로 학습활동의 대부분이 이 단계에서 이루어진다.
㉡ 전개단계에서 교육자의 임무는 학습내용이나 특성에 따라 학습활동을 결정하며, 학습자의 지식 · 이해 · 기능 등을 습득하도록 폭넓고 다양한 활동을 활용하여 주의를 기울여 구성한다.

③ 요약 및 정리단계
㉠ 전개단계에서 수행한 활동을 종합하여 설정된 목표를 성취해 나아가는 단계이다.
㉡ 학습한 전체 내용을 총괄하여 요약하거나 중요한 부분을 학습자에게 질문하고 토의함으로써 정리하고 결론을 내린다.

ⓒ 학습자와의 질의응답 시간을 가질 수 있도록 시간을 배분한다.
ⓔ 교육자가 요약해 주는 방법과 학습자에게 요약해서 설명해 보게 하는 방법이 있다.
ⓜ 실기나 실습의 경우에는 소요시간이 약간 더 요구된다.

2. 보건교육방법 기출 13, 16, 17, 19, 20

(1) 개별교육

① 의의

㉠ 지역사회 현장에서 가장 많이 활용하는 방법이다.
㉡ 가정방문 시, 클리닉에서의 접촉, 전화를 통한 접촉 시에 개별적인 교육이 이루어진다.
㉢ 효과가 높지만 경제성이 없다.
㉣ 개인의 비밀에 해당하는 문제일 때 개별교육이 효과적이다(예 성병, AIDS, 미혼모, 유산문제 등).

② 유형

면접	특징	두 사람 사이에서 목표를 가지고 언어를 도구로 하여 기술적으로 진행되는 전문직업적 대면관계 예 관찰, 청취, 질문, 이야기, 해석 등
	장점	• 시간과 장소의 제약이 없음 • 피면접자에게 심리적 부담감이나 준비물을 요구하지 않음
	단점	많은 인원과 시간이 소요됨
상담	특징	• 직접 대화를 통하여 태도와 행위가 바람직한 방향으로 변화되도록 촉진하는 것 • **개별상담 시 주의점** - 신뢰관계 형성, 긍정적인 태도 - 현재의 문제에만 초점, 부드럽고 조용한 상담 분위기 - 대상자의 말이나 대답을 강요하지 않아야 함 - 대상자의 부정적 감정도 수용함 - 대상자에게 지시나 명령, 훈계나 설득, 충고나 권고는 피함 - 대상자의 비밀을 엄수 • **상담단계** - **1단계(관계 형성과 경청)**: 신뢰감 형성, 라포 형성단계 - **2단계(탐색과 직면)**: 문제를 정확히 이해하고 규명하도록 하는 단계 - **3단계**: 피상담자가 태도 및 행위를 변화시키도록 도와주는 상담의 종결단계

	장점	• 개별적으로 진행되어 교육효과가 높음 • 교육자와 대상자 간에 상호작용이 많음 • 대상자의 내밀(內密)한 건강문제 해결에 도움이 됨 • 협소한 공간에서 이루어져 집단교육에 비해 별도의 행정적인 노력이 필요 없음
	단점	개인을 대상으로 이루어지므로 시간, 인력, 비용에 있어 비경제적임
프로그램 학습과 컴퓨터 보조학습	특징	프로그램 학습법(Programmed Lecture)이나 컴퓨터 보조학습(Computer Aided Lecture)은 대상자가 스스로 학습할 수 있도록 고안된 것
	장점	• 학습자가 자신의 능력에 따라 학습할 수 있음 • 반복학습이 가능함 • 학습자의 수준과 속도에 따라 학습 자료의 양을 조절할 수 있음
	단점	교육자의 세심한 배려와 컴퓨터에 대한 이해 없이는 비인간적 · 비교육적일 수 있음

(2) 집단교육 – 강의(Lecture) 기출 15, 17, 19

① 의의

㉠ 직접 언어로 전달하는 가장 보편적인 교육방법이다.

㉡ 지식을 전달하기 위해 많이 이용되는 교수 주도의 교육방법이다.

② 강의 준비

㉠ 강의의 목표를 분명히 한다.

㉡ 대상자의 특성(성별, 연령층, 교육 수준, 건강상태, 사회경제적 상태 등)을 분석한다.

㉢ 대상자 분석을 기초로 강의내용 선택, 적절한 시청각 자료를 준비한다.

③ 강의 조직

㉠ 주제에 맞추어 강의내용을 조직한다.

㉡ 대상자의 이해를 돕도록 단순한 것에서 복잡한 것으로, 순서적이고 논리적으로 조직한다.

㉢ 익숙한 것과 새로운 것을 적절히 혼합하여 제시한다.

㉣ 강의의 개요를 작성한다.

㉤ 소개, 본론, 중간의 요약과 결론으로 조직한다.

④ 강의 전달

㉠ 강의내용을 전달하는 언어 수준이 청중에게 적합해야 한다.

㉡ 말의 속도를 대상자에게 적절하게 유지해야 한다.

㉢ 강의를 변화 있게 전개한다.

㉣ 한 가지 국면에 15분 이상 주의 · 집중하기 어려우므로, 15분마다 시청각 자료의 활용과 질문 등 다양한 방법을 활용한다.

㉤ 목소리는 분명하고 커야 하며 대화하듯이 한다.

㉥ 대상자들과의 눈 맞추기는 효과적인 교수에 매우 중요하다.

ⓢ 교육자의 외모가 주제와 청중과 어울려야 한다.

ⓞ 강의 전에 연습을 한다.

⑤ **장단점**

장점	• 짧은 시간에 많은 양의 지식이나 정보를 많은 사람에게 전달 가능 • 학습내용을 학습자 수준에 적절하게 조절하여 전달할 수 있음 • 대상자의 적극적인 참여 없이도 이루어지며, 긴장감이 비교적 적음 • 대상자가 많아 다른 방법을 적용하기 어려울 때 활용할 수 있음
단점	• 학습자가 모두 기억하기 어려움 • 학습자가 수동적으로 되며 문제해결 능력을 가질 수 없음 • 학습자 간의 개인차를 고려하기 어려움

(3) 집단교육 - 토의(Discussion)

① **의의**

공동학습의 한 형태로, 대상자들이 서로 의견을 교환하고 함께 생각하여 문제를 해결할 수 있도록 도와주는 방법이다.

② **배심토의(Panel discussion)**

㉠ **개념**: 어떤 주제에 상반되는 견해를 가진 전문가 4 ~ 7명이 사회자의 안내에 따라 토의를 진행하는 방법이다. **기출 14, 15, 16, 17, 18, 19, 20**

㉡ **장단점**

장점	• 전문가와 청중이 함께 토의함으로써 문제해결방안 제시 가능 • 청중이 어떤 주제에 대해 비교적 높은 수준의 토론을 경험하고, 타인의 의견을 듣고 비판하는 능력이 배양됨
단점	• 전문가의 위촉에 따르는 부담 • 청중이 기존 지식이 없을 때는 토론내용을 이해하기 어려움

③ **심포지엄(Symposium)**

㉠ **개념**: 동일한 주제에 대해 전문적인 지식을 가진 연사 2 ~ 5명을 초청하여 각자 10 ~ 15분씩 의견을 발표하도록 한 후, 발표내용을 중심으로 사회자가 청중을 공개토론 형식으로 참여시키는 교육방법이다.
기출 14, 15, 16, 17, 18, 19, 20, 22

㉡ **장단점**

장점	• 특별한 주제에 대한 밀도 있는 접근 가능 • 의사전달의 능력 여하에 따라 강의가 다채롭고 창조적이고 변화 있게 진행될 수 있음 • 청중이 알고자 하는 문제의 전체적 파악은 물론 부분적 이해 가능
단점	• 연사의 발표내용이 중복될 수 있음 • 청중이 주제에 대해 정확한 윤곽을 형성하지 못했을 때는 비효과적

④ 분단토의(와글와글 학습법, Buzz Session) 기출 10, 13, 15, 16, 17, 19, 20

㉠ **개념**: 대상자 전체의 의견을 반영하거나 분위기가 침체되었을 때 실시하는 방법이다.

㉡ **방법**

ⓐ 전체를 몇 개의 분단으로 나누어 토의시키고, 다시 전체 회의에서 종합·정리한다.

ⓑ 각 분단은 6 ~ 8명이 적당하다.

ⓒ 각 분단에 의장과 서기를 두고 회의를 진행시키는 것이 효과적이다.

㉢ **장단점**

구분	내용
장점	• 참석인원이 많아도 진행이 가능함 • 전체가 의견을 제시할 수 있음
단점	참가자들의 준비가 없을 때는 토론의 성과를 거둘 수 없음

⑤ 집단토론(Group discussion) 기출 17

㉠ **개념**: 참가자들이 특정 주제에 대하여 자유롭게 상호 의견을 교환하고 결론을 내리는 방법이다.

㉡ **방법**: 참가자는 10명 내외가 적당하다.

㉢ **장단점**

구분	내용
장점	• 대상자들이 능동적인 참여를 통해 상호 협동적·민주적 회의 능력을 기를 수 있음 • 각자의 의견을 표현하므로 자신의 의사를 올바르게 전달하는 능력이 배양됨
단점	• 많은 대상자가 참여하기 어려움 • 교육자의 토론유도기술이 부족하면 집단토론의 장점을 살릴 수 없음

⑥ 브레인스토밍(Brainstorming) 기출 10, 12, 15, 16, 17, 18, 19

㉠ **개념**

ⓐ 묘안착상법 혹은 팝콘, 번개처럼 떠오르는 기발한 생각을 잘 포착해낸다는 뜻이다.

ⓑ 토론 없이 가능한 많은 아이디어를 종이에 기록하여 목록화하고, 그들 중 가장 최상의 아이디어를 선택하는 방법이다.

㉡ **방법**: 12 ~ 15명이 한 그룹이 되어 10 ~ 15분의 단기토의를 진행한다.

㉢ **장단점**

구분	내용
장점	• 어떤 문제든지 토론의 주제로 삼을 수 있음 • 별도의 장비를 준비하지 않아도 됨 • 기대하지 않았던 의미 있는 결과를 얻을 수 있음 • 협력적인 분위기를 조성하는 데 유용함
단점	• 토론이 제대로 유도되지 않으면 시간을 낭비할 수 있음 • 대상자들이 즉흥적·계속적으로 아이디어를 제시해야 하는 부담감이 있음

⑦ 포럼(Forum) 기출 16

㉠ 1 ~ 3인 정도의 전문가가 간략하게 발표한다.

㉡ 발표내용을 중심으로 청중과 질의응답을 통해 토론을 진행한다.

⑧ 세미나(Seminar) 기출 14, 17, 19

㉠ 개념

ⓐ 토론 구성원이 해당 주제에 관한 전문가나 연구자로 이루어졌을 때 주제발표자가 먼저 발표를 하고, 토론참가자들이 이에 대해 토론하는 방법이다.

ⓑ 사전에 토론자들에게 발표해야 할 과제를 알리고 발표 내용을 깊이 있게 준비하여 전문화된 지식이나 정보를 가지고 토론을 하는 교육방법이다.

㉡ 장단점

장점	참여자가 전문가이므로 주제에 대해 전문적인 정보교류 가능
단점	전문지식이 없는 사람들은 주제 내용을 이해하기 어려우므로 일반인을 대상으로 보건교육을 시행할 때 한계가 있음

⑨ 시범(Demonstration) 기출 20

㉠ 개념: 실제 적용해보거나 나타내 보이는 활동으로 심리운동 영역인 기술 교육에 적합한 방법이다.

㉡ 유의사항

ⓐ 시범 실시 전에 전체 절차를 숙지한다.

ⓑ 시범 실시 전에 물품을 준비하고, 기구가 잘 작동하는지 시험해 본다.

ⓒ 모든 대상자가 잘 볼 수 있도록 장소를 준비한다.

ⓓ 시범 보이는 동작과 절차는 정확하고 가장 진보적인 방법을 선택하여야 한다.

ⓔ 대상자가 오류를 범하기 쉬운 어려운 동작이나 기술을 반복해서 보여준다.

ⓕ 모든 대상자가 실습할 수 있는 시간을 가지도록 해주고 미숙한 부분을 교정해준다.

㉢ 장단점

장점	• 직접 상황을 관찰하고 해볼 수 있으므로 학습자의 흥미와 동기 유발이 용이함 • 배운 내용을 실제에서 쉽게 적용할 수 있음 • 학습자의 수준에 따라 다양하게 적용할 수 있음
단점	• 소수에게만 적용할 수 있음 • 교육자가 숙달되기 위해 많은 준비시간이 필요함 • 특정 장비가 준비되어야 함 • 교육자의 준비 정도에 따라 학습자의 기술습득 정도가 달라짐

⑩ **역할극(Role Play)**

㉠ **개념**: 대상자들이 실제상황 중의 한 인물로 등장하여 연극을 하면서 건강문제나 어떤 상황을 분석하고 해결방안을 모색한다. 이를 통해 교육목표에 흥미있게 도달하는 교육방법이다. **기출 14, 16, 18**

㉡ **장단점**

장점	• 흥미와 동기유발이 용이함 • 대상자 수가 많아도 적용할 수 있음 • 대상자들의 태도와 가치관을 재고할 기회를 제공함 • 의사소통 및 의사결정에 대한 경험을 제공함
단점	• 준비하는 데 시간이 많이 소요됨 • 대상자들이 역할 맡는 것을 위협적으로 생각할 수 있음 • 세심한 계획과 평가가 필요함

⑪ **프로젝트 방법(Project Method)**

㉠ 개념

ⓐ 실제 상황 속에서 목적을 달성하기 위하여 전심으로 수행하는 활동이다.

ⓑ 대상자에게 학습목표를 제시하고 목표를 달성하기 위해 대상자 스스로 계획하고 자료를 수집하고 수행하게 함으로써 지식 · 태도 · 기술을 포괄적으로 습득하게 하는 것이다.

㉡ **장단점**

장점	• 대상자 자신이 계획하고 실시하므로 학습에 대한 동기유발이 용이하고, 자주성과 책임감이 개발됨 • 의사결정능력과 문제해결방안을 모색하는 능력, 인내심, 창의력, 탐구능력이 개발되고, 협동정신과 지도력, 희생정신이 길러짐 • 문제해결과정에 영향을 주는 여러 변수에 대한 이해가 증진
단점	• 의존적이고 수동적인 학습에 익숙해진 학습자나 의욕이 부족한 대상자인 경우 시간과 노력만 낭비하고, 목표를 제대로 달성하기 어려움 • 학습자의 자신감을 감소시킬 수 있음 • 대상자가 위협적으로 느낌 • 집단역동에 어려움이 발생할 수 있음 • 세밀한 계획과 평가기술이 필요함

⑫ 사례연구(Case study)

㉠ 개념

ⓐ 특정 학습주제를 가르치기 위해 기존의 여러 사례들을 이용하는 방법이다.

ⓑ 학습자는 사례들을 수집, 비교, 분석하여 해결방안을 모색하거나 일반적인 원리를 파악하는 과정에서 새로운 지식을 습득한다.

㉡ 장단점

구분	내용
장점	• 대상자 중심의 활동이 매우 많음 • 문제해결에 필요한 분석적 사고력이 향상됨 • 특정 문제에 대해 다양한 해결책이 있음을 알게 됨
단점	교수의 지도경험이 부족한 경우 예기치 않은 결과를 야기할 수 있음

⑬ 견학(Field Trip)

㉠ **개념**: 현장을 직접 방문하여 관찰을 통해 대상자의 학습을 유도하는 방법이다.

㉡ **유의사항**: 견학장소에 대한 사전답사와 방문일정을 사전에 조율해야 한다.

㉢ 장단점

구분	내용
장점	• 직접 관찰할 수 있으므로 사물을 관찰하는 능력이 배양됨 • 다각도의 경험을 하게 되므로 태도 변화가 용이함 • 배운 내용을 실제에 적용할 수 있음
단점	• 시간과 경비가 많이 듦 • 세심한 계획과 평가가 필요함

⑭ 캠페인(Campaign)

㉠ 개념

ⓐ 건강관리에 필요한 지식과 기술을 향상시키기 위해 매우 집중적이고 반복적인 과정을 통해 사람들이 올바른 교육내용을 습득하도록 널리 알리는 교육방법이다.

ⓑ 다양한 보건교육방법들을 적절히 사용함으로써 각 문제점의 성격에 맞게 병원, 지역사회 어디에서나 효과적으로 활용할 수 있는 좋은 교육방법이다.

㉡ 장단점

구분	내용
장점	• 지역사회 어디서나 활용 가능함 • 비교적 단기간 동안 건강지식과 기술을 증진시킬 수 있음 • 건강에 대한 경각심을 높일 수 있음
단점	• 종료 후 관심이 감소하여 지속적인 관리가 필요함 • 일방식 전달방법이기 때문에 의미전달이 불확실하고 정확하지 않을 수 있음 • 대상자의 지식 수준에 따라 정보의 이해능력에 차이가 있을 수 있음

⑮ 시뮬레이션(Simulation)

㉠ **개념**: 건강문제와 관련된 실제 사례가 희소하고 해결방안이 심각하여 현장실습이나 각종 교육방법으로 학습자들에게 경험시킬 수 없는 경우, 학습자의 건강문제나 해결방안을 가상상황으로 만들어서 학습자나 보호자가 자신들의 문제와 거의 흡사한 가상상황에 뛰어들어 건강문제를 스스로 해결해 보는 교육방법이다.

㉡ **장단점**

구분	내용
장점	• 학습자에게 흥미를 유발하고 학습 동기유발을 촉진시킴 • 역할 수행에 대해 만족감을 높임 • 상황 및 대처방안에 대한 자신감을 높여줌 • 윤리적 문제가 발생할 소지자 적음 • 팀 훈련에 적합함
단점	• 모의상황을 조성하는 데 시간, 노력, 비용이 많이 듦 • 학습자의 학습내용 이해 정도에 따라 단순한 이벤트성 교육이 될 가능성이 높음 • 학습자의 진행 속도에 따라 시간 소모가 많음

⑯ 문제 중심학습(PBL; Problem-Based Learning)

㉠ **개념**: 학습자들에게 제시된 실제적인 문제를 협동적으로 해결하기 위해 학습자들이 공동으로 문제해결방안을 논의한 후 개별학습과 협동학습을 통해 공동의 해결안을 마련하는 과정에서 학습이 이루어지는 학습자 중심의 학습환경이자 모형이다.

㉡ **방법**: 실제 사례를 만나는 것과 같은 가상 시나리오를 체계적으로 구성한다.

㉢ **장단점**

구분	내용
장점	• 학습 동기의 효과적인 유발 • 문제해결능력 강화 • 환자에게 필요한 지식, 태도, 사고와 판단 및 의사소통 기술을 동시에 습득하도록 할 수 있음 • 지식을 융통성 있게 활용할 수 있음 • 필요한 지식을 자율적으로 습득할 수 있는 능력을 함양할 수 있음
단점	• 교과과정의 기획과 문제설계가 복잡함 • 불필요한 학습할 수도 있음 • 교수의 경우 학생교육에 많은 시간을 들여 사전교육과 준비가 필요함 • 소규모 집단을 위한 장소 확보가 어려움

⑰ 팀 중심학습(TBL; Team-Based Learning)

㉠ **개념**: 공동의 목표를 달성하기 위해 구성원들이 비전을 공유하고 효율적인 의사소통체계를 갖추며 상호작용함으로써 성과를 달성하는 팀 체계에 바탕을 둔 학습방법이다.

㉡ 장단점

장점	• 개인의 문제해결능력과 창의력을 신장 • 상호배려, 협동심, 응집력, 만족감 향상 • 학습에 대한 자기통제감와 의사소통능력을 향상 • 반성적 사고능력이 함양 • 적절한 피드백으로 개인과 팀의 성장과 발전 가능
단점	• 팀에 적응하지 못할 경우 학습능력이 저하 • 동료 의식이 없으면 팀원 사이의 시너지 효과를 기대하기 어려움 • 주도적 소수 참여자에게만 학습이 제한 • 과제 제시, 적절한 피드백의 평가 등 교육자의 역량이 요구

⑱ 웹기반 · 온라인 학습

㉠ 개념

ⓐ 컴퓨터를 활용한 환경 속에서 교육하는 학습방법이다.

ⓑ 교육자와 학습자가 온라인에서 각종 자료를 매체로 상호 의사소통하면서 배우는 교육방법이다.

㉡ 장단점

장점	• 학습자가 원하는 시간과 장소에서 학습이 가능 • 교육자와 학습자 모두가 활발하게 상호작용 • 다양한 측면으로 교육 가능
단점	• 멀티미디어 웹 기본 환경을 구축해야만 가능 • 교육자의 교육내용이 웹 기반 교육에 적당하도록 구조화되고 재구성되어야만 함 • 학습자가 웹 기반학습에 대한 기초활용능력이 없으면 교육을 받을 수 없음

⑲ 블렌디드 러닝(Blended learning)

㉠ 개념

ⓐ 전통적인 수업 형태인 면대면으로 교사에 의해 이루어지는 수업을 전자형태의 수업을 통한 보조로 진행되는 수업이다.

ⓑ 혁신적 정보기술의 발전에 기초한 온라인 학습과 상호작용적 참여를 동반하는 전통적인 학습과 통합된 방법이다.

㉡ 장단점

장점	• 학습자가 자기주도적 학습을 촉진하고 다양한 학습 요구에 부합 • 다양한 형태의 상호작용이 가능 • 비용과 시간을 절감할 수 있음
단점	• 전통적인 교수법을 온라인으로 옮겨 놓은 것에 지나지 않음 • 상호작용의 적시성과 그 범위에 한계가 있음 • 온라인 학습 활용에 있어 용이성에 한계가 있음

⑳ 플립 러닝(Flipped learning)

㉠ **개념**: 기존의 교육방법을 바꾸어, 집에서 교사가 제작한 강의를 듣고 학교에서는 교사 및 학생들과 토론하면서 퀴즈, 프로젝트 활동, 토론 등을 통해 문제를 해결하는 교육방법이다.

㉡ **종류**: 거꾸로 학습, 역전학습, 역진행 수업방식, 반전 학습 등이 있다.

㉢ **장단점**

구분	내용
장점	• 교수자와 학습자 간의 소통을 강화할 수 있음 • 학업 성취도가 낮은 학생들에게 도움이 됨 • 학생들 간의 실력과 편차를 감소시킬 수 있음 • 수준별 학습이 가능함 • 동영상 강의로 반복 학습이 가능 • 투명한 수업 운영이 가능
단점	교수자와 학생의 수업 준비도의 비중이 큼

㉑ 액션 러닝(Action learning)

㉠ 학습자들이 과제해결을 위해 모여서 실제 과제를 해결하거나 해결안을 도출하는 과정에서 학습자 상호간에 질문과 성찰을 통해 학습이 이루어지는 교육방법이다.

㉡ 학습팀의 구성원 모두가 한 가지 과제를 담당 또는 각자 개인이 자신의 과제를 해결하는 과정에서 서로 도움을 주고 받을 수 있다.

3. 보건교육매체 활용

(1) 교육매체의 개념

교수활동을 효과적으로 진행하기 위하여 교육자와 학습자 간에 사용되는 모든 교육 자료이다.

(2) 교육매체 선정의 기준

① 학습목표에 맞게 선택하여 단계별로 제시되어야 한다.

② 매체의 준비에 따른 비용, 노력, 시간 등을 고려하여 모든 조건에 합당하다고 생각되는 경제적인 것이어야 한다.

③ 매체에 담긴 내용이 충분한 연구의 결과이며, 최근의 정보로 구성되어 있는지를 구별해서 선정해야 한다.

④ 학습자의 성숙도, 흥미정도, 배경, 경험 등을 이해하여 이에 알맞은 매체를 선택해야 한다.

⑤ 매체활용에 소요되는 시간을 측정하고, 교육 계획 시 시간의 배정을 고려하여 학습자 전체가 듣고 볼 수 있는 것으로 선택한다.

(3) 교육매체의 체계적 선정을 위한 ASSURE모형

① A(Analyze learners, **학습자 분석**): 학습자의 일반적인 특성과 출발점 능력, 학습 양식 등을 검사지나 인터뷰를 통해서 분석한다.

② S(State objectives, **목표 제시**): 목표를 제시하고 그 목표의 성취에 알맞은 교육매체를 선정하며 여기에 필요한 환경과 평가 기준을 제시한다.

③ S(Select media and materials, **교육매체와 자료의 선정**): 기존의 자료를 검색하고 목표에 맞게 수정하거나 새롭게 제작한다.

④ U(Utilize media and materials, **수업도구와 자료의 활용**): 수업에 사용하기 전에 먼저 내용을 확인하고 연습한 후 학습자들에게 미리 매체에 대한 정보를 주어야 한다. 제시 후에는 토론이나 소집단 활동 및 개별 보고서 등의 사후학습을 계획한다.

⑤ R(Require learner participation, **학습자의 참여 이끌기**): 학습자의 참여를 이끌어 낼 수 있는 토의, 퀴즈, 연습문제 등을 준비한다.

⑥ E(Evaluate and revise, **평가와 수정**): 학습자의 성취도를 측정하고 매체와 방법에 대해 평가한 후 수정이 필요한 부분을 파악한다.

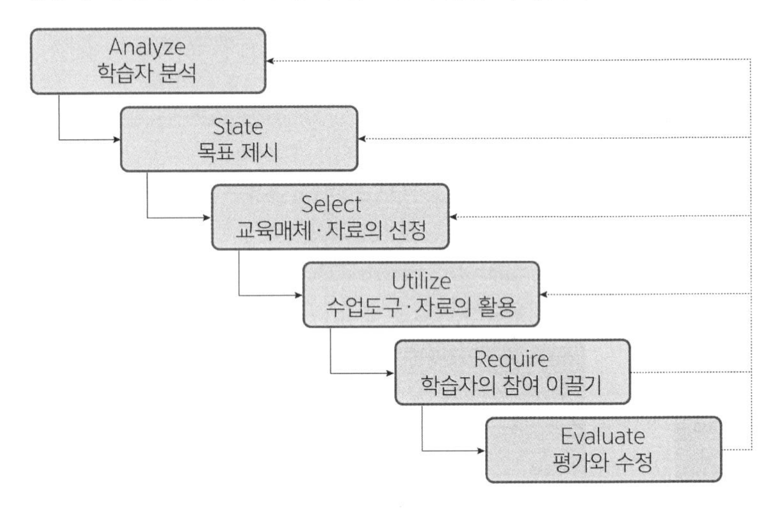

교육매체 활용을 위한 ASSURE모형(Heinrich, Molenda&Russel)

(4) 교육매체의 종류

① 칠판(Black board)

㉠ **개념**: 전통적인 학교교육에서 가장 오랫동안 흔히 사용해온 시각 보조물이다.

㉡ **장단점**

장점	• 구입하기 쉬우며 가격이 저렴하고 관리유지가 쉬움 • 누구나 부담 없이 사용할 수 있음 • 교육을 진행하며 자연스럽게 사용하게 되므로 주의를 분산시키지 않음 • 지우고 다시 쓸 수 있으므로 융통성이 있음 • 결과를 계속 보여 주거나 의견을 비교, 대조할 때 효과적임
단점	• 많은 양의 자료를 한꺼번에 취급할 수 없고 쓰는 데 시간이 소모됨 • 세부적이고 복잡한 그림을 그리려면 기술이 필요함 • 너무 많이 사용하면 흥미나 주의집중이 안됨 • 50명 이상의 다수에게는 부적질함 • 교육자의 필체가 좋지 못할 경우 학습자들이 알아보기 어려움

② 실물이나 실제상황(Real – thing or Real situation)

㉠ **개념**: 가능하다면 실물이나 실제상황을 사용하는 것이 가장 효과가 있다.

예 자가 주사 방법 교육, 피임방법 교육 등 ⇨ 실제 기구들을 가지고 설명하는 것

㉡ 장단점

장점	• 대상자가 모든 감각기관을 동원하여 입체적인 학습을 할 수 있기 때문에 흥미를 갖고 학습 목표에 도달하기 쉬움 • 교육자와 대상자 간에 의사소통이 잘 됨 • 교육 후 실생활에 즉시 활용할 수 있음
단점	• 구입이나 활용이 용이하지 않은 경우가 많음 • 대상자 수가 많을 때는 활용하기 어려움 • 시간 · 계절 · 비용 등의 제한이 있음 • 실물은 쉽게 손상될 수 있고 보관이 어려움

③ 모형이나 유사물(A model or simulation device)

㉠ **개념**: 실물과 닮은 것을 모형이라 하고, 실물처럼 움직이거나 기능할 수 있는 모형을 유사물이라 한다.

예 인형들, 인공순환기, 투석기기 등

㉡ 장단점

장점	• 실물이나 실제 상황을 활용할 때와 비슷한 효과를 얻을 수 있음 • 여러 번 반복해서 시행해 볼 수 있음 • 확대 또는 축소하거나 단면화시킴으로써 세부적인 부분까지 볼 수 있음 • 눈으로 보고 귀로 들으며 손으로 만져봄으로써 개념 습득이 용이함 • 기술을 배울 수 있는 방법으로 이용됨
단점	• 값이 비싸고 파손될 가능성 높음 • 대상자가 많으면 효과가 낮음 • 보관과 운반이 불편함

④ 융판(Flannel Board)

㉠ **개념**: 융을 고정할 도구, 그림과 사포만 있으면 어디서나 활용할 수 있는 매체이다.

㉡ 장단점

장점	• 융판은 복잡한 이야기나 내용을 간단히 묘사할 수 있음 • 자료를 붙이고 떼면서 흥미와 동기유발이 용이함 • 매우 경제적이며 학습의 반복이 가능하고, 휴대하기 편리함 • 다양한 색과 모양의 그림을 단계적으로 제시할 수 있어 주의집중이 잘 되고, 흥미있게 목표에 도달할 수 있음
단점	• 대상자가 소수일 때 적용할 수 있음 • 교육목적에 맞게 그림이나 글씨를 미리 제작해야 하므로 기술과 시간이 필요함 • 섬세한 설명은 불가능함

⑤ 그림과 사진

㉠ 개념

ⓐ 소집단에게 유용하게 사용할 수 있다.

ⓑ 신문이나 책에서 자료를 쉽게 구할 수 있어 다양한 형태로 학습에 활용할 수 있다.

㉡ 장단점

구분	내용
장점	• 어떤 상황이나 모양을 압축하여 간결하게 표현할 수 있음 • 구하기 쉽고 비용이 적게 들며, 필요할 때 복사하여 학습자에게 배부할 수 있음 • 휴대가 간편하고 기계적 장치가 필요하지 않으므로 어떤 장소에서나 활용할 수 있음
단점	• 평면적이며 움직임을 묘사하기 어려움 • 큰 집단에는 사용하는 데 제한이 있음

⑥ 팸플릿(Pamphlet)

㉠ **개념**: 알리고자 하는 정보를 짧고 명확하게 요약하고 그림과 함께 인쇄하여 중요한 내용을 이해하는 데 도움을 준다.

㉡ 장단점

구분	내용
장점	• 관련 있는 그림을 효과적으로 사용할 때 이해가 빠르며, 쉽게 기억할 수 있음 • 쉽게 제작할 수 있으며 사용이 용이함
단점	• 기존에 만들어진 자료는 학습목표와 동일하지 않은 경우가 많아 정보를 제공하는 데 제한이 있음 • 자세한 내용을 다루기 어려움

⑦ 녹음기

㉠ **개념**: 학습해야 할 기술이 청각적인 것일 때 효과적이다.

㉡ 장단점

구분	내용
장점	• 반복하여 여러 번 들을 수 있음 • 녹음테이프의 비용이 저렴하며, 보관도 간편함 • 특수한 기술이 필요하지 않아 누구나 사용할 수 있음 • 대상자 수가 많아도 사용할 수 있음 • 글을 모르는 사람에게도 적용할 수 있음
단점	다른 자극 없이 청각 자극만으로는 지루해서 집중하기 어려워 교육효과의 감소를 유발

⑧ 비디오테이프

㉠ 개념

ⓐ 시각과 청각을 동시에 자극하므로 실제 경험과 비슷한 경험을 하게 된다.

ⓑ 동기유발의 방법으로 사용하면 효과적이다.

㉡ 장단점

구분	내용
장점	• 움직이는 과정을 소리와 함께 보여주므로 사실과 가깝게 접근할 수 있음 • 시공을 초월하여 학습할 수 있음 • 필요한 장면을 정지해서 보거나 교육목적에 맞게 재구성하여 사용할 수도 있음
단점	• 반드시 시설과 기구를 갖추어야 함 • 비디오테이프를 제작하는 데는 기술이 필요하므로 학습목적에 맞게 제작하기 어려움

⑨ 투시물 환등기(OHP; OverHead Project)

㉠ 개념

ⓐ 암막장치 없이 투시물을 확대하여 선명한 상을 스크린에 비추는 기계로, 학습자와 교육자가 마주앉은 상태에서 사용할 수 있다.

ⓑ 조작이 간편하여 누구나 손쉽게 사용할 수 있어 교육현장에서 널리 활용되고 있다.

ⓒ 투시물(TP; Transparency) 자료는 아세테이트나 셀로판지로 만들며, 과정 · 사실 · 요점을 시각적으로 명료하게 제시할 수 있다.

ⓓ 소규모 학습에서 대단위 학습까지 광범위하게 사용하고 있다.

㉡ 장단점

구분	내용
장점	• 조명을 끄지 않고 사용할 수 있으므로 주위가 산만해지지 않고 필기하는 데 방해받지 않음 • 학습자와 시선을 마주하고 사용하므로 학습자의 반응을 관찰하며 진행할 수 있음 • 기계조작이 간편하고 자료제작이 용이하며, 색채를 다양하게 사용할 수 있음 • TP지는 지우고 다시 쓸 수 있으며, 가격이 저렴하여 경제적임
단점	• 사전에 준비하는 데 시간이 걸림 • 평면적인 상만 제시함

⑩ 슬라이드(Slide)

㉠ **개념**: 실물이나 모형으로 보여줄 수 없는 것을 환등기를 통하여 확대하여 보여줄 수 있고, 시공을 초월하여 시각적으로 보고 배울 수 있는 매체이다.

㉡ 장단점

구분	내용
장점	• 많은 대상자에게 동일한 시각적 경험을 제공할 수 있음 • 육안으로 볼 수 없는 장면을 시공을 초월하여 관찰할 수 있음 • 정지된 화면을 계속 볼 수 있음 • 제작비가 적게 들고, 보관과 이용이 간편함 • 학습목적에 따라 슬라이드 순서를 재편집할 수 있고, 각 장면을 제거 또는 첨가할 수 있어 내용의 전개에 융통성이 있음
단점	• 반드시 전기와 암막이 필요함 • 정지된 상태만 보여주므로 연속적인 과정을 배우는 데는 제한이 있음 • 슬라이드를 보기 위해 불을 끄면 주의집중에 방해됨

⑪ 실물환등기(Opaque projector)

㉠ **개념**: OHP가 투명한 자료만을 투시하는 것과 달리 불투명한 자료를 스크린에 투사해 인쇄물 · 도표 · 그림을 확대하여 보여준다.

㉡ 장단점

구분	내용
장점	• 실물을 직접 영사하여 보여주므로 자료를 특별히 제작할 필요가 없음 • 작은 것을 확대하여 보여줄 수 있어 조작이 간편함 • 집단에 사용할 수 있음
단점	• 자료가 너무 크면 투영할 수 없음 • 실내조명을 끄고 암막을 사용해야 선명하게 볼 수 있음

⑫ 컴퓨터(Computer)

㉠ **개념**: 즉각적인 반응, 수많은 정보의 저장과 응용, 특성이 다양한 학습자에게 각기 다른 처방을 줄 수 있는 가능성 등으로 수업의 장면에 다각적으로 활용된다.

㉡ 장단점

구분	내용
장점	• 학습의 속도와 순서를 학습자 스스로 조절하여 시간을 절약 • 학습자의 요구나 반응에 따라 적절한 피드백을 제공하여 학습의 개별화 효과 • 다양한 음향, 영상 등으로 학습자의 흥미를 끌고 다양한 경험을 제공해 줌 • 학습자가 원하는 부분을 반복하여 학습할 수 있음
단점	• 정의적 · 심리 운동적 그리고 대인관계 기술과 같은 영역을 가르치는 데는 비효과적임 • 컴퓨터 구매 비용이 많이 듦 • 창의성이 무시되기 쉽고 사회적 관계가 결여될 가능성이 있음 • 나이가 많은 성인학습자는 수업과정을 싫어할 수 있음 • 인터넷을 이용한 수업의 경우 음란물이나 폭력물 등에 노출될 수 있음

⑬ 게시판

㉠ **개념**: 원하는 아이디어나 메시지를 명확하고 간결하게 시각화하여 게시하는 판이다.

㉡ **장단점**

구분	내용
장점	• 자료가 하나밖에 없을 경우 전체 대상자가 모두 볼 수 있어 효과적 • 알리고자 하는 내용을 계속적으로 많은 사람에게 알릴 수 있음 • 준비하는 데 시간이 적게 들며 특별한 강의가 필요 없으므로 경제적 • 학습자가 모이지 않아도 되므로 활용하기 쉬움
단점	• 학습자에게 정보가 전달되었는지 확인할 수 없음 • 학습자들의 관심을 끌기가 어려움 • 장기간 게시하거나 배치가 좋지 않은 경우에는 잘 보게 되지 않음 • 글씨나 그림을 이해하지 못하는 사람에게는 효과가 없음 • 많거나 복잡한 내용에는 적합하지 않음

⑭ 인쇄물

㉠ **개념**: 한 장으로 된 전단, 몇 장으로 된 팸플릿이나 소책자는 알리고자 하는 정보를 짧고 명확하게 요약해서 그림과 함께 인쇄하여 많은 사람들에게 요점을 읽도록 하는 데 도움을 준다.

㉡ **장단점**

구분	내용
장점	• 대상자가 이해하기 쉬운 언어로 복잡한 개념을 설명할 수 있음 • 장소와 관계없이 언제나 활용할 수 있음 • 대상자 속도에 맞게 학습할 수 있음 • 대상자가 교육내용을 언제든지 찾아볼 수 있음 • 대상자가 가장 쉽고 편하게 접할 수 있음 • 휴대가 간편하고 대량제작이 가능 • 제작비가 비교적 저렴
단점	• 제작에 시간이 걸림 • 내용을 추상적으로 전달하게 됨 • 분량이 많으면 대상자가 읽어 보지 않을 수 있음 • 학습자와 상호작용이 불가능함 • 태도와 기술 영역의 변화에는 비효과적임 • 즉각적인 피드백을 받을 수 없음

⑮ 방송

㉠ 급성 감염병일 때 유용하다.

㉡ 빠른 속도로 즉각적인 반응을 얻을 수 있기에 응급상황에 효과적이다.

⑯ 컴퓨터 프레젠테이션(Computer presentation)

㉠ **개념**: 컴퓨터 자료파일과 빔(Beam) 프로젝터 또는 LCD(Liquid Crystal Display) 프로젝터, 파워포인트(PPT; Powerpoint) 등을 사용한다.

㉡ **장단점**

장점	• 다양한 문자배열, 음향, 영상, 애니메이션 효과 등으로 인해 학습자의 흥미유발이 용이하며 이로 인해 학습효과를 높일 수 있음 • 학습자 개개인의 속도대로 조절하여 학습할 수 있음 • 자료파일을 웹페이지에 링크시켜 정보를 공유할 수 있음
단점	• 컴퓨터 시스템 및 프로젝터의 구입과 유지에 드는 비용이 큼 • 매력적인 자료파일을 제작하기 위해서는 이에 따른 지식 및 기술과 시간, 노력이 필요함

⑰ 스마트폰과 모바일 어플리케이션(Smart phone, Mobile application)

㉠ **개념**: 휴대용 무선전자기기를 이용한 학습이다.

㉡ **장단점**

장점	• 스마트폰은 강력한 멀티미디어 기능을 가지고 있음 • 다양한 어플리케이션을 활용할 수 있으며 사용자들의 필요에 의해 설치와 삭제가 자유로움 • 편리하게 휴대할 수 있음 • 다양한 교육용 어플리케이션을 통해 시간과 장소에 구애받지 않고 손쉽게 정보전달과 학습을 가능하게 함
단점	• 이용자의 활용능력에 따라 활용도의 차이가 많이 날 수 있음 • 스마트폰의 기능을 익히고 어플리케이션을 활용하는 데 있어서 나이 드신 분들이 사용하기 어려움

⑱ UCC(User Created Contents)

㉠ **개념**: UCC는 스마트기기를 포함한 영상카메라로 촬영한 영상물 또는 플래시 애니메이션, 3D · 만화 애니메이션 등의 영상물로 제작한 것이다. 건강검진, 금연, 운동, 영양, 비만, 절주, 구강건강 등을 주제로 학생들이 직접 보건교육 UCC를 제작하도록 하여 대회를 개최하는 등 보건교육에 많이 활용한다.

㉡ **장단점**

장점	• 집단에 미치는 파급효과가 빠름 • UCC 제작을 통한 체험 위주의 문제해결과정으로 내면화와 실천의식을 높일 수 있음 • 신속하고 정확하게 학습자들에게 내용을 전달할 수 있음 • 기존의 텍스트와 이미지로만 전달되는 정보에 비해 기억에 오래 남아 교육의 지속효과가 큼
단점	• 제작 및 준비과정에 시간과 비용이 많이 들 수 있음 • 정보를 조작하거나 거짓정보 등의 허위 콘텐츠가 제작될 경우에 신뢰감이 떨어질 수 있음 • 저작권의 침해를 받을 수 있음

8 보건교육평가

1. 의의

(1) 평가과정을 통하여 학습자는 자신의 성취 정도를 객관적으로 확인할 수 있는 기회를 가지게 되고, 교육자는 교육의 효과를 증대시키는 방법을 배우게 된다.

(2) 평가를 하기 위해서는 먼저 측정을 하여야 하는데, 측정은 평가에 필요한 자료를 제시하는 것이며, 평가는 이 자료를 학습목표에 근거하여 판단하는 것이다.

2. 목적 및 이유

(1) 목적

① 학습자가 그동안 배운 것을 수행할 수 있는지를 확인하기 위함이다.
② 학습에 대한 동기를 부여하고 학습자가 더 열심히 하도록 격려하기 위함이다.
③ 교육과정의 강점과 약점을 파악하여 개선하기 위함이다.
④ 교육자 평가를 통해 학습자를 올바르게 이해하기 위함이다.
⑤ 평가과정이나 결과가 학습을 촉진할 수 있으며, 교육방법이나 매체를 개선할 수 있다.

(2) 이유

① 교육 프로그램의 가치를 증명하기 위하여 평가한다.
② 비용효과나 비용효율을 분석한다.
③ 가시성(Visuality)과 공공의 지지(Public Support)를 위하여 평가한다.

3. 평가과정

(1) 평가 대상과 기준 설정

무엇을 평가할 것인지 평가 대상을 결정하고, 보건교육의 목표달성 여부를 어떤 기준으로 평가할 것인지 결정하는 단계이다.

(2) 관련 자료 수집

평가 대상과 관련된 다양한 자료를 수집하는 과정으로 가장 적절한 자료 수집 방법을 결정하여 자료를 수집한다.

(3) 결과 해석

수집된 자료를 분석한 결과를 설정된 목표와 비교하여 그 도달 여부를 확인한 후, 이러한 결과에 영향을 미친 요인들과 직접 · 간접적인 원인 등을 분석하여 명확히 하는 과정이다.

(4) 재계획의 반영

평가 결과 분석을 통해 얻어진 영향요인과 원인을 해결하기 위한 방법을 모색하며, 그 결과를 향후 보건교육 계획 시에 반영하는 것이다.

수행평가

1. 교수자가 학습자의 과제 수행과정이나 결과를 다양한 방법으로 직접 관찰하고, 그 결과를 통하여 학습자의 능력을 전문적으로 판단하는 평가방식이다.
2. 서술, 논술, 실시, 시험, 관찰, 토론, 구술, 면접, 자기평가보고서, 포트폴리오 등이 있다.

4. 평가의 유형

(1) 평가 기준에 따른 분류

① 절대평가(Criterion referenced evaluation): 기준에 따른 평가로 보건교육 계획 시 목표를 설정해 놓고, 교육을 실시한 후 목표 도달 여부를 확인하는 방법이다. 이 평가는 무엇을 할 수 있는지를 알려고 하는 목적으로 실시하기 때문에 학습자의 점수를 비교하지 않는다.

② 상대평가(Norm referenced evaluation)

㉠ 다른 학습자에 비해 어느 정도 하고 있는지를 평가하는 것이다.

㉡ 학습자 개인의 상대적인 위치와 우열의 파악이 가능하며 경쟁을 통해 학습동기를 유발하는 방법이다.

㉢ 평가의 주된 대상은 학습자로 교육자가 아닌 다른 사람이 평가자가 될 수도 있는 방법이다.

(2) 평가 시점에 따른 분류 기출 09, 16

① 진단평가(Pretest evaluation)

㉠ 사전평가라고 불리며, 교육을 실시하기 전에 교육대상자들이 보건교육 주제에 대해서 가지고 있는 지식, 태도 및 행동의 수준을 파악하여 학습자들의 요구를 확인하는 방법이다.

㉡ 대상자의 지식, 태도, 동기, 준비도, 흥미 등을 파악할 수 있고, 어떤 주제의 교육이 필요한지 확인할 수 있다.

② 형성평가(Formative evaluation) 기출 21

㉠ 교육이 진행되는 동안 교육내용, 교육방법, 교육효과를 향상시키기 위하여 무엇을 조정하거나 추가하는 것이 필요한지를 확인하는 방법이다.

㉡ 교육이 진행되는 동안 학습자에게 형성되는 교육의 결과를 알려주고 학습이 이루어지는 영향요인들을 찾아서 개선함으로써 학습목표에 도달하게 된다.

③ 총괄평가(Summative evaluation)

㉠ 보건교육 후 학습자가 교육주제에 대한 지식과 태도에 변화가 있는지, 행동에 대한 동기부여가 생겼는지를 확인하는 방법이다.

㉡ 교육방법, 학습자의 욕구 충족, 장점과 단점 등 교육과정에 대한 전반적인 평가를 통해 다음 교육에 재반영하게 되며, 이런 평가과정에 학습자의 참여도 중요하다.

(3) 평가 성과에 초점을 둔 분류 기출 09, 16, 17, 18

① 과정평가(Process evaluation)

㉠ 과정평가는 보건교육프로그램이 어떻게 시행되었는가를 평가하는 것이다.

㉡ 과정평가의 대상에는 교육프로그램에 사용된 여러 자료들, 제반 교육과정의 적절성과 난이성, 과정의 수, 각 과정의 시간적 길이, 참석자의 수, 대상자의 참여율 등이 포함될 수 있다.

② 영향평가(Impact evaluation)

㉠ 영향평가는 프로그램을 투입한 결과로 단기적으로 나타난 바람직한 변화를 평가한다.

㉡ 대상자의 지식 · 태도 · 신념의 변화, 기술 또는 행동의 변화, 기관의 프로그램, 자원의 변화, 사업의 수용도 등을 측정한다.

③ 성과평가(Outcome evaluation)

㉠ 성과평가는 보건교육을 통해 나타난 바람직한 변화가 시간이 흐름에 따라 긍정적으로 나타난 효과를 평가한다.

㉡ 프로그램을 시행한 결과로 얻어진 건강 또는 사회적 요인의 개선점, 이환율이나 사망률의 감소, 삶의 질 향상 등을 평가하는 것이다.

㉢ 보건교육의 결과로 감소된 이환율이나 사망률을 알아내기는 그렇게 쉽지 않을 뿐만 아니라, 프로그램을 실시한 후 상당한 기간이 경과되어야만 알 수 있기 때문에 평가하기가 쉽지 않다.

(4) 평가 영역에 따른 분류

① 인지적 영역 평가

㉠ 보건교육을 통해 대상자의 지식 정도를 평가하는 것이다.

㉡ 지식, 이해력, 적용력, 분석력, 합성력, 평가력과 같은 대상자의 인지적 사고능력을 평가하는 것이다.

② **정의적 영역 평가**: 보건교육을 통해 자신의 건강을 유지 · 증진하는 데 필요한 태도나 가치관 등을 평가하는 것이다.

③ **심동적 영역 평가**: 의사소통기술, 의사결정기술, 문제해결기술 등 결정이 필요한 경우 올바른 대처와 판단을 할 수 있는 기술에 대해 평가하는 것이다.

(5) 체계모형에 따른 평가

① **사업의 성취도(목표 달성 정도)**: 설정된 목표가 제한된 기간에 어느 정도 도달되었는지 구체적으로 파악하는 것으로, 측정가능한 용어나 숫자로 제시하면 편리하다.

② **투입된 노력(투입자원)**: 예산보다는 간호사업을 위해 제공한 시간, 가정방문 횟수, 자원동원 횟수 등을 포함한다.

③ **사업의 진행 정도**: 수행계획에 기준하여 내용 및 일정에 맞도록 수행되었는지 혹은 되고 있는지를 파악하는 것으로, 잘 수행되지 않았으면 원인을 분석해서 계획을 변경하거나 원인을 제거한다.

④ **사업의 적합성**: 지역 주민의 요구에 부합되는 것(인적, 물적 자원의 충족 여부를 파악할 수 있는 것)으로, 모든 사업의 실적을 산출하고 지역사회 요구량과의 비율을 계산한다.

⑤ **사업의 효율성**: 투입량에 대한 산출량을 보는 것으로 인적 · 물적 자원을 비용으로 환산하여 그 사업의 단위목표량에 대한 투입비용이 어느 정도인가를 산출한다.

5. 평가의 방법

(1) 의의

① 평가의 방법은 평가의 내용에 따라 달라질 수 있다.

② 인지적 영역인 지식을 평가하고자 할 때는 질문지법이나 구두질문법을 사용할 수 있다.

③ 정의적 영역인 태도를 측정할 때는 질문지법과 관찰법, 자가보고서 및 자기감시법을 사용할 수 있으며, 정신운동 영역인 기술에 대한 평가는 관찰법을 사용하여 측정할 수 있다.

(2) 유형

① 질문지법

방법	질문지를 이용한 평가는, 최소한 읽을 수 있고 질문에 대해 이해할 수 있는 사람에게 사용할 수 있는 간접적인 방법
장점	타당도와 신뢰도가 높은 문항이 개발되면 교육자의 시간을 절약할 수 있고, 평가목적을 달성하기 용이해짐
단점	질문지의 문항을 작성하는 데 시간과 노력이 필요함

② 구두질문법

방법	구두질문은 관찰과 함께 사용할 수 있는 융통성 있는 평가방법
장점	쉽게 관찰되지 않는 행동을 평가할 수 있고, 질문에 대한 대상자의 이해 정도와 대답이 맞았는지를 즉각적으로 알 수 있음
단점	• 구두질문은 시간이 많이 소요됨 • 언어를 사용하는 질문방법은 자신을 표현하기 어려운 대상자에게는 적용하기 어렵고, 말을 유창하게 잘하는 대상자는 마치 더 많이 알고 있는 것처럼 보일 수 있음

③ **관찰법**: 행동 측정에 유용한 방법이지만, 객관적으로 관찰해야만 여러 가지 오류를 줄일 수 있다.

㉠ 직접관찰

ⓐ 대상자가 관찰되고 있음을 알지 못할 때 정확하게 측정할 수 있다.

ⓑ 관찰자가 관찰방법과 결과의 분석 및 해석에서 객관성을 유지할 수 있어야 한다.

ⓒ 관찰자는 언제, 어디서, 무엇을 관찰할 것인지를 사전에 계획을 세워야 하고, 관찰한 것을 사실 그대로 즉시 기록해야 한다.

㉡ 도구사용 관찰

ⓐ 응급상황에 대한 반응행동은 관찰자가 없을 때 일어날 수 있기에 도구를 사용하여 간접적으로 측정할 수밖에 없다.

ⓑ 간접측정의 전략으로 모의상황에서 말이나 글 또는 행동으로 표현하도록 유도하는 것이다.

④ 자가보고서 및 자기감시법

㉠ **설문지, 개방식 질문지, 진술식의 자가보고서**: 대상자의 태도, 가치, 흥미, 선호, 불안, 자존감 등 정의적 영역을 평가할 때 유용하다.

㉡ **자기감시법**: 대상자가 내면적 행위나 외향적 행위를 한 후 자신의 행위를 기록하는 방법으로, 외부에서 관찰한 자료와는 다를 수도 있다.

6. 평가의 도구

(1) 행동목록표(Checklist)

① 대상자의 행동을 관찰할 때 사용한다.

② 행동목록표의 각 문항은 단계마다 행동을 하였는지 여부와 만족스럽게 수행하였는지에 대하여 작성해야 한다.

③ 행동목록표는 정신운동 영역의 기술뿐 아니라 정의적 영역의 태도평가에도 활용된다.

(2) 평정척도(Rating scales)

① 평가자가 평가내용을 숫자나 내용으로 연속선 위에 분류하는 측정도구이다.

② 이 방법은 평가자의 주관이나 편견, 가치관 때문에 발생하는 오류를 배제하기 위해 복잡한 내용을 세분화하여 평가하는 것을 목표로 한다.

③ 평정척도를 구성할 때는 말을 정확하게 표현하여 오해를 피하고 오류를 줄이기 위하여 3 ~ 5항목을 제시할 수 있다.

④ 평정척도는 목표에 진술된 중요한 행동이 기술되어야 하므로 척도를 만들기 위해서는 먼저 구체적이고 측정할 수 있는 용어로 목표를 설정해야 한다.

9 생활습관과 위험요인

1. 흡연

(1) 세계보건기구(WHO) 기준 흡연의 정의

① **성인**: 세계보건기구의 기준에 의해 '평생 동안의 흡연량이 100개비 이상이고 현재 매일 혹은 가끔 담배를 피우는 경우'를 말한다.

② **청소년**: '최근 한 달 동안 하루 이상 흡연한 적이 있는 경우'를 말한다.

(2) 담배연기의 성분 기출 19

① **니코틴**

㉠ 흡연의 습관성을 초래하는 주원인 물질이다.

㉡ 니코틴은 강력한 알칼로이드로서 성인의 치사량은 40 ~ 60mg(kg당 1mg)이다.

㉢ 니코틴은 호흡기뿐만 아니라 구강 점막, 장관, 피부 등 신체의 어느 곳을 통해서도 쉽게 흡수된다.

㉣ 담배연기를 들이마시고 난 뒤 폐에서 흡수되어 혈류 속으로 들어간 니코틴이 뇌에 도달하는 시간은 불과 7 ~ 19초에 지나지 않으며 그 작용은 30분 정도 지속된다.

㉤ 니코틴의 대사물질인 코티닌(cotinine)은 반감기가 19 ~ 24시간 정도로 비교적 길어 소변 혹은 타액 등의 농도로써 체내 니코틴 농도의 표지인자로 사용한다.

② 타르

㉠ 담배 연기에서 니코틴과 수분의 질량을 뺀 후 남아 있는 고체 및 액체의 총 잔여물을 뜻한다.

㉡ 담배 성분 중 폐 속에 들어가 쌓이는 끈적끈적한 고체 및 액체의 총 잔여물로 폐암과 호흡기암을 유발한다.

③ 국제암연구소(IARC) 기타 성분

㉠ 주류연(흡연자가 빨아들이는 연기)에 포함된 발암물질은 약 81종이다.

㉡ 제1군(Group 1, 인체발암물질)에 해당하는 것으로는 4 - 아미노비페닐, 비소, 벤젠, 베릴륨, 카드뮴, 6가크롬화합물, 2 - 나프틸아민, 니켈화합물, 염화비닐, 산화에틸렌, 라돈 및 그 붕괴물질(radon - 222 및 210 polonium)로서 모두 11가지이다.

㉢ 제2군(Group 2A, 인체발암추정물질)은 14종이다.

㉣ 제2군B(Group 2B, 인체발암가능물질)는 56종이다.

(3) 흡연으로 인한 질병

암	폐암, 후두암, 구강암, 인후암, 식도암, 췌장암, 방광암, 신장암, 유방암, 대장암, 간암, 자궁경부암, 위암, 급성 백혈병 등
심혈관질환	죽상경화증, 관상동맥심질환, 뇌혈관계 질환, 복부대동맥류 및 복부대동맥 죽상경화증 등
호흡기질환	폐렴을 포함한 급성 호흡기 질환, 어린이와 청소년의 폐 성장 발육 지연 및 폐기능 저하, 성인의 폐 기능 저하, 어린이, 청소년, 성인에서의 호흡기 증상(기침, 가래, 천명, 호흡곤란), 천식치료의 방해, 만성폐쇄성 호흡기 질환의 이환 및 사망 증가, 폐결핵 등
생식기능에 대한 영향	수태능력 감소, 자궁외 임신, 양막 조기파열, 전치태반, 태반 조기박리, 조산, 태아 성장 지연 및 저출생체중, 영아 폐 기능 감소, 영아급사증후군, 선천성 기형(구순열), 발기장애 등
기타 질환	전반적인 건강상태 악화, 창상치유나 호흡기 합병증의 치유 지연, 폐경기 이후 여성에게서 골밀도 저하, 골반골절, 치주염, 핵백내장, 노년기 황반변성, 헬리코박터균이 있는 경우의 소화성 궤양, 당뇨병, 면역기능장애, 류마티스관절염 등

(4) 간접흡연으로 인한 영향

미국의 보건정책관 보고서(Surgeon General report, 2014)에서는 간접흡연이 인체의 영향을 주는 충분한 증거가 있다는 점과 그로 인해 발생한 질병을 제시하고 있다.

① **임신 · 출산 및 성장 · 발달에 대한 영향**: 영아급사증후군, 저출생체중

② **어린이 호흡기 질환**: 영유아기의 하기도 질환, 중이질환, 학동기 어린이의 호흡기 증상(기침, 가래, 천명, 숨 참), 유아기의 천식 증상 발병, 폐 기능 저하

③ **성인의 암 발생**: 폐암 발생의 위험 증가(20 ~ 30%)

④ **심혈관계 질환**: 관상동맥질환 이환 및 사망 위험성 증가(25 ~ 30%), 뇌졸중 이환 위험 증가(20 ~ 30%)

⑤ **성인의 호흡기에 미치는 영향**: 불쾌한 냄새, 코 자극 증상

(5) 금연을 위한 전략

① **흡연자 금연을 위한 의사의 역할**

㉠ 의사의 간단한 금연 권고 및 동기 유발로 환자의 금연을 유도하는 것이 효과적 · 효율적이다.

㉡ 금연 상담프로그램을 개발한다.

㉢ 금연 교육을 통하여 대상자의 흡연 행동단계를 파악한다.

② **국가 차원의 담배규제정책**: 국가의 담배규제정책은 세계보건기구에서 주도하는 담배규제국제협약(FCTC; The Framework Convention on Tobacco control)을 통해 명확하게 제시되어 있다. FCTC를 수행하기 위한 국가 차원의 대표적인 정책 수단으로 다음 6가지를 들 수 있으며, 각 정책의 첫 글자를 따 엠파워(MPOWER)라고 한다.

㉠ Monitor tobacco use and prevention policies(담배 사용 및 예방정책의 모니터)

㉡ Protect people from tobacco smoke(담배 연기로부터의 보호)

㉢ Offer help to quit tobacco use(금연을 할 수 있도록 도움을 제공)

㉣ Warn about the dangers of tobacco(담배의 위험에 대한 경고)

㉤ Enforce bans on tobacco advertising, promotion and sponsorship (담배 광고, 판촉, 후원 금지 시행)

㉥ Raise taxes on tobacco(담뱃세 인상)

③ **금연**: 담배를 전혀 피우지 않는 상태로서, 금연 성공은 최소 6개월 이상 금연상태를 유지한 경우를 말한다.

2. 음주

(1) 음주로 인한 신체적 및 사회 · 경제적 영향

암, 심혈관 질환, 간경화, 임신 중 알코올 노출, 기타 질환이 발생한다.

(2) 음주 행태의 평가

개인의 음주문제를 평가하기 위한 도구로는 AUDIT, CAGE, MAST 등이 있다.

① CAGE(Cutdown, Annoyed, Guilty, Eye-Opener)

Plus⁺ POINT

CAGE 설문 기출 17

1. 술을 끊어야 한다고 생각한 적이 있습니까? (예, 아니오)
2. 술을 마시는 것 때문에 남들이 비난할 때가 있습니까? (예, 아니오)
3. 음주 때문에 죄책감을 느끼거나 기분이 나쁠 때가 있습니까? (예, 아니오)
4. 술 마신 다음날 해장술을 마실 때가 있습니까? (예, 아니오)

* CAGE의 설문에서, '예'가 2개 이상일 경우 위험음주의 가능성이 높으므로 정밀진단이 필요

출처: 대한간학회(2013)

② AUDIT - K(Alcohol Use Disorders Identification Test)

㉠ **적정 음주자**: 각 문항의 합산 점수가 남성 9점 이하, 여성 5점 이하일 경우

㉡ **위험 음주자**: 남성 10 ~ 19점, 여성 6 ~ 9점일 경우

㉢ **알코올 장애로 추정**: 남성 20점 이상, 여성 10점 이상일 경우

(3) 절주 전략방법

① **개인 차원의 절주 접근방법**: 외래에서 간단한 방법에 의한 절주 상담기법으로, 밀러와 쌍쉐(Miller WR and Sanchez VC, 1993)가 제안한 프레임스(FRAMES)가 있다.

㉠ **위험의 경고(Feedback)**: 환자의 음주습관을 알려주고, 음주문제로 인해 발생할 수 있는 위험성을 알려준다.

㉡ **환자의 책임성(Responsibility)**: 음주습관을 바꾸는 데 있어 환자의 책임이 크고 의지가 중요함을 강조한다.

㉢ **절주권고(Advice)**: 절주 및 앞으로 바꾸어야 할 생활습관에 대해 명확히 제시한다.

㉣ **절주방법(Menu)**: 절주를 할 수 있는 여러 가지 방법을 제시해 주고 실행할 수 있는 기술을 습득할 수 있도록 도와준다.

㉤ **공감대 형성(Empathy)**: 환자의 말을 잘 들어주고 상대방의 입장을 이해하기 위해 노력한다.

㉥ **자기효능감(Self - efficacy)**: 환자가 절주에 대해 긍정적인 태도를 가지고, 절주가 가능하다는 자신감을 키워준다.

② **국가 및 지역사회 차원의 정책**

구분		내용
국가 차원	1차 예방	• 음주폐해 감소 및 예방을 위한 국민의식 제고 • 생애주기별 대상 집단별 교육 및 홍보
	2차 예방	• 위험군 대상 • 고위험군에 대한 조기발견 및 조기치료 연계 • 고위험군의 음주율 및 폭음률 저하 실천방법 교육·홍보, 청소년, 여성 등 취약계층 보호 강화 • 알코올 관련 질환자 조기발견 및 진단체계 구축 등
	3차 예방	• 알코올 섭취대상자 • 알코올 중독 전문치료기관 육성 • 알코올 중독자 치료·재활서비스 연계체계 구축 • 알코올 중독자 재활 및 사회복귀 도모 등
지역사회 차원		• 보건소 절주사업, 알코올 상담센터, 정신보건센터 운영 등을 통해 예방, 치료, 재활 사업이 이루어지며, 한국건강관리협회, 국제절제협회 등 다수의 민간단체가 활동하고 있음 • 1935년 미국의 윌슨과 스미스에 의해 창립된 자조모임 운영

3. 영양과 식습관

(1) 영양, 식습관, 건강의 연관성

① 세계보건기구(WHO)는 비만, 심혈관계 질환, 제2형 당뇨병, 암, 골다공증과 관련된 식이요인들을 '확실한 요인(Convincing evidence)'과 '가능한 요인(Probable evidence)'으로 나누어 제시하였다.

② 인류 건강을 위협하는 만성질환 위험요인인 6개 주요 인자(고혈압, 고콜레스테롤혈증, 과일 및 채소 섭취 부족, 과체중 및 비만, 신체활동 부족, 흡연) 중 4개가 식생활과 관련되어 있다고 보고되었다.

WHO에서 제시한 주요 만성질환의 식이요인

구분	확실한 요인 (Convincing evidence)	가능한 요인 (Probable evidence)
비만	• 고에너지 식품 과다 섭취 • 과일, 채소 및 식이섬유 섭취 부족	• 설탕이 첨가된 탄산음료와 과일 주스의 과다 섭취 • 완전 모유 수유의 부족 • 어린이에게 건강한 식품을 선택할 수 있도록 하는 가정과 사회 환경 미흡 • 고에너지식품 · 패스트푸드에 대한 과도한 마케팅 • 취약한 사회 · 경제적 환경
제2형 당뇨병	-	• 포화지방산 함유 식품의 과다 섭취 • 과일, 채소 및 식이섬유 섭취 부족
심혈관계 질환	• 과도한 지방식이(포화지방산, 트랜스지방산, 미리스트산, 팔미트산 등) • 리놀레산 섭취 부족 • 생선 및 어유(EPA, DHA) 섭취 부족 • 나트륨 과다 섭취 • 칼륨 섭취 부족 • 과일, 채소 섭취 부족	-
암	• 과도한 알콜 섭취 • 적색 육류 및 가공 육류 섭취 과잉	• 소금과 소금에 절인 식품 • 과일, 채소 섭취 부족 • 뜨거운 음료 섭취
골다공증	• 비타민 D 섭취 부족 • 칼슘 섭취 부족	

(2) 적정 영양 섭취 및 식생활 가이드라인

보건복지부가 농림축산식품부, 식품의약품안전처와 공동으로 국민의 바람직한 식생활을 위한 기본적인 9가지 수칙을 제시한 것으로, 균형있는 영양소 섭취, 올바른 식습관 및 한국형 식생활, 식생활 안전 등을 종합적으로 고려한 식생활 가이드라인이다.

① 쌀 · 잡곡, 채소, 과일, 우유 · 유제품, 육류, 생선, 달걀, 콩류 등 다양한 식품을 섭취하자.
② 아침밥을 꼭 먹자.
③ 과식을 피하고 활동량을 늘리자.
④ 덜 짜게, 덜 달게, 덜 기름지게 먹자.
⑤ 단 음료 대신 물을 충분히 마시자.
⑥ 술자리를 피하자.
⑦ 음식을 위생적으로 필요한 만큼만 마련하자.
⑧ 우리 식재료를 활용한 식생활을 즐기자.
⑨ 가족과 함께 하는 식사 횟수를 늘리자.

(3) 영양 및 식습관 평가방법

구분	내용
24시간 회상법	① 섭취량 파악을 위해 24시간 또는 조사 전일에 섭취한 모든 식품을 회상하게 하여 면접을 통하여 조사하는 방법 ② **장점**: 쉽게 협조를 얻을 수 있음 ③ **단점**: 기억력에 의존해야 함
식사기록법	① 응답자 스스로 섭취한 식품과 양을 며칠 동안 일지 형식으로 기록하는 방법 ② **장점**: 정확함 ③ **단점**: 섭취분량에 대한 지식 등을 훈련이 필요
식품섭취 빈도조사법	① 주어진 식품 목록의 섭취 빈도를 파악하는 것 ② 4시간 회상법에 의한 섭취량 보완의 목적으로 주로 사용

(4) 관리전략

① 지역사회의 영양 및 식생활에 대한 평가, 모니터링 및 감시체계를 구축한다.
② 식생활 가이드라인을 개발하고 지속적으로 업데이트한다.
③ 정확하고 균형이 잡힌 정보를 제공한다.
④ 건전한 식품에 대한 접근성을 향상한다.
⑤ 관련 기관들의 유지적인 협조체계가 필요하다.

4. 신체활동

(1) 신체활동이 건강에 미치는 영향

① 신체활동은 체중 조절, 지질단백 조성의 향상, 인슐린 민감도 증가, 혈압의 감소, 전신적 염증의 감소, 관상동맥 혈류의 증가, 내피세포의 기능 향상과 스트레스, 불안 및 우울증의 감소를 통해 건강에 좋은 영향을 준다.

② 규칙적인 신체활동을 하면 관상동맥 심장질환과 뇌졸중, 당뇨병, 고혈압, 대장암, 유방암 및 우울증 등의 위험이 줄어든다.
③ 운동은 핵심적인 에너지 소비처이므로 에너지 균형과 체중 조절의 기본이다.
④ 반면, 부족한 신체활동은 심혈관계 질환, 당뇨병, 종양, 비만, 뼈와 관절질환, 그리고 우울증과 같은 광범위한 만성 질환의 위험요인이다.
⑤ 부족한 신체활동은 유방암과 대장암의 21 ~ 25%, 당뇨병의 27%, 그리고 허혈성 심장질환 부담의 약 30%에 대한 주요한 원인으로 추정된다.

(2) 신체활동의 강도

중등도 활동	평소보다 숨이 조금 더 차게 만드는 활동으로 약 3 ~ 6METs(Metabolic equivalents) 강도 예 빠르게 걷기, 바닥청소, 춤, 배드민턴, 골프 등
격렬한 활동	평소보다 숨이 훨씬 더 차게 만드는 활동으로 6METs를 초과하는 강도 예 달리기, 농구, 축구, 단식 테니스 등

(3) 신체활동의 권장 기준

2010년 세계보건기구(WHO)에서 발표한 인구 전체의 신체활동 수준 향상을 통한 비전염성 질환의 1차 예방을 위한 신체활동 권장 기준이다.

① 5 ~ 17세의 소아청소년

㉠ 5 ~ 17세의 어린이와 청소년의 신체활동에는 가정, 학교 및 지역사회에서의 놀이, 게임, 스포츠, 이동, 여가, 체육수업 또는 계획된 운동 등이 포함된다.

㉡ 심폐체력 및 근력, 뼈 건강, 심혈관 및 대사적 건강의 생물학적 지표를 개선하고 불안 및 우울증 증상을 감소시키기 위해서는 다음과 같이 권장된다.

ⓐ 5 ~ 17세의 어린이와 청소년은 매일 적어도 합계 60분의 중등도 또는 격렬한 강도의 신체활동을 해야 한다.
ⓑ 매일 60분 이상의 신체활동을 하면 더 많은 건강유익이 있을 것이다.
ⓒ 매일 하는 신체활동의 대부분은 유산소 활동이어야 한다. 근육과 뼈 강화활동을 포함한 격렬한 강도의 활동을 적어도 주 3회 이상 실시한다.

② 18 ~ 64세의 성인

㉠ 18 ~ 64세의 성인의 신체활동은 매일 가정 및 지역사회에서의 여가시간 운동, 걷기 및 사이클 등의 이동, 직업활동(노동 등), 집안일, 놀이, 게임, 스포츠 또는 계획된 운동 등을 포함한다.

㉡ 심폐체력 및 근력, 뼈 건강을 개선하고 불안 및 우울증 증상을 감소시키기 위해서는 다음과 같이 권장된다.

ⓐ 18 ~ 64세의 성인은 일주일에 적어도 합계 150분 이상의 중등도 유산소활동 또는 적어도 75분 이상의 격렬한 유산소활동을 하거나, 아니면 동등량의 중등도 내지 격렬한 활동을 함께 실시하도록 한다.

ⓑ 유산소활동은 적어도 10분 이상 지속되도록 실시한다.

ⓒ 건강 유익을 더하기 위해서, 성인은 중등도의 유산소활동을 일주일에 300분, 또는 격렬한 활동을 일주일에 150분으로 늘리거나, 아니면 동등량의 중등도 내지 격렬한 활동을 섞어서 실시한다.

ⓓ 근육 강화활동은 주요 근육을 포함하여 일주일에 2일 이상 실시한다.

③ 65세 이상 노인

㉠ 65세 이상의 노인에서 신체활동은 여가시간을 활용한 운동, 걷기나 사이클처럼 이동하면서 하는 활동, 직장일(아직도 일을 하는 경우), 집안일, 놀이, 게임, 스포츠 또는 계획된 운동 등이 포함된다.

㉡ 심폐체력 및 근력, 뼈와 기능성 건강을 개선하고, 비전염성 질환, 우울증 및 인지 저하 위험을 감소시키기 위하여 다음과 같이 권장된다.

ⓐ 65세 이상의 노인은 일주일에 적어도 합계 150분 이상의 중등도 유산소활동 또는 일주일에 적어도 75분 이상의 격렬한 유산소활동을 하거나, 아니면 동등량의 중등도 또는 격렬한 활동을 함께 실시하도록 한다.

ⓑ 유산소활동은 적어도 10분 이상 지속되도록 실시한다.

ⓒ 건강 유익을 더하기 위해서, 성인은 중등도의 유산소활동을 일주일에 300분, 또는 격렬한 활동을 일주일에 150분으로 늘리거나, 아니면 동등량의 중등도 내지 격렬한 활동을 섞어서 해야 한다.

ⓓ 기동성이 낮은 이 연령대의 노인은 균형감각을 강화하고 낙상을 방지하는 신체활동을 1주일에 3일 이상 해야 한다.

ⓔ 근육 강화활동은 주요 근육을 포함하여 일주일에 2일 이상 해야 한다.

ⓕ 이 연령그룹의 노인이 건강상태로 인해 권장량만큼의 신체활동을 할 수 없는 경우, 자신의 컨디션에 맞게 신체활동을 실시해야 한다.

Plus⁺ POINT

세계보건기구(WHO) 신체활동 – 권장지침 공중보건에서 신체활동의 중요성

1. 신체활동 부족은 세계적 사망의 4번째 위험요인으로 확인되었다(세계적으로 사망원인의 6%). 이는 고혈압(13%), 흡연(9%) 및 고혈당(6%)의 뒤를 잇는 수치이다. 과체중과 비만은 세계 사망요인의 5%를 차지한다.
2. 신체활동 부족은 많은 국가에서 늘어나 전 세계 사람들의 전반적인 건강 및 심혈관 질환, 당뇨 및 암 등의 비전염성 질환(NCD) 유병률, 그리고 고혈압, 고혈당 및 과체중 등의 위험요인에 중대한 영향을 미친다. 신체활동 부족은 유방암과 대장암의 21 ~ 25%, 당뇨병의 27%, 그리고 허혈성 심장질환 부담의 약 30%에 대한 주요한 원인으로 추정된다. 또한, NCD는 현재 전 세계 모든 질병부담의 거의 절반 정도를 차지한다. 현재 10건의 사망 중, 6건이 비전염성 질환에 의한 것으로 추정된다.
3. 세계인의 건강은 인구 노령화, 계획되지 않은 빠른 도시화, 그리고 세계화의 영향을 받으며, 이들 모두는 건강하지 않은 환경과 행동을 초래한다. 그 결과, NCD 및 그 위험인자의 유병률 상승이 저소득 및 중간소득 국가 모두에게 영향을 미치는 세계적인 문제가 되었다. 이들 국가에서 성인 질병의 거의 45%가 현재 NCD로 인한 것이다. 많은 저소득 및 중간소득 국가들이 전염성 및 비전염성 질환의 이중고에 시달리기 시작했으며 이들 국가의 보건체계는 이제서야 두 가지 모두를 처리하기 위하여 추가적인 비용을 들이고 있다.

4. 규칙적인 신체활동을 하면 관상동맥 심장질환과 뇌졸중, 당뇨병, 고혈압, 대장암, 유방암 및 우울증 등의 위험이 줄어든다고 밝혀졌다. 게다가, 운동은 핵심적인 에너지 소비처이므로 에너지 균형과 체중 조절의 기본이다.

(4) 신체활동의 개선전략

① 신체활동을 증진하기 위한 인구집단전략 중 효과가 인정된 것은 지역사회 캠페인, 개인별 건강습관 변화프로그램, 지역사회에서의 사회적 지지 개입, 학교기반 체육교육 강화, 보행구역 설정이나 토지 이용 같은 도시계획을 통한 접근이다.

② 적극적인 정보 제공과 함께 신체활동을 할 수 있는 장소를 만들거나 쉽게 하도록 한다.

③ 안전한 도로 만들기, 계단 사용을 장려하기 등이 있다.

5. 스트레스

(1) 개념

① 스트레스(Stress)는 외부 자극에 대한 인체의 신체적, 정신적, 행동적 반응이다.

② 셀리(Selye HHB, 1907 ~ 1982)는 스트레스를 외부의 자극으로부터 육체를 보호하기 위한 비특이적 반응이라고 한다.

③ 셀리는 스트레스의 단계를 경고(Alarm)단계, 저항(Resistance)단계, 탈진(Exhaustion)단계의 세 가지로 나누어 설명하였다.

④ 스트레스는 그 정도와 심각성은 다르지만 모든 사람에게 존재하는 개념이다.

㉠ 스트레스인자로서의 스트레스(Stress)

㉡ 스트레스인자로 인해 발생되는 긴장, 두려움과 같은 내적 심리상태를 의미하는 디스트레스(Distress)

㉢ 생물학적 반응으로서의 스트레스(자율신경계 변화, 면역기능 저하, 심박동수 증가 등)

Plus⁺ POINT

스트레스

일상생활 속에서 변화, 상실, 기대 미충족 등을 내포하는 생활 사건이나 만성적 긴장과 일상적 짜증거리 등으로 인해 발생하는 비특이적 반응의 총체로서 한 개인의 심리적 · 신체적 균형과 안정을 깨뜨리는 건강위험요인이다.

(2) 원인

① **생활 사건**: 일상적 사건이 아닌 뜻하지 않고 원하지 않는, 비규범적인 그리고 조정할 수 없는 생활의 변화를 의미한다.

② **만성적 긴장**

㉠ 인간의 삶을 지속적으로 위협하는 상황이나 환경을 의미한다.

ⓒ 지속적인 경제적 궁핍이나 부부 간의 불화, 만성 질병, 원만하지 못한 대인관계로부터 야기되는 갈등 등이 있다.

③ **일상적 짜증거리**: 일상생활을 하는 과정에 자주 반복되나 그 효과가 커다란 변화와 스트레스를 동반하지 않고, 그 문제가 개인에게 주는 위험도나 심각성이 크지 않는 사소한 생활 경험들로서 교통체증, 스팸메일, 주차 공간 확보의 어려움 등의 개인적이고 주관적인 경험이다.

(3) 스트레스가 건강에 주는 영향

① 지속되는 스트레스는 혈압 상승, 근골격계 긴장, 식욕 이상을 포함한 소화기계 이상, 불면과 우울감 등을 일으킨다.

② 장기적으로는 주요 우울증, 허혈성 심장질환, 면역계 이상질환 등에 위험요인으로 작용하고, 암의 발생과 성장 · 전이에도 부분적으로 영향을 미친다.

③ 만성적인 스트레스는 흡연, 고위험 음주, 불규칙적인 식사, 신체활동 감소, 회피 행동 등의 불건강한 행태를 증가시켜 간접적으로 여러 질환의 위험요인이 된다.

④ 사회적으로는 질병으로 인한 결석이나 결근을 증가시키고 생산성 저하와 사회적인 관계망의 위축을 발생시켜서, 추가적인 사회경제적 비용 부담을 가져오게 된다.

(4) 관리전략

① 스트레스 관리전략으로는 인지 재구성, 행동의 교정, 예술활동을 활용하는 다양한 정서표현기법, 의사소통능력의 향상 등이 있다.

② **다양한 심신의학적 스트레스 대처기법 활용(보완대체요법)**

ⓐ **이완요법**: 복식호흡, 자율훈련법, 점진적 근육이완법, 바이오 피드백 등

ⓑ **명상요법**: 집중 명상, 마음챙김 명상, 자비 명상, 호흡 명상 등

ⓒ **신체활동기법**: 태극권, 요가 등

6. 비만

(1) 개념

체내지방이 과잉 축적되어 다른 질병의 높은 위험 속에 놓여 있는 의학적 상태를 말한다.

구분	내용
일차성 비만	① 에너지섭취량과 에너지소비량의 불균형으로 체중과 체지방이 증가된 상태 ② 일차성 비만은 식습관, 생활습관, 연령, 인종, 사회경제적인 요소, 유전, 신경내분비 변화, 장 내 미생물, 환경 화학물질 및 독소 등의 다양한 위험요인이 복합적으로 관여하여 발생한 비만 ③ 어떤 한 가지 원인만으로 설명이 어려움
이차성 비만	유전 질환, 선천성 질환, 신경내분비계 질환, 정신 질환 약물 등으로 유발될 수 있음

(2) 원인

① 유전과 환경과의 복잡한 상호작용에 의해 야기된다.

② 유전적 요인, 내분비계 이상, 활동 부족, 식생활 양식, 심리적 요인 등이 복합적으로 작용하여 비만으로 나타난다. 이 중 무엇보다도 과다한 에너지 섭취와 운동(신체활동) 부족 등으로 인한 에너지 소모의 부족이 대표적 원인이다.

(3) 비만과 질병

① 비만 환자는 비만이 아닌 건강인에 비하여 고혈압, 심혈관 질환, 뇌졸중, 고지혈증, 당뇨법, 당낭질환, 신장질환, 간기능부전, 근골격계 질환, 관절염, 수면장애, 악성신생물 등의 각종 질병에 중복 이환될 위험성이 높다.

② **비만과 동반되는 질환의 상대위험도(대한비만학회)** 기출 15

매우 증가 (비교위험도> 3)	보통 (비교위험도 2 ~ 3)	약간 증가 (비교위험도 1 ~ 2)
제2형 당뇨병	관상동맥질환	암 (유방, 자궁내막, 결장)
담낭질환	고혈압	생식호르몬 이상
이상지질혈증	골관절염(무릎)	다낭성 난소증후군
인슐린 저항성	요산과다혈증, 통풍	수정능력 약화
호흡부전	-	허리통증
수면 무호흡	-	마취 위험도 증가
-	-	태아결함(산모 비만)

(4) 진단 기준(대한비만학회, 비만치료지침, 2018)

① 성인 비만의 기준은 체질량지수 25kg/m² 이상으로 한다.

② 비만은 체질량지수 25.0 ~ 29.9kg/m²를 1단계 비만, 30.0 ~ 34.9 kg/m²를 2단계 비만 그리고 35.0kg/m² 이상을 3단계 비만(고도 비만)으로 구분한다.

③ 허리둘레로 측정한 복부 비만의 기준은 성인 남자에서는 90cm 이상, 여자에서는 85cm 이상으로 한다.

한국인의 체질량지수와 허리둘레에 따른 동반질환의 위험도

분류	체질량지수 (kg/m²)	허리둘레에 따른 동반질환의 위험도	
		< 90cm(남자), < 85cm(여자)	≥ 90cm(남자), ≥ 85cm(여자)
저체중	< 18.5	낮음	보통
정상	18.5 ~ 22.9	보통	약간 높음
비만전단계	23 ~ 24.9	약간 높음	높음
1단계 비만	25 ~ 29.9	높음	매우 높음
2단계 비만	30 ~ 34.9	매우 높음	가장 높음
3단계 비만	≥ 35	가장 높음	가장 높음

* 비만전단계는 과체중 또는 위험체중으로, 3단계 비만은 고도 비만으로 볼 수 있다.

(5) 치료

행동치료	① 체중 조절을 할 때는 음식 섭취 감소, 활동량 증가 등의 생활습관 개선을 권고함 ② 체중을 감량할 때는 행동치료를 6개월 이상 지속할 것을 권고함 ③ 체중을 감량한 후에 유지하려면 1년 이상의 행동치료를 권고함
식사치료	① 체중을 감량하려면 에너지 섭취를 줄여야 하고, 에너지 제한 정도는 개인의 특성 및 의학적 상태에 따라 개별화할 것을 권고함 ② 다양한 식사방법(저열량식, 저탄수화물식, 저지방식, 고단백식 등)을 선택할 수 있으나, 에너지 섭취를 줄일 수 있고, 영양적으로 적절한 방법을 권고함 ③ 개인의 특성 및 의학적 상태에 따라 다량 영양소(탄수화물, 지방, 단백질)의 비율을 개별화할 것을 권고함 ④ 음주를 과다하게 하면 에너지 섭취가 증가하고 대사 이상이 생길 위험이 증가하므로 음주횟수와 음주량을 제한할 것을 고려함
운동치료	① 체중 조절을 할 때는 생활의 일부로 즐길 수 있는 운동(유산소 및 근력 운동)을 규칙적으로 하는 것을 권고함 ② 운동 실시 여부를 결정하고 운동능력을 파악하기 위해서 운동 전 건강상태평가를 권고함 ③ 운동처방에는 운동 유형, 강도, 시간, 빈도를 포함할 것을 권고함 ④ 유산소운동은 중강도로 하루에 30 ~ 60분 또는 20 ~ 30분씩 2회에 나누어 실시하고 주당 5회 이상 실시하도록 고려함 ⑤ 근력 운동은 8 ~ 12회 반복할 수 있는 중량으로 8 ~ 10종목을 1 ~ 2세트 실시하고 주당 2회 실시하도록 고려함 ⑥ 감량된 체중을 유지할 때는 중강도의 신체활동을 주당 200 ~ 300분 정도 할 것을 고려함
약물치료	① 체질량지수 25kg/m² 이상인 환자에서 비약물치료로 체중 감량에 실패한 경우에 약물 처방을 고려함 ② 약물치료를 할 때는 반드시 비만의 기본 치료(식사치료, 운동치료 및 행동치료)와 병행할 것을 권고함 ③ 장기간 체중 관리를 위해서는 대규모 임상 연구 결과에 기초하여 사용 승인을 받은 약제를 사용함 ④ 권고 용량을 초과하여 처방하지 않음 ⑤ 약물치료 시작 후 3개월 내에 5% 이상 체중 감량이 없다면 약제를 변경하거나 중단할 것을 권고함(A, Class I) ⑥ 심혈관 질환의 과거력이 있거나 조절되지 않는 고혈압이 있는 환자에게 교감신경작용제를 처방하지 않음
수술치료	① 체질량지수 35kg/m² 이상(3단계 비만)이거나, 체질량지수 30kg/m² 이상(2단계 비만)이면서 비만 동반질환을 가지고 있는 환자에서 비수술치료로 체중 감량에 실패한 경우에 수술치료를 고려함 ② 수술치료는 체중 감량 및 감량된 체중의 유지에 가장 효과적이며, 당뇨병 등 비만 동반질환의 치유 또는 개선에 효과적임 ③ 치료효과 및 안전성을 높이기 위해 수술 전후 다학제적 진료 시행을 고려함 ④ 청소년 고도비만에서 기존 치료가 실패하고 심각한 비만동반질환이 있으면서 성장이 완료된 경우 수술치료를 고려할 수 있음
체중 감량 후 유지	① 체중을 감량한 후에 유지하려면 식사치료, 운동치료 및 행동치료를 병행할 것을 권고함(A, Class I) ② 체중을 감량한 후에 유지하려면 치료를 1년 이상 지속할 것을 권고함(A, Class I)

출처: 대한비만학회, 비만치료지침, 2018

7. 손상

(1) 손상의 개념

① 숙주, 환경, 매개체의 상호작용에 의해 일어나는 물리적 상해와 이로 인한 만성 장애와 정신적 고통을 수반하는 질환이다.

② 손상은 모든 연령에서 사망의 주요 원인이며, 사회경제적으로 질병 부담이 큰 질환이다.

(2) 손상의 개인과 사회 모델 기출 19

① 손상의 역학적 3요소 또는 역학삼각형은 인적 요인(Host), 매개체적 요인(Agent), 환경적 요인(Environment)이다.

② 초기에는 인적 요인(개인적인 측면)에 초점이 맞추어져 있었으며, 이로 인해 주로 교육적 접근을 통한 손상 예방전략이 이루어졌다.

③ 손상은 단일 요인에 의해서 발생하는 것이 아니며, 여러 원인이 복합적으로 작용하여 발생하므로, 최근에는 인적 요인(개인적인 측면)에 초점을 맞춘 손상 예방 교육사업과 더불어, 사회적 · 물리적 환경의 개선에 초점을 맞춘 지역사회 중심의 접근이 효과적으로 사용된다.

④ 손상 예방을 위한 다수준적인 접근방법이 균형적으로 이루어지기 위해서는 3E 전략을 효율적으로 활용하는 것이 요구된다.

⑤ 3E 전략은 교육(Education), 환경 및 공학적 개선(Engineering and Environment), 규제 강화(Enforcement) 등의 3가지 접근방법이다.

⑥ 교육은 개인적 차원에서, 환경 및 공학적 개선은 조직과 지역사회 차원에서, 규제강화는 지역사회와 국가적 차원에서 효율적으로 접근할 수 있는 방법이다. 어린이 놀이터 낙상 예방에 대하여 손상의 역학적 3요소와 3E 전략을 적용한다.

손상의 역학적 3요소	손상 예방 3E 전략		기대효과
	접근 수준 (Level)	접근 방법 (3E 전략)	
인적 요인 (Host)	개인	교육(Education)	놀이기구 사용 규칙을 잘 지키는 어린이
매개체적 요인 (Agent)	지역사회	규제 강화 (Enforcement)	규격 기준의 안전한 놀이기구
	조직	공학적 개선 (Engineering)	
환경적 요인 (Environment)	지역사회	환경 개선 (Environment)	안전한 놀이터 환경
	조직	공학적 개선 (Engineering)	놀이터 감독자 보유

(3) 손상의 예방전략

① **생애주기별 예방전략**: 사고 및 손상 원인은 연령과 관련된 발달단계에 따라 달라진다.

② **기전별 손상 예방**: 교통사고, 추락, 익수, 화상 등

제4장 정신보건과 정신질환

정신보건사업의 목적 기출 22
1. 건전한 정신기능의 유지·증진
2. 정신장애의 예방
3. 치료자의 사회 복귀

1 정신보건

1. 정신보건의 개념

(1) 정의

① 정신보건이란 인간이 본능적 욕구를 충족시킴으로써 얻어지는 질적으로 양호한 마음의 상태를 말한다(E. Margaret).

② 정신보건은 개인의 정신적 장애를 예방하고 치료하여 개인은 물론이고 사회를 정신적으로 건강하도록 유지 · 증진시키는 것이다.

③ 정신보건은 각 개인의 정신상태뿐만 아니라 국가 전체의 정신적, 사회적 안녕을 추구한다.

(2) 정신보건사업

정신보건사업이란 정신적 · 교육적 · 사회적 부적응의 예방과 치료를 위하여 실시되는 조직적이고 지속적인 봉사를 말한다.

2. 정신보건학의 목적 기출 10, 18, 19, 20

(1) 지역사회 전체 주민의 정신건강 유지 · 증진 · 회복 · 예방을 위하여 필요한 지식과 기술을 탐구한다.

(2) 국민의 정신적 효율을 증진시켜 건강한 사회를 이룩하는 것이다.

3. 정신보건의 범위

(1) 일반인들이 인식하고 있는 정신장애자로서 진단 가능한 정신장애를 가진 집단으로, 일상 사회활동의 적응이 어렵거나 제한되어 있는 정신질환자들이 포함한다.

(2) 사회에 끼치는 영향이 적고 자신의 사회생활이 적응능력도 비교적 유지되는 집단을 포함한다.

(3) 잠재력 개발을 원하는 집단으로 개인적인 행복이나 만족도를 높이고 싶은 욕구로 인해 생활에 문제를 가지고 있는 집단을 포함한다.

4. 정신건강의 개념

(1) 정신질환이 없다.

(2) 자기 자신의 행동에 정신적 갈등을 가지지 않는다.

(3) 자기 자신의 일에 만족할 만한 근로능력이 있다.

(4) 존경하는 마음, 사랑하는 마음과 윤리 · 도덕적인 사고를 할 수 있는 상태라고 할 수 있다.

2 정신질환의 정의, 원인과 종류

1. 정신질환 관련 용어 정의 기출 23

관련 법령

「정신건강증진 및 정신질환자 복지서비스 지원에 관한 법률」 제3조【정의】이 법에서 사용하는 용어의 뜻은 다음과 같다.

1. "정신질환자"란 망상, 환각, 사고(思考)나 기분의 장애 등으로 인하여 독립적으로 일상생활을 영위하는 데 중대한 제약이 있는 사람을 말한다.
2. "정신건강증진사업"이란 정신건강 관련 교육·상담, 정신질환의 예방·치료, 정신질환자의 재활, 정신건강에 영향을 미치는 사회복지·교육·주거·근로 환경의 개선 등을 통하여 국민의 정신건강을 증진시키는 사업을 말한다.
3. "정신건강복지센터"란 정신건강증진시설, 「사회복지사업법」에 따른 사회복지시설(이하 "사회복지시설"이라 한다), 학교 및 사업장과 연계체계를 구축하여 지역사회에서의 정신건강증진사업 및 제33조부터 제38조까지의 규정에 따른 정신질환자 복지서비스 지원사업(이하 "정신건강증진사업등"이라 한다)을 하는 다음 각 목의 기관 또는 단체를 말한다.
   가. 제15조 제1항부터 제3항까지의 규정에 따라 국가 또는 지방자치단체가 설치·운영하는 기관
   나. 제15조 제6항에 따라 국가 또는 지방자치단체로부터 위탁받아 정신건강증진사업등을 수행하는 기관 또는 단체
4. "정신건강증진시설"이란 정신의료기관, 정신요양시설 및 정신재활시설을 말한다.
5. "정신의료기관"이란 주로 정신질환자를 치료할 목적으로 설치된 다음 각 목의 어느 하나에 해당하는 기관을 말한다.
   가. 「의료법」에 따른 의료기관 중 제19조 제1항 후단에 따른 기준에 적합하게 설치된 병원(이하 "정신병원"이라 한다) 또는 의원
   나. 「의료법」에 따른 병원급 의료기관에 설치된 정신건강의학과로서 제19조 제1항 후단에 따른 기준에 적합한 기관
6. "정신요양시설"이란 제22조에 따라 설치된 시설로서 정신질환자를 입소시켜 요양 서비스를 제공하는 시설을 말한다.
7. "정신재활시설"이란 제26조에 따라 설치된 시설로서 정신질환자 또는 정신건강상 문제가 있는 사람 중 대통령령으로 정하는 사람(이하 "정신질환자등"이라 한다)의 사회적응을 위한 각종 훈련과 생활지도를 하는 시설을 말한다.

2. 정신질환장애의 원인

(1) 유전적인 요인

연구 결과, 유전적인 소질이 같은 일란성 쌍생아가 이란성 쌍생아보다 정신질환이 함께 발생할 가능성이 높다.

(2) 심리적 요인

① 지나친 번민과 스트레스
② 지나친 열등감이나 우월감
③ 실현불가능한 몽상
④ 복잡한 개인생활이나 가족관계의 갈등
⑤ 부모의 엄한 권위에 대한 갈등
⑥ 실현불가능한 지나친 자기 성취욕구 등의 심리적 압박을 해소하지 못해 발생하는 정신장애

(3) 사회문화적 및 환경적 요인

가정 파탄, 사회적 불안정이 정신질환과의 연관성이 있는 것으로 알려져 있다. 사회계층에 따라 정신질환의 차이가 있는데, 일반적으로 정신질환·조현병·히스테리는 사회계층이 낮을수록 많고, 신경증·강박장애·공포불안장애 등이 사회계층이 높을수록 많다.

(4) 신체적 요인

신체적 요인은 뇌조직의 손상, 독극물에 의한 중독증, 외상, 종양 등과 노인성 정신병 및 임신중독 등에 의한 정신장애 등이다.

(5) 복합적인 요인

정신장애는 단독 요인만으로 발생하는 경우보다는 어느 하나의 중심적 원인에 사회문화적 요인, 환경적인 요인, 신체적 요인, 심리적 요인 등 보조적인 원인이 더해진 복합적 작용으로 발병한다.

3. 정신질환의 분류와 종류

(1) 정신질환의 분류

① 정신질환은 정신병과 정신결함으로 분류하지만 한계가 불분명하다.
② 협의의 정신질환
　㉠ **내인성 정신병**: 조현병, 조울병, 우울증 등
　㉡ **외인성 정신병**: 신체적 원인이 되는 마비성 치매, 뇌매독, 중독성 감염병과 심인성 원인이 되는 반응성 조울병, 조현병 반응, 구금성 정신병 등
③ 광의의 정신질환
　㉠ **신경증**: 히스테리, 강박신경증, 정신쇠약 등
　㉡ **정신결함증**: 정신박약, 이상성격, 인격결함 등

(2) 정신질환의 종류 기출 17, 18, 19

① 조현병

㉠ **정의**: 뇌의 기질적 장애로 이한 의식 혼탁의 징조 없이 사고, 정동, 지각, 행동의 인격의 여러 측면에서 와해를 초래하는 뇌기능장애이다.

ⓐ 정신질환자 중에서 가장 많으며, 대개 청소년기에 발생하여 만성적으로 진행, 20 ~ 40세 인구에 다발하는 정신질환이다.

ⓑ 양친 중에 한 쪽에 조현병이 있으면 자녀의 9 ~ 10%가 발병되고 30 ~ 40%가 본증과 유사한 병적 인격자로 발현된다고 보고되었다.

㉡ **원인**: 도파민 과잉분비, 세로토닌 부족

㉢ **증상**

ⓐ 양성 증상과 음성 증상

양성 증상 - 대개 급성기	음성 증상 - 대개 만성기
• 정동증상(불안, 긴장) • 망각(피해, 관계, 과대망상) • 환각(환청, 환시) • 사고비약, 지연, 단절, 지리멸렬 • 괴이한 행동, 공격적, 충동적 행동	정동둔마, 무의욕, 무쾌감, 사고두절, 사회적 위축, 운동지체 ⇨ 대인관계, 사회생활 지장
• 예후 좋음 • 항정신병 약물에 효과가 있음	경과 및 예후 나쁨
전형적 항정신병 약물	비전형적 항정신병 약물

ⓑ 와해된 증상

와해된 언어	연상이완, 사고의 이탈, 단절, 우회증, 지리멸렬, 말비빔, 음연상, 음송증, 신어조작증, 반향언어, 함구증
와해된 행동	긴장성 혼미, 긴장성 흥분 상태, 상동증, 기행증, 반향행동, 자동복종, 거부증
정동 불일치	사고의 내용이나 상황과 정동이 일치하지 않음, 부적절한 정동

㉣ 진단(DSM - 5 진단 기준)

ⓐ 다음 활성기 증상 중 2개의 증상(또는 그 이상)이 1개월 중 상당기간 동안 지속되며(성공적으로 치료되었다면 더 짧게), 적어도 망상, 환각, 혼란된 언어 중 하나는 나타나야 한다.

- 망상
- 환각
- 혼란된 언어(사고이탈, 지리멸렬 등)
- 심하게 혼란된 또는 긴장증적 행동
- 음성 증상(감정 표현의 감소나 무의지증 등)

ⓑ 직업, 대인관계, 개인위생 등의 중요 영역 중 하나 또는 그 이상에서 기능 수준이 병전에 비해 현저하게 감소한 경우(또는 아동기나 청소년기에 발병한 경우 대인관계, 학원, 활동 기능에서 기대되는 수준에 도달하지 못함)

ⓒ 질병의 징후가 적어도 6개월 이상 지속되어야 한다. 6개월 중 적어도 1개월간 활성기 증상을 만족시켜야 하고, 전구기나 잔류기 증상의 기간이 포함될 수 있다. 전구기나 잔류기 동안에는 장해의 징후가 음성증상이나 진단기준에 기술된 2가지 이상의 증상이 약해진 형태로 나타날 수 있다(예 기이한 사고, 비일상적인 지각경험 등).

ⓓ 다음과 같은 경우 조현정동장애, 정신증적 양상을 동반한 우울 또는 양극성 장애 진단이 배제된다.
- 활성기 증상과 동시에 발생하는 주요 우울장애나 조증 삽화가 없는 경우
- 만약 활성기 증상 동안에 조증 삽화가 나타난다면 삽화의 기간은 활성기와 잔류기의 기간에 비해 짧다.

ⓔ 장애는 물질의 생리적 효과(예 남용약물, 투약 등)나 다른 의학적 상태에 의한 것이 아니다. 자폐 스펙트럼 장애나 아동기 의사소통 장애의 병력이 있다면, 현저한 망상이나 환각이 다른 조현병의 증상과 함께 적어도 1개월 이상 지속될 경우에만(치료가 잘되었다면 더 짧을 수 있음) 조현병 진단이 내려질 수 있다.

출처: American Psychiastric Association (2013), Diagnostic and statics-tical manual of mental disorder, (DSM-5®), American Psychiatric pub.

② 조울병(양극성 장애)

㉠ 원인

ⓐ 양극성 장애는 유전적 소인이 높은 질환으로, 친척 중 양극성 장애가 있는 경우 일반인에 비해 5 ~ 10배 더 높은 유병률이 보고된다.

ⓑ 양극성 장애의 원인을 신경전달물질, 세포 내 신호전달체계, 뇌신경회로의 변화 등을 통해 설명하고 있으나 전체적인 이해에는 부족한 측면이 많아 새로운 연구방법의 개발과 뇌신경학적 지식의 통합적 접근이 필요하다.

ⓒ 양극성 장애의 원인으로 생물학적 취약성에 대한 근거들이 증가하고 있으나 많은 경우 심리사회적 요인도 조증 삽화에 영향을 준다.

ⓓ 양극성 장애의 정신역동에서 조증은 기저에 참을 수 없는 슬픔이 있는 일종의 우울에 대한 방어현상으로 본다.

ⓔ 인지적 관점에서는 자신과 세상에 대한 잘못된 믿음과 특히 높은 성취목표가 양극성 장애 발생에 기여한다고 본다.

ⓕ 환경에 의한 스트레스가 양극성 장애의 삽화에 선행되는 경우가 많다.

ⓛ 종류

구분	내용
제 I 형 양극성 장애 (Bipolar I Disorder)	조증과 우울증이 교대로 또는 조증이 반복적으로 나타나는 장애로 일생 동안 반드시 적어도 한 번 이상의 조증 삽화가 있으면 우울증 삽화와 무관하게 제 I 형 양극성 장애로 진단
제 II 형 양극성 장애 (Bipolar II Disorder)	조증의 정도가 경조증 정도로 심하지 않으며, 이전이나 최근의 적어도 한 번 이상의 경조증 삽화와 한 번 이상의 주요 우울증 삽화가 확인되는 경우 진단
순환성 장애 (Cyclothymic disorder)	순환성 장애의 DSM-5 진단 기준 • 최소한 2년 이상(아동과 청소년은 1년) 경조증 삽화 기준을 만족하지 않는 다수의 경조증과 주요 우울증 삽화 기준을 만족하지 않는 다수의 우울증상이 있음 • 위의 2년 동안(아동과 청소년은 1년) 경조증과 우울증 기간이 최소한 1년간 있었으며, 한번에 2개월 이상 증상이 없었던 적이 없음 • 주요 우울증, 조증, 경조증 삽화 기준이 충족된 적이 없음 • 증상이 조현정동장애, 조현병, 조현양상장애, 망상장애, 달리 분류되지 않는 조현병 스펙트럼, 기타 정신병적 장애로 더 잘 설명되지 않음 • 증상이 물질(약물 남용, 투약)이나 다른 의학적 상태(갑상선기능항진증)의 직접적인 생리적 효과에 의한 것이 아님 • 증상이 사회적, 직업적, 기타 중요한 영역에서 임상적으로 심각한 고통이나 장애를 일으킴

③ 우울장애

㉠ **주요 우울장애**: 하루의 대부분 혹은 거의 매일 우울한 기분이 지속되거나 거의 모든 일상활동에서 5가지 이상의 증상이 2주 이상 거의 매일 나타나고, 질병 전에 비하여 기능이 저하되며, 우울한 기분이거나 즐거움의 상실 중 적어도 하나 이상의 증상이 있을 때 우울장애로 진단할 수 있다.

ⓛ 주요 증상

ⓐ 거의 매일 하루의 대부분 동안 우울한 기분을 주관적으로 표현(예 슬픔, 공허감 또는 절망감)하거나 객관적으로 관찰된다(예 눈물 흘림). 소아와 청소년의 경우는 과민한 기분으로 나타나기도 한다.

ⓑ 거의 모든 일상 활동에서 흥미나 즐거움이 현저하게 저하된다(예 거의 대부분의 시간 동안 주관적인 호소나 객관적으로 무감동증이 관찰됨).

ⓒ 체중 조절을 하고 있지 않은 상태에서 심한 체중 감소나 증가가 있다(예 1개월 동안 체중 5% 이상의 변화, 아동에서는 체중 증가가 기대치에 미달되는 경우).

ⓓ 거의 매달 불면증이나 수면과다를 보인다.
ⓔ 거의 매일 정신 운동성 초조 혹은 지연을 보인다(주관적인 초조 혹은 지연뿐 아니라 객관적으로도 타인에 의해 관찰 가능함).
ⓕ 거의 매일 피로나 활력 상실을 호소한다.
ⓖ 무가치감이 계속되고 과도하게 죄책감을 가진다(망상적일 수 있음).
ⓗ 거의 매일 나타나는 사고력 또는 집중력의 저하나 우유부단함이 나타난다(주관적인 호소나 객관적으로 타인에 의해 관찰 가능함).
ⓘ 죽음에 대한 생각이 반복되고 자살기도를 계획하기도 한다(혹은 자살기도에 대한 구체적인 계획).

3 정신질환의 방어기제

1. 방어기제의 정의 기출 18, 19

(1) 이드(id)의 사회적으로 용납될 수 없는 욕구, 충동과 이에 대한 초자아의 압력 때문에 발생하는 불안으로부터 자아를 무의식적으로 보호하기 위한 기전이다.
(2) 자아가 불안에 대처하기 위해 자동으로 동원하는 다양한 심리적 전략이다.

2. 방어기제의 종류

(1) 자기애적 방어기제

가장 미성숙한 방어, 정신병적 방어로 현실을 부인하거나 현저하게 왜곡하는 형태이다.

구분	내용
부정 (Denial)	현실에서 야기되는 고통 또는 불안으로부터 탈출하기 위해 무의식적으로 부정하는 과정
분리 (Spitting)	자기와 남들의 심상이 전적으로 좋은 것과 전적으로 나쁜 것이라는 두 개의 상반된 것으로 분리되어 존재하는 것으로, 어떤 대상에 대해서 '좋다' 혹은 '나쁘다'로 극단적으로 평가하는 것
투사 (Projection)	자신이 받아들이기 어려운 충동이나 욕구를 외부로 돌려 불안을 완화하려는 심리기제(남의 탓)
투사적 동일시 (Projective identification)	원하지 않는 자신의 일부를 외부로 투사한 다음 그 상대에게 공감하고 상대를 조종하려고 하는 것

(2) 미성숙한 방어기제

현실 이해를 왜곡하지는 않지만 욕망이 충분히 통제되지 않고 직접적 또는 변형되어 분출되는 형태이다.

행동화 (Acting out)	무의식적인 소망이나 충동이 즉시 만족되지 않고 연기됨으로써 생기는 갈등을 피하기 위해 행동으로 표현하는 것 ⇨ 파괴적인 대처방법
합일화 (Incorporation)	어떤 대상을 상징적으로 삼켜 동화하여 변형 없이 그대로 자신의 자아구조 속으로 들어오게 하는 원시적 형태의 동일시
동일시 (Identification)	타인이나 집단의 특성을 자신의 특성으로 받아들이는 것
함입 (Introjection)	자신에게 중요한 사람의 성격특성, 태도, 사고, 방식 등을 자신의 자아구조에 융합하는 것
전환 (Conversion)	기질적 원인 없이 불안이 수의근계와 감각기계 증상으로 무의식적으로 표현되는 기전
신체화 (Somatization)	심리적 갈등이 감각기관, 수의근계를 제외한 기타 신체부위의 증상으로 표출되는 것
퇴행 (Regression)	이전에 어떤 욕구가 충족 또는 결핍되었을 초기 고착점으로 되돌아가 아이와 같은 행동양상을 보이는 것
고착 (Fixation)	어떤 시기에 심한 좌절을 받았거나 반대로 너무 만족한 경우 이 시기에 무의식적으로 집착하게 되며 머물러 있는 경우

(3) 신경증적 방어기제

초자아가 이드를 억제하기는 했지만 그 과정에서 발생한 긴장과 충동을 자아가 견뎌내지 못하고 분출된 형태이다.

억압 (Repression)	의식적으로부터 불쾌하거나 원치 않은 경험, 감정, 생각을 무의식적으로 배제하는 것
반동 형성 (Reaction formation)	용납할 수 없는 감정, 행동을 통제하고 반대되는 행동이나 감정을 개발함으로써 용납할 수 없는 감정, 행동을 의식 안에 들이지 않음
격리 (Isolation)	고통스런 경험과 관련된 감정을 차단하는 것으로, 고통스런 경험을 한 사실은 의식에 있지만 그 경험과 관련된 감정을 분리되어 무의식에 남아 있도록 하는 것
취소 (Undoing)	다른 행동으로 기존 행동이나 의사전달을 없던 것으로 하고자 하는 기전
전치 (Displacement)	특정 사람, 사물, 상황과 관련된 감정을 위협적이지 않은 사람 사물 또는 상황으로 옮기는 것
상징화 (Symbolization)	무의식에 억압되어 있는 사고, 감정, 충동을 상징적인 언어, 사고, 대상을 이용하여 표현하는 것
해리 (Dissociation)	의식, 기억, 정체성 또는 환경에 대한 지각의 혼란으로 자신의 불편하거나 불쾌한 면을 분리시킴
합리화 (Rationalization)	말하거나 듣는 사람 모두 용납할 수 있는 설명을 개발함으로써 비논리적이거나 비현실적인 생각, 행동 또는 감정을 정당화하는 것

(4) 성숙한 방어기제

자아가 중재와 균형을 잡아주어, 이드, 자아, 초자아가 충분히 조화를 이루는 상태이다.

이타주의 (Altruism)	반동 형성의 성숙한 형태로 볼 수 있으면, 다른 사람을 건설적으로 도와주는 것
금욕주의 (Asceticism)	경험을 통해 얻을 수 있는 쾌감에 반대하는 금육을 통하여 즐거움과 만족을 얻는 것
유머 (Humor)	심리적 부담이나 갈등을 웃음을 유발하는 행동을 통해 긴장감을 줄이는 것
승화 (Sublimation)	미숙하고 용인할 수 없는 충동을 성숙하게 사회적으로 용인할 수 있는 활동으로 대체하는 무의식적인 과정
억제 (Suppression)	불안한 상황, 감정을 의식적으로 누르는 것

(5) 기타 방어기제

보상 (Compensation)	감정을 강조함으로써 인식된 결함을 상쇄시키는 기전
저항 (Resistance)	불안을 야기하는 정보가 의식으로 나오게 되면 고통스럽기 때문에 의식으로 나오는 것을 막는 것
상환 (Resitution)	심리적 부담이나 갈등을 웃음을 유발하는 행동을 통해 긴장감을 줄이는 것
대리형성 (Substitution)	성취할 수 없는 혹은 수용될 수 없는 욕구, 감정, 충동 등으로 인한 좌절감을 줄이기 위해 원래 원했던 대상과 비슷하면서 사회적으로 수용될 수 있는 대상으로 대신 만족하는 것

4 생애주기별 정신보건 및 지역사회 정신보건

1. 생애주기별 정신보건

(1) 유아기

① 정신보건에 있어서 가장 중요한 시기로, 특히 어머니의 영향을 받아 장래의 인격 형성에 기초가 성립되는 시기이다.

② 수유하는 일, 배설의 훈련, 식사의 태도와 습관, 친구 사귀기 등에 많은 관심을 가지고 관찰하여 영유아의 불만요소들을 사전에 제거하는 일이 중요하다.

(2) 학령기

① 초등학교에 입학하는 6 ~ 7세부터 12세까지를 학령기로 한다.

② 학령기 어린이의 생활권은 활동영역이 확대되고, 초등교육을 통해 풍부한 지식을 얻고, 더 나아가 친구관계 안에서 살아 있는 인생경험을 쌓아간다.

③ 학령기에 부모의 과보호나 과간섭적인 상태가 일어나기 쉬운데, 이를 탈피하여 자율적이고 건강한 상태에 도달할 수 있도록 지도하여야 한다.

(3) 청년기 기출 12

① 청년기는 인생 중에서 가장 변화가 풍부한 격동의 시기이다.

② 청년기는 13 ~ 22세경의 연령층을 이루므로 시기에 따라 현저한 차이를 보인다.

③ 이 시기에는 지금까지 경험하지 못했던 신체의 외관상 변화나 성적 성숙에 눈을 뜨게 되어 불안해지고 신체에 대한 고민이나 열등감을 가지기 쉽다.

④ 청년기는 지능발달이 최고로 되어 사고력의 발달도 높고, 기성세대와 갈등이 생기며 반항의식이 생기기도 한다.

⑤ 청년기는 사회적으로나 심리적으로 욕구저해 상황에 놓이기 쉬운 시기이다.

⑥ 물리적이고 억압적인 것보다는 논리적으로 이해를 돕도록 하여야 한다.

(4) 장 · 노년기

① 장년기는 신체나 정신이 일단 발달이 끝나고, 신체적으로나 정신적으로 성숙 안정단계에 이른 시기이다.

② 노년기는 쇠퇴의 시기로서 신체적으로나 심리적으로 활력과 기능이 감소하여 여러 가지 기능이 원활하지 못하여 생산적인 활동이 어려워진다.

③ 장년기에서 노년기로 넘어가는 초로기에 심한 갈등을 겪기 쉽다.

④ 노년기에도 심리적 갈등이 있으니, 일거리 및 가족 내의 대화 참여 등의 기회를 가지도록 본인이나 가족의 배려가 필요하다.

2. 지역사회 정신보건

(1) 개념

지역사회 정신보건이란 일정 지역 내의 인구집단을 대상으로 정신장애의 예방과 정신건강의 증진을 위해 가능한 모든 방법을 동원하여 시행하는 것으로 정신건강전문가들에 의해 시행되는 활동이다.

(2) 정신보건의 지역사회화

① 정신보건의 문제가 개인의 문제이기보다는 지역사회 전체의 문제라는 인식에서 요구된다.

② 지역사회 정신보건의 방향은 예방과 조기발견, 조기치료 및 사회복귀이다.

③ 1963년 케네디 대통령이 지역사회 정신보건법을 제정하면서 지역사회 정신건강센터가 설립되고 운영되기 시작하였다.

④ 병원을 중심으로 한 전통적인 입원치료방법에서 입원보다는 외래치료로, 병원치료보다는 보건소 수준 또는 병원 이외의 시설로 하향 조절을 시행하였다.

(3) 정신보건을 통한 예방 기출 22

① **1차 예방**: 새로운 환자의 발생을 감소시키는 예방으로 생체기술적 방법과 심리사회적 방법이다.

② **2차 예방**: 효과적인 조기조정을 통해 장애의 기간을 줄여주고, 조기에 치료함으로써 질환에서 올 수 있는 위험도, 합병증, 불쾌도 및 이병기간을 감소시키며 정신장애의 유병률을 가장 효과적으로 감소시킬 수 있는 방법이다.

③ **3차 예방**: 장기적인 합병증을 방지하고 만성 정신질환의 합병증을 감소시키는 방법이다.

㉠ **사회성 붕괴증후군**: 중요한 합병증을 예방하여 영구적인 무능력자가 되지 않도록 새로운 사회적 역할을 발전시켜 준다.

㉡ **재활 프로그램 실시**: 환자 개개인의 기능 수준을 최대한 활용할 수 있도록 능동적인 재활프로그램을 실시한다.

3. 우리나라 정신보건 현황
-「정신건강증진 및 정신질환 복지서비스 지원에 관한 법률」

(1) 「정신건강증진 및 정신질환자 복지서비스 지원에 관한 법률」(정신건강복지법)은 1995년 12월 정신보건법으로 제정되어 1996년 12월 31일부터 시행되었다.

(2) 17차례 개정한 후 2016년 이후부터 현재까지 「정신건강증진 및 정신질환자 복지서비스 지원에 관한 법률」로 전부 개정되어 2017년 5월 30일부터 시행 중이다.

(3) 이 법은 정신질환의 예방 · 치료, 정신질환자의 재활 · 복지 · 권리 보장과 정신건강친화적인 환경 조성에 필요한 사항을 규정함으로써 국민의 정신건강증진 및 정신질환자가 인간다운 삶을 영위하는 데 이바지함을 목적으로 한다.

(4) 기본 개념

관련 법령

「정신건강증진 및 정신질환자 복지서비스 지원에 관한 법률」 제2조【기본이념】 ① 모든 국민은 정신질환으로부터 보호받을 권리를 가진다.
② 모든 정신질환자는 인간으로서의 존엄과 가치를 보장받고, 최적의 치료를 받을 권리를 가진다.
③ 모든 정신질환자는 정신질환이 있다는 이유로 부당한 차별대우를 받지 아니한다.
④ 미성년자인 정신질환자는 특별히 치료, 보호 및 교육을 받을 권리를 가진다.
⑤ 정신질환자에 대해서는 입원 또는 입소(이하 "입원등"이라 한다)가 최소화되도록 지역 사회 중심의 치료가 우선적으로 고려되어야 하며, 정신건강증진시설에 자신의 의지에 따른 입원 또는 입소(이하 "자의입원등"이라 한다)가 권장되어야 한다.
⑥ 정신건강증진시설에 입원등을 하고 있는 모든 사람은 가능한 한 자유로운 환경을 누릴 권리와 다른 사람들과 자유로이 의견교환을 할 수 있는 권리를 가진다.
⑦ 정신질환자는 원칙적으로 자신의 신체와 재산에 관한 사항에 대하여 스스로 판단하고 결정할 권리를 가진다. 특히 주거지, 의료행위에 대한 동의나 거부, 타인과의 교류, 복지서비스의 이용 여부와 복지서비스 종류의 선택 등을 스스로 결정할 수 있도록 자기결정권을 존중받는다.

⑧ 정신질환자는 자신에게 법률적 · 사실적 영향을 미치는 사안에 대하여 스스로 이해하여 자신의 자유로운 의사를 표현할 수 있도록 필요한 도움을 받을 권리를 가진다.
⑨ 정신질환자는 자신과 관련된 정책의 결정과정에 참여할 권리를 가진다.

4. 우리나라 정신보건정책

Plus+ POINT

국가정신건강증진사업의 방향성

1. 비전과 정책목표

비전	마음이 건강한 사회, 함께 사는 나라
정책목표	• 코로나19 심리방역을 통한 대국민 회복탄력성 증진 • 전 국민이 언제든 필요한 정신건강서비스를 이용할 수 있는 환경 조성 • 정신질환자의 중증도와 경과에 따른 맞춤형 치료환경 제공 • 정신질환자가 차별 경험 없이 지역사회 내 자립할 수 있도록 지원 • 약물중독, 이용장애 등에 대한 선제적 관리체계 마련 • 자살충동, 자살수단, 재시도 등 자살로부터 안전한 사회 구현

2. 정책목표 및 전략

정책목표	전략
전 국민 정신건강증진	• 적극적 정신건강증진 분위기 조성 • 대상자별 예방 접근성 제고 • 트라우마 극복을 위한 대응역량 강화
정신의료 서비스 · 인프라 선진화	• 정신질환 조기인지 및 개입 강화 • 지역 기반 정신 응급 대응체계 구축 • 치료 친화적 환경 조성 • 집중 치료 및 지속 지원 등 치료 효과성 제고
지역사회 기반 정신질환자의 사회통합	• 지역사회 기반 재활 프로그램 및 인프라 개선 • 지역사회 내 자립 지원 • 정신질환자 권익 신장 및 인권 강화
중독 및 디지털기기 이용장애 대응 강화	• 알코올 중독자 치료 및 재활서비스 강화 • 마약 등 약물중독 관리체계 구축 • 디지털기기 등 이용장애 대응 강화
자살로부터 안전한 사회구현	• 자살 고위험군 발굴과 위험요인 관리 • 고위험군 지원 및 사후관리 • 서비스 지원체계 개선
정신건강정책 발전을 위한 기반 구축	• 정책 추진 거버넌스 강화 • 정신건강관리 전문인력 양성 • 공공자원 역량 강화 • 통계 생산체계 정비 및 고도화 • 정신건강 분야 전략적 R&D 투자 강화

(1) 기본원칙

① 전체 국민을 대상으로 한 정신건강 증진과 예방, 환경 조성을 강조한다.
② 지역사회 인프라 강화 - 정보시스템 - 협력체계 구축을 통해 서비스 접근성을 확보한다.
③ 국가정신건강증진사업의 리더십을 강화한다.
④ 정확한 정보와 근거를 기반으로 정신건강정책사업을 수행한다.

(2) 국립정신건강센터 설치 · 운영

① **사업 목적**: 국가기관으로서 민간의료기관이 기피하는 필수 정신건강복지서비스의 제공기능을 강화하고, 정신건강 정책과 서비스의 질을 향상시키기 위한 체계적 연구 및 지원에 대한 요구에 선제적으로 대응하기 위함이다. 또한 지역 단위로 다양한 정신건강 관련 시설 및 서비스 제공기관을 유기적으로 연계하여 정신건강복지서비스의 누수 방지 및 시너지효과를 극대화하기 위함이다.
② **법적 근거**: 보건복지부와 그 소속기관 직제 제19조
③ **국립정신건강센터의 직무범위 및 운영원칙**: 국립정신건강센터 기본운영규정 제3조, 제4조에 두고 있다.
④ **직무범위**
㉠ 정신질환 예방 및 진료
㉡ 정신질환 진료 관련 조사 연구, 지표 및 표준 개발 · 보급
㉢ 국가정신건강증진기관 간의 정신건강증진사업 수행 관련 총괄
㉣ 정신건강증진 및 지역사회정신건강사업 기획
㉤ 중앙정신건강복지사업지원단 업무 지원
㉥ 정신건강 관련 교육 프로그램 개발 · 보급
㉦ 정신건강 관련 전문 인력 양성 및 훈련
㉧ 정신건강전문요원 자격 관리 및 수련기관 관리
㉨ 정신건강 연구 · 개발 기획, 지원 및 관리
㉩ 정신건강 연구 수행 및 성과 확산
㉪ 국제교류 및 협력
㉫ 정신건강증진시설 지도 · 감독 등 보건복지부장관으로부터 위임 받은 업무 수행
㉬ 국가트라우마센터 설치 · 운영
㉭ 기타 센터의 목적 달성을 위하여 필요한 사항
⑤ **사업계획(「국립정신건강센터 기본운영규정」 제3장 제14조)**: 국립정신건강센터장은 사업 목표 달성을 위한 사업계획을 수립하여 장관에게 제출하여야 하며, 사업 추진실적 및 예산집행 결과를 법령에 따라 장관에게 보고하여야 한다.

⑥ **예산집행 및 변경 승인(「국립정신건강센터 기본운영규정」 제6장 제33조)**: 국립정신건강센터는 책임운영기관 특별회계로 운영하되, 「책임운영기관의 설치·운영에 관한 법률」 등에 의거하여 예산운영상 자율성이 보장된다.

(3) 국가·권역별 트라우마센터 설치·운영

① **사업목적**: 재난이나 그 밖의 사고로 정신적 충격을 받은 트라우마 환자의 심리적 안정과 사회 적응을 지원하고, 권역별 트라우마센터(수도권·호남권·영남권·강원권·충청권)는 해당 권역 내 재난 발생 시 정신건강복지센터·보건소 등의 기관과 상호 협력하여 피해자에 대한 심리지원을 제공한다.

② **추진체계**: 국가 트라우마센터와 권역별 트라우마센터(4개 국립정신병원에 설치)로 구성한다.

㉠ 2018년 4월 국립정신건강센터에 국가 트라우마센터를 개소하였다.

㉡ 2019년 5월 국립부곡병원에 영남권 트라우마센터를 개소하였다.

㉢ 법적 근거 마련 및 예산 반영으로, 2021년 6월 3개 국립정신병원에 호남권(나주병원), 강원권(춘천병원), 충청권(공주병원) 트라우마센터를 추가 개소하였다.

③ 법적 근거

㉠ **「정신건강증진 및 정신질환자 복지서비스 지원에 관한 법률」 제15조의2 (국가트라우마센터의 설치·운영)**

관련 법령

제15조의2【국가트라우마센터의 설치·운영】① 보건복지부장관은 다음 각 호의 하나에 해당하는 사람의 심리적 안정과 사회 적응을 지원(이하 이 조에서 "심리지원"이라 한다)하기 위하여 국가트라우마센터를 설치·운영할 수 있다.

1. 재난이나 그 밖의 사고로 정신적 피해를 입은 사람과 그 가족
2. 재난이나 사고 상황에서 구조, 복구, 치료 등 현장 대응업무에 참여한 사람으로서 정신적 피해를 입은 사람

② 국가트라우마센터는 다음 각 호의 업무를 수행한다.

1. 심리지원을 위한 지침의 개발·보급
2. 제1항 각 호의 어느 하나의 해당하는 사람에 대한 심리평가, 심리상담, 심리치료
3. 트라우마에 관한 조사·연구
4. 심리지원 관련 기관 간 협력체계의 구축
5. 그 밖에 심리지원을 위하여 보건복지부장관이 정하는 업무

③ 보건복지부장관은 국가트라우마센터의 업무를 지원하기 위하여 권역별 트라우마센터를 설치·지정 운영할 수 있다.

④ 보건복지부장관은 대통령령으로 정하는 바에 따라 국가트라우마센터 및 권역별 트라우마센터의 설치·지정 및 운영을 그 업무에 필요한 전문인력과 시설을 갖춘 기관에 위임 또는 위탁할 수 있다.

⑤ 제1항부터 제4항까지에서 규정한 사항 외에 국가트라우마센터 및 권역별 트라우마센터의 설치 · 지정 및 운영에 필요한 사항은 대통령령으로 정한다.

ⓛ 「정신건강증진 및 정신질환자 복지서비스 지원에 관한 법률 시행령」 제10조의3(국가트라우마센터의 설치 · 운영)

관련 법령

제10조의3 【국가트라우마센터의 설치 · 운영】 ① 보건복지부장관은 법 제15조의2 제1항에 따른 국가트라우마센터(이하 "국가트라우마센터"라 한다)의 설치 · 운영을 같은 조 제3항에 따라 국립정신건강센터의 장에게 위임한다.
② 국립정신건강센터의 장은 법 제15조의2 제2항 각 호의 업무를 효율적으로 수행하기 위해 필요한 경우에는 관계 행정기관, 정신건강복지센터, 정신건강증진시설, 제4조 각 호에 따른 기관또는 관련 기관 · 단체 등에 자료 제공 등 협조를 요청할 수 있다.
③ 제1항 및 제2항에서 규정한 사항 외에 국가트라우마센터의 설치 · 운영 등에 필요한 사항은 보건복지부장관이 정한다.

④ 직무범위
- ㉠ 심리 지원을 위한 지침의 개발 · 보급
- ㉡ 트라우마 환자에 대한 심리평가, 심리상담, 심리치료
- ㉢ 트라우마에 관한 조사 · 연구
- ㉣ 심리 지원 관련 기관 간 협력체계의 구축
- ㉤ 그 밖에 심리 지원을 위하여 보건복지부장관이 정하는 업무

⑤ 주요 재난 정신건강서비스
- ㉠ 재난 정신건강서비스 직 · 간접 지원
  - ⓐ **대규모 재난**: 심리지원 직접서비스 제공 등
  - ⓑ **중 · 소규모 재난**: 광역 및 기초 정신건강복지센터 등 대상으로 심리지원활동을 위한 교육, 자료, 물품 제공 등 기술 지원

재난 정신건강서비스 직 · 간접 지원
현장대응지침서, 마음건강안내서(한글, 영문, 중국어, 베트남어, 태국어 등), 심리안정용품 등

Plus+ POINT

재난 규모별 범위(재난심리회복지원 실무 매뉴얼)

구분	범위
소규모 재난	지역재난안전대책본부가 설치되지 않는 경미한 재난이나 소방, 경찰 등 유관기관의 요청이 있는 일상적 사고(화재, 교통사고 등)
중규모 재난	지역재난안전대책본부가 설치되는 재난
대규모 재난	중앙재난안전대책본부가 설치되는 재난 또는 인명 · 재산의 피해 정도가 매우 크거나 재난의 영향이 사회적 · 경제적으로 광범위하여 주무부처의 장 또는 지역재난안전대책본부의 본부장이 자체 심리회복 지원 역량을 초과한다고 판단하여 요청하는 경우

㉡ **트라우마 치료프로그램 운영 및 보급**: 마음프로그램, 마음플러스프로그램, 허그프로그램, 집단프로그램 등
㉢ 찾아가는 재난 정신건강 서비스 '안심버스' 운행
㉣ 재난 정신건강 전문 인력 교육 및 강사 양성
㉤ 트라우마 경험자 연구 및 서비스 개선 연구

(4) 정신건강복지사업지원단 설치 · 운영

① **설치 및 운영체계**

㉠ **사업목적**: 급격한 사회변화에 따라 국민의 정신건강 수준이 악화되고 정신질환자의 사회지지체계가 약화되는 상황에서 보다 전문적이고 효과적인 정신건강증진사업을 자문 및 지원하기 위하여 보건복지부에는 중앙정신건강복지사업지원단을 설치 · 운영하며, 각 시 · 도에는 지방정신건강복지사업지원단을 설치 · 운영하도록 한다.
㉡ **법적근거**: 「정신건강증진 및 정신질환자 복지서비스 지원에 관한 법률」 제12조(국가와 지방자치단체의 정신건강증진사업등의 추진 등)
㉢ **정신건강복지사업지원단 단장 및 단원 구성**: 「정신건강증진 및 정신질환자 복지서비스 지원에 관한 법률 시행령」 제6조(중앙정신건강복지사업지원단의 구성 및 운영)와 제7조(지방정신건강복지사업지원단의 구성 및 운영) 기준에 따른다.

② **주요 사업**

㉠ **중앙정신건강복지사업지원단**
ⓐ 국가계획 수립 · 시행 관련 자문
ⓑ 국가계획 및 지역계획 시행 결과에 대한 평가 지원
ⓒ 정신건강증진사업의 기획 및 조정에 대한 지원
ⓓ 정신건강증진시설, 정신건강복지센터 등 정신질환자등과 관련된 시설, 기관 및 단체 사이의 연계체계 구축 지원
ⓔ 정신건강 및 정신질환 인식 개선사업
ⓕ 정신건강복지사업 및 정신건강증진시설 평가 자문과 지원
ⓖ 정신건강복지사업의 현황 파악 및 통계 수집 · 분석 또는 그 지원
ⓗ 지방정신건강복지사업지원단 지원
ⓘ 그 밖에 정신건강복지사업과 관련하여 보건복지부장관이 요청하는 사항

㉡ **지방정신건강복지사업지원단**
ⓐ 지역계획 수립 · 시행 관련 자문
ⓑ 지역계획의 관할 시 · 군 · 구 시행 결과에 대한 평가 또는 평가 지원
ⓒ 정신건강증진사업의 기획 및 조정에 대한 지원
ⓓ 해당 지역 내 정신건강 및 정신질환 인식 개선사업

ⓔ 해당 지역 내 정신건강복지사업 및 정신건강증진시설 평가 자문과 지원

ⓕ 해당 지역 내 정신건강증진시설, 정신건강복지센터 등 정신질환자 등과 관련된 시설, 기관 및 단체 사이의 연계체계 구축 지원

ⓖ 해당 지역 내 정신건강복지사업의 현황 파악 및 통계 수집 · 분석 또는 그 지원

ⓗ 그 밖에 정신건강복지사업과 관련하여 시 · 도지사가 요청하는 사항

(5) 광역 · 기초정신건강복지센터 · 중독관리통합지원센터 설치 및 운영

Plus+ POINT

미션, 가치, 비전

1. 미션(Mission)
   정신건강복지센터 · 중독관리통합지원센터는 지역사회를 기반으로 하여 주민들의 정신건강문제에 대한 통합적이고 지속적인 서비스 제공을 목적으로 하는 공공 정신건강증진 전문기관이다.

2. 가치(Values)

가치	내용
리더십 (Leadership)	공공성에 기초한 책임 있는 전문적 지도력
전문성, 역량 (Competence)	지식과 수행능력에서 역량 있는 정신건강전문가
서비스 통합 (Integration)	협력과 연계를 통한 서비스 분절 극복
지역사회 기반 (Community-based)	예방 증진 회복을 위한 지역사회 중심 정신건강서비스
지속성 (Continuity)	신뢰와 책임성에 기반한 지속적 사례 관리

3. 비전(Vision)
   ① 우리 지역 누구나 아는 오직 하나의 정신건강증진 전문기관이 된다.
   ② 정신건강에 대한 인식과 민감성을 높여 정신건강상태의 안녕을 돕는 기관이 된다.
   ③ 정신건강문제를 조기발견하고 조기개입하여 전문서비스를 제공하는 기관이 된다.
   ④ 정신질환을 앓고 있는 사람들의 사회복귀를 촉진시키고 사회통합을 도모하는 기관이 된다.

① **설치**

㉠ **설치자**: 국가 또는 지방자치단체(시 · 도지사, 시장 · 군수 · 구청장)

㉡ **설치 기준**

ⓐ **광역**: 시 · 도별 1개소

ⓑ **기초**: 인구 20만 명 미만 시 · 군 · 구별 1개소

ⓒ **인구 20만 명 이상 시 · 군 · 구**: 2개소 이상 설치 가능하며, 추가 설치 기준은 인구 20만 명당 1개소(예 40만 명은 2개소까지, 60만 명은 3개소까지 설치 가능)

ⓓ **중독**: 인구 20만 명 이상 시 · 구 설치

② **운영형태 및 추진체계**: 지역사회 중심의 통합적 정신건강서비스 제공을 위한 기반을 구축한다.

㉠ 공적기관으로서 지역사회 정신건강증진사업을 기획 및 조정하고 수행한다.

㉡ 지역주민의 욕구에 적합한 예방 · 치료 · 재활서비스가 제공될 수 있도록 정신건강증진시설 간 연계 및 정신건강서비스 제공체계를 마련한다.

㉢ 시 · 도 정신건강복지사업지원단과 연계체계를 구축한다.

③ **사업목적**: 지역사회 중심의 통합적인 정신질환의 예방 · 치료, 중독관리체계 구축, 정신질환자의 재활과 정신건강친화적 환경 조성으로 국민의 정신건강증진을 도모한다.

④ **법적 근거**

㉠ 「정신건강증진 및 정신질환자 복지서비스 지원에 관한 법률」 제15조(정신건강복지센터의 설치 및 운영)

㉡ 「정신건강증진 및 정신질환자 복지서비스 지원에 관한 법률」 제15조의3(중독관리통합지원 센터 설치 및 운영)

㉢ 「정신건강증진 및 정신질환자 복지서비스 지원에 관한 법률」 및 정신건강사업안내에서 정하지 아니한 사항은 지방자치단체의 자체 조례 및 지침, 기타 관련 근거 준수 가능

㉣ 「자살예방 및 생명존중문화 조성을 위한 법률」 제13조(자살예방센터의 설치)

관련 법령

「정신건강증진 및 정신질환자 복지서비스 지원에 관한 법률」 제17조 【정신건강전문요원의 자격 등】 기출 24 ① 보건복지부장관은 정신건강 분야에 관한 전문지식과 기술을 갖추고 보건복지부령으로 정하는 수련기관에서 수련을 받은 사람에게 정신건강전문요원의 자격을 줄 수 있다.
② 제1항에 따른 정신건강전문요원(이하 "정신건강전문요원"이라 한다)은 그 전문분야에 따라 정신건강임상심리사, 정신건강간호사 및 정신건강사회복지사로 구분한다.
③ 보건복지부장관은 정신건강전문요원의 자질을 향상시키기 위하여 보수교육을 실시할 수 있다.
④ 보건복지부장관은 제3항에 따른 보수교육을 국립정신병원, 「고등교육법」 제2조에 따른 학교 또는 대통령령으로 정하는 전문기관에 위탁할 수 있다.
⑤ 보건복지부장관은 정신건강전문요원이 다음 각 호의 어느 하나에 해당하는 경우에는 그 자격을 취소하거나 6개월 이내의 기간을 정하여 자격의 정지를 명할 수 있다. 다만, 제1호 또는 제2호에 해당하면 그 자격을 취소하여야 한다.

1. 자격을 받은 후 제18조 각 호의 어느 하나에 해당하게 된 경우
2. 거짓이나 그 밖의 부정한 방법으로 자격을 받은 경우
3. 고의 또는 중대한 과실로 제6항에 따라 대통령령으로 정하는 업무의 수행에 중대한 지장이 발생하게 된 경우

⑥ 제1항부터 제3항까지의 규정에 따른 정신건강전문요원 업무의 범위, 자격·등급에 관하여 필요한 사항은 대통령령으로 정하고, 수련과정 및 보수교육과 정신건강전문요원에 대한 자격증의 발급 등에 관하여 필요한 사항은 보건복지부령으로 정한다.

관련 법령

「정신건강증진 및 정신질환자 복지서비스 지원에 관한 법률 시행령」[별표 2]

정신건강전문요원의 업무범위(제12조 제2항 관련)

1. 공통 업무
   - 가. 정신재활시설의 운영
   - 나. 정신질환자등의 재활훈련, 생활훈련 및 작업훈련의 실시 및 지도
   - 다. 정신질환자등과 그 가족의 권익보장을 위한 활동 지원
   - 라. 법 제44조 제1항에 따른 진단 및 보호의 신청
   - 마. 정신질환자등에 대한 개인별 지원계획의 수립 및 지원
   - 바. 정신질환 예방 및 정신건강복지에 관한 조사·연구
   - 사. 정신질환자등의 사회적응 및 재활을 위한 활동
   - 아. 정신건강증진사업등의 사업 수행 및 교육
   - 자. 그 밖에 제1호부터 제8호까지의 규정에 준하는 사항으로 보건복지부장관이 정하는 정신건강증진 활동
2. 개별 업무
   - 가. 정신건강임상심리사
     - 1) 정신질환자등에 대한 심리 평가 및 심리 교육
     - 2) 정신질환자등과 그 가족에 대한 심리 상담 및 심리 안정을 위한 서비스 지원
   - 나. 정신건강간호사
     - 1) 정신질환자등의 간호 필요성에 대한 관찰, 자료수집, 간호 활동
     - 2) 정신질환자등과 그 가족에 대한 건강증진을 위한 활동의 기획과 수행
   - 다. 정신건강사회복지사
     - 1) 정신질환자등에 대한 사회서비스 지원 등에 대한 조사
     - 2) 정신질환자등과 그 가족에 대한 사회복지서비스 지원에 대한 상담·안내

「정신건강증진 및 정신질환자 복지서비스 지원에 관한 법률 시행령」 [별표 1]

정신건강전문요원의 자격기준(제12조 제1항 관련)

종류 등급	정신건강임상심리사	정신건강간호사	정신건강사회복지사
1급	1. 심리학에 대한 석사학위 이상을 소지한 사람(석사 이상 학위 취득 과정에서 보건복지부장관이 정하는 임상심리 관련 과목을 이수한 경우로 한정한다)으로서 법 제17조 제1항에 따른 정신건강전문요원 수련기관(이하 이 표에서 "수련기관"이라 한다)에서 3년(2급 자격취득을 위한 기간은 포함하지 아니한다) 이상 수련을 마친 사람 2. 2급 정신건강임상심리사 자격을 취득한 후 정신건강증진시설, 보건소 또는 국가나 지방자치단체로부터 정신건강증진사업등을 위탁받은 기관이나 단체에서 5년 이상 근무한 경력(단순 행정업무 등 보건복지부장관이 정하는 업무는 제외한다)이 있는 사람 3. 「국가기술자격법 시행령」 제12조의2 제1항에 따른 임상심리사 1급 자격을 소지한 사람으로서· 보건복지부장관이 지정한 수련기관에서 3년(2급 자격취득을 위한 기간은 포함하지 아니한다) 이상 수련을 마친 사람	1. 「의료법」에 따른 간호사 면허를 취득하고, 간호학에 대한 석사학위 이상을 소지한 사람으로서 보건복지부장관이 지정한 수련기관에서 3년(2급 자격 취득을 위한 기간은 포함하지 아니한다) 이상 수련을 마친 사람 2. 2급 정신건강간호사 자격을 취득한 후 정신건강증진시설, 보건소 또는 국가나 지방자치단체로부터 지역사회 정신건강증진사업등을 위탁받은 기관이나 단체에서 5년 이상 근무한 경력(단순 행정업무 등 보건복지부장관이 정하는 업무는 제외한다)이 있는 사람 3. 2급 정신건강간호사 자격을 소지한 사람으로서 간호대학에서 5년 이상 정신간호분야의 조교수 이상의 직에 있거나 있었던 사람	1. 사회복지학 또는 사회사업학에 대한 석사학위 이상을 소지한 사람으로서 보건복지부장관이 지정한 수련기관에서 3년(2급 자격 취득을 위한 기간은 포함하지 아니한다) 이상 수련을 마친 사람 2. 2급 정신건강사회복지사 자격을 취득한 후 정신건강증진시설, 보건소 또는 국가나 지방자치단체로부터 정신건강증진사업등을 위탁받은 기관이나 단체에서 5년 이상 근무한 경력(단순 행정업무 등 보건복지부장관이 정하는 업무는 제외한다)이 있는 사람
2급	1. 심리학에 대한 학사학위 이상을 소지한 사람(학위 취득 과정에서 보건복지부장관이 정하는 임상심리관련 과목을 이수한 경우로 한정한다)으로서 수련기관에서 1년(1급 자격취득을 위한 기간을 포함한다) 이상 수련을 마친 사람 2. 「국가기술자격법 시행령」 제12조의2 제1항에 따른 임상심리사 2급 자격을 소지한 사람으로서 수련기관에서 1년(1급 자격취득을 위한 기간을 포함한다) 이상 수련을 마친 사람	1. 「의료법」에 따른 간호사 면허를 가진 자로서 수련기관에서 1년(1급 자격취득을 위한 기간을 포함한다) 이상 수련을 마친 사람 2. 「의료법」에 따른 정신전문간호사 자격이 있는 사람	「사회복지사업법」 제11조 제2항에 따른 사회복지사 1급 자격을 소지한 사람으로서 수련기관에서 1년(1급 자격취득을 위한 기간을 포함한다) 이상 수련을 마친 사람

※ 비고: 외국에서 정신건강전문요원과 유사한 교육 · 수련을 받거나 정신건강전문요원과 유사한 자격을 취득한 사람은 보건복지부장관이 정하는 바에 따라 정신건강전문요원과 동등한 자격을 인정받을 수 있다.

관련 법령

「장애인복지법 시행령」 [별표 1]

장애의 종류 및 기준에 따른 장애인(제2조 관련)

1. 지체장애인(肢體障碍人)
   가. 한 팔, 한 다리 또는 몸통의 기능에 영속적인 장애가 있는 사람
   나. 한 손의 엄지손가락을 지골(指骨: 손가락 뼈) 관절 이상의 부위에서 잃은 사람 또는 한 손의 둘째 손가락을 포함한 두 개 이상의 손가락을 모두 제1지골 관절 이상의 부위에서 잃은 사람
   다. 한 다리를 가로발목뼈관절(lisfranc joint) 이상의 부위에서 잃은 사람
   라. 두 발의 발가락을 모두 잃은 사람
   마. 한 손의 엄지손가락 기능을 잃은 사람 또는 한 손의 둘째 손가락을 포함한 손가락 두 개 이상의 기능을 잃은 사람
   바. 왜소증으로 키가 심하게 작거나 척추에 현저한 변형 또는 기형이 있는 사람
   사. 지체(肢體)에 위 각 목의 어느 하나에 해당하는 장애정도 이상의 장애가 있다고 인정되는 사람
2. 뇌병변장애인(腦病變障碍人)
   뇌성마비, 외상성 뇌손상, 뇌졸중(腦卒中) 등 뇌의 기질적 병변으로 인하여 발생한 신체적 장애로 보행이나 일상생활의 동작 등에 상당한 제약을 받는 사람
3. 시각장애인(視覺障碍人)
   가. 나쁜 눈의 시력(공인된 시력표에 따라 측정된 교정시력을 말한다. 이하 같다)이 0.02 이하인 사람
   나. 좋은 눈의 시력이 0.2 이하인 사람
   다. 두 눈의 시야가 각각 주시점에서 10도 이하로 남은 사람
   라. 두 눈의 시야 2분의 1 이상을 잃은 사람
   마. 두 눈의 중심 시야에서 20도 이내에 겹보임[복시(複視)]이 있는 사람
4. 청각장애인(聽覺障碍人)
   가. 두 귀의 청력 손실이 각각 60데시벨(dB) 이상인 사람
   나. 한 귀의 청력 손실이 80데시벨 이상, 다른 귀의 청력 손실이 40데시벨 이상인 사람
   다. 두 귀에 들리는 보통 말소리의 명료도가 50퍼센트 이하인 사람
   라. 평형 기능에 상당한 장애가 있는 사람
5. 언어장애인(言語障碍人)
   음성 기능이나 언어 기능에 영속적으로 상당한 장애가 있는 사람

6. 지적장애인(知的障碍人)

정신 발육이 항구적으로 지체되어 지적 능력의 발달이 불충분하거나 불완전하고 자신의 일을 처리하는 것과 사회생활에 적응하는 것이 상당히 곤란한 사람

7. 자폐성장애인(自閉性障碍人)

소아기 자폐증, 비전형적 자폐증에 따른 언어 · 신체표현 · 자기조절 · 사회적응 기능 및 능력의 장애로 인하여 일상생활이나 사회생활에 상당한 제약을 받아 다른 사람의 도움이 필요한 사람

8. 정신장애인(精神障碍人)

다음 각 목의 장애 · 질환에 따른 감정조절 · 행동 · 사고 기능 및 능력의 장애로 일상생활이나 사회생활에 상당한 제약을 받아 다른 사람의 도움이 필요한 사람

가. 지속적인 양극성 정동장애(情動障碍, 여러 현실 상황에서 부적절한 정서 반응을 보이는 장애), 조현병, 조현정동장애(調絃情動障碍) 및 재발성 우울장애

나. 지속적인 치료에도 호전되지 않는 강박장애, 뇌의 신경학적 손상으로 인한 기질성 정신장애, 투렛장애(Tourette's disorder) 및 기면증

9. 신장장애인(腎臟障碍人)

신장의 기능장애로 인하여 혈액투석이나 복막투석을 지속적으로 받아야 하거나 신장기능의 영속적인 장애로 인하여 일상생활에 상당한 제약을 받는 사람

10. 심장장애인(心臟障碍人)

심장의 기능부전으로 인한 호흡곤란 등의 장애로 일상생활에 상당한 제약을 받는 사람

11. 호흡기장애인(呼吸器障碍人)

폐나 기관지 등 호흡기관의 만성적 기능부전으로 인한 호흡기능의 장애로 일상생활에 상당한 제약을 받는 사람

12. 간장애인(肝障碍人)

간의 만성적 기능부전과 그에 따른 합병증 등으로 인한 간기능의 장애로 일상생활에 상당한 제약을 받는 사람

13. 안면장애인(顔面障碍人)

안면 부위의 변형이나 기형으로 사회생활에 상당한 제약을 받는 사람

14. 장루 · 요루장애인(腸瘻 · 尿瘻障碍人)

배변기능이나 배뇨기능의 장애로 인하여 장루(腸瘻) 또는 요루(尿瘻)를 시술하여 일상생활에 상당한 제약을 받는 사람

15. 뇌전증장애인(腦電症障碍人)

뇌전증에 의한 뇌신경세포의 장애로 인하여 일상생활이나 사회생활에 상당한 제약을 받아 다른 사람의 도움이 필요한 사람

제8편

생애주기별 보건관리

제1장 인구와 가족계획

1 인구의 개념

1. 인구(Population)의 정의

(1) 일정한 기간에 일정한 지역에 생존하는 인간집단, 정치적 · 경제적으로 생활권을 같이 하며 집단생활을 하는 주민 총체를 의미한다.

(2) 일정한 기간에 일정한 지역에 거주하는 인구집단이다.

2. 인구의 종류

(1) 이론적 인구 기출 13, 14

인구와 관련된 이론적 분석을 위하여 유도 또는 설정된 인구로서 보통 통계적 방법에 의해 계량적으로 표현된다.

① **적정인구(Optimum population)**: 인구와 자원의 관련성에 근거한 이론으로 인구의 과잉을 식량에만 국한한 것이 아니라 생활 수준에 근거하여 주어진 여건 속에서 최대의 생산성을 유지하여 최고의 생활 수준을 유지할 수 있는 인구이다.

② **정지인구(Stationary population)**

㉠ 인구규모가 변하지 않고 일정하게 유지되는 것으로 인구증가율이 0(zero)이 되는 것이다.

㉡ 즉, 출생률과 사망률이 같아 인구 자연증가율이 0이어야 한다.

③ **안정인구(Stable population)**

㉠ 현대 인구통계이론으로 인구이동이 없는 폐쇄인구(Closed population)의 특수한 경우이다.

㉡ 인구가 일정한 성장률(연령별 출생률과 연령별 사망률)을 보일 경우, 그 인구의 연령분포가 고정된 경우를 의미한다. 즉, 연령별 구조와 인구의 자연증가율이 일정한 때이다.

④ **준안정인구(Quasistable population)**: 연령별 출생률만이 일정하게 유지된다는 조건하에서 나타나는 이론적 인구이다.

⑤ **폐쇄인구(Closed population)**

㉠ 출생과 사망에 의해서만 변동되는 인구이다.

㉡ 인구이동, 즉 전출과 전입이 전혀 없는 인구이다.

⑥ **개방인구**: 모든 인구이동을 포함한 인구이다.

(2) 실제적 인구

인구집단을 시간이나 지역 등의 속성에 결부시켜 분류한 인구로 '귀속인구'라고도 한다.

① **현재인구**: 인구조사 당시 개개인이 위치하고 있는 지역 내에 실제로 존재하는 인구이다.

② **상주인구**

㉠ 인구조사 당시의 소재에 상관없이 통상적으로 거주하는 인구이다.

㉡ 특정한 관찰시각과 특정한 지역에 주소를 둔 인구집단을 의미한다.

③ **법적 인구**

㉠ 특정한 관찰시각에서 어떤 법적 관계에 입각하여 특정한 인간집단을 특정한 지역에 귀속시킨 인구이다.

㉡ 「가족관계의 등록 등에 관한 법률」에 의한 본적지 인구, 「공직선거법」에 따른 유권자 인구, 조세법에 따른 납세인구 등

④ **종업지 인구**

㉠ 어떤 일에 종사하는 장소에 결부시켜 분류한 인구이다.

㉡ 산업별 구조와 지역사회의 사회경제적 특성을 파악할 수 있는 자료이다.

3. 인구론의 분류

(1) 맬서스주의(Malthusism) – 인구론 기출 19

① 인구는 기하급수적으로 증가하지만, 식량은 산술급수적으로 증가한다.

② 인구증가가 빈곤 · 악덕 등 사회악의 원인이 되므로 식량에 맞도록 인구를 억제해야 한다.

③ 사회악의 원인을 인구과잉에 있다고 보고, 인구를 억제하기 위해 성욕을 억제해야 한다고 본다.

④ 도덕적 억제인 만혼과 금욕으로 인구를 억제해야 한다고 본다.

⑤ **맬서스주의의 원리** 기출 17

㉠ **규제의 원리**: 인구는 반드시 생존자료인 식량에 의하여 규제된다.

㉡ **증식의 원리**: 인구는 특별한 방해요인이 없는 한 생존자료가 증가하면 인구도 증가한다.

㉢ **파동의 원리**: 인구는 증식과 규제의 상호작용에 의하여 균형에서 불균형으로, 불균형에서 균형으로 부단한 파동을 주기적으로 반복한다.

Plus⁺ POINT

맬서스주의

1. 맬서스주의(Malthusism)의 주장
   ① 사회의 안정적 발전을 위해서는 자녀의 출산수를 제한할 필요가 있다고 한다.
   ② 경쟁력이 있을 때까지 결혼을 하지 않아야 한다는 도덕적 억제(성적 순결, 만혼)가 필요하고, 그렇지 않으면 사회곤궁과 악덕을 제거할 수 없다고 하였다.
   ③ 기독교 관점에서 자기 통제를 통해 피임하는 것이 인공적인 피임도구를 사용하는 것보다 더 적절하다고 제시하였다.
2. 맬서스주의의 단점
   ① 만혼을 인구 억제책으로 제시함으로써 성범죄와 같은 사회악을 유발할 수도 있다.
   ② 생존자료를 전반에 둔 것이 아니라 식량에만 국한하였다.

(2) 신맬서스주의 기출 15, 19

① 맬서스주의(Malthusism)의 인구론에 입각하여, 인구 증가 억제를 위해 산아 제한이나 수태 조절의 필요성을 주장하는 입장이다.

② 이 견해는 일찍이 19세기 전반 영국의 밀과 플레이스가 주장하였다.

③ 자기 통제가 아닌 적극적인 수단인 피임도구나 낙태 등의 방법을 동원하여 인구조절을 하는 것이 바람직하다고 주장하였다.

(3) 안정인구론

① 1937년 미국의 로트카(Lotka)가 제시한 이론이다.

② 인구이동이 없는 폐쇄인구구조에서 어느 지역의 연령별, 성별, 사망률과 출생률이 변하지 않고 오랫동안 고정되면 인구구조가 고정되고 인구규모 역시 일정해진다는 이론이다.

③ 대표적인 현대 인구분석학의 기초이론으로 인정하고 있다.

(4) 적정인구론 기출 14, 15, 18, 19

① 캐넌(Cannon)은 신맬서스주의를 발전시켜 인구의 과잉 기준을 인간다운 생활 수준에 두었다.

② 주어진 여건 속에서 1인당 실직소득을 극대로 하여 가능한 최고의 생활 수준을 실현할 수 있을 때의 인구를 적정인구라고 주장하였다.

③ 인구와 자원과의 관련성에 근거한 이론으로 그 나라의 사회·경제적 여건 하에서 국민 개개인이 최대의 생산성을 유지하여 최고의 삶의 질을 유지할 수 있는 인구를 적정인구라고 주장하였다.

2 인구변천이론

1. 노티스타인과 톰슨(Notestein & Thompson)의 인구변천단계 기출 13, 15, 16

(1) 제1단계(고잠재적 성장단계, Stage of high potential growth)

① 출생률과 사망률이 모두 높은 다산다사형(多産多死形)이다.

② 인구의 증가는 사실상 제한된 범위에서만 발생한다.

③ 산업화가 시작되면서 산업화에 수반된 과학기술과 의료기술의 발달로 보건위생시설이 개발되어 사망률이 낮아지며, 일반적으로 생활 수준이 좋아짐으로써 평균수명도 길어진다.

④ 가장 뚜렷한 특징으로는 높은 영아사망률을 들 수 있으며, 현재 전 세계 인구의 약 1/5이 이 시기에 있다고 본다.

(2) 제2단계(과도기적 성장단계, Stage of high transitional growth)

① 출생과 사망 사이의 폭이 갑자기 확대되고, 인구폭증현상이 일어나는 다산소사형(多産少死形)의 인구변천 단계이다.

② 산업화는 도시화를 수반하는데, 공업 생산이 지배적인 도시생활에서는 농경사회나 농촌에서와 달리 자녀가 노동력의 원천이 되지 않으며, 생산요소가 되기보다는 가계소비의 증대에만 기여한다.

③ 산업화는 영아사망률의 저하를 가져오므로 자녀의 수는 실제로 늘어났다.

④ 이 시기 사망률 저하의 원인으로는 DDT와 같은 살충제의 대량 사용, 설파제 및 항생제의 출현, 보건행정의 발달, 식량수급의 원활 등을 들 수 있으며, 현재 전세계 인구의 약 3/5이 이 시기이다.

(3) 제3단계(인구감소 시작단계, Stage of high incipient decline)

① 출생률과 사망률이 다 같이 낮아지는 소산소사형(少産少死形)이다.

② 이 단계는 앞으로 몇 십년 사이에 점진적으로 인구감소가 예견되며, 현재 전 세계 인구의 약 1/5이 이 시기에 해당한다.

2. 블래커(C. P. Blacker)의 인구성장 5단계 기출 16, 17, 18, 19, 20

인구의 성장단계를 나누는 데 3단계만으로 부족하기 때문에 블래커는 기계문명이 고도로 발달된 현대사회로의 변천과정을 5단계로 세분화하였다.

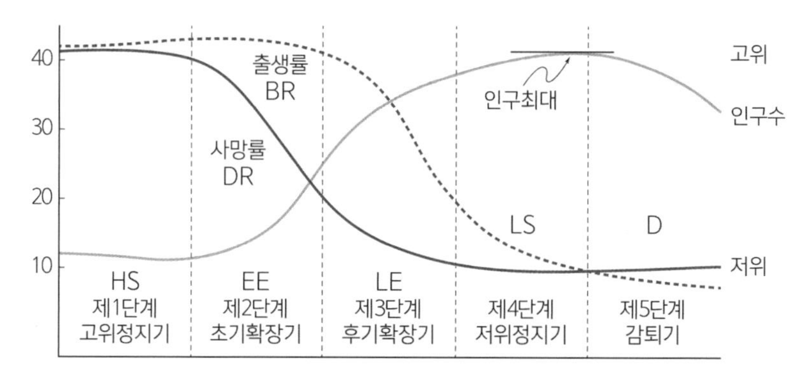

⊙ 블래커(C. P. Blacker)의 인구변천이론

(1) 제1단계(고위정지기, 인구정지형)

① 고출생률, 고사망률의 시기로서 인구의 증감이 거의 없는 단계이다.

② **해당 국가**: 중부아프리카 지역의 국가들과 같은 후진국들로서 앞으로 인구 증가 잠재력을 가지고 있는 나라의 인구 형태이다.

(2) 제2단계(초기확장기)

① 사망률은 감소하고, 고출생률은 지속됨에 따라 인구가 급격히 증가하는 단계이다.

② **해당 국가**: 경제 개발 초기 국가들의 인구 형태이다.

(3) 제3단계(후기확장기)

① 저사망률과 저출생률로 2단계에 비해 인구 성장이 둔화되는 인구 성장 둔화형이다.

② **해당 국가**: 산업의 발달과 핵가족화 경향이 있는 국가들의 인구 형태이다.

(4) 제4단계(저위정지기)

① 출생률과 사망률이 최저에 달하는 인구증가 정지형이다.

② **해당 국가**: 이탈리아, 중동, 러시아 및 우리나라의 인구 형태이다.

(5) 제5단계(감퇴기)

① 출생률이 사망률보다 낮아져서 인구가 감소하는 단계이다.

② **해당 국가**: 북유럽 국가, 일본, 뉴질랜드 등의 인구 형태이다.

3 인구의 성장

1. 개요

인구의 성장은 출생, 사망 및 인구이동에 의해 결정된다. 인구이동은 전입과 전출이 있는 경우이다.

구분	내용
전입	특정한 행정구역에서 다른 행정구역으로 거주지를 옮겨 오는 경우
전출	특정한 행정구역을 벗어나 다른 행정구역으로 옮겨 가는 경우

2. 인구증가

인구의 크기는 자연증가와 사회증가로 분류되며, '인구증가 = 자연증가 + 사회증가'이다. 인구증가, 자연증가, 사회증가는 다음과 같이 산출한다.

- 인구증가 = 자연증가 + 사회증가
- 자연증가 = 출생인구 − 사망인구
- 사회증가 = 전입인구 − 전출인구

(1) 자연증가 기출 19

① 출생 수가 사망 수보다 클 때를 말한다.

② 인구의 자연증가는 자연증가율(출생률 - 사망률)과 증가지수(동태지수 또는 출생률과 사망률 비)로 나타낸다.

③ **재생산율**: 여성이 일생 동안에 여아를 몇 명 낳는가를 나타내는 지수이다.

- 자연증가율 = $\frac{\text{출생 수} - \text{사망 수}}{\text{연앙인구}} \times 1,000$
- 자연증가율 = 조출생률 - 조사망률
- 인구증가지수 = $\frac{\text{출생 수}}{\text{사망 수}} \times 100$ 또는 $\frac{\text{조출생률}}{\text{조사망률}}$

자연감소
출생수보다 사망수가 클 때이다.

(2) 사회증가

일정 지역에서 인구의 전입과 전출의 차이를 사회증가 또는 사회감소라고 한다.

(3) 인구증가율 기출 15, 16, 17, 18, 19, 20

① 자연증가인구와 사회증가인구의 합에 대한 연간 인구 1,000명당의 비율로 산출한다.

② 연간 인구증가율은 연말인구와 연초인구와의 차를 연초인구 100명당의 비율로 산출한다.

- 인구증가율 = $\frac{\text{자연증가} + \text{사회증가}}{\text{연앙인구}} \times 1,000$
- 연간 인구증가율 = $\frac{\text{연말인구} + \text{연초인구}}{\text{연초인구}} \times 100$

4 인구통계(Demographic statistics) 기출 10, 12, 15, 16, 17, 18, 19, 20

1. 개요

(1) 인구에 관한 여러 통계로서 인간집단의 수량적 · 통계적 표현이며, 통계 단위는 인간개체이다.

(2) 인구변동은 출생 · 사망 · 유입 · 유출의 네 요인 중 한 요인에 의해 인구통계 집단의 수적 크기에 변동을 가져오거나, 수적 변동과 전혀 관계없이 개인이 가지는 속성의 변화에 따라 인구의 구조적 변동이 일어날 수도 있다.

(3) 인구의 수적 변화와 구조적 변동을 총칭해서 인구변동이라고 한다.

(4) 인구통계는 인구변동의 상태를 의미하는 인구동태(Dynamic of population) 통계이다.

(5) 변동하는 인구집단을 한 시점에서 절단하여 정지된 상태에서 관찰하는 것은 인구정태(Static of population) 통계이다.

2. 인구동태 통계

(1) 출생, 사망, 사산, 혼인, 이혼, 입양, 이동 등의 동태사실이 발생할 때마다 신고함으로써 얻어지는 통계로, 계속 변화하며 일정 기간에서 인구가 변동하는 상황을 의미한다.

(2) 주요 내용으로는 출산, 사망, 인구이동, 결혼 및 이혼, 인구증감, 기타 기간에 관한 통계가 속하며, 출생과 사망이 중요한 의미를 가진다.

(3) 인구동태 통계는 출생신고, 사망신고, 혼인신고, 이주신고 등 피조사자의 법적 신고의무에 의해 파악한다.

3. 인구정태 통계

(1) 인구의 어떤 특정한 순간의 상태를 의미하며, 인구의 크기, 구성 및 성격을 나타내는 통계로 연령별, 성별, 인구밀도, 산업별, 직업별, 직종별, 농촌 및 도시별, 결혼상태별, 인종별, 실업상황 등이 정태적 통계자료이다.

(2) 인구정태 통계는 국세 조사(전수조사, Census)를 통해 파악한다.

(3) 인구정태 통계로서 호적부 · 주민등록부 등 공적 기록에 의한 산출과 기존의 통계자료 분석으로 얻어지는 인구추계 등이 있다.

4. 국세 조사(인구주택총조사, 센서스 조사) 기출 16, 19, 20, 21(연구사)

(1) 국세 조사는 일종의 정태 통계로서 연앙인구를 비롯한 주택 등 한 국가의 정치, 경제, 문화, 보건 분야 등 국가 행정의 모든 분야에 활용할 기초자료를 마련하는 수단이다.

(2) 한 국가의 국세를 나타내는 자료가 된다.

(3) 국세조사를 최초로 실시한 나라는 1749년 스웨덴이며, 근대적 의미로 국세 조사를 실시한 최초국가는 1790년 미국이다.

(4) 우리나라에서는 고조선 시대에 호구조사가 있었다고 전해진다.

(5) 호구조사의 제도화는 삼국시대 이후인 것으로 보며, 근대적 의미의 국세 조사는 1925년에 이루어진 간이 국세 조사이다.

(6) 1960년 이후 국제연합(UN)의 권고와 지원으로 개발도상국가에서도 인구조사가 시작되어 이제는 전 세계적으로 인구조사가 실시되고 있다.

(7) 1980년부터 11월 1일 기준 실시하고 매년 5년마다 실시한다.

(8) 현재 국세 조사는 '주택인구총조사'라는 이름으로 실시한다.

(9) 국세 조사의 방법

① 현재인구조사와 상주인구조사방법이 있다.

② 인구조사의 기준은 1년 중 제일 중앙일인 7월 1일 0시 기해서 조사한 연앙인구를 그 지역 및 그날 인구로 한다.

③ 기타 일에 조사한 인구의 경우는 반드시 조사일을 표시하도록 한다.

④ 인구의 동태적 내용을 그 발생지 장소에서 조사하는 방법을 조사의 발생지주의라고 하며, 상주지에서 조사하는 방법을 상주지주의라고 한다.

5. 생명표(Life Table) 기출 13, 16, 17, 18

(1) 생명표의 정의

① 현재의 사망 수준이 그대로 지속된다는 가정하에서, 특정한 출생 코호트가 연령이 많아짐에 따라 소멸되어 가는 과정을 정리하는 표이다.

② 각 세별로 작성한 생명표는 완전생명표, 5세 계급별로 작성한 생명표는 간이생명표이다.

③ 생명표는 하나의 동시발생집단(출생 코호트)에 대해 출생할 때부터 최후의 한 사람이 사망할 때까지 연령별로 생존자 수, 사망자 수, 생존확률, 사망확률 등을 정리한 표이다.

(2) 생명표의 활용

① 생명표는 보건 · 의료정책 수립, 보험료율, 인명피해보상비 산정 등에 활용한다.

② 장래인구 추계 작성, 국가 간 경제 · 사회 · 보건 수준 비교에 널리 이용된다.

③ 사망원인생명표는 전체 사망 중 특정 사망원인에 의한 사망자를 제외하고 작성한 생명표이다.

④ 특정 사망원인이 기대여명에 미치는 영향을 측정하는 데 이용한다.

⑤ 우리나라에서 작성되고 있는 생명표는 국민이 제출한 사망신고자료와 주민등록 인구를 기초로 작성한 통계이다.

⑥ 생명표의 주요 결과인 기대수명은 현재의 연령별 사망 수준이 그대로 유지된다면 출생아가 평균적으로 얼마나 더 오래 살 것인지를 추정하는 것이다.

(3) 생명표 작성의 목적

보건 · 의료정책 수립, 보험료율, 인명피해보상비 산정의 기초자료 및 장래인구 추계 작성, 국가 · 지역 간 경제 · 사회 · 보건 수준 비교의 기초자료로 활용한다.

(4) 생명표의 작성과정

「통계법」 및 「가족관계의 등록 등에 관한 법률」에 따라 전국 읍 · 면 · 동 행정복지센터 및 시 · 구청에 접수된 사망신고 자료를 기초로 사망신고 지연건수, 연령미상 등을 보정하여 작성한다.

Plus⁺ POINT

생명표를 계산하기 위한 전제조건

1. 동시발생집단의 출생 수를 10만 명으로 고정한다.
2. 폐쇄인구로 가정(출생부터 전원 사망까지 인구이동이 없는 것으로 간주)한다.
3. 연령별로 일정한 사망률을 적용(연령별 사망률은 불변)한다.
4. 성별로 구분하여 작성한다.
5. 연중 균등 사망하는 것으로 간주(0세 제외)한다.

(5) 6종의 생명함수

생존수, 사망수, 생존율, 사망률, 사력, 평균여명 등 6종의 생명함수로 표시한 것으로, 사망확률에 중점을 둔다.

① **생존수**

㉠ 일정한 출생 수(10만 명)가 어느 연령에 도달했을 때까지 생존할 것으로 기대되는 인구수이다.

㉡ 동시 출생자가 절반으로 감소되는 때를 반감기라 한다.

㉢ 인구동태 통계에서 0세 인구란 출생 후 1년 미만의 영아인구를 뜻하지만 생명표에서는 출생 시점을 의미한다.

② **사망수**: x세의 사람 중 x + 1세에 도달하지 못하고 사망한 인구수이다.

③ **생존율**: x세의 사람 중 x + 1세에 도달할 수 있는 자의 율은 x세의 생존율이다.

④ **사망률**: x세의 사람 중 x + 1 세에 도달하지 못하고 사망하는 자의 비율은 x세의 사망률이다.

⑤ **사력**: x세에 도달한 자가 그 순간에 사망할 수 있는 확률이 1년간 계속된다고 가정한 것으로, 일반적으로 생명표에서 사용되지 않는다.

⑥ **평균여명(기대여명)**

㉠ x세의 사람이 앞으로 생존할 것으로 기대되는 평균 생존연수, 영아의 기대여명을 기대수명이라고 한다.

㉡ x세에 도달한 자가 앞으로 평균 몇 년이나 더 살 수 있는가의 기대치 평균여명 중에서 출생 직후인 0세의 평균여명을 평균수명이라고 한다.

5 인구구조

1. 성비 구조 기출 14, 15, 16, 17, 18, 19, 20

(1) 성비

남녀 인구의 균형을 표시하는 지수로서 여자 100명에 대한 남자의 수를 의미한다.

$$\text{성비} = \frac{\text{남자 수}}{\text{여자 수}} \times 100$$

(2) 성비의 구분

1차 성비	태아의 성비
2차 성비	출생 시의 성비
3차 성비	현재 인구의 성비

2. 연령별 구조

(1) 영아인구(1세 미만)

초생아, 신생아, 영아로 구분한다.

(2) 유년(소년)인구(1 ~ 14세)

유아 인구, 학령 전기 인구, 학령기 인구 등으로 구분한다.

(3) 생산연령인구(15 ~ 64세) 기출 18, 20

① 청년인구, 중년인구, 장년인구로 구분한다.

② 생산가능인구에서 경제활동을 원하지 않거나 할 수 없는 비경제활동인구는 제외한 인구이다.

③ **실업률**: 경제활동인구 중 실업자의 비율(%)이다.

(4) 노년인구(65세 인구 이상 ~)

유년인구에 대한 노년인구의 비로 노령화 정도를 나타내는 지표이다.

3. 부양비 사회경제적 구성을 나타내는 지표 기출 10, 11, 12, 13, 14, 15, 16, 17, 18, 19, 20, 21

(1) 총 부양비 = $\frac{0 \sim 14\text{세 인구} + 65\text{세 이상 인구}}{15 \sim 64\text{세 인구}} \times 100$

(2) 유년부양비 = $\frac{0 \sim 14\text{세 인구}}{15 \sim 64\text{세 인구}} \times 100$

(3) 노년부양비 = $\frac{65\text{세 이상 인구}}{15 \sim 64\text{세 인구}} \times 100$

(4) 노령화지수 = $\frac{65\text{세 이상 인구}}{0 \sim 14\text{세 인구}} \times 100$

(5) 경제활동인구비 = $\frac{\text{경제활동인구}}{15 \sim 64\text{세 인구}} \times 100$

(6) 실업률 = $\frac{\text{실업자 수}}{\text{경제활동인구}} \times 100$

4. 인구구조의 유형

(1) 개요 기출 22

① 일정한 지역 내 인구의 연령과 성별 구성을 동시에 볼 수 있는 방법이다.

② 인구의 구성 중 성별(남자는 좌측, 여자는 우측에 표시)과 연령(보통 5세 간격)으로 표시한다.

③ 수평축에는 인구수 또는 인구비율(%)을 두고 수직축에는 연령이나 연령그룹을 두어 각 연령별로 연속적인 막대그래프로 나타내어 인구의 연령구조를 파악하는 데 유용한 자료이다.

④ 특정 시점의 연령층별 인구구성을 한눈에 볼 수 있는 그래프이다.

(2) 피라미드형 기출 16, 17, 18, 19, 20

① 출생률과 사망률이 높은 인구구조이다.

② 저개발국가의 인구구조로 0 ~ 14세 인구가 50세 이상 인구의 2배가 넘는다.

(3) 종형 기출 13, 16, 17, 19, 20, 21, 22

① 출생률과 사망률이 낮은 인구구조이다.

② 선진국형이라 하며 0 ~ 14세 인구가 50세 이상 인구의 2배와 같다.

(4) 항아리형 기출 15, 16, 17, 18, 19, 20, 21, 22

① 출생률이 사망률보다 낮아져 인구가 감퇴되는 현상이다.

② 0 ~ 14세 인구가 50세 이상 인구의 2배가 되지 않는다.

(5) 호로병형 기출 16, 17, 18, 22

① 생산연령 인구 유출이 큰 농촌형 인구구조이다.

② 15 ~ 49세 인구가 전체 인구의 50% 미만이다.

(6) 별형 기출 09, 14, 17, 18, 19, 20

① 생산연령의 인구비율이 높은 도시형 인구구조이다.

② 15 ~ 49세 인구가 전체 인구의 50%를 차지한다.

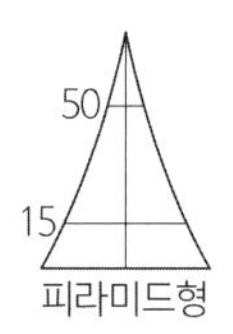

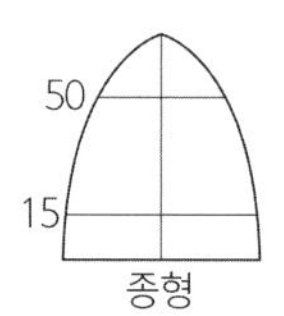

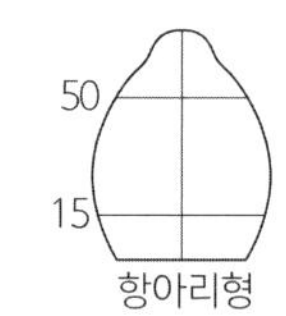

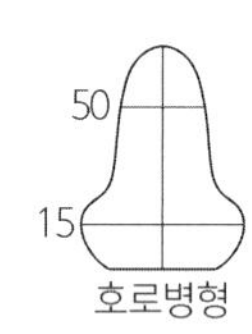

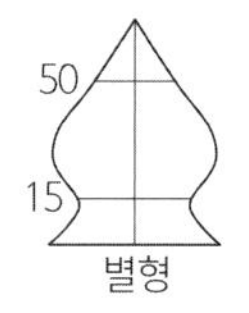

인구구조유형

6 인구문제와 인구정책

1. 인구 양과 질의 문제

(1) 경제발전의 둔화, 빈곤 및 식량부족문제와 부양비의 증가

(2) 인구의 과잉증가에 따른 정치적 · 사회적 불안과 갈등

(3) 환경악화와 자연파괴 등 생활환경의 악화

(4) 인구의 질적 역도태

(5) 연령계층 간의 불균형에서 오는 산업장의 인력부족과 불균형

(6) 인구의 도시화와 농촌의 노동력 부족

(7) 남아선호에 따른 성적 불균형

(8) 노령화에 따른 노인인구의 증가 등

Plus⁺ POINT

인구의 양적 문제(3P와 3M) 기출 07, 09, 19

인구의 양적 문제로는 3P 프라블럼(Problem)과 3M 콤플렉스(Complex)가 있다.

3P Problem	인구(Population), 공해(오염, Pollution), 빈곤(Poverty)
3M Complex	기아(Malnutrition), 질병(Morbidity), 사망(Mortality)

2. 우리나라 인구현황 및 인구문제

(1) 저출산

현재 인구는 OECD 국가 중 최저 상태이다.

(2) 저출산의 원인과 문제

① 여성의 교육 수준 향상과 사회 진출의 확대
② 결혼연령 및 초산연령의 지연
③ 이혼율 증가에 의한 가족 해체
④ 보육시설 부족
⑤ 양육비 및 교육비 부담 증가
⑥ 국가 경쟁력 약화

(3) 출생에 영향을 미치는 사회문화적 요인

① 자녀 수에 대한 가치관
② 결혼의 안정성
③ 피임과 인공유산

3. 고령화

(1) 고령화 구분

① 인구 중 65세 이상 인구의 비율
㉠ 7% 이상: 고령화사회
㉡ 14% 이상: 고령사회
㉢ 20% 이상: 초고령사회
② 우리나라는 2000년에 7.3%로 고령화사회에 진입하였고, 2017년 후반기에 14%를 초과하여 현재 고령사회에 해당한다.
③ 2025년에는 20% 이상에 도달하여 초고령사회에 진입할 것으로 예측하고 있다.
④ 2050년에는 35% 이상의 인구가 노인으로 구성될 것으로 예상되어 심각한 사회문제가 될 수 있다고 예측된다.

(2) 고령화로 인한 사회적인 문제점

① 소득보장
② 노인성 질병
③ 노인의 소외문제
④ 노인 부양비 증가에 따른 사회보장 비용의 부담 증가

4. 인구정책의 개념

인구정책은 인구수, 구조, 분포 등 인구와 이들로부터 발생하는 제반 인구문제가 현재 또는 미래의 국가, 사회발전에 저해하지 않도록 변화를 예측, 판단하여 인구와 관련된 대비책을 세우고 사업계획을 세우는 일을 포함하는 일체의 인구계획을 의미한다.

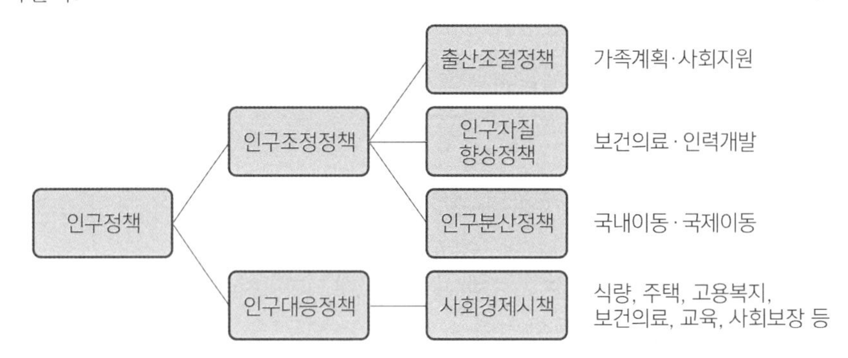

인구정책의 분류

(1) 인구조정정책 기출 18, 19

인구증가의 3대 요인인 출생, 사망, 인구이동의 현실적 상태와 이상적 상태 사이에 격차가 있을 때 국가가 인위적으로 개입하여 보다 바람직한 인구상태로 이끌기 위한 적극적인 접근방법으로 출산조절정책, 인구자질향상정책, 인구분산(이동)정책 등이 있다.

(2) 인구대응정책 기출 18, 19

인구변동에 따른 사회 · 경제적 문제를 해결하기 위해 국가가 추구하는 정책으로 식량정책, 자원개발정책, 주택정책, 고용정책, 경제개발정책, 교육정책, 사회복지정책 등 인구의 질적 향상을 도모하고 인구와 관련된 사회문제에 대처하기 위한 정책이다.

5. 우리나라 인구정책의 변화

(1) 저출산 · 고령화 대응정책

2016년부터 제3차 '저출산 · 고령사회 기본계획(2016 ~ 2020)' 브릿지플랜 2020이 수립되고, 인구위기 극복을 위해 전 사회적으로 노력 중이다.

(2) 제4차 저출산 · 고령사회 기본계획(2021 ~ 2025) 수립

① 0 ~ 1세 영아수당 신설, 영아기 집중투자
② 3 + 3 육아휴직제 도입, 아빠 육아휴직문화 정착
③ 다자녀가구 지원 기준, 2자녀로 단계적 확대
④ 인구변화 대응사회 혁신
⑤ 가족지원 투자 지속 확대 및 저출산 · 고령사회 투자예산 재구조화 등
⑥ 신중년의 계속 고용 지원, 기초연금 확대 등 다층소득보장체계 강화, 지역사회 통합돌봄 전국 확대 등 활기차고 건강한 고령화 지원

Plus⁺ POINT

제4차 기본계획의 정책체계도

1. 비전
   모든 세대가 함께 행복한 지속가능 사회
2. 목표
   ① 개인의 삶의 질 향상
   ② 성평등하고 공정한 사회
   ③ 인구변화 대응사회 혁신
3. 추진전략

전략	과제
함께 일하고 함께 돌보는 사회 조성	• 모두가 누리는 워라밸 • 성평등하게 일할 수 있는 사회 • 아동돌봄의 사회적 책임 강화 • 아동기본권의 보편적 보장 • 생애 전반 성·재생산권 보장
건강하고 능동적인 고령사회 구축	• 소득공백 없는 노후생활보장체계 • 예방적 보건·의료서비스 확충 • 지역사회 계속 거주를 위한 통합적 돌봄 • 고령친화적 주거환경 조성 • 존엄한 삶의 마무리 지원
모두의 역량이 고루 발휘되는 사회	• 미래 역량을 갖춘 창의적 인재 육성 • 평생교육 및 직업훈련 강화 • 청년기 삶의 기반 강화 • 여성의 경력 유지 및 성장기반 강화 • 신중년의 품격 있고 활기찬 일·사회 참여
인구구조 변화에 대한 적응	• 다양한 가족의 제도적 수용 • 연령통합적 사회 준비 • 전 국민 사회안전망 강화 • 지역상생 기반 구축 • 고령친화경제로의 도약

4. 추진체계
   ① 연도별 중앙부처·지방자치단체 시행계획 수립
   ② 중앙·지방자치단체 인구문제 공동대응 협의체 운영 등 중앙·지역 거버넌스 구축

7 인구 보건지표

1. 출생률 기출 18, 19, 20

(1) 조출생률(CBR; Crude Birth Rate, 보통출생률) 기출 24

① 특정 인구집단의 출산 수준을 나타내는 기본적인 지표이다.
② 가족계획사업의 효과를 판정하는 데 좋은 자료이다.

$$\text{조출생률} = \frac{\text{당해연도 총 출생아 수}}{\text{당해연도 중앙인구(그 해 7월 1일 현재의 총 인구수)}} \times 1{,}000$$

(2) 일반출산율(GFR; General Fertility Rate, Ger) 기출 13, 17, 18, 19, 20

임신이 가능한 연령의 여자 인구 1,000명당 연간 출생 수이다.

$$\text{일반출산율} = \frac{\text{그 연도 총 출생아 수}}{\text{가임연령 여성인구(15} \sim \text{49세)}} \times 1{,}000$$

(3) 연령별 특수 출생률(ASFR; Age Specific Fertility Rate)

특정 연령에서의 출산율을 의미한다.

$$\text{연령별 특수 출생률} = \frac{\text{그 해의 특수 연령층 여자에 의한 출생아 수}}{\text{어떤 해 7월 1일 특수 연령층의 여자 수}} \times 1{,}000$$

(4) 합계출산율(TFR; Total Fertility Rate) 기출 16, 17, 18, 19, 20

① 한 여성이 가임기(15 ~ 49세) 동안 평균 몇 명의 자녀를 낳는가를 나타내는 지수이다.

② 연령별 출산율의 합으로 나타낸다.

③ 국가별 출산력 수준 비교지표로 사용된다.

④ 유엔인구기금(UNFPA)이 발간한 2021년 세계 인구 현황 보고서에 따르면 한국의 합계출산율은 지난해와 같은 1.1명으로 198개국 가운데 198위(2021년 4월 기준)이다.

(5) 총재생산율(GRR; Gross Reproduction Rate) 기출 14, 16, 17, 19, 20

① 한 여성이 일생 동안 몇 명의 여아를 낳는가를 나타내는 지표이다.

② 한 세대의 가임여성과 다음 세대의 가임여성을 직접 비교함으로써 인구성장의 잠재적 가능성을 측정하는 개념으로, 한 인구집단의 규모가 앞으로 증가, 감소 또는 현 상태의 유지 중 어느 형태로 나타날 것인가를 평가하는 기준이 된다.

$$\text{총재생산율} = \text{합계출산율} \times \frac{\text{여아 출생 수(여아의 출산만 분자에 고려함)}}{\text{총 출생 수}} \times 1{,}000$$

(6) 순재생산율 기출 16, 17, 19, 22

가임기간의 각 연령에서 여자아이를 낳는 연령별 여아 출산율에 태어난 여자아이가 죽지 않고 가임연령에 도달할 때까지 생존하는 생산율을 곱해서 산출한다. 즉, 여아의 연령별 사망률을 고려한 재생산율이다.

$$\text{순재생산율} = \text{합계출산율} \times \text{총재생산율} \times \frac{\text{가임연령 시 생존 수}}{\text{여아 출생 수}} \times 1{,}000$$

(7) 모아비(Child-woman ratio)

가임연령(15 ~ 49세)의 여성인구에 대한 0 ~ 4세의 유아인구비를 나타낸 것이다.

$$모아비 = \frac{0 \sim 4세\ 인구}{가임연령\ 여성인구(15 \sim 49세,\ 15 \sim 44세)} \times 1,000$$

(8) 유배우 출산율(Marital Fertility Rate) 기출 18

① 가임여성의 유배우 여자 인구 1,000명당 연간 출생아 수이다.

② 유배우 여성인구는 법률혼만 인정하고, 사실혼은 제외한다.

2. 사망률

(1) 조사망률(CDR; Crude Death Rate) = 보통사망률

① 사망 수준을 나타내는 가장 기본적인 지표이다.

② 1년 동안 추정 중앙인구의 인구 1,000명당 발생한 사망자 수로 표시되는 비율이다.

③ 사망 수준을 이용하여 국가 또는 지역사회의 건강 수준을 평가할 수 있는 이유는 사망 수준은 실제로 국가나 지역사회의 보건의료 수준에 의해 영향을 받기 때문이다.

④ 전 세계 대부분의 국가에서 행정통계를 통해 집계되고 있다.

$$조사망률 = \frac{당해연도\ 총\ 사망자\ 수}{당해연도의\ 연\ 중앙인구} \times 1,000$$

(2) 연령별 특수 사망률(ASDR; Age Secific Death Rate)

특정 연령군에 한정된 사망률로서 어떤 기간의 특정 연령군 100,000명당 사망자 수로 표시한다.

$$연령별\ 특수\ 사망률 = \frac{같은\ 해의\ 특정\ 연령군의\ 총\ 사망자\ 수}{특정\ 연도의\ 특정\ 연령군의\ 중앙인구} \times 100,000$$

(3) 사인별 특수 사망률 기출 20

어떤 연도 중에 연앙인구 100,000명에 대하여 그 연도 중 특정 사인으로 사망한 수이다.

$$사인별\ 특수\ 사망률 = \frac{동일\ 기간\ 동안\ 특정\ 원인에\ 의한\ 사망자\ 수}{주어진\ 기간의\ 연평균\ 인구(중앙인구)} \times 100,000$$

(4) 비례사망지수(PMI; Proportional Mortality Indicator)

① 한 나라의 건강 수준을 파악하고 다른 나라와의 보건 수준을 비교할 때 사용하는 지수이다.

② 어떤 연도의 사망자 수 중 50세 이상의 사망자 수의 비율이다.

③ 이 지표는 평균수명이나 보통사망률의 보정지표로 이용된다.

④ 비례사망지수가 낮은 것은 높은 영아사망률과 낮은 평균수명에 원인이 있다.

⑤ 비례사망지수가 클수록 건강 수준이 높을 것을 의미한다.

$$\text{비례사망지수} = \frac{\text{같은 해에 일어난 50세 이상의 사망 수}}{\text{특정 연도의 총 사망 수}} \times 100$$

(5) 비례사망률(PMR; Proportional Mortality Rate) 기출 16, 17, 18, 20

① 전체 사망자 중 특정 원인에 의해 사망한 사람들의 백분율(%)이다.

② 총 사망 중 특정 원인이 차지하는 비중이다.

$$\text{비례사망률} = \frac{\text{그 해에 특정 원인에 의한 사망자 수}}{\text{그 해 총 사망자 수}} \times 100$$

(6) 신생아사망률(Neonatal Mortality Rate) 기출 16, 17, 18, 19

① 출생아 1,000명에 대한 출생 후 28일 이내의 신생아의 사망자 수의 구성비율이다.

② 신생아사망률의 원인은 산모 체내의 이상이나 유전적 이상 등이 대부분이다.

$$\text{신생아사망률} = \frac{\text{연간 생후 28일 이내 사망 수}}{\text{연간 당해연도 총 출생 수}} \times 1{,}000$$

(7) 영아사망률(Infant Mortality Rate) 기출 16, 17, 20

① 주어진 기간 동안에 출생한 출생아 수 1,000명에 대하여 1년 이내에 발생한 1세 미만의 영아사망자 수의 구성비율이다.

② 영아사망률은 감염, 영양, 산전, 산후관리 등 외인성 요인들이 어느 정도 관리되고 있는가에 따라 크게 영향을 받기 때문에 세계보건기구가 국가 간 보건 수준의 비교에는 사용하지 않는다.

③ 한 국가의 건강 수준을 나타내는 대표적인 보건지표로서 가장 흔히 이용되고 있다.

$$\text{영아사망률} = \frac{\text{당해연도 1세 미만 영아사망 수}}{\text{당해연도 연간 총 출생 수}} \times 1{,}000$$

(8) α - Index 기출 12, 14, 15, 16, 17, 19, 20, 21

① 같은 해의 영아사망 수가 신생아사망 수보다 얼마나 큰가를 나타낸다.

② α - Index가 1에 가까우면 영아사망이 대부분 신생아사망이므로 그 지역의 건강상태가 높은 것을 의미한다.

③ 1보다 커질수록 후기신생아 사망이 크므로 영아사망에 대한 예방대책이 필요하다.

$$\alpha\text{-index} = \frac{\text{연간 총 영아사망 수}}{\text{연간 총 신생아사망 수}}$$

(9) 출생전후기 사망률(Perinatal Mortality Rate) 기출 15, 16, 17, 18, 19, 20

① 임신 28주 이상 태아사망자 수 및 생후 7일 미만의 사망자 수를 해당 연도의 총 출생아 수(출생아 + 28주 이상 태아사망자 수)로 나눈 수치를 1,000분비로 표시한다.

② 국제기구 및 국가별 출생전후기 사망 정의

WHO, 한국, 일본	임신 22주 이상 태아사망 + 생후 7일 미만 신생아사망
UN, OECD	임신 28주 이상 태아사망 + 생후 7일 미만 신생아사망
미국	• 임신 28주 이상 태아사망 + 생후 7일 미만 신생아사망 • 임신 20주 이상 태아사망 + 생후 28일 미만 신생아사망 • 임신 20주 이상 태아사망 + 생후 7일 미만 신생아사망

$$\text{출생전후기 사망률} = \frac{\text{당해연도 출생 전 후기 사망자 수}}{\text{당해연도 총 총 출생 수}} \times 1,000$$

(10) 모성사망비(MMR; Maternal Mortality Ratio) 기출 16, 17, 18, 19, 20

임신과 관련된 원인으로 임신 또는 분만 후 42일 이내에 발생한 여성사망자 수를 당해연도의 출생아 수로 나눈 수치를 100,000분비로 표시한다.

$$\text{모성사망비} = \frac{\text{당해연도 모성사망 수}}{\text{당해연도 연간 출생아 수}} \times 100,000$$

* 분자와 분모가 동일집단이 아님

(11) 모성사망률(Maternal Mortality Rate)

임신과 관련된 원인으로 임신 또는 분만 후 42일 이내에 발생한 여성사망자 수를 해당 연도의 가임기(15 ~ 49세) 여성의 연 중앙인구로 나눈 수치를 100,000분비로 표시한다.

$$\text{모성사망률(rate)} = \frac{\text{당해연도의 모성사망 수}}{\text{당해연도 가임기 여성의 연 중앙 인구}} \times 100,000$$

(12) 생애모성사망위험(Lifetime Risk of Maternal Death)

한 여성이 가임기간 중 임신 및 분만과 관련하여 사망할 위험을 나타내기 위해 당해연도 모성사망비와 합계출산율을 곱한 값의 1.2배로 산출한다.

$$\text{생애모성사망위험} = \text{당해연도 모성사망비} \times \text{당해연도 합계출산율} \times 1.2$$

(13) 태아사망률(Fetal Mortality Rate) = 사산율

① 태아사망자 수를 해당 연도의 총 출생아 수(출생아 + 16주 이상 태아사망)로 나눈 수치를 1,000분비로 표시한다.

② **태아사망**: 모체로부터 완전히 만출 또는 적출되기 전에 생명의 징표를 나타내지 않은 사망이다(보통 임신 16주 이상으로 정의).

$$태아사망률 = \frac{당해연도\ 태아사망자\ 수}{당해연도\ 연간\ 총\ 출생아\ 수(사산\ 수 + 출생아\ 수)} \times 1,000$$

(14) 유아사망률

$$유아사망률 = \frac{연간\ 1 \sim 4세\ 사망자\ 수}{연간\ 1 \sim 4세\ 인구} \times 1,000$$

(15) 출생·사망의 성비

① 출생의 성비는 여아 출생자의 100명당 남아 출생자의 수이다.

② 사망의 성비는 여자 사망자의 100명당 남자 사망자의 수이다.

$$출생(사망)\ 성비 = \frac{남아\ 출생아(남자\ 사망자)의\ 수}{여아\ 출생아(여자\ 사망자)의\ 수} \times 1,000$$

(16) 표준화 사망률 기출 15, 17, 19, 20

인구구조가 서로 다른 두 인구집단의 사망률 수준을 비교하기 위해 인구구조의 차이가 사망률 수준에 미치는 영향을 제거한 객관화된 측정치를 산출하여 두 집단의 사망률 수준을 비교하는 방법이다.

(17) 치명률(Case fatality rate) = 치사율 기출 12, 15, 17, 18, 19, 20

① 질병이 심각한 정도를 나타내는 수치로서 어떤 질병에 이환된 환자들 중에서 그 질병으로 사망한 자의 수를 분율로 표시(%)한다.

② **치사율이 높다는 것의 의미**

㉠ 그 질병의 독력이 높다.

㉡ 인구집단의 건강도가 낮다.

㉢ 그 질병에 대한 저항력 또는 면역력이 낮다.

$$치사율 = \frac{사망자\ 수}{발병자(현성감염자)\ 수} \times 100$$

(18) 생명표

생명표는 하나의 동시발생집단(출생 코호트)에 대해 출생할 때부터 최후의 한 사람이 사망할 때까지 연령별로 생존자 수, 사망자 수, 생존확률, 사망확률 등을 정리한 표이다.

(19) 기대 수명(Life expectancy)

① 인간의 생명표에 나타난 생존 기대기간이다.

② 특정 기간 중에 동일한 출생의 각급 연령이 앞으로 얼마 정도를 생존할 것인가를 추정하는 방법으로 기대 수명을 사용한다.

③ 0세의 기대 수명을 평균 수명이다.

④ 어떤 연령에 도달한 사람이 몇 년을 더 살 것인가를 나타내는 것을 그 연령의 평균 여명으로 나타낸 것이다.

3대 보건(건강)지표 기출 21

구분	지표
WHO 3대 보건(건강)지표	• 평균수명: 0세의 평균여명 • 조사망률(보통사망률) • 비례사망지수(PMI)
국가 및 지역 간 3대 보건(건강)지표	• 평균수명 • 영아사망률 • 비례사망지수

8 병원 통계

1. 입원율

연간에 대상 인구의 1,000명당 입원 환자 수를 나타낸다.

$$입원율 = \frac{연간에\ 대상\ 인구\ 중에\ 입원\ 환자의\ 수}{대상\ 인구} \times 100$$

2. 병상 점유율

대상 인구 중에 점유하고 있는 병상의 비로서 1,000명당에 1일간의 재원일 수로 계산한다.

$$병상\ 점유율 = \frac{1일\ 평균\ 병상\ 점유의\ 수}{대상\ 인구} \times 100$$

3. 평균 재원 일수 기출 18, 20

입원 환자의 평균 재원기간을 나타낸다.

$$평균\ 재원\ 일수 = \frac{누적의\ 재원\ 일수}{입원\ 환자의\ 수(또는\ 퇴원\ 환자의\ 수)} \times 100$$

4. 병상 이용률 기출 09, 16, 17, 18, 19, 20

가용 병상 수에 대한 병상 사용 환자 수의 비율로 계산한다.

$$병상\ 이용률 = \frac{1일\ 평균\ 재원\ 환자의\ 수}{병상\ 수} \times 100$$

$$연간\ 병상\ 이용률 = \frac{연간에\ 총\ 누적의\ 재원\ 일수}{365일 \times 병상\ 수} \times 100$$

5. 병상 회전율 기출 09, 16, 18, 20

일정 기간 내에 한 병상을 이용한 평균 환자의 수이다.

$$병상\ 회전율 = \frac{해당\ 기간에\ 평균\ 퇴원\ 환자의\ 수}{해당\ 기간에\ 가동\ 병상의\ 수} \times 100$$

제2장 모자보건

1 모자보건의 개념

1. 모자보건의 정의 및 목적

(1) 세계보건기구(WHO)의 모자보건전문위원회 정의

모성의 건강유지와 육아에 대한 기술을 터득하여 정상분만과 정상적 자녀를 갖도록 하여 예측 가능한 사고나 질환, 기형을 예방하는 사업이다.

(2) 우리나라의 「모자보건법」

① 모성 및 영유아의 생명과 건강을 보호하고 건전한 자녀의 출산과 양육을 도모함으로써 국민보건 향상에 이바지함을 목적으로 한다(「모자보건법」 제1조).

② **모자보건사업의 목적**: 산전관리, 분만관리, 산후관리

(3) 모자보건관리의 목적

① 모체와 영유아에게 전문적인 의료와 보건관리를 실시하여, 모성의 생명과 건강을 보호하기 위함이다.

② 건강한 출산과 양육을 통하여 영유아의 사망률을 감소시키기 위함이다.

③ 신체적, 정신적 건강과 정서적 발달을 유지 · 증진시켜 국민보건 향상에 이바지하기 위함이다.

2. 모자보건사업의 중요성 기출 14, 18, 19, 20

(1) 모자보건의 대상이 되는 인구가 전 인구의 60 ~ 75%이다.

(2) 어린이는 국가나 사회에 있어서 고귀한 인적 자원이다.

(3) 임산부와 어린이는 쉽게 질병에 이환되며 어린이의 경우 영구적 장애를 초래할 수도 있다.

(4) 임산부와 어린이의 질병은 조직적인 노력으로 쉽게 예방이 가능하다.

(5) 영유아기에 대부분의 지능 발달이 이루어진다.

(6) 임산부와 영유아는 건강 취약대상이므로 포괄적인 모자보건사업이 효과적이다.

3. 모자보건관리의 대상 기출 15, 16, 18

(1) 모자보건 대상에서의 여성의 의미

① **넓은 의미**: 제2차 성징이 나타나는 생식기에서 폐경기에 이르는 모든 여성, 즉 생산 연령층, 가임연령으로 15 ~ 49세까지를 의미한다.

② **좁은 의미**: 임신, 분만, 수유기의 여성을 대상으로 하는 이와 관련된 질병예방 및 보건관리, 서비스의 주요 대상을 의미한다.

(2) 자녀의 의미

① **넓은 의미**: 0 ~ 14세까지의 소아 인구를 의미한다.

② **좁은 의미**: 영유아, 즉 태아에서부터 미취학 아동까지를 의미한다.

4. 모자보건사업의 개념 및 범위

(1) 개념

모자보건사업이란 모성과 영유아에게 전문적인 보건의료서비스 및 그와 관련된 정보를 제공하고 모성의 생식건강관리, 임신·출산·양육지원을 통하여 이들이 신체적·정신적·사회적으로 건강을 유지하게 하는 사업을 의미한다.

(2) 범위

자녀의 출생부터 성장, 발육 및 출산기여성의 건강관리까지 매우 광범위하다.

관련 법령

「모자보건법」 제2조【정의】 이 법에서 사용하는 용어의 뜻은 다음과 같다.

기출 11, 14, 17, 18, 19, 20

1. "임산부"란 임신 중이거나 분만 후 6개월 미만인 여성을 말한다.
2. "모성"이란 임산부와 가임기(可姙期) 여성을 말한다.
3. "영유아"란 출생 후 6년 미만인 사람을 말한다.
4. "신생아"란 출생 후 28일 이내의 영유아를 말한다.
5. "미숙아(未熟兒)"란 신체의 발육이 미숙한 채로 출생한 영유아로서 대통령령으로 정하는 기준에 해당하는 영유아를 말한다.
6. "선천성이상아(先天性異常兒)"란 선천성 기형(奇形) 또는 변형(變形)이 있거나 염색체에 이상이 있는 영유아로서 대통령령으로 정하는 기준에 해당하는 영유아를 말한다.

「모자보건법 시행령」 제1조의2【미숙아 및 선천성이상아의 기준】 「모자보건법」(이하 "법"이라 한다) 제2조 제5호 및 제6호에 따른 미숙아 및 선천성이상아(이하 "미숙아등"이라 한다)의 기준은 다음 각 호와 같다.

1. 미숙아: 임신 37주 미만의 출생아 또는 출생 시 체중이 2천 500그램 미만인 영유아로서 보건소장 또는 의료기관의 장이 임신 37주 이상의 출생아 등과는 다른 특별한 의료적 관리와 보호가 필요하다고 인정하는 영유아
2. 선천성이상아: 보건복지부장관이 선천성이상의 정도·발생빈도 또는 치료에 드는 비용을 고려하여 정하는 선천성이상에 관한 질환이 있는 영유아로서 다음 각 목의 어느 하나에 해당하는 영유아

   가. 선천성이상으로 사망할 우려가 있는 영유아
   나. 선천성이상으로 기능적 장애가 현저한 영유아
   다. 선천성이상으로 기능의 회복이 어려운 영유아

7. "인공임신중절수술"이란 태아가 모체 밖에서는 생명을 유지할 수 없는 시기에 태아와 그 부속물을 인공적으로 모체 밖으로 배출시키는 수술을 말한다.
8. "모자보건사업"이란 모성과 영유아에게 전문적인 보건의료서비스 및 그와 관련된 정보를 제공하고, 모성의 생식건강(生殖健康) 관리와 임신·출산·양육 지원을 통하여 이들이 신체적·정신적·사회적으로 건강을 유지하게 하는 사업을 말한다.
9. 삭제
10. "산후조리업(産後調理業)"이란 산후조리 및 요양 등에 필요한 인력과 시설을 갖춘 곳(이하 "산후조리원"이라 한다)에서 분만 직후의 임산부나 출생 직후의 영유아에게 급식·요양과 그 밖에 일상생활에 필요한 편의를 제공하는 업(業)을 말한다.
11. "난임(難妊)"이란 부부(사실상의 혼인관계에 있는 경우를 포함한다. 이하 이 호에서 같다)가 피임을 하지 아니한 상태에서 부부 간 정상적인 성생활을 하고 있음에도 불구하고 1년이 지나도 임신이 되지 아니하는 상태를 말한다.
12. "보조생식술"이란 임신을 목적으로 자연적인 생식과정에 인위적으로 개입하는 의료행위로서 인간의 정자와 난자의 채취 등 보건복지부령으로 정하는 시술을 말한다.

> **「모자보건법 시행규칙」 제1조의2 【보조생식술의 범위】** 「모자보건법」(이하 "법"이라 한다) 제2조 제12호에서 "보건복지부령으로 정하는 시술"이란 다음 각 호의 시술을 말한다.
> 1. 남성의 정자를 채취 및 처리하여 여성의 자궁강 안으로 직접 주입하여 임신을 시도하는 자궁내 정자주입 시술
> 2. 여성의 난자와 남성의 정자를 채취한 후 체외에서 수정 및 배양하여 발생한 배아를 여성의 자궁강 안으로 이식하여 임신을 시도하는 체외수정 배아이식술(이하 "체외수정 시술"이라 한다)

2 모자보건의 지표

1. 영아사망지표

(1) 신생아사망률(Neonatal Mortality Rate) 기출 16, 17, 18, 19

$$\text{신생아사망률} = \frac{\text{연간 생후 28일 이내 사망 수}}{\text{연간 당해 연도 총 출생 수}} \times 1{,}000$$

(2) 영아사망률(Infant Mortality Rate) 기출 16, 17, 20

$$\text{영아사망률} = \frac{\text{당해연도 1세 미만 영아사망 수}}{\text{당해연도 연간 총 출생 수}} \times 1{,}000$$

(3) α - Index 기출 12, 14, 15, 16, 17, 19, 20

$$\alpha - index = \frac{\text{연간 총 영아사망 수}}{\text{연간 총 신생아사망 수}}$$

(4) 출생전후기 사망률(Perinatal Mortality Rate) = 주산기 사망률

기출 15, 16, 17, 18, 19, 20

$$\text{출생전후기 사망률} = \frac{\text{당해연도 출생 전 후기 사망자 수}}{\text{당해연도 총 총 출생 수}} \times 1{,}000$$

2. 모성사망지표

(1) 모성사망비(MMR; Maternal Mortality Ratio) 기출 16, 17, 18, 19, 20

$$\text{모성사망비} = \frac{\text{당해연도 모성사망 수}}{\text{당해연도 연간 출생아 수}} \times 100{,}000$$

* 분자와 분모가 동일집단이 아님

(2) 모성사망률(Maternal Mortality Rate)

$$\text{모성사망률(rate)} = \frac{\text{당해연도의 모성사망 수}}{\text{당해연도 가임기 여성의 연 중앙 인구}} \times 100{,}000$$

(3) 모성사망(Maternal Death) 기출 16, 17

① **정의**: 임신기간 또는 부위와 관계없이, 우연 또는 우발적인 원인으로 인하지 않고, 임신 또는 그 관리에 관련되거나, 그것에 의해 악화된 어떤 원인으로 인하여 임신 중 또는 분만 후 42일 이내에 발생한 사망이다.

② **원인**

직접 산과적 사망 (Direct obstetric death)	임신상태의 산과적 합병증(임신, 진통 및 산후기)으로 인하여 개입, 생략, 부정확한 치료나 그 이상의 어떤 것으로부터 발생한 일련의 사건으로 인한 사망
간접 산과적 사망 (Indirect obstetric death)	기존의 질병 또는 임신 중에 발전하고 직접 산과적 원인에 의하지 않았으나 임신의 생리적 영향에 의해 악화된 질병으로 인한 사망
주요 발생원인	• 임신중독증 • 출산 전후의 출혈 • 자궁 외 임신 • 산욕열

3 모자보건의 관리

1. 혼전관리

(1) 혼전관리사업

① 건강한 자녀를 출산하고 행복한 부부생활을 영위하는 새로운 생활의 시작이므로 혼전 건강관리는 매우 중요하다.

② 가임기 모성의 건강증진사업의 일환으로 올바른 성 문화를 정립하기 위하여 성 교육 및 성 상담사업을 실시 중이다.

③ 생식건강증진을 지원하기 위하여 여성생식보건증진 프로그램을 개발·보급하고 있다.

(2) 결혼 전 건강진단 항목

① 흉부 X-선 촬영(결핵)

② 혈액검사(혈액형, 혈색소 측정, 기본 혈액검사, B형 간염 항원검사)

③ 성병검사(임질검사, 매독혈청 반응검사, AIDS)

④ 심전도

⑤ 소변검사(단백뇨, 당뇨)

⑥ 신체계측과 신소견

⑦ 성기의 진단과 정액검사(남자)

⑧ 월경력과 초체온 측정(여자)

⑨ 구강, 시력·색맹 및 기타 안과질환

⑩ 유전질환

2. 산전관리 기출 10, 15

(1) 목적

① 임산부의 안전하고 건강한 분만을 유도하고 태아와 모성의 건강증진을 도모한다.

② 임신합병증을 예방하고 조기발견하여 관리함으로써 안전분만 및 산욕기의 회복을 촉진한다.

③ 모자 간에 신체·정신적으로 만족스러운 관계가 형성되도록 한다.

(2) 내용 기출 17

① **임산부 등록과 관리**: 임산부의 건강관리를 위해 「모자보건법」 제3조(국가와 지방자치단체의 책임) 및 동법 제9조(모자보건수첩의 발급)에 근거하여 보건소에 등록한 임산부에게 표준모자보건수첩의 발급과 건강기록부를 작성하고 분만 전까지 주기적으로 전화상담을 하거나 보건소를 방문하도록 하여 산전관리를 시행한다.

② 임산부의 정기 건강검진

분만 예정일	• **분만 예정달**: 최종 월경이 시작한 날을 아는 경우, 최종 월경 달수에서 3을 빼거나 9를 더한 숫자 • **추정 분만 예정일**: 최종 월경 첫날 수에 7을 더한 숫자 예 마지막 월경 시작일 3월 5일 ⇨ 3 + 9 = 12월, 5 + 7 = 12일, 출산일은 12월 12일
건강력 조사	임산부의 과거 및 현재의 임신력, 유전적 질환, 결핵, 심장, 콩팥, 배수술 여부 등 과거병력 조사
진찰 및 검사	• 매월 체중, 혈압 측정, 부종 여부, 태아심음, 태아위치 • 소변검사, 혈액검사 등을 하여 단백뇨, 당뇨, 매독 여부, 풍진 감염, 기형아 검사 등 실시 • 태아의 기형이 의심될 때는 양수 검사 실시
영양관리	• 임부는 태아와 자신의 건강 및 수유를 위해서 적절한 음식을 섭취하는 것이 중요함 • 임신 초기에는 2,000kcal이고, 중기와 말기에는 2,500kcal이며, 특히 단백질의 섭취는 1일 60g을 권장 • 영양부족일 경우 유산, 사산, 신생아 사망과 태아기능 부전증의 비율이 높아짐
일상생활관리	• 목욕은 자주 하되 열탕이나 해수욕을 삼가는 것이 좋으며, 의복은 배가 냉하지 않도록 해야 하며, 내복은 자주 갈아입고, 너무 끼는 것은 삼가기 • 운동이나 여행은 삼가고, 가벼운 운동하기 • 휴식과 수면 취하기 • 배변은 1일 1회 정도, 변비가 생기지 않도록 하기 • 술과 담배는 금지하기

③ 고위험 임산부 관리

㉠ 산모와 태아에 나쁜 영향을 미치는 요소를 임신 초기에 발견하고, 적절히 대처하여 고위험 임신 때문에 장애가 되거나 사망하는 것을 미리 방지해야 한다.

㉡ **고위험 모성보건 대상**: 20세 미만과 35세 이상의 임산부, 저소득층 임산부, 유전적 소인이 있는 임산부, 다산 임산부(특히 5회 이상 경산부), 산과적 합병증이 있는 임산부, 심한 빈혈증, 영양실조, 비만증이 있는 임산부, 고혈압 등 순환기계 및 신진대사에 이상이 있는 임산부, 정서적으로 문제가 있는 가족의 임산부, 직장을 다니는 임산부, 미혼 임산부 등을 대상으로 한다.

(3) 임산부 유방 관리

① 임신 6 ~ 7개월부터 모유 수유에 대해 미리 결정하여 유방 관리를 시작하면 출산 후 모유 수유를 하는 데 많은 도움이 된다.

② 유두를 튼튼하게 하기 위해 목욕이나 샤워 후 타월로 닦는 방법이 있는데, 자극과 짓무름의 원인이 되는 만큼 심하게 하지 않아야 한다.

③ 조기분만의 위험이 없다면 엄지와 검지 사이에 유두를 잡고 매일 잠깐씩 부드럽게 굴린다.

④ 매일 잠깐씩 공기 중에 노출시키고 햇볕을 쬐도록 한다.

(4) 산전운동

① 케겔운동은 생식기 주위의 근육을 강화하고 근력을 향상시키며 골반상의 근육이 분만 후 즉시 정상적인 기능을 회복하도록 도와준다.

② 꾸준히 규칙적으로 운동을 실시하면 생의 후반기에 나타날 수 있는 자궁탈수나 긴장성 요실금을 예방하는 데 도움이 된다.

(5) 임산부 철분제 지원

① 임신 5개월부터는 태아로 유입되는 혈류량의 상승으로 전체 혈액의 45% 정도가 증가되어 철분 보충이 필요하나, 정상적인 식사로는 필요량을 보충할 수 없기 때문에 임신기간 지속적으로 일정량의 철분제제 복용이 필요하다.

② 임산부의 철분 결핍성 빈혈은 조산, 유산, 태아사망 및 산모사망을 발생시킬 수 있는데 이를 예방하는 것이 중요하다.

③ 2008년부터 보건소에서 임신 5개월 이상의 보건소 등록 임산부에게 분만 전까지 철분제를 지원하고 있다.

3. 분만관리

(1) 분만의 정의 및 분류

① **분만의 정의**: 자궁 내에 있던 태아와 그 부속물이 만출 기전에 따라 산도를 지나 모체 밖으로 배출되는 현상이다.

② **임신기간에 따른 분만의 분류(세계보건기구)** 기출 10, 17

㉠ **조산아**: 37주 미만의 출생아

㉡ **정상출생아**: 37주 이상에서 42주 미만의 출생아

㉢ **과숙출생 또는 과기산**: 42주 이상의 출생아

출생 시 몸무게 기준에 따른 분류

1. 정상 체중 출생아
   2,500g에서 4,500g 미만
2. 미숙아
   2,500g 미만
3. 과숙아
   4,500g 이상

(2) 의료기관에서 분만 권장 임산부

① 초산부

② 35세 이상의 고령 임산부

③ 4회 이상 분만경험이 있는 임산부

④ 내과적 합병증과 병행되는 임산부

⑤ 산과적 합병증이 병발된 임산부

⑥ 사산 및 신생아 사망경험 임산부

⑦ 현재 임신 중에 임신 합병증이나 임신 후유증 발병이 가능한 임산부

(3) 이상분만의 원인

① 산도의 이상으로 골산도, 연산도의 이상, 골반 및 관절의 이상 등

② 자궁경부의 이상으로 연산도 및 그 주위 조직의 이상이 있는 경우와 산도 및 자궁경부의 이상 외의 것으로 성기의 종양이나 기형, 자궁의 위치 이상, 골반저부의 이상 등으로 인한 난산 등

③ 만출력의 이상, 즉 진통이나 복압의 이상
④ 태아 및 태아 부속물의 이상으로 태아의 위치 이상이나 태아의 자세 및 태아의 크기 등이 원인일 때
⑤ 태반의 이상
⑥ 난막의 이상(조기파수나 조기파막의 경우)

4. 산후관리 기출 17

(1) 일반적인 산후관리

① **산욕기**: 임신 및 분만에 의해 생긴 모체의 해부학적, 기능적 변화가 임신 이전의 상태로 회복될 때까지의 기간을 말한다. ⇨ 분만 후부터 6주 사이
② 분만 후 처음 1시간 사이 산모에게 출혈이 잘 일어나므로 출혈양상을 확인하여야 한다.
③ 산모는 피로회복을 위해 충분한 수면을 취한다.
④ 방광이 차면 자궁출혈의 원인이 되므로 소변을 참지 않는다.
⑤ **식사관리**: 모유분비와 산후 출혈에 도움이 되도록 양질의 영양관리를 한다.
⑥ 산후 목욕은 세균감염이 발생할 수 있으니 샤워는 24시간 이후에 가능하며, 최소 4주가 지난 후 통목욕을 한다.
⑦ 성 생활은 분만 후 6주 이후에 한다(가족계획, 수태조절, 피임).

(2) 산욕기 이상

① **생식기의 회복장애**: 산후 생식기의 회복장애의 원인으로는 회음의 열상, 절개 부위에 염증이 생기는 경우, 태반 · 난막 · 탈락막 등의 조직편이 남아 있어 생기는 자궁내막염 등이 원인이다.
② **유두 및 유선의 질환**
㉠ 유두질환은 유두의 기형, 유두의 표피탈락, 유두 및 유륜의 함몰, 유두염 등이 있다.
㉡ **일반적인 예방법**: 산후 음식물의 충분한 섭취 및 청결 등이 있으며, 심하면 전문의사의 치료를 받도록 한다.

(3) 산욕열

① 산욕기 이상으로 가장 많이 나타난다.
② 분만 또는 산욕기에 생식기 부위에의 세균 침입으로 인한 감염에 의한 심한 발열현상으로, 분만 직후 24시간을 제외한 10일까지 2일간 이상에 걸쳐 38℃ 이상의 발열이 나타난다.
③ **산욕열의 요인**: 출혈, 분만 시 외상, 24시간 전에 조기파막, 심한 빈혈 및 영양실조 등

5. 수유관리

(1) 초유

① 분만 2 ~ 3일 후부터 모유가 분비되기 시작하는데 이때 처음 분비되는 모유이다.

② 영양가가 높으며 면역체가 있으므로 아기에게 반드시 먹이도록 한다.

③ 초유는 약 1주일 정도 분비되며 일반 모유보다 더 진하고 노란색을 띤다.

(2) 모유 수유 기출 15, 18

① 모유는 소화가 용이하고 아기의 태변이 잘 나오도록 도와준다.

② 모유는 A형 면역글로불린(lgA)을 많이 함유하고 있어 감염성 질환으로부터 신생아를 보호해준다.

③ 락토페린은 위장관에서의 세균의 성장을 조절하는 주요한 역할을 한다.

④ 대식세포, 과립백혈구, T형과 B형 림프구 같은 방어물질을 많이 가지고 있어 생후 6개월 이내의 감염과 질병을 예방하는 데 도움을 준다.

⑤ 모유 수유는 신생아의 영양, 면역, 정신적 측면 등에 다음과 같은 장점이 있다.

㉠ 수유 시 어머니에게는 자궁을 수축시키는 옥시토신 호르몬의 분비로 산후 빠른 시일 내에 자궁이 임신 전의 상태로 돌아가는 것을 돕고, 체형을 원래 상태로 돌아가게 한다.

㉡ 유방암의 발생 빈도가 낮아진다.

㉢ 모아 애착이 강해지고 정서적 안정감이 생긴다.

㉣ 소화하기 쉽고 수유장애가 적다.

㉤ 질병과 감염으로부터 신생아를 보호한다.

㉥ 비타민, 철분, 무기질 등은 모유에서 더 효과적으로 흡수된다.

㉦ 경제적이고 먹이기 간편하다.

㉧ 모유 수유는 배란을 억제하는 자연 피임방법이다.

(3) 수유 중 유방 관리 기출 18

① 1일 1회 이상 젖을 따뜻한 물로 깨끗하게 씻기

② 젖꼭지는 비누칠하지 않기

③ 수유 전 손 씻기

④ 수유 시간을 놓칠 경우 손이나 유축기를 사용하여 젖을 짜내기

⑤ 수유 시에는 양쪽을 교대로 먹이고 처음에는 5분씩 수유 후 점차 시간을 늘려 한쪽 젖을 완전히 비우기

⑥ 브래지어의 크기를 적당하게 조절하여 유즙의 흡수를 돕는 패드를 사용하기

6. 「모자보건법」에 의한 정기 건강진단(산전관리) 실시 기준 기출 12, 18, 19

(1) 임신 28주까지

4주마다 1회 실시한다.

(2) 임신 29주에서 36주까지

2주마다 1회 실시한다.

(3) 임신 37주 이후

1주마다 1회 실시한다.

(4) 특별자치시장 · 특별자치도지사 또는 시장 · 군수 · 구청장은 ① 임산부가 「장애인복지법」에 따른 장애인인 경우, ② 만 35세 이상인 경우, ③ 다태아를 임신한 경우 또는 ④ 의사가 고위험 임신으로 판단한 경우에는 (1)부터 (3)까지에 따른 건강진단 횟수를 넘어 건강진단을 실시할 수 있다.

WHO 산전관리

임신 7개월까지	1회 / 4주
임신 8 ~ 9개월	1회 / 2주
임신 10개월	1회 / 1주

Plus⁺ POINT

영유아의 발육 이상: 조산아

1. 정의
태어날 당시의 임신기간이나 태아의 체중에 따라 정상범위에 못 미치는 경우를 조산아(Premature infant) 또는 미숙아(Immature infant)라고 한다.

2. 조산아의 원인과 결함
① 원인: 불분명한 경우가 많으나 주로 임신중독, 다태아 임신, 선천기형, 성병, 모체의 질병이나 과로 등에 의한다.
② 결함: 체온의 조절불능, 호흡장애, 소화장애, 조혈능력 부족, 질병 감염률이 높고 독성에 대한 감수성이 높은 것 등이 있다.

3. 조산아의 4대 관리 기출 12, 15, 17, 18
① 체온보호
② 감염병 방지
③ 영양보급
④ 호흡관리

4. 조산의 예방
① 임신중독 예방
② 영양관리
③ 유산 및 조산 경력자의 지도와 보호
④ 30세 이후의 초임부나 불임증자의 임신 등

과숙아

임신기간 42주 이상이나 태아 체중 4.5kg 이상으로서 태아에 있는 기간(재태기간)이 길므로 해서 산소부족증이나 난산을 초래할 수 있으며 중추신경계의 장애가 있을 수 있다.

4 모성사망

1. 임신중독 기출 12, 14, 17, 19, 20

주요 특징	① 전체 임신부 중 5 ~ 8%에서 발생 ② 세계적으로 모성사망의 3대 원인 중 하나 ③ 조기발견으로 인한 적절한 치료가 최상의 방법
주요 원인	① 원인은 확실하지 않음 ② 단백질의 부족, 티아민(B1)의 부족, 빈혈, 지방질의 과량섭취, 과로 등
3대 증상	① 부종 ② 단백뇨 ③ 고혈압
예방	① 단백질 및 비타민 공급을 충분히 제공하기 ② 식염 · 당질 · 지방질의 과량섭취를 금하기 ③ 적당한 휴식을 취하기 ④ 정기적으로 건강진단하기

2. 출혈

주요 특징	① 50% 정도가 원인불명 ② 임신 전반기 출혈, 후반기 출혈과 산욕기 출혈
임신 전반기 출혈	자궁 외 임신, 조기유산 등
임신 후반기 출혈	전치태반, 태반 조기박리 등

3. 자궁 외 임신

정의	수정란이 정상 자궁 내막 이외의 장소에 착상된 임신
증상	하복통, 무월경 내지 자연월경출혈 등
예방	정기적으로 산부인과 진찰 받아 치료하기

4. 산욕열

정의	출산 후 첫날 이후부터 10일 이내에 하루 4번 입으로 측정한 체온 중 두 번 이상 38℃ 이상 넘을 경우
증상	분만 후 세균에 감염되어 오한과 고열증상
원인	분만 도중의 질 및 자궁 감염, 양막파수의 장시간 경과 등
치료방법	항생제 등 사용하여 농양을 제거

5 모자보건사업

1. 모자 건강관리

(1) 표준모자보건수첩 제공

임산부 및 영 · 유아의 지속적 · 체계적인 건강증진을 도모하기 위함이다.

① **영유아 모자보건수첩**: 성장기록, 신생아 선별검사 및 성장별 맞춤형 건강검진, 영유아 건강검진 검사기록, 진료기록, 검사기록 및 입원기록, 표준예방접종일정표 및 기록표, 안전한 예방접종 바로알기 및 B형 간염 수직감염 예방사업, 치아발달 그림 및 개월별 영유아 구강 설명, 영유아 응급처치 및 안전한 우리집 만들기, 영유아 건강관리 및 월령별 이유식 식품군 등을 기록한다.

② **산모 모자보건수첩**: 태아의 발육과 모체의 변화, 임신 주수별 산전검사 시행 시기, 임신 초기 기본검사 및 임신기간 중 검사 안내, 임신 중 응급상황 및 영양관리, 분만이 임박했음을 알려주는 출산 징후들, 분만과정 및 산욕기의 관리, 출산 후 임산부의 건강상태 및 퇴원 시 아기의 건강상태 기록 등을 기록한다.

(2) 산후조리원 감염 및 안전관리

① 산후조리원은 임산부 및 영유아의 집단관리로 감염 위험에 쉽게 노출되고, 화재 등 사고 발생 시 대피에 취약하므로 감염 및 안전관리를 통해 안전하고 건강한 산후조리를 지원해야 한다.

② 산후조리원의 신고제를 도입하고 산후조리원에서의 감염 및 안전 사고 발생 시 의료기관 즉시 이송 등 조치사항을 보건소장에게 보고하고, 임산부 및 영유아의 감염 및 안전 사고 예방을 위하여 정기적인 점검을 실시하고 있다.

③ 미보고 시 과태료(100만 원 이하)를 부과하고, 산후조리업자와 종사자 중 건강진단을 받아야 할 자의 범위를 명확히 하고, 건강진단 미필 시에도 산후조리업자에게 과태료(200만 원 이하)를 부과하고 있다.

(3) 산모 · 신생아 건강관리 지원사업

산모 · 신생아 건강관리 지원사업은 산모 · 신생아 관리사가 출산가정을 방문하여 산모 · 신생아의 건강관리를 돕고 가사활동을 지원하므로 산모 · 신생아의 건강을 보호하고 출산가정의 경제적 부담을 경감시키고자 지원하는 산후관리 사업이다.

(4) 영양플러스사업

영양플러스사업은 생리적 요인과 환경여건 등으로 영양상태가 상대적으로 취약한 대상에게 일정기간 영양교육 및 보충식품을 제공하여 영양섭취상태를 개선하고 건강을 증진시키기 위한 제도이다.

2. 임신 · 출산 · 육아 등 종합정보 제공

(1) 임신 · 출산 · 육아 관련 종합정보 및 신뢰성 있는 상담서비스를 통해 가임기 여성의 건강한 출산과 양육에 필요한 정보를 제공하고 있다(164 - 7373 / 164 - 7382).

(2) 출산친화적 사회분위기 조성으로 출산율 안정에 기여하기 위해 가임기 여성의 특성에 맞는 정보콘텐츠를 개발 및 제공하고 있다,

(3) 여성장애인을 위한 전담 상담프로그램 운영 등 임신 · 출산 관련 특성화 정보를 개발 및 보급하고 있다.

(4) 언어문제로 어려움을 겪고 있는 국제결혼 이주여성을 위한 다국어 온라인 서비스 프로그램 제작 및 지원하고 있다.

3. 모성건강 지원환경 조성

(1) 임산부의 날 행사 실시

풍요의 달(10)과 임신기간(10)을 의미하는 10월 10일을 임산부의 날로 제정하였다.

(2) 임산부 배려 캠페인 추진

임산부임을 나타내는 상징 디자인을 소지물품이나 공공장소 안내문 등으로 다양하게 제작 및 보급한다.

(3) 임산부 배려 상징물(엠블럼)

4. 인공임신중절 예방

(1) 건전한 성 가치관 정립 및 민 · 관 연대활동을 실시한다.
(2) 생명존중 사회분위기 정착을 통해 인공임신중절을 예방한다.
(3) 원하지 않는 임신을 방지하기 위해 노력한다.
(4) 계획임신을 통해 모성건강 및 건강한 출산을 도모한다.

5. 청소년 산모 임신 · 출산 의료비 지원사업

지원 대상은 만 18세 이하 산모로 신청자에게 임신 1회당 120만 원 범위 내에서 지급한다.

6. 난임부부 지원사업

7. 고위험 임산부 의료비 지원

6 영유아 보건관리

1. 영유아 건강관리 실시 기준(「모자보건법 시행규칙」 [별표 1] 기준) 기출 19

(1) 신생아

수시로 실시한다.

(2) 영유아

① **출생 후 1년 이내**: 1개월마다 1회

② **출생 후 1년 초과 5년 이내**: 6개월마다 1회

(3) 미숙아

① 분만의료기관 퇴원 후 7일 이내에 1회 실시한다.

② 1차 건강진단 시 건강문제가 있는 경우에는 최소 1주에 2회 실시한다.

③ 발견된 건강문제가 없는 경우에는 (2)의 영유아 기준에 따라 건강진단을 실시한다.

2. 영유아 건강검진

(1) 사업목적

영유아 월령에 적합한 건강검진 프로그램 도입으로 영유아의 성장 발달사항을 추적 · 관리하고 보호자에게 적절한 교육 프로그램을 제공하여 영유아의 건강 증진을 도모한다.

(2) 사업대상 및 검진항목

생후 4개월부터 71개월(만 6세)까지 문진 및 진찰, 신체 계측, 발달 평가 및 상담, 건강교육, 구강검진 등을 검진한다.

(3) 한국 영유아 발달선별검사(K - DST)의 독자 개발

① **검사목적**: 4 ~ 71개월 사이의 아동을 대상으로 7차에 걸쳐 월령에 적합한 건강검진과 한국 영유아 발달선별검사(K - DST)를 시행함으로써 신장과 체중을 척도로 정상적인 발달 분석을 하여 건강한 양육을 돕고, 발달 지연 시 추후 관리를 받게 하는 데 목적이 있다.

② **도구의 구성**: 각 월령에 따른 영유아의 발달사항을 반영한 20개의 개별적인 검사 세트로 구성한다.

㉠ 생후 4개월부터 71개월 사이의 영유아를 대상으로 개발하였다.

㉡ 생후 초기의 나이가 어린 월령집단의 경우 발달속도가 매우 빠른 반면, 상위 월령집단인 만 4 ~ 5세 집단은 상대적으로 발달속도가 느리다. 이러한 영유아의 발달 특성을 반영하여 각 월령집단의 간격을 2개월에서 6개월 차이로 구성한다.

한국 영유아 발달선별검사 도구 (Korean Developmental Screening Test for Infants & Children, K - DST)

1. 우리나라 문화 및 언어 환경에 적합하고 쉬운 언어로 문항을 구성하였다.
2. 세분화된 4점 척도 응답법을 적용하여 결과의 정확성을 향상하였다.
3. 정서 및 행동문제를 검사하는 질문을 추가로 구성하였다.
4. 부모작성형으로 시간을 단축하였다.
5. 웹(Web) 구현(시스템 구축 예정)으로 수요자 접근성을 향상시키고 시간을 단축하였다.
6. 우리나라 영유아 건강검진 월령주기(4 ~ 71개월)를 모두 포함하였다.

③ 영역별 평가 내용

㉠ 기존 영역별 평가에서의 주요 변경 내용은 다음과 같다.

주요 변경 내용

구분	현행(K-ASQ, DENVER-Ⅱ)	변경(K-DST)
검사자	아동건강전문가 · 부모작성형	부모작성형
평가영역	전체운동, 미세운동-적응, 언어, 개인-사회성	대근육 · 소근육운동, 인지, 언어, 사회성, 자조
응답법	예 · 아니오 · 가끔	전혀 할 수 없다 · 하지 못하는 편 · 할 수 있는 편 · 잘할 수 있다

㉡ 총 6개의 핵심적인 발달 영역(대근육운동, 소근육운동, 인지, 언어, 사회성, 자조)을 평가(발달 영역당 8문항으로 구성)하고, 기본적인 움직임과 관련된 영역부터 인지 발달과 그 외의 적응기능을 포괄적으로 평가한다.

④ 검진항목

㉠ 5개 분야(계측, 측정, 문진, 진찰, 교육)와 21개 항목을 검진하고 상담을 실시한다.

㉡ 각 월령에 특화된 문진(시각 · 청각 문진 포함)과 진찰 · 신체 계측(신장 · 체중 · 머리둘레)을 공통 실시한다.

검진항목		1차	2차	3차	4차	5차	6차	7차
문진 및 진찰		●	●	●	●	●	●	●
신체 계측		●	●	●	●	●	●	●
발달 평가 및 상담			●	●	●	●	●	●
건강교육	안전사고 예방	●	●	●	●	●	●	●
	영양	●	●	●	●	●	●	●
	수면	●						
	구강		●					
	대소변 가리기			●				
	정서 및 사회성 교육				●			
	개인위생					●		
	취학준비						●	
	간접흡연							●
구강검진				●		●	●	

※ 영유아 건강검진에서는 상기항목으로 검진을 실시한 후 유소견자에 대해서는 정확한 진단을 위해 전문의료기관에 의뢰한다.

3. 예방접종

(1) 예방접종 전 주의사항

① 접종 전날 목욕시킨다.

② 집에서 체온을 측정하고 고열일 경우 예방접종을 미룬다.

③ 청결한 의복을 입혀서 데리고 온다.

④ 어린이의 건강상태를 잘 아는 보호자가 데리고 온다.

⑤ 모자보건수첩(아기수첩)을 지참한다.

⑥ 예방접종을 하지 않을 어린이는 데리고 오지 않는다.

(2) 예방접종 후 주의사항

① 접종 후 20 ~ 30분간 접종기관에 머물러 관찰한다.

② 귀가 후 적어도 3시간 이상 주의깊게 관찰한다.

③ 접종 당일과 다음 날은 과격한 운동을 삼가한다.

④ 접종 당일은 목욕을 시키지 않는다.

⑤ 접종 부위는 청결하게 한다.

⑥ 접종 후 최소 3일간은 특별한 관심을 가지고 관찰하며 고열, 경련이 있을 때에는 곧 의사의 진찰을 받도록 한다.

⑦ 아기는 반드시 바로 눕혀 재운다.

(3) 예방접종 금기사항

① 열이 있는 자

② 최근 앓았던 일이 있거나 현재 질환을 앓고 있는 자

③ 현재 설사를 하고 있는 자

④ 습진 등 피부병이 있는 자

⑤ 약 또는 달걀을 먹고 피부에 두드러기가 생기거나 설사한 적이 있는 자

⑥ 예방접종 후 이상반응이 있던 자

⑦ 기타 접종자가 부적당하다고 인정하는 자

(4) 예방접종약품의 보관

① 예방접종약은 항상 2 ~ 8℃에 보관해야 한다.

② 얼지 않도록 하고, 얼었던 약은 사용하지 않는다.

③ 방문접종 시에는 얼음 박스 내에 얼음과 접종약이 직접 접촉되지 않도록 주의한다.

④ 약을 사용하기 전에 흔들어 보아 육안으로 이상한 것이 발견될 경우 절대로 사용하지 않는다.

⑤ 유효기간을 잘 확인하여 유효기간이 경과한 약품은 규정에 의하여 용도변경 또는 폐기처분한다.

관련 법령

「감염병의 예방 및 관리에 관한 법률」 기출 14, 15, 16, 17, 18, 19, 20, 21, 22 **제24조【필수예방접종】** ① 특별자치도지사 또는 시장 · 군수 · 구청장은 다음 각 호의 질병에 대하여 관할 보건소를 통하여 필수예방접종(이하 "필수예방접종"이라 한다)을 실시하여야 한다.

1. 디프테리아
2. 폴리오
3. 백일해
4. 홍역
5. 파상풍
6. 결핵
7. B형간염
8. 유행성 이하선염
9. 풍진
10. 수두
11. 일본뇌염
12. b형헤모필루스인플루엔자
13. 폐렴구균
14. 인플루엔자
15. A형간염
16. 사람유두종바이러스 감염증
17. 그룹 A형 로타바이러스 감염증
18. 그 밖에 질병관리청장이 감염병의 예방을 위하여 필요하다고 인정하여 지정하는 감염병

② 특별자치도지사 또는 시장 · 군수 · 구청장은 제1항에 따른 필수예방접종업무를 대통령령으로 정하는 바에 따라 관할구역 안에 있는 「의료법」에 따른 의료기관에 위탁할 수 있다.
③ 특별자치도지사 또는 시장 · 군수 · 구청장은 필수예방접종 대상 아동 부모에게 보건복지부령으로 정하는 바에 따라 필수예방접종을 사전에 알려야 한다. 이 경우 「개인정보 보호법」 제24조에 따른 고유식별정보를 처리할 수 있다.

제25조【임시예방접종】 ① 특별자치도지사 또는 시장 · 군수 · 구청장은 다음 각 호의 어느 하나에 해당하면 관할 보건소를 통하여 임시예방접종(이하 "임시예방접종"이라 한다)을 하여야 한다.

1. 질병관리청장이 감염병 예방을 위하여 특별자치도지사 또는 시장 · 군수 · 구청장에게 예방접종을 실시할 것을 요청한 경우
2. 특별자치도지사 또는 시장 · 군수 · 구청장이 감염병 예방을 위하여 예방접종이 필요하다고 인정하는 경우

② 제1항에 따른 임시예방접종업무의 위탁에 관하여는 제24조 제2항을 준용한다.

표준예방접종일정표

어린이가 건강한 대한민국

질병관리청 | KMA 대한의사협회 | 예방접종전문위원회
표준예방접종일정표(2023)

구분	대상감염병	백신 종류 및 방법	횟수	출생시	4주 이내	1 개월	2 개월	4 개월	6 개월	12 개월	15 개월	18 개월	19~23 개월	24~35 개월	만 4세	만 6세	만 11세	만 12세
국가 예방 접종	B형 간염	HepB	3	HepB 1차		HepB 2차			HepB 3차									
	결핵	BCG(피내용)	1		BCG 1회													
	디프테리아 파상풍 백일해	DTaP	5				DTaP 1차	DTaP 2차	DTaP 3차		DTaP 4차				DTaP 5차			
		Tdap/Td	1														Tdap/Td 6차	
	폴리오	IPV	4				IPV 1차	IPV 2차	IPV 3차						IPV 4차			
	b형헤모필루스 인플루엔자	Hib	4				Hib 1차	Hib 2차	Hib 3차	Hib 4차								
	폐렴구균	PCV	4				PCV 1차	PCV 2차	PCV 3차	PCV 4차								
		PPSV	-											고위험군에 한하여 접종				
	로타바이러스 감염증	RV1	2				RV 1차	RV 2차										
		RV5	3				RV 1차	RV 2차	RV 3차									
	홍역 유행성이하선염 풍진	MMR	2							MMR 1차					MMR 2차			
	수두	VAR	1							VAR 1회								
	A형간염	HepA	2							HepA 1~2차								
	일본뇌염	IJEV(불활성화 백신)	5							IJEV 1~2차				IJEV 3차		IJEV 4차		IJEV 5차
		LJEV(약독화 생백신)	2							LJEV 1차				LJEV 2차				
	사람유두종 바이러스감염증	HPV	2														HPV 1~2차	
	인플루엔자	IIV	-						IIV 매년 접종									

지연 시 예방접종(4개월 ~ 6세)

접종백신	최소접종연령	1~2차 최소 접종간격	2~3차 최소접종간격	3~4차 최소접종간격	4~5차 최소접종간격
B형간염	출생시	4주	8주(1차 접종 16주 후)	-	-
DTaP	생후 6주	4주	4주	6개월	6개월
IPV	생후 6주	4주	4주	6개월(마지막 접종의 최소 연령은 만4세)	-
Hib	생후 6주	• 4주: 생후 12개월 미만에 1차 접종한 경우 • 8주(마지막 접종): 생후 12~14개월 사이에 1차 접종을 한 경우 • 더 이상 접종이 필요하지 않은 경우: 생후 15개월 이후에 1차 접종을 한 경우	• 4주: 현재 연령이 생후 12개월 미만이고 1차 접종을 생후 7개월 미만에 한 경우 • 8주(마지막 접종) - 1차 접종을 생후 7~11개월에 한 경우로 생후 12개월 이후 실시 - 또는 현재 연령이 생후 12~59개월이며 1차 접종을 생후 12개월 미만에 하고 2차 접종을 생후 15개월 미만에 한 경우 • 더 이상 접종이 필요하지 않은 경우: 이전 접종을 생후 15개월 이상에서 한 경우	• 8주(마지막 접종): 생후 12개월 이전에 3번의 접종을 한 생후 12~59개월 소아만 필요	
PCV	생후 6주	• 4주: 생후 12개월 미만에 1차 접종한 경우 • 8주(마지막 접종): 건강한 소아로 생후 12개월 이후에 1차 접종을 한 경우 • 더 이상 접종이 필요하지 않은 경우: 건강한 소아로 1차 접종을 PCV13으로 생후 24개월 이후에 한 경우. 단, PCV10으로 접종한 경우 8주 간격으로 접종(마지막 접종)	• 4주: 현재 연령이 생후 12개월 미만이고 이전 접종을 생후 7개월 미만에 한 경우 • 8주(마지막 접종) - 건강한 소아로 이전 접종을 생후 7~11개월에 한 경우로 생후 12개월 이후 실시 - 또는 현재 연령이 생후 12개월 이상이며 1회 이상 생후 12개월 이전에 접종한 경우 • 더 이상 접종이 필요하지 않은 경우: 건강한 소아로 이전 접종을 생후 24개월 이후에 한 경우	• 8주(마지막 접종): 생후 12개월 이전에 3번의 접종을 한 생후 12~59개월 소아 또는 접종연령에 관계없이 3회 접종받은 고위험군	
MMR	생후 12개월	4주	-	-	-
수두	생후 12개월	-	-	-	-
일본뇌염 불활성화 백신	생후 12개월	4주	6개월	2년	5년
일본뇌염 약독화 생백신	생후 12개월	4주	-	-	-
A형간염	생후 12개월	6개월	-	-	-
로타바이러스 감염증	생후 6주	4주	4주	-	-

지연 시 예방접종(7 ~ 18세)

접종백신	최소접종연령	1~2차 최소접종간격	2~3차 최소접종간격	3~4차 최소접종간격
Tdap/Td	만 7세	4주	• 4주: DTap 첫 접종을 생후 12개월 미만에 한 경우 • 6개월(마지막 접종): DTap 첫 접종을 생후 12개월 이후에 한 경우	6개월: DTaP 첫 접종을 생후 12개월 미만에 한 경우
사람유두종바이러스감염증	만 9세	권장 간격을 지킨다.		
A형간염	-	6개월	-	-
B형간염	-	4주	8차(1차 접종 16주 후)	-
IPV	-	4주	6개월	-
MMR	-	4주	-	-
수두	-	4주	-	-
일본뇌염 불활성화 백신	-	4주	6개월	2년
일본뇌염 약독화 생백신	-	4주	-	-

관련 법령

「예방접종의 실시기준 및 방법」[별표 1] 예방접종별 실시대상 및 표준접종시기

1. 결핵 기출 17, 20

❑ 접종대상
- 모든 영유아를 대상으로 한다.

❑ 표준접종시기
- 생후 1개월 이내에 1회 접종을 권장한다.

❑ 백신종류
- BCG(피내용)

2. B형 간염

❑ 접종대상
- 모든 신생아 및 영아를 대상으로 한다.
- 과거 B형 간염의 감염증거와 예방접종력이 없는 성인 중 B형 간염 바이러스에 노출될 위험이 높은 환경에 있는 사람을 우선 접종권장 대상으로 한다.
  ① B형 간염 바이러스 보유자의 가족
  ② 혈액제제를 자주 수혈받아야 되는 환자
  ③ 혈액투석을 받는 환자
  ④ 주사용 약물 중독자
  ⑤ 의료기관 종사자
  ⑥ 수용시설의 수용자 및 근무자
  ⑦ 성매개질환의 노출 위험이 큰 집단

❑ 표준접종시기
- 생후 0, 1, 6개월에 3회 접종할 것을 권장한다.
- 다만, 모체의 B형 간염 표면항원 결과가 양성이거나 검사결과를 알지 못하는 경우 아래와 같이 접종할 것을 권장한다.

① 모체가 B형 간염 표면항원 양성인 경우: B형 간염 면역글로불린 및 B형 간염 백신 1차 접종을 출생 직후(12시간 이내) 각각 다른 부위에 실시할 것을 권장한다. 2, 3차 접종은 생후 1, 6개월에 실시한다.
② 모체의 B형 간염 표면항원 검사 결과를 알지 못하는 경우: B형 간염 백신 1차 접종을 출생 직후(12시간 이내)에 실시하고, 모체의 검사 결과가 양성으로 밝혀지면 가능한 빠른 시기(늦어도 7일 이내)에 B형 간염 면역글로불린을 백신접종과 다른 부위에 접종한다. 이 후 B형 간염 2차와 3차 접종은 생후 1, 6개월에 실시한다.

3. 디프테리아 · 파상풍 · 백일해

❏ 접종대상
- 모든 영유아
- 「모자보건법」 제15조의5 및 동법 시행령 제16조에 따라 의무접종해야 하는 산후조리업자 및 종사자(의료인, 간호조무사)

❏ 표준접종시기
- 모든 영유아
  - 생후 2개월, 4개월, 6개월에 3회 기초 접종할 것을 권장한다.
  - 생후 15 ~ 18개월, 만 4 ~ 6세, 만 11 ~ 12세에 3회 추가 접종할 것을 권장한다.

  ※ 기초접종 3회는 동일 제조사의 백신으로 접종하는 것을 원칙으로 한다.

  ※ 표준접종일정

구분		표준접종시기	접종간격	백신
기초 접종	1차	생후 2개월	최소한 생후 6주 이후	DTaP
	2차	생후 4개월	1차 접종 후 4 ~ 8주 경과 후	DTaP
	3차	생후 6개월	2차 접종 후 4 ~ 8주 경과 후	DTaP
추가 접종	4차	생후 15 ~ 18개월	3차 접종 후 최소 6개월 이상 경과 후	DTaP
	5차	만4 ~ 6세	-	DTaP
	6차	만11 ~ 12세	-	Tdap 혹은 Td

- 산후조리업자 및 종사자
  - 해당시설 근무 2주 전까지 백일해 예방접종(Tdap)을 1회 접종한다.

4. 폴리오

❏ 접종대상
- 모든 영유아를 대상으로 접종한다.

❏ 표준접종시기
- 생후 2개월, 4개월, 6개월에 3회 기초 접종할 것을 권장한다.
  (단, 3차 접종은 생후 6 ~ 18개월까지 접종가능)
- 만 4 ~ 6세에 추가 접종할 것을 권장한다.

5. 홍역 · 유행성이하선염 · 풍진

❏ 접종대상
- 모든 영유아를 대상으로 한다.

❑ 표준접종시기
- 생후 12 ~ 15개월과 만 4 ~ 6세에 2회 접종할 것을 권장한다.

6. 일본뇌염

❑ 접종대상
- 모든 영유아를 대상으로 한다.

❑ 표준접종시기
- 쥐 뇌조직 유래 불활성화 백신과 베로세포 유래 불활성화 백신은 생후 12 ~ 23개월 중 7 ~ 30일 간격으로 2회 접종한 후, 12개월 뒤에 1회 더 접종하여 기초접종을 완료하고, 만 6세와 만 12세에 2회 추가 접종할 것을 권장한다.
- 햄스터 신장세포 유래 약독화 생백신은 생후 12 ~ 23개월에 1회 접종하고, 12개월 후 2차 접종할 것을 권장한다.

7. 장티푸스

❑ 접종대상
- 다음의 대상자 중 위험요인 및 접종환경 등을 고려하여 제한적으로 접종할 것을 권장한다.
  - 장티푸스 보균자와 밀접하게 접촉하는 사람(가족 등)
  - 장티푸스가 유행하는 지역으로 여행하는 사람 및 체류자
  - 장티푸스 균을 취급하는 실험실 요원

❑ 표준접종시기
- Vi polysaccharide 백신은 만 2세 이상에서 1회 접종할 것을 권장한다.
- 경구용 생백신은 만 5세 이상에서 격일로 3회 투여할 것을 권장한다.
- 장티푸스에 걸릴 위험에 계속 노출되는 경우에는 3년마다 추가 접종할 것을 권장한다.

8. 인플루엔자

❑ 접종대상
- 다음의 대상자에게 매년 인플루엔자 유행 시기 이전에 예방접종을 받을 것을 권장한다.
  1) 인플루엔자 바이러스 감염 시 합병증 발생이 높은 대상자(고위험군)
     - 65세 이상 노인
     - 생후 6개월 ~ 59개월 소아
     - 임신부
     - 만성폐질환자, 만성심장질환자(단순 고혈압 제외)
     - 만성질환으로 사회복지시설 등 집단 시설에서 치료, 요양, 수용 중인 사람
     - 만성 간 질환자, 만성 신 질환자, 신경-근육 질환, 혈액-종양 질환, 당뇨환자, 면역저하자(면역억제제 복용자), 60개월 ~ 18세의 아스피린 복용자
     - 50세 ~ 64세 성인
       * 50 ~ 64세 성인은 인플루엔자 합병증 발생의 고위험 만성질환을 갖고 있는 경우가 많으나 예방접종률이 낮아 포함된 대상으로 65세 이상 노인과 구분
  2) 고위험군에게 인플루엔자를 전파시킬 위험이 있는 대상자
     - 의료기관 종사자

- 6개월 미만의 영아를 돌보는 자
- 만성질환자, 임신부, 65세 이상 노인 등과 함께 거주하는 자

3) 집단생활로 인한 인플루엔자 유행 방지를 위해 접종이 권장되는 대상자
- 생후 60개월 ~ 18세 소아 청소년

❑ 표준접종시기
- 매년 1회 접종을 원칙으로 한다.
- 단, 과거 접종력이 없거나, 첫 해에 1회만 접종받은 6개월 이상 9세 미만의 소아에게는 1개월 간격으로 2회 접종하고, 이후 매년 1회 접종한다.

9. 신증후군 출혈열

❑ 접종대상
- 다음의 대상자 중 위험요인 및 접종환경들을 고려하여 제한적으로 접종할 것을 권장한다.
  - 군인 및 농부 등 직업적으로 신증후군출혈열 바이러스에 노출될 위험이 높은 집단
  - 신증후군 출혈열(유행성 출혈열) 바이러스를 다루거나 쥐 실험을 하는 실험실 요원
  - 야외활동이 빈번한 사람 등 개별적 노출 위험이 크다고 판단되는 자

❑ 표준접종시기
- 1개월 간격으로 2회 접종하고, 2차 접종 후 12개월 뒤에 3차 접종할 것을 권장한다.

10. 수두

❑ 접종대상
- 모든 영유아를 대상으로 한다.

❑ 표준접종시기
- 생후 12 ~ 15개월에 1회 접종할 것을 권장한다.

11. b형헤모필루스인플루엔자

❑ 접종대상
- 모든 영유아를 대상으로 한다.

❑ 표준접종시기
- 생후 2개월, 4개월, 6개월에 3회 기초 접종할 것을 권장한다.
- 생후 12 ~ 15개월에 1회 추가 접종할 것을 권장한다.

12. 폐렴구균

❑ 접종대상
- 모든 영유아를 대상으로 한다.
- 65세 이상 노인을 대상으로 접종할 것을 권장한다.

❑ 표준접종시기
- 영유아의 경우 폐렴구균 단백결합 백신으로 생후 2개월, 4개월, 6개월에 3회 기초접종을 실시하고, 생후 12 ~ 15개월에 1회 추가 접종할 것을 권장한다.
- 65세 이상 노인은 폐렴구균 다당질 백신으로 1회 접종할 것을 권장한다.

13. A형 간염

❑ 접종대상
- 모든 영유아를 대상으로 한다.

❑ 표준접종시기
- 생후 12 ~ 23개월에 1차 접종 후, 6 ~ 12개월(또는 6 ~ 18개월) 뒤에 2차 접종할 것을 권장한다.

14. 사람유두종바이러스 감염증

❑ 접종대상
- 해당 연도에 만 12세이거나 만 12세에 달하게 되는 여아를 대상으로 한다.

❑ 표준접종시기
- 사람유두종바이러스 백신(2가 또는 4가)으로 만 12세에 1차 접종 후 6개월 간격으로 2차 접종할 것을 권장한다.

7 사고

1. 유아기 사망원인 중 1위는 사고에 의한 것이다.
2. 아이의 행동범위가 넓어지면서 주위 사람이 잠깐 한눈파는 사이 사고가 일어날 수 있으므로 주의가 필요하다.

8 선천성 대사이상검사

1. 선천성 대사이상질환

(1) 유전성 질환에 속하며, 선천적으로 어떤 종류의 물질대사에 직접적인 역할을 하는 효소가 부족하여 대사되어야 할 물질이 체내에 축적된다.

(2) 이 질환은 임상증상이 미약하여 신생아기에는 아무 증상이 나타나지 않다가 6개월 이후 여러 증상이 나타날 수 있으므로 반드시 검사를 시행해야 한다.

(3) 신생아 초기에 조기 발견하여 치료하면 완치가 가능하나 치료하지 않으면 영구적으로 심한 지능 저하와 발육 부진을 일으키는 비가역적인 장애를 초래할 수 있다.

2. 선천성 대사이상검사방법

(1) 선천성 대사이상검사는 생후 48시간 이후 7일 이내에, 젖을 충분히 섭취한 후 2시간 뒤에 발뒤꿈치에서 충분히 채혈하여 검사한다.

(2) 검사결과는 검체일로부터 15일 이내에 통보하는데, 이상자는 2차 검사기관에 의뢰하여 정밀검사를 실시한다.

3. 선천성 대사이상질환의 종류

질환	내용
갑상선 기능저하증 (TSH)	① 갑상선호르몬이 생성되는 기관의 기능장애로 갑상선호르몬이 감소하는 상태 ② 갑상선호르몬은 아기의 뇌발육과 신체발육에 필수적이므로 부족할 때에는 지적장애가 되며 신체발육이 저하됨 ③ 신생아 선천성 대사이상검사에 의해 조기에 발견하여 갑상선제제를 투여하면 쉽게 치료할 수 있음
페닐케톤뇨증 (PKU)	① 페닐케톤뇨증은 선천적으로 페닐알라닌의 단백질대사에 필요한 효소가 부족하여 몸속에 페닐알라닌의 대사산물이 축적되어 뇌발육장애를 초래함 ② 환자는 땀과 소변에서 곰팡이나 쥐오줌 냄새가 나며, 담갈색 모발과 눈동자가 나타남
단풍당뇨증 (MSUD)	① 단풍당뇨증은 루신, 아이소루신, 발린 등 3종류의 아미노산이 탈아민이 되어 생긴 케톤산의 탈탄산효소가 부족하여 일어나는 선천성 대사이상질환 ② 소변과 땀에서 카라멜 같은 단 냄새가 나며 경련, 경직 및 전반적인 근육이완, 혼수상태 등이 나타남. 이를 치료하지 않으면 생후 2개월 이내에 심한 산혈증으로 사망할 수 있음
호모시스틴뇨증 (HCU)	① 메티오닌이 시스틴으로 대사되는 과정에서 대사이상이 나타나는 질환 ② **주요 증상**: 지능장애, 눈의 이상과 골격이상으로 사지가 길게 자라는 것
갈락토오스혈증 (GAL)	① 갈락토오스를 포도당으로 전환하는 효소의 선천적 이상으로 생기는 질환으로 유당 중에 포함된 갈락토오스가 체내에 축적되어 뇌나 간에 장애를 일으킴 ② 환자는 수유를 시작한 지 1 ~ 2주 이내에 식욕부진, 구토, 발육장애가 나타나며, 이후에는 지적장애, 간장애, 백내장을 일으킴 ③ 신생아 선천성 대사이상검사를 통해 조기에 발견하여 유당을 포도당으로 대치한 유당제거분유를 주면 장애를 예방할 수 있음
선천성 부신과형성증 (N - 170HP)	① 선천성 부신과형성증은 스테로이드호르몬 합성단계에서의 효소의 기능장애로 임상적 증상으로는 신생아 시기에 구토 · 쇼크 등이 나타나며 그 후 여아에서는 남성화, 남아에서는 성적 조숙 등이 보이게 됨 ② 신생아 선천성 대사이상검사를 통해 조기에 발견하여 정상적으로 성장할 수 있도록 교정해주어야 함

4. 미숙아와 선천성 이상아 등록관리

미숙아와 선천성 이상아 등록관리의 목적은 보건의료기관에서 미숙아와 선천성 이상아가 발생한 즉시 관할 보건기관에 보고하게 함으로써 기본정보를 확보하거나 집중관리의 수요를 파악하고 지역 내 적절한 신생아 집중치료관리 자원을 공급, 유지하도록 하기 위함이다.

5. 영유아 건강지원사업

(1) 미숙아 · 선천성 이상아 등록관리 및 의료비 등 지원

미숙아 및 선천성 이상아에 대한 의료비를 지원하여 과다한 의료비 지출로 치료 포기 등으로 발생되는 장애 및 영아사망을 예방하고자 한다.

(2) 선천성 대사이상검사 및 환아 관리

한국인에게 발생 빈도가 높은 6종(페닐케톤뇨증, 갑상선기능저하증, 호모시스틴뇨증, 단풍당뇨증, 갈락토오스혈증, 선천성 부신과형성증)을 조기에 발견 및 치료함으로써 지적장애아 발생을 사전에 예방하여 인구자질 향상과 모자보건 향상을 하고자 한다.

(3) 선천성 난청검사 및 보청기 지원

선천성 난청을 조기 발견하여 재활치료(보청기 착용) 및 인공와우 이식 등을 연계함으로써 언어장애, 지능장애, 사회부적응 등의 후유증을 최소화하는 등 난청으로 인한 사회적 부담을 경감하기 위함이다.

(4) 취학 전 아동 실명예방사업

눈 건강을 위한 생활습관을 형성하고, 자가시력검진을 통해서 시력을 증진시키며, 약시의 조기발견과 치료를 통해 시각장애를 예방하고자 한다.

6. 저소득층 기저귀 · 조제분유 지원

경제적 부담을 경감하고, 아이를 낳기 좋은 환경을 조성하고자 대상자의 소득과 상황을 고려하여 저소득층 영아(0 ~ 24개월) 가정의 육아 필수재인 기저귀와 조제분유를 지원하고 있다.

9 가족계획의 개념

1. 가족계획의 정의

(1) 세계보건기구(WHO)는 가족계획을 근본적으로 산아 제한을 의미하는 것으로 보아 출산의 시기 및 간격을 조절하여 출생 자녀 수도 제한하고, 불임증 환자의 진단 및 치료를 하는 것으로 정의하였다.

(2) 우리나라의 「모자보건법」은 가족계획을 '가족의 건강과 가정 경제의 향상을 위하여 수태조절에 관한 전문적인 의료서비스와 계몽 또는 교육을 하는 사업'으로 정의하였다.

2. 가족계획사업의 목적

(1) 국제가족계획연맹의 헌장에 따르면 가족계획사업의 목적은 누구나 자녀의 수 및 출산 시기를 자유로이 결정할 권리가 있다는 기본 인권 실현과 국가 사회 번영과 복지를 위해 인구와 자원 및 생산성 간에 균형을 유지하도록 하는 데 있다.

(2) 가족계획사업의 목적은 부모의 건강, 능력, 양육 책임에 알맞게 출산하도록 하며, 건강하고 우수한 자녀를 갖는 데 있다. 즉 모든 가족의 삶의 질에 향상을 시키고자 한다.

3. 가족계획의 필요성

(1) 남존여비 사상의 타파와 여성의 인권의 신장을 위하여 필요하다.
(2) 모성의 건강 장애요인을 제거하기 위하여 필요하다.
(3) 한정된 소득에 가족의 수가 증가하게 되면 부양비가 증가하게 되어 가정의 생활이 어려워지게 되므로 필요하다.
(4) 국가적 측면에서 적정한 인구는 경제 개발에 대한 효과가 크다.

4. 가족계획의 내용

(1) 결혼

① 적령기에 건전한 결혼을 하여 행복한 가정을 이룩할 수 있도록 남녀 간에 결혼 연령의 차이가 크지 않아야 한다.
② 만혼과 불건전한 결혼을 피한다.
③ 우생학적으로 건강한 결혼을 한다.

(2) 건강한 출산

① 성병의 감염을 예방한다.
② 임신 초기에 풍진을 예방한다.
③ 약물 남용이나 마약 및 향정신성 약물의 중독을 예방한다.
④ 빈혈증과 영양 부족을 예방한다.
⑤ 방사선의 과량 조사를 예방한다.
⑥ 정신적 안정 등이 필요하다.

5. 피임법

(1) 피임법과 불임법의 차이

① **피임법**: 일시적이다.
② **불임법**: 영구적 또는 반영구적인 불임상태로 외과적 시술법에 의한 것이다.

(2) 피임법의 이상적인 요건

① 피임의 효과가 확실하고, 임신을 원할 때는 가능해야 한다.
② 육체적, 정신적으로 해롭지 않고, 부부생활에 지장을 주어서는 안 된다.
③ 피임에 실패한 경우에는 태아에 나쁜 영향이 없어야 한다.
④ 사용방법이 간편해야 한다.
⑤ 비용이 적게 들고, 구입이 쉬워야 한다.

(3) 피임의 원리 및 방법 기출 13, 17, 20

① **피임의 원리**: 배란 억제, 수정 방지, 자궁착상 방지 등이 있으며, 착상 후의 중단은 인공임신중절이므로 피임법이라고 할 수 없다.

② 피임의 방법(질병관리청)

<table>
<tr><td colspan="2">경구 피임법</td><td>• 복합 경구 피임제
- 여성호르몬과 황체호르몬을 함유하여, 21일간 복용하고 7일간 휴약
- 7일간의 휴약 기간 동안 월경이 나타남
• 황체호르몬 단일 경구 피임제: 소량의 황체호르몬 단일 성분으로 이루어졌으며, 매일 같은 시간에 복용
• 작용: 배란을 억제하고, 자궁경관점액을 끈끈하게 만들어 정자의 통과를 막아 피임을 도와줌
• 금기증: 혈관염, 혈색전증 등 혈관 질환이 있는 경우, 유방암, 자궁내막암 등 여성호르몬 의존성 종양이 있는 경우, 임신 중이거나 임신이 의심되는 경우
• 피임률: 약 98%</td></tr>
<tr><td colspan="2">임플라논</td><td>• 길이 4cm에 두께 2mm 크기의 막대 모양 피하 이식 피임기구로, 상완의 피하 부위에 주로 삽입
• 피임 효과는 3년간 유지
• 병원에서 시술로 삽입이 가능
• 피임률: 약 98%</td></tr>
<tr><td colspan="2">자궁 내 장치</td><td>• 정자의 운동성 및 수태능력을 방해하는 것
• 자궁강 내에 이물질로 인한 염증반응을 일으켜 프로스타글란딘 방출을 유도하며, 이로 인하여 자궁의 활성도 및 난관의 운동성이 저해되고, 정자에도 영향을 줌
• 수정란이 자궁 내 착상을 방해함
• 피임률: 약 99%</td></tr>
<tr><td colspan="2">콘돔</td><td>• 자궁암의 원인인 유두종바이러스의 차단에도 도움이 됨
• 사용법이 간단하고 값이 싸지만 파손된 제품을 사용할 경우 임신 가능성이 있음
• 남성용 콘돔: HIV감염, 임질, 매독, 헤르페스, 클라미디아, 트리코모나스 등의 성병 예방에 어느 정도의 도움이 됨
• 여성용 콘돔(페미돔): 질 안에 삽입하는 폴리우레탄 재질의 콘돔으로 크고 양 끝에 둥근 플라스틱 링이 달린 모양을 하고 있고, 성교 전 여성이 스스로 질 내에 착용할 수 있으나 착용이 어려워 피임 실패율이 높음
• 피임률: 약 85 ~ 99%</td></tr>
<tr><td colspan="2">월경 주기 조절법</td><td>• 여성의 생리 주기를 이용하여 임신이 가능한 시기, 즉 배란기에 성관계를 피함으로써 피임을 하는 방법
• 피임률: 약 78%</td></tr>
<tr><td colspan="2">질외 사정법</td><td>• 성교 도중 질 밖으로 음경을 질 밖으로 빼서 외부에 사정하는 방법
• 특별한 피임도구가 필요 없지만 남성의 강한 자제력이 요구되어 실패 확률이 높음
• 피임률: 약 73%</td></tr>
<tr><td colspan="2">사후 피임
(응급 피임)</td><td>• 성교 후 수일 이내에 임신을 예방할 수 있는 방법
• 성교 후 늦어도 72시간 내에 복용하여야 효과가 있으며 피임 실패율이 높으므로 복용 후 3주 뒤에도 생리가 나오지 않으면 임신 여부를 꼭 확인해야 함
• 피임률: 24시간 이내 복용하면 95%, 25 ~ 48시간 이내 복용하면 85%, 49 ~ 72시간 이내 복용하면 58%</td></tr>
<tr><td rowspan="2">불임
수술
[피임률
(약 99%)]</td><td>정관
수술</td><td>• 정관을 잘라서 양끝을 묶어줌으로써 사정을 해도 정자가 몸 밖으로 나가지 못하게 하는 방법
• 자녀 출산 종료 후 사용하는 피임법으로 영구적임</td></tr>
<tr><td>난관
수술</td><td>• 직경 1cm 정도 되는 내시경을 배꼽 주위를 통해 복강으로 넣어 난관을 찾아 전기로 지지거나 실라스틱 링을 이용하여 결찰, 수정란이 난관을 통하지 못하게 하여 임신을 방지하는 방법
• 국소 마취로 가능하며 영구적임 피임 효과</td></tr>
</table>

제3장 성인보건관리

성인병의 정의

1. 성인이라는 생리적 조건과 장기간의 부적절한 생활습관의 지속에 의해 발생되는 비감염성 만성 질병이다.
2. 오늘날의 생활습관병이다.

1 만성 질환

1. 만성 질환의 특성 기출 11, 12, 14, 15, 17, 19, 20, 21

(1) 3개월 이상 오랜 기간이 경과하였다.

(2) 호전과 악화를 반복하다가 결국에는 나쁜 방향으로 진행된다.

(3) 연령 증가와 비례하여 유병률이 증가한다.

(4) 일부 질환을 제외한 대부분의 질환이 그 원인이 명확하지 않다.

2. 만성 질환의 역학적 특성

(1) 만성 질환은 발생원인이 다요인(여러 위험요인이 함께 작용하여 질병을 일으킨다는 이론)인 질병이다.

(2) 발생기전도 불명확
질병의 발생시점을 정확하게 알기 어렵고, 위험요인 노출시점으로부터 발생까지의 유도기간이 길다.

(3) 발병 이후 완치되기 어려운 상태를 유지한다.

(4) 진행 경과가 오래 걸리면서 단계적으로 기능의 저하나 장애가 심화되는 경우가 많다.

3. 만성 질환에 대한 10가지 오해와 진실(WHO, 2005) 기출 17, 18, 20

오해	진실
만성 질환은 주로 고소득 국가에 영향을 줌	만성 질환 사망자 5명 중 4명은 저·중소득 국가에서 발생
저·중소득 국가에서는 만성 질환에 앞서 감염성 질환을 통제해야 함	저·중소득 국가에서는 감염성 질환문제도 있으나 급증하는 만성 질환이 미래의 큰 문제로 떠오르고 있음
만성 질환은 주로 부유한 사람들에게 영향을 줌	거의 모든 나라에서 가난한 사람이 부유한 사람보다 만성 질환 발생위험 및 사망위험이 높으며, 만성 질환의 경제적 부담으로 더욱 가난하게 됨
만성 질환은 주로 노인들에게 영향을 줌	만성 질환의 50% 정도가 70세 이전에 조기사망을 초래함
만성 질환은 주로 남성들에게 영향을 줌	심장병을 포함해서 만성 질환은 대체로 남성과 여성에게 비슷하게 영향을 줌
만성 질환은 불건강한 생활양식의 결과이며 개인의 책임	건강을 위한 의료자원의 배분이 적절하고 건강에 대한 교육이 충분히 이루어지는 경우가 아니라면 개인에게 책임을 물을 수 없음
만성 질환은 예방할 수 없음	알려진 주요 위험요인이 제거된다면 심장병, 뇌졸중, 당뇨병의 80%와 암의 40%를 예방할 수 있음
만성 질환의 예방과 관리는 비용이 지나치게 많이 듦	세계 어디서나 만성 질환에 대한 중재는 매우 비용-효과적이며 저렴하게 실행할 수 있음
(반쪽 진실) 위험요인이 많아도 건강하게 오래 살 수 있고, 위험요인이 없어도 젊어서 만성 질환으로 죽을 수 있음	드물게 예외가 있으나, 대다수의 만성 질환은 공통적인 요인이 있으며 이를 제거함으로써 예방될 수 있음
(반쪽 진실) 누구나 무슨 원인으로든 죽게 마련	죽음은 피할 수 없으나, 서서히 고통스럽게 일찍부터 죽을 필요는 없음

4. 만성 질환의 관리대책 기출 17, 19, 20

(1) 만성 질환의 결정요인

가시 수준 위험요인	사회경제, 문화, 정치, 환경적 결정요인	세계화, 도시화, 인구 고령화
개인 수준 위험요인	교정가능 위험요인	불건강한 식이, 신체활동 부족, 흡연
	교정불가능 위험요인	나이(연령), 성별, 유전
중간단계 위험요인	고혈압, 고혈당, 혈중 지질 이상, 과체중·비만	
주요 만성 질환	심장병, 뇌졸중, 암, 만성 호흡기 질환, 당뇨병	

(2) 만성 질환의 1차, 2차, 3차 예방 기출 13, 17, 18, 19, 20

1차 예방	① 건강증진 영역 ② 지역사회, 가족 및 개인들의 역량을 강화하여 위험요인을 바람직한 방향으로 교정할 수 있도록 하는 과정 ③ 만성 질환은 1차 예방이 어려움
2차 예방	① 임상적인 증상이 나타나기 이전에 질병을 조기발견하여 조치하도록 하는 것 ② 조기발견의 효율성을 높이기 위해서는 가족력, 과거 병력, 기타 위험요인들에 근거한 위험평가가 도움이 됨 ③ 조기발견된 질병의 경우 여러 가지 적합한 조치가 이루어질 수 있음 ④ 건강검진, 5대 암 조기검진사업 등 실시 ⑤ 만성 질환의 2차 예방이 가장 중요함
3차 예방	① 합병증이 발생하거나 후유증이 남는 것을 사전에 최대한 예방하는 것 ② 효과적인 치료와 재활 및 적절한 교육으로 이루어짐 ③ 만성 질환에 의한 합병증과 기능장애를 최소화하기 위하여 재활 치료로 기능을 회복시키고 완전불능이나 사망으로의 진행을 방지하는 것 ④ 지속적인 재활사업 전개(효과는 사망률 감소로 측정), 재활, 장애의 국소화, 합병증 최소화, 사회로 복귀, 교육 등

① 대부분 완치가 가능하지 않은 만성 질환에서는 1차 예방이 만성 질환 발생률과 유병률을 모두 감소시킴
② 2차, 3차 예방은 사망률을 낮추는 데 기여하기 때문에 오히려 유병률을 증가시키는 결과를 초래함

(3) WHO(2008)의 STEPwise approach to Surveillance(STEPS: 만성 질환 예방 관리를 위한 국가 단위 감시활동)

① **STEPS의 개념**: 만성 질환(심혈관 질환, 암, 만성 폐질환, 당뇨)을 일으키는 위험 요인으로 4가지 생활습관과 관련된 요인(흡연, 음주, 나쁜 식이습관, 신체활동 부족)과 4가지 생체요인(비만과 과체중, 혈압 상승, 혈당 상승, 지질 이상)에 대한 국가 단위의 감시활동

② **STEPS의 목적**

㉠ 저소득 국가들이 만성 질환 감시 체계를 수립하는 데 도움을 준다.

㉡ 적은 양의 정보를 얻더라도 표준화된 양질의 데이터를 수집한다.

㉢ 각 나라의 다양한 상황에 적용 가능한 정보를 제공하는 것에 중점을 둔다.

㉣ 전체 집단을 대표할 수 있는 표본을 선정한다.

5. 만성 질환의 위험요인

구분	내용
유전적 요인	고혈압, 당뇨, 대사증후군
생활습관성 요인	고혈압, 당뇨, 고지혈증 등은 우리 식생활과 밀접한 생활습관병
사회 · 경제적 요인	불안, 긴장, 스트레스 등은 유병률을 높이고, 악화시킴

6. 만성 질환 관리의 필요성

(1) 의료비 증가, 조기사망률 증가 등으로 경제력 손실을 초래하여, 사회 · 경제적 질병부담이 크게 증가하였다.

(2) 노령 인구 증가 및 만성 질환자 수와 유병기간이 증가하였다.

(3) 삶의 질 향상을 위해 적극적인 질병 예방대책 및 관리가 요구된다.

7. 우리나라의 만성 질환 관리사업

(1) 2000년부터 보건소 중심의 고혈압 · 당뇨병 관리 시범사업이 시작되었다.

(2) 우리나라 만성 질환 관리사업의 주요 목적

① **중점감시대상 만성 질환**: 암, 심 · 뇌혈관 질환 및 당뇨 등

② 보건복지부는 '평생건강관리체계'를 마련하였다.

2 만성 질환의 종류

1. 암(Cancer)

(1) 특징

① 비정상적인 세포들이 증식하면서 다른 조직으로 침범하는 질환이다.

② 신생물이라고 한다.

③ 암은 혈관이나 림프관 등 여러 경로를 따라 신체의 다른 부위로 이동 후 증식하기도 한다.

(2) 발생원인

① 주로 음주와 흡연, 식이습관 등 생활습관의 문제

② 여러 발암물질에 대한 직업적 노출

③ 환경오염

④ 전리방사선에의 노출, 각종 약물, 바이러스 , 박테리아 노출 등

(3) 사망률

2019년 사망 통계로 암의 종류별 사망률은 폐암 ⇨ 간암 ⇨ 대장암 ⇨ 위암 ⇨ 췌장암 순서이다.

(4) 예방관리

① 암은 발생원인을 제거할 수 있는 방법과 조기발견을 위한 정기적인 검진에 참여해서 치료하면 완치률이 높다.

② **암 예방을 위한 국민 암 예방 수칙**

㉠ 담배를 피우지 말고, 남이 피우는 담배 연기도 피하기

㉡ 채소와 과일을 충분하게 먹고, 다채로운 식단으로 균형잡힌 식사하기

㉢ 음식을 짜지 않게 먹고, 탄 음식을 먹지 않기

㉣ 암 예방을 위하여 하루 한 두 잔의 소량 음주도 피하기

㉤ 주 5회 이상, 하루 30분 이상, 땀이 날 정도로 걷거나 운동하기

㉥ 자신의 체격에 맞는 건강체중 유지하기

㉦ 예방접종 지침에 따라 B형 간염과 자궁경부암 예방접종 받기

㉧ 성 매개 감염병에 걸리지 않도록 안전한 성 생활하기

㉨ 발암성 물질에 노출되지 않도록 작업장에서 안전 보건 수칙 지키기

㉩ 암 조기검진 지침에 따라 검진을 빠짐없이 받기

(5) 암 검진(7대 암 검진 권고안) 기출 11, 12, 13, 14, 15, 16, 17, 18, 19, 20, 21

종류	검진대상	검진방법	검진주기
위암	만 40세 이상 남녀	위장조영검사 또는 위내시경검사	2년
간암	만 40세 이상의 남녀 중 간암발생 고위험군	복부초음파 검사+혈청알파태아단백검사	6개월
대장암	만 50세 이상 남녀	분변잠혈반응검사(대변검사), 검사에서 이상 소견 시 대장내시경검사 또는 대장이중조영검사	1년
유방암	만 40세 이상 여성	유방촬영	2년
자궁경부암	만 20세 이상 여성	자궁경부세포검사	2년
폐암	만 54 ~ 74세 이상 고위험군	저선량 흉부 CT	2년
갑상선암	초음파를 이용한 갑상선암 검진은 근거가 불충분하여 일상적인 선별 검사로는 권고하지 않음		
비고	① "간암 발생 고위험군"이란 간경변증, B형 간염 항원 양성, C형 간염 항체 양성, B형 또는 C형 간염 바이러스에 의한 만성 간질환자를 말함 ② 폐암 • 만 54 ~ 74세 국민 중 30년갑 이상 흡연력을 가진 '폐암 발생 고위험군'은 2년마다 폐암검진을 받음 • '갑년'이란 하루 평균 담배소비량에 흡연기간을 곱한 것으로 30갑년은 매일 1갑씩 30년을 피우거나 매일 2갑씩 15년 매일 3갑씩 10년을 피우는 등의 흡연력을 말함 • 폐암 검진 대상자는 폐암 검진비(약 11만 원)의 10%인 1만 원만 부담하면 됨		

2. 심 · 뇌혈관 질환(Cardiovascular Disease)

(1) 심혈관 질환 기출 17

① **허혈성 심장질환의 정의**: 심근에 혈액을 공급하는 관상동맥이 막히거나 좁아짐으로 인해 심근이 충분한 양의 산소와 영양분을 받지 못해서 발생하는 질환, 관상동맥질환(심근경색증과 협심증)을 말한다.

㉠ **심근경색증(Myocardial infarction)**: 혈관이 혈전 등으로 완전히 막히면 혈액이 통하지 못하여 심장 근육의 일부분이 괴사되어 죽는 질환이다.

증상	• 전구증상 없이 갑자기 발생하는 것 • 흉통이 나타남
원인	동맥경화, 혈전, 색전, 혈관염, 고혈압, 당뇨 등

제8편 생애주기별 보건관리 해커스공무원 최성희 공중보건 기본서

㉡ **협심증(Angina pectoris)**: 혈관의 기계적인 협착이 일어나면서 일시적으로 혈액이 수요와 공급 균형이 깨져서 나타나는 질환이다.

증상	• 복장뼈의 뒤쪽 근방의 중압감 · 교액감 · 작열감을 느낌 • 이러한 증상이 15분 이상 나타나는 것이 드묾 • 혈압은 대부분이 변함이 없음 • 일정 기간 안정을 하면 회복되어 증상이 없어짐
원인	• 동맥의 경색 • 빈혈, 갑상샘기능항진, 빈맥, 심장판막질환 등

② **허혈성 심장질환의 위험요인**: 흡연 ⇨ 고혈압 ⇨ 고지혈증 ⇨ 당뇨 ⇨ 기타 순

③ **치료 및 예방대책**

㉠ 약물요법이나 생활습관을 개선한다.

㉡ 혈압 관리, 당뇨병 및 고지혈증에 대한 적절한 치료를 실시한다.

㉢ 금연과 체중 조절 등을 실시한다.

㉣ 적극적인 조기 검진을 받는다.

(2) 뇌혈관 질환

① **정의**: 뇌혈관이 막히거나 터짐으로써 그 부분의 뇌가 국소적으로 기능을 하지 못하여 발생되는 다양한 신경학적 이상이 수반되는 질환으로, 뇌출혈과 뇌경색으로 구분된다.

㉠ **뇌출혈**: 고혈압 등으로 뇌혈관이 터져서 피가 뇌조직을 압박하는 질환이다.

㉡ **뇌경색**: 본래 뇌에 혈액을 공급하는 동맥계의 일부가 폐쇄되면서 혈액의 흐름에 장애를 일으켜 뇌조직이 괴사에 빠지는 질환이다.

② **위험요인**: 고혈압 ⇨ 흡연 ⇨ 고지혈증 ⇨ 당뇨 ⇨ 기타

③ **치료 및 예방대책**

㉠ **약물요법**: 항응고제, 항혈소판제제, 혈전용해제 등을 사용한다.

㉡ **외과적 수술**: 외과적으로 혈관을 막고 있는 혈전을 제거한다.

㉢ **운동요법**: 체계적인 운동을 통하여 회복기간을 단축한다.

㉣ **식이요법**: 콜레스테롤이 많은 음식, 단 음식, 식염이 많은 음식의 섭취를 제한한다.

3. 고혈압(Hypertension) 기출 14, 15, 16, 17, 19

(1) 기준

① 우리나라의 고혈압 기준은 정상혈압 120/80mmHg, 고혈압 140/90mmHg이다.

② 미국심장학회 · 심장학회(AHA · ACC)는 정상혈압은 120/80mmHg로 기존과 동일하지만, 고혈압을 130/80mmHg로 하향조정하였다.

③ JNC(Joint National Committee on Prevention, Detection, Evaluation, and Treatment of High Blood Pressure) 보고서에서 제시한 기준이 많이 사용된다.

우리나라와 미국의 고혈압 기준 비교

<table>
<tr><th>우리나라</th><th colspan="2">미국</th></tr>
<tr><th>2018년 지침</th><th>2003년 JNC-7</th><th>2017년 AHA · ACC</th></tr>
<tr><td>정상혈압 120/80 미만</td><td>정상혈압 120/80 미만</td><td>정상혈압 120/80 미만</td></tr>
<tr><td>주의 혈압
120 ~ 129/80 미만</td><td rowspan="2">고혈압 전 단계
120 ~ 139/80 ~ 89</td><td>상승 혈압
120 ~ 129/80 미만</td></tr>
<tr><td>고혈압 전 단계
130 ~ 139/80 ~ 89</td><td>고혈압 1단계
130 ~ 139/80 ~ 89</td></tr>
<tr><td>고혈압 1기
140 ~ 159/90 ~ 99</td><td>고혈압 1단계
140 ~ 159/90 ~ 99</td><td rowspan="2">고혈압 2단계
140/90 이상</td></tr>
<tr><td>고혈압 2기
160/100 이상</td><td>고혈압 2단계
160/100 이상</td></tr>
</table>

(2) 종류 기출 14, 15, 19, 20

① **본태성 고혈압(1차성 고혈압)**: 다른 질병과 관계없이 생기는 고혈압으로 원인이 뚜렷하게 밝혀지지 않은 고혈압, 유전적 영향이 있다.

② **속발성 고혈압(2차성 고혈압)**: 다른 질병에 의해 생기는 고혈압이다.

(3) 원인

① **연령과 성**

㉠ 연령이 증가할수록 혈압이 상승한다.

㉡ 중년기까지는 여자의 평균 혈압이 남자의 혈압보다 낮으나 노년기가 되면 여자의 평균 혈압이 더 높아진다.

② **유전과 고혈압 가족력**: 고혈압 가족력이 있는 사람들은 중년기에 고혈압이 발생할 위험이 특히 높다.

③ **나트륨 및 칼륨 섭취**: 소금은 혈중 나트륨 농도가 상승하면 혈액량과 혈압이 증가한다.

④ **비만**: 체중이 증가함에 따라 수축기 및 이완기 혈압이 상승하고 고혈압 발생률이 높아진다.

⑤ **운동**: 유산소운동은 혈압을 많이 낮출 수 있다.

⑥ **음주**: 하루 2잔 이하의 소량 음주자의 혈압이 가장 낮고, 3잔 이상의 술을 마시게 되면 음주량에 비례하여 혈압이 증가한다.

⑦ **정신적 스트레스**

㉠ 스트레스가 많을수록 혈압이 높은 것으로 보고된다.

㉡ 직업스트레스를 많이 받는 사람들이 혈압이 높아진다.

(4) 예방과 관리

① 생활습관을 개선한다.

② 지역사회 고혈압을 관리한다.

4. 당뇨병(Diabetes mellitus) 기출 12, 14, 15, 16, 19, 21

(1) 특징

① 췌장에서 분비되는 인슐린의 분비 감소로 탄수화물의 섭취로 형성된 혈당량이 정상인보다 늦게 떨어지고 소변으로 배설되는 증후군으로 체내에 탄수화물 대사이상 질병이다.

② 인슐린은 혈중의 포도당 농도 조절과 세포 내의 포도당 섭취 및 이용에 관여한다.

③ 지방 및 단백질의 분해 합성에 영향을 미치는 호르몬으로 혈당 농도가 증가하면 분비되고, 감소하면 분비가 억제된다.

(2) 진단 증상 및 기준 기출 15, 16, 17, 18, 20

① **증상**: 다음 · 다갈(Polydipsia), 다식(Polyphagia), 다뇨(Polyuria)

② **기준**

㉠ 당화혈색소 6.5% 이상

㉡ 8시간 이상 공복혈장혈당 126mg/dL 이상

㉢ 75g 경구포도당부하검사 후 2시간 혈장혈당 200mg/dL 이상

㉣ 당뇨병의 전형적인 증상과 임의 혈장혈당 200mg/dL 이상

(3) 당뇨 전 단계의 기준

① 당뇨병의 진단 기준에는 포함되지 않는다.

② 정상혈당 기준(8시간 이상 공복혈장혈당 100mg/dL 미만 또는 75g 경구포도당부하검사 후 2시간 혈장혈당 140mg/dL 미만)보다 높아 당뇨병의 발병 위험이 높은 집단을 당뇨 전 단계(전당뇨병, Prediabetes)로 정의한다.

③ 미국 당뇨병학회에서는 당뇨 전 단계를 내당능장애(IGT; Impaired Glucose Tolerance)와 공복혈당장애(IFG; Impaired Fasting Glucose) 등으로 분류한다.

핵심정리 당뇨 전 단계의 기준(미국 당뇨병학회)

1. **내당능장애**
   75g 경구포도당부하검사 후 2시간 혈장혈당 140mg/dL 이상 199mg/dL 이하
2. **공복혈당장애**
   8시간 이상 공복혈장혈당 100mg/dL 이상 125mg/dL 이하
3. 당화혈색소 5.7% 이상 6.4% 이하

(4) 원인 및 종류 기출 11, 15, 16, 17, 18, 20

① 소년기의 당뇨병은 인슐린 의존성인 제1형 당뇨병이 20% 전후를 차지한다.

② 인슐린 비의존성인 제2형 당뇨병이 80% 전후이다.

③ 종류

제1형 당뇨병	• 소아당뇨병으로 14세 이하, 소수를 차지함 • 인슐린이 절대적으로 결핍되어 반드시 인슐린으로 치료해야 함
제2형 당뇨병	• 대다수 성인에서 발생함, 40세 이후에 발생 • 인슐린 비의존성 당뇨병, 인슐린의 상대적 결핍 • 원인으로는 가족력, 유전적 요인, 비만, 출생 시 체중, 생활습관 등이 있음

(5) 예방과 관리

① 1차 예방

㉠ 1차 예방은 당뇨병 발생과 연관된 여러 병인요인들을 변화시키거나 중재하여 당뇨병의 발생을 최소화하는 방법이 있다.

㉡ 전체 인구집단을 대상으로 한다. 당뇨병의 위험인자인 과체중(비만), 운동 부족, 식습관, 고혈압, 음주, 흡연 등을 체계적으로 관리하여 바람직한 예방효과를 얻을 수 있다.

Plus⁺ POINT

당뇨병 고위험군을 위한 예방지침

1. 당뇨병 고위험군(공복혈당장애, 내당능장애, 당화혈색소가 5.7% ~ 6.4%인 경우)에서 생활습관 개선(식사와 운동요법, 체중 감소)을 통해 당뇨병 발생을 감소시킨다.
2. 당뇨병 고위험군은 체중 감소뿐만 아니라 철저하게 생활습관을 개선시키고 유지하도록 적극적으로 관리한다.
3. 비만한 고위험군은 초기 체중에서 5 ~ 10% 감소를 목표로 하고, 적어도 일주일에 150분 이상 중등도 강도의 운동을 시행한다.

② 2차 예방

㉠ 2차 예방은 당뇨병의 조기발견이다.

㉡ 내당능장애, 공복혈당장애 단계에서 적극적인 중재를 통한 접근이 당뇨병 발생 예방이나 억제를 위해 가장 바람직하나, 이미 당뇨병이 발생한 사람들도 가능한 조기에 발견함으로써 합병증으로 인한 신체 손상을 최소화해야 한다.

③ 3차 예방

㉠ 당뇨병 합병증을 최소화하기 위한 당뇨병의 3차 예방은 혈당의 엄격한 조절 및 모니터링이 중요하다.

㉡ 당뇨환자에게 자가혈당측정 및 결과를 해석하는 방법과 이에 따른 적절한 조치방법에 대한 교육이 중요하다.

5. 동맥경화증

(1) 의의

① 동맥의 혈관 벽에 국소적으로 비후되어 혈관의 탄력성이 줄어들고, 콜레스테롤이나 포화 지방산 등의 지방성 물질과 칼슘, 섬유 등이 축적되어 동맥이 막혀서 혈액이 정상적으로 순환되지 못하는 질병이다.

② 관상동맥의 경화는 심근의 빈혈로 심근경색증 및 협심증의 원인이 된다.

(2) 원인과 증상 기출 21

① 콜레스테롤 고지혈증, 고혈압 및 흡연 등이 원인이다.

② 당뇨병, 비만증, 운동 부족 등도 영향을 미친다.

③ 동맥에 경화가 생기면 산소와 혈액의 공급이 적어지게 되어 신체의 장기나 조직의 활동에 방해를 하게 된다.

④ 증상이 중증화되면 언어장애, 보행장애, 뇌혈전증, 협심증, 심근경색, 당뇨병, 만성 심장병 등이 나타난다.

(3) 예방대책

① 과도한 스트레스나 과로와 자극을 피하기

② 포화지방산이나 콜레스테롤이 적은 음식을 섭취하기

③ 과도한 칼로리의 섭취를 제한하여 체중 증가를 방지하기

④ 금연

⑤ 규칙적인 운동하기

6. 심장마비

(1) 원인과 증상

① 심장동맥에 의한 심근경색이 가장 많다.

② 전조 증상은 가슴의 통증, 호흡곤란, 피로감, 심계 항진 등이 있다.

③ 증상이 나타난 이후 부정맥이 발생하게 된다.

(2) 심폐소생술(심폐소생술 시행방법, 대한심장학회)

① 반응의 확인

㉠ 현장의 안전을 확인한 뒤에 환자에게 다가가 어깨를 가볍게 두드리며, 큰 목소리로 "여보세요, 괜찮으세요?"라고 물어본다.

㉡ 의식이 있다면 환자는 대답을 하거나 움직이거나 또는 신음 소리를 내는 것과 같은 반응을 나타낸다.

㉢ 반응이 없다면 심정지의 가능성이 높다고 판단해야 한다.

② 119 신고

㉠ 환자의 반응이 없다면 즉시 큰 소리로 주변 사람에게 119 신고를 요청한다.

㉡ 주변에 아무도 없는 경우에는 직접 119에 신고한다. 만약 주위에 심장충격기(자동제세동기)가 비치되어 있다면 즉시 가져와 사용해야 한다.

③ 호흡 확인

㉠ 쓰러진 환자의 얼굴과 가슴을 10초 이내로 관찰하여 호흡이 있는지를 확인한다.

㉡ 환자의 호흡이 없거나 비정상적이라면 심정지가 발생한 것으로 판단한다.

㉢ 일반인은 비정상적인 호흡 상태를 정확히 평가하는 것이 어렵기 때문에 응급 의료 전화상담원의 도움을 받는 것이 바람직하다.

④ 가슴압박 30회 시행

㉠ 환자를 바닥이 단단하고 평평한 곳에 등을 대고 눕힌 뒤에 가슴뼈(흉골)의 아래쪽 절반 부위에 깍지를 낀 두 손의 손바닥 뒤꿈치를 댄다.

㉡ 손가락이 가슴에 닿지 않도록 주의하면서, 양팔을 쭉 편 상태로 체중을 실어서 환자의 몸과 수직이 되도록 가슴을 압박하고, 압박된 가슴은 완전히 이완되도록 한다. 가슴 압박은 성인에서 분당 100 ~ 120회의 속도와 약 5cm 깊이(소아 4 ~ 5 cm)로 강하고 빠르게 시행한다.

㉢ '하나', '둘', '셋', ···, '서른'하고 세어가면서 규칙적으로 시행하며, 압박된 가슴은 완전히 이완되도록 한다.

⑤ 인공호흡 2회 시행

㉠ 환자의 머리를 젖히고, 턱을 들어 올려 환자의 기도를 개방시킨다.

㉡ 머리를 젖혔던 손의 엄지와 검지로 환자의 코를 잡아서 막고, 입을 크게 벌려 환자의 입을 완전히 막은 후 가슴이 올라올 정도로 1초에 걸쳐서 숨을 불어넣는다.

㉢ 숨을 불어넣을 때에는 환자의 가슴이 부풀어 오르는지 눈으로 확인한다.

㉣ 숨을 불어넣은 후에는 입을 떼고 코도 놓아주어서 공기가 배출되도록 한다.

㉤ 인공호흡방법을 모르거나, 꺼려지는 경우에는 인공호흡을 제외하고 지속적으로 가슴압박만을 시행한다(가슴압박 소생술).

⑥ 가슴압박과 인공호흡의 반복

㉠ 이후에는 30회의 가슴압박과 2회의 인공호흡을 119 구급대원이 현장에 도착할 때까지 반복해서 시행한다.

㉡ 다른 구조자가 있는 경우에는 한 구조자는 가슴압박을 시행하고 다른 구조자는 인공호흡을 맡아서 시행하며, 심폐소생술 5주기(30 : 2 가슴압박과 인공호흡 5회)를 시행한 뒤에 서로 역할을 교대한다.

⑦ 회복자세

㉠ 가슴압박 소생술을 시행하던 중에 환자가 소리를 내거나 움직이면, 호흡도 회복되었는지 확인한다.

㉡ 호흡이 회복되었다면, 환자를 옆으로 돌려 눕혀 기도(숨길)가 막히는 것을 예방한다.

㉢ 그 후 환자의 반응과 호흡을 관찰해야 한다. 환자의 반응과 정상적인 호흡이 없어진다면 심정지가 재발한 것이므로 신속히 가슴압박과 인공호흡을 다시 시작한다.

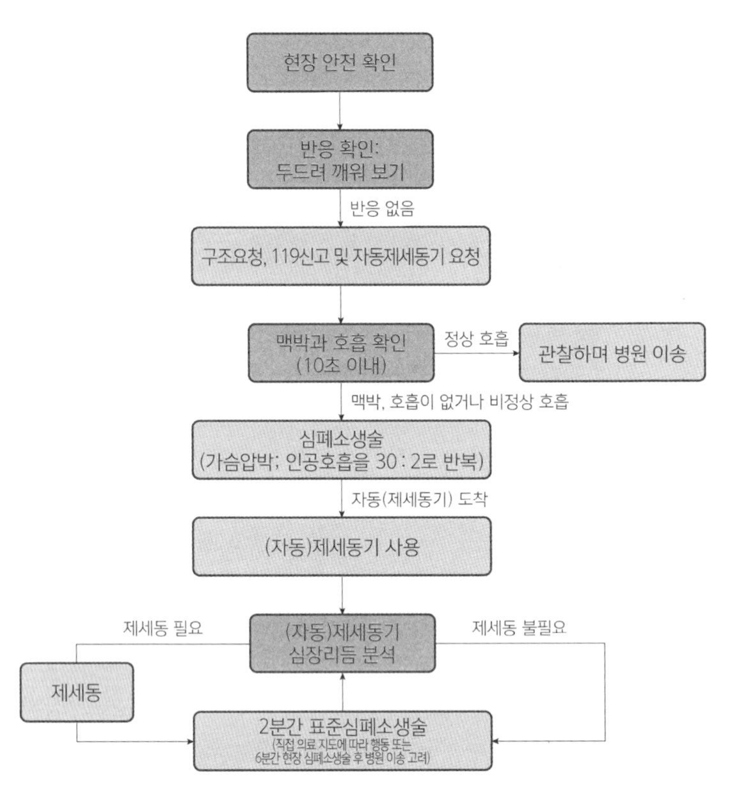

2020년 성인 병원 밖 심장정지 기본소생술 순서(의료종사자용)

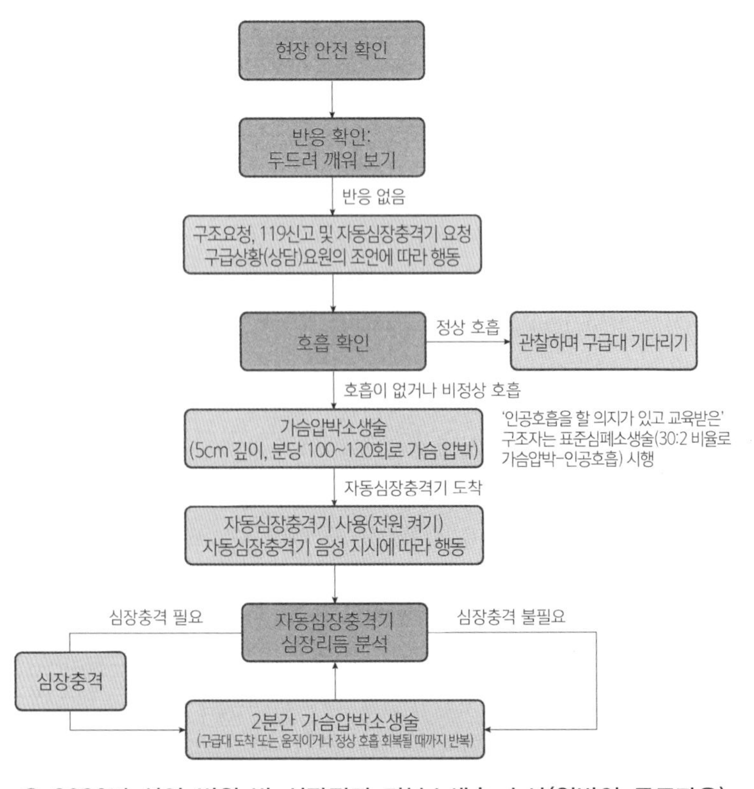

2020년 성인 병원 밖 심장정지 기본소생술 순서(일반인 구조자용)

7. 대사증후군

(1) 진단항목 5가지 중 3가지 이상이 해당되면 대사증후군으로 정의한다.

(2) 대사증후군의 진단 기준은 1998년 WHO에서 대사증후군의 진단 기준을 발표한 후, ATP III(Adult Treatment Panel HI report)와 IDF(International Diabetes Federation) 등 관련 단체마다 각각 조금씩 서로 다른 진단 기준을 제시하고 있다.

Plus⁺ POINT

대사증후군 진단 기준 기출 13, 16, 17, 18, 19

1. 중심비만
   남성의 경우 허리둘레가 102cm 초과, 여성의 경우 허리둘레가 88cm 초과(한국의 경우 대개 남성 90cm, 여성 85cm)
2. 고중성지방혈증
   중성지방이 150mg/dL 이상 또는 약물치료
3. 고밀도지단백 콜레스테롤(HDL)이 낮을 경우
   남자의 경우 40mg/dL 미만, 여자의 경우 50mg/dL 미만 또는 약물치료
4. 공복혈당
   100mg/dL 이상 또는 약물치료
5. 수축기 혈압
   130mg/Hg 또는 이완기 혈압이 85mm/Hg 이상인 경우 또는 약물치료

8. 치매

(1) 정의

① 정상적으로 성숙한 뇌가 후천적인 외상이나 질병 등 외적 요인에 의해서 기질적 손상을 입어 전반적인 지능, 학습, 언어 등의 인지기능과 고도의 정신기능이 감퇴하여 사회생활을 제대로 수행하지 못하는 상태를 나타내는 용어이다.

② 라틴어에서 유래한 것으로 '정상적인 마음에서 이탈된 것', '정신이 없어진 것'이라는 의미이다.

③ 선천적인 것이 아니고 후천적으로 나타나는 현상이다.

④ 전반적으로 기억 · 지능 · 인격 기능의 장애를 보인다.

⑤ 의식장애는 없다.

(2) 종류 기출 19

알츠하이머병	① 노인에게서 가장 흔한 치매의 원인질환 ② 베타 아밀로이드 단백질의 부산물이 있는 신경반의 출현 ③ 뇌피질의 신경섬유의 엉킴 ④ 신경피질과 해마 내의 뉴런과 시냅스의 퇴화 및 상실 ⑤ 뇌실질의 현저한 감소
혈관성 치매	① 뇌경색에서 초래되며 뇌조직 손상은 전반적 혹은 국소적 ② 발병은 빠르게 진행됨 ③ 질병과정은 알츠하이머병보다 예측 가능 ④ 흡연, 고혈압, 고지혈증, 활동 저하와 뇌졸중, 심혈관질환의 과거력과 같은 위험요인과 연관이 있음
전두측두엽 치매	① 이 양상은 뇌 전두엽의 신경성 위축이 특징적임 ② 초기에는 인지장애보다 행동장애가 나타남 ③ 초기 인지 변화는 기억력 저하보다는 추상적 사고, 말하기, 언어적 기술의 장애가 나타남
루이소체 치매	① 피질의 루이소체 물질의 존재와 피질 하부의 병리적인 문제와 관련이 있음 ② 치매를 유발하는 아주 드문 뇌장애로서 발병과 진행이 빠르고 치매를 동반하는 심각한 신경학적 손상이 특징적임 ③ 바이러스가 유발하는 것으로 알려짐 ④ 질병의 결과가 빠르며, 진단 후 대략 1년 이내 사망함
피크병	① 피크병은 대뇌피질 전두엽과 측두엽 위축을 수반한 점진적 퇴행성 뇌질환 ② 병리적으로 세포질 사상체를 포함한 신경세포의 뚜렷한 퇴행성 변성이 나타남 ③ 알츠하이머병과 피크병은 임상적 구분이 어려울 수 있음 ④ 피크병은 알츠하이머병보다 진전이 더욱 빠르고 일반적으로 젊은 층에서 급격히 발병하여 환자가 거울 앞에서 서서 자신의 모습과 의사소통을 하려는 '반사경 징후'와 같은 독특한 증상이 있음

(3) 원인

① 신경전달 물질인 아세티콜린이 90% 감소하여 기억력 감퇴, 감각장애가 발생한다.

② 단백질 불용해성 반점 형성으로 신경세포가 파괴된다.

③ 유전인자 등도 원인으로 작용한다.

(4) 증상

① 기억력 감퇴

② 언어장애

③ 공간지각능력의 장애

④ 실행 · 실인 능력장애

⑤ 판단력 장애

⑥ 행동 및 인격의 변화

(5) 진단

① **인지선별검사(CIST; Cognitive Impairment Screening Test)**: 국가 치매 검진사업에 활용이 용이하고 인지기능저하 변별력이 우수한 도구 개발을 목적으로 고안되어, 2021년 1월 1일부터 적용 중인 검사이다.

② CT, MRI 및 PET 등을 이용한다.

(6) 치매의 예방 및 관리

① 전 생애에 걸쳐 진행되므로 조기 예방이 중요하다.

② 생활습관병 예방프로그램과 연계한 예방프로그램을 수립하는 것이 중요하다.

제4장 노인보건

1 노인의 개념

1. 노인의 정의

(1) 국제노인학회(1951년)

노인은 노령화과정에서 나타난 생리적, 심리적, 정서적, 환경적 및 행동의 변화가 상호 작용되는 복합 형태의 과정에 있는 사람이다.

(2) 신체적 · 생리적 기능의 쇠퇴와 더불어 심리적인 변화가 일어나서 자기유지기능과 사회적 역할기능이 약화되고 있는 사람이다.

(3) 우리나라의 과거 생활보호법과 현재 「노인복지법」

65세 이상의 인구를 노인으로 규정한다.

(4) 세계보건기구(WHO) 기준

60 ~ 75세	Elderly
76 ~ 90세	Old age
90세 이상	Very old

(5) 국제연합(UN) 기준

노인 구분	연령 구분
노인	65세 이상
젊은 노인(Young old)	55 ~ 65세
중 · 고령 노인(Middle - old)	65 ~ 75세
고령 노인(Old - old)	75세 이상

2. 고령화사회의 분류 기출 12, 14, 15, 16, 17, 18, 19, 20, 21

고령화사회	전체 인구 중 고령인구비율이 7% 이상
고령사회	전체 인구 중 고령인구비율이 14% 이상
초고령사회	전체 인구 중 고령인구비율이 20% 이상

노인보건의 중요성

1. 노인은 다른 연령층에 비해 의료비도 상대적으로 높게 발생하여 의료비가 지속적으로 상승한다.
2. 평균수명의 연장과 더불어 악성신생물, 뇌혈관장애, 고혈압, 당뇨병 등 각종 만성 퇴행성 성인질환에 이환되어 이로 인한 사망률이 높아지는 경향이 있다.
3. 노인의 보건서비스 요구도가 상승하였다.

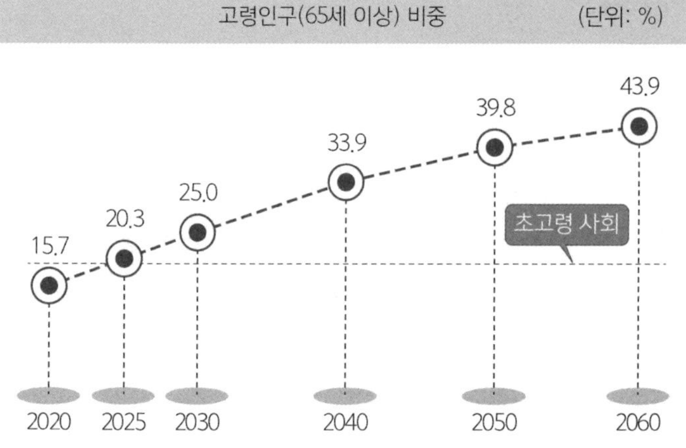

* 우리나라는 2015년 65세 이상 인구의 비중은 12.8%, 2018년 14%를 넘어 고령사회에 진입, 2025년에 초고령사회에 진입 예상

3. 노년기의 과제 – 해비거스트의 6가지 구체적인 사항

(1) 체력 및 건강의 쇠퇴에 적응해 가는 것
(2) 은퇴 및 수입의 감소에 적응하는 것
(3) 배우자의 죽음에 적응해 가는 것
(4) 동년배의 사람들과 친밀한 관계를 만들어 가는 것
(5) 사회적 및 시민적인 의무를 기하는 것
(6) 만족한 주거환경을 정비하는 것 등

2 노령화 지표

1. 연령별 구분

구분	연령
유소년 인구	0 ~ 14세
생산연령 인구	15 ~ 64세
노인 인구	65세 인구

2. 총 부양비 기출 10, 14, 16, 17, 18, 19, 20

$$\text{총 부양비} = \frac{0 \sim 14\text{세 인구} + 65\text{세 이상 인구}}{15 \sim 64\text{세 인구}} \times 100$$

3. 유년부양비 기출 15, 16, 17, 18

$$\text{유년부양비} = \frac{0 \sim 14\text{세 인구}}{15 \sim 64\text{세 인구}} \times 100$$

4. 노년부양비 기출 10, 12, 16, 17, 18, 20

$$노년부양비 = \frac{65세\ 이상\ 인구}{15 \sim 64세\ 인구} \times 100$$

5. 노령화지수 기출 10, 15, 16, 17, 18, 19, 20

$$노령화지수 = \frac{65세\ 이상\ 인구}{0 \sim 14세\ 인구} \times 100$$

6. 경제활동인구비

$$경제활동인구비 = \frac{경제활동인구}{15 \sim 64세\ 인구} \times 100$$

3 노화의 현상과 건강문제

1. 노화의 개념

(1) 신체의 발육과 성장 그리고 생물학적 과정에서 형태적 · 기능적 저하, 예비력과 적응력이 점진적으로 저하되어 내부 및 외부 환경에 대한 적응을 어렵게 하는 현상이다.

(2) 노화로 인한 신체의 기본적인 변화는 조직의 회복능력 및 재생기능의 저하, 적응력의 저하, 반응력의 저하, 예비력 감소 등이 있다.

2. 노화의 현상 기출 12, 13, 18

(1) 대표적인 노화의 현상

① 전신위축, 색소 침착, 혈관의 탄력성 감퇴, 체격 및 체표면의 노화현상이 나타난다.

② 순환기능, 소화기능, 호흡기능, 감각기능, 정신기능, 비뇨기계 기능 등이 저하된다.

(2) 순환기능의 저하

① 노화에 의해 혈관 벽의 비후와 경화성 변화로 혈관의 탄력성 저하로 인하여 혈압이 상승하는 경우가 많고 순환의 시간도 지연된다.

② 심장 동맥에 혈액 공급이 감소되어 심장은 효과적인 박출활동이 저하되어 말초에 충분한 혈액 공급량이 저하된다.

(3) 소화기능의 저하

① 소화기계는 다른 장기에 비해 노화의 영향을 적게 받는다.

② 소화효소 등이 점점 저하되어 펩신, 타액 중에 존재하는 전분 분해인 효소량이 감소하고, 위산의 분비량도 감소한다.

③ 미각이 감소된다.

④ 연하작용에도 기능이 떨어지면서 삼키는 시간이 2배나 걸리게 된다.

⑤ 위장의 운동능력도 저하된다.

(4) 호흡기능의 저하

① 호흡근의 근력 저하와 최대 환기량이 감소한다.

② 폐활량, 심흡기량 등이 감소한다.

③ 잔기용적과 총용량 비율 등이 증가한다.

(5) 감각기능의 저하

① 피부 감각이나 후각이 퇴화되고, 시력이 저하된다.

② 안구운동 속도가 감소한다.

③ 동공괄약근의 경화가 일어난다.

④ 깊이 지각에 대한 왜곡이 일어난다.

(6) 정신기능의 저하

① 인식력, 시각적 파악 등이 저하된다.

② 모순력과 발견력이 뚜렷하게 저하된다.

③ 건망증, 비정상적인 반응, 과민성 등이 증가한다.

(7) 비뇨기계 기능의 저하

① 신장기능의 노화는 다른 기관보다 현저하게 나타난다.

② 방광의 용량이 감소하고, 방광의 평활근과 탄력조직이 변화하고 방광게실이 잘 발생한다.

③ 배뇨의 자각 증상이 저하되어 실금 증상, 방광 평활근의 수축력이 저하되어 잔료량이 늘어난다.

④ 요도괄약근력이 저하되어 소변을 참는 능력이 감퇴된다.

⑤ 남성은 전립선의 비대가 많고, 여성은 난소 호르몬의 감소가 발생한다.

(8) 근골격계 기능의 저하

① 근육량이 감소한다.

② 관절 연골이 퇴화한다.

③ 연골의 수분이 소실된다.

④ 골질량이 감소한다.

⑤ 골아세포의 활동이 감소한다.

⑥ 파골세포의 재흡수가 일어난다.

⑦ 신체지방이 증가한다.

⑧ 척수 사이의 디스크가 얇아진다.

(9) 내분기계 기능의 저하

① 성호르몬이 감소한다.
② 성장호르몬 분비가 감소한다.
③ 인슐린, 안드로겐, 알도스테론, 갑상선호르몬의 분비가 감소한다.
④ 체온조절능력의 결핍이 일어난다.
⑤ 열반응이 감소한다.
⑥ 호르몬에 대한 조직 민감도가 변화한다.
⑦ 교감신경반응이 강화된다.
⑧ 기초대사율이 감소한다.

(10) 피부계

① 피부와 표피 두께의 손실이 일어난다.
② 표피, 진피 융합이 편평해진다.
③ 땀샘이 위축된다.
④ 혈관분포가 감소한다.
⑤ 교원질의 교차연결이 일어난다.
⑥ 탄력소가 감소한다.
⑦ 피하지방의 소실이 일어난다.
⑧ 탄력성이 감소한다.
⑨ 피하조직의 소실이 일어난다.
⑩ 멜라닌 세포의 기능이 상실된다.
⑪ 섬유아세포의 증식이 감소된다.
⑫ 모공의 밀도가 감소된다.
⑬ 섬유질의 성장기간이 지연된다.
⑭ 모근으로부터 멜라닌 세포 소실이 일어난다.
⑮ 손톱조직의 비후가 일어난다.

(11) 신경계

① 뇌세포는 퇴행하며 뇌 위축이 일어난다.
② 신경섬유의 전도가 감소한다.
③ 신경조직 반점이 증가한다.
④ 지방갈색소의 축적이 일어난다.

3. 건강문제

(1) 류마티즘

사망의 원인은 되지 않지만 일상생활을 어렵게 하는 난치성 자가 면역증이다.

(2) 위 및 십이지장 궤양

식습관, 심신의 과로, 직업 등에 따라 영향을 받는다.

(3) 만성 하기도 질환

기관지염, 천식, 폐기종 등 만성적으로 호흡에 장애를 주는 폐질환이다.

(4) 노인성 치매

① **발생률**: 남성보다 여성이 높으며, 연령의 증가에 따라 발생률도 증가한다.

② **주요 증상**: 기억장애, 방향감각 저하, 판단력 및 계산능력 저하, 심한 감정의 기복, 자발성의 저하, 성격 변화 등의 증상이 있다.

Plus⁺ POINT

노인성 질환의 특징

1. 어떤 질환이 발생하면 연쇄 반응으로 다발적이고 복합적으로 악순환적 질환이 발생한다.
2. 노인은 생체의 반응력이 감소하고 있어 질병에서 발생하는 증상이 증대한 질환인데도 불구하고, 자각증상이 없을 때가 많다.
3. 질환 고유의 증상이 나타나지 않고, 특이적인 증상이 먼저 출현되는 경우가 많다.
4. 노인성 질환은 탈수, 전해질 이상, 혈관 내 응고 증후군 등이 발생한다.

4 노인보건의료 요구

1. 노인보건의 정의

(1) 노인을 대상으로 한 제반 보건의료정책과 서비스이다.

(2) 노인의 신체적 건강뿐 아니라, 사회 · 심리적 건강, 영적 건강과 생애 전 발달과정을 통하여 건강과 관련된 건강증진, 질병예방, 노인병의 진단 · 치료, 재활과 장기요양사업 및 호스피스간호가 포함된 포괄적인 보건의료서비스가 지역사회의 모든 노인에게 제공되는 것이다.

2. 노인보건의 필요성

(1) 노인의 유병률이 증가하였다.

(2) 노인의 기능상태가 감소하였다.

(3) 노인의 관절염과 요통이 일상생활에 지장을 준다.

(4) 65세 이상 노인 중 86.7%가 한 가지 이상의 만성 질환을 앓고 있다.

(5) 노인의 진료비가 증가하였다.

3. 노인복지정책

(1) 노인복지정책의 변화

① **노후 소득보장**: 국민연금 개선, 기초노령연금 지급, 맞춤형 노인일자리 제공 등

② **건강보장**: 노인 장기요양보험 대상자 확대, 치매 검진 및 치료 · 관리, 노인 안 검진 및 개안수술

③ **사회참여 확대**: 노인자원봉사 활성화, 노인여가활동 지원 등

④ **사회서비스 제공 등**: 노인 돌봄서비스, 노인학대 상담서비스, 노인 자살 · 성 · 사기 · 범죄 문제 대응, 장사 인프라 확충 및 품위 있는 장사문화 창출 등

(2) 노인복지정책의 추진방향

노인의 삶의 질 향상을 위한 복지정치 개발 및 향후 고령사회 대응정책을 개발하기 위해 지속적으로 달성 가능한 목표를 설정하고 추진해 나갈 계획이다.

4. 노인복지사업

(1) 노인건강증진사업

① 건강진단사업
② 노인 실명예방사업
③ 예방접종사업
④ 일상생활 기능 보조사업

(2) 질병관리사업

① 고혈압, 당뇨병, 관절염 관리사업
② 치매환자 관리사업
③ 결핵환자 관리사업

5. 노인복지시설의 종류 및 기능(「노인복지법」) 기출 19, 20

종류		기능
노인주거복지시설	양로시설	노인을 입소시켜 급식과 그 외 일상생활에 필요한 편의 제공
	노인공동생활가정	노인들에게 가정과 같은 주거여건과 급식, 그 외 일상생활에 필요한 편의 제공
	노인복지주택	노인에게 주거시설을 분양 또는 임대하여 주거의 편의·생활지도·상담 및 안전관리 등 일상생활에 필요한 편의 제공
노인의료복지시설	노인요양시설	치매·중풍 등 노인성 질환 등으로 심신에 상당한 장애가 발생하여 도움을 필요로 하는 노인을 입소시켜 급식·요양과 그 외 일상생활에 필요한 편의 제공
	노인요양공동생활가정	치매·중풍 등 노인성 질환 등으로 심신에 상당한 장애가 발생하여 도움을 필요로 하는 노인에게 가정과 같은 주거여건과 급식·요양, 그 외 일상생활에 필요한 편의 제공
노인여가복지시설	노인복지관	노인의 교양·취미생활 및 사회참여활동 등에 대한 각종 정보와 서비스를 제공하고, 건강증진 및 질병예방과 소득보장·재가복지, 그 외 노인의 복지증진에 필요한 서비스 제공
	경로당	지역노인들이 자율적으로 친목도모·취미활동·공동작업장 운영 및 각종 정보교환과 기타 여가활동을 할 수 있도록 하는 장소 제공
	노인교실	노인들에 대하여 사회활동 참여욕구를 충족시키기 위하여 건전한 취미생활·노인건강유지·소득보장 기타 일상생활과 관련한 학습프로그램 제공

재가노인 복지시설	방문 요양서비스	가정에서 일상생활을 영위하고 있는 노인으로서 신체적·정신적 장애로 어려움을 겪고 있는 노인에게 필요한 각종 편의를 제공하여 지역사회 안에서 건전하고 안정된 노후를 영위하도록 하는 서비스
	주·야간 보호서비스	부득이한 사유로 가족의 보호를 받을 수 없는 심신이 허약한 노인과 장애노인을 주간 또는 야간 동안 보호시설에 입소시켜 필요한 각종 편의를 제공하여 이들의 생활안정과 심신기능의 유지·향상을 도모하고, 그 가족의 신체적·정신적 부담을 덜어주기 위한 서비스
	단기보호 서비스	부득이한 사유로 가족의 보호를 받을 수 없어 일시적으로 보호가 필요한 심신이 허약한 노인과 장애노인을 보호시설에 단기간 입소시켜 보호함으로써 노인 및 노인가정의 복지증진을 도모하기 위한 서비스
	방문 목욕서비스	목욕 장비를 갖추고 재가노인을 방문하여 목욕을 제공하는 서비스
	방문 간호서비스	간호사 등이 의사, 한의사 또는 치과의사의 지시서에 따라 재가노인의 가정 등을 방문하여 간호, 진료의 보조, 요양에 관한 상담 또는 구강위생을 제공하는 서비스
	재가노인지원 서비스	그 재가노인에게 제공하는 서비스로서 상담·교육 및 각종 서비스(예 예방적 사업, 사회안전망 구축사업, 긴급지원사업)
노인보호 전문기관		학대받는 노인을 발견하여, 보호와 치료 등을 신속히 처리하고 노인학대를 예방

6. 노인 여가 복지시설

노인복지관	① 노인의 교양·취미생활 및 사회참여활동 등에 대한 각종 정보와 서비스를 제공 ② 건강증진 및 질병예방과 소득보장·재가복지, 그 밖에 노인의 복지증진에 필요한 서비스 제공
경로당	지역노인들이 자율적으로 친목도모·취미활동·공동작업장 운영 및 각종 정보 교환과 기타 여가활동을 할 수 있도록 장소를 제공
노인교실	① 노인들에 대하여 사회활동 참여욕구를 충족시키기 위하여 건전한 취미생활 ② 노인건강유지·소득보장 ③ 기타 일상생활과 관련한 학습프로그램을 제공

7. 요양보험 전문인력 양성 제도화 추진

노인요양 전문인력(장기요양요원, 장기요양관리요원) 양성 및 제도화를 추진하였다.

8. 노인복지시설에 요양보호사 배치

(1) 요양보호사 1급

① 장기요양급여수급자에게 신체활동 또는 가사활동 지원서비스를 제공한다.

② 장기요양급여수급자가 아닌 복지대상자에게 신체활동 또는 가사활동 지원서비스를 제공한다.

(2) 요양보호사 2급

① 장기요양급여수급자에게 신체활동을 제외한 가사활동 지원서비스를 제공한다.

② 장기요양급여수급자가 아닌 복지대상자에게 신체활동 또는 가사활동 지원서비스를 제공한다.

5 노인장기요양보험제도

1. 목적 기출 18, 19

노후의 건강증진 및 생활안정을 도모하고 그 가족의 부담을 덜어줌으로써 국민의 삶의 질을 향상시킴을 목적으로 시행하는 사회보험제도이다.

2. 추진과정

2007년 4월	「노인장기요양보험법」 제정
2008년 7월	「노인장기요양보험법」 시행

3. 「노인장기요양보험법」에서 사용하는 용어의 정의

(1) 노인 등 기출 16, 17, 18, 19, 20

65세 이상의 노인 또는 65세 미만의 자로서 치매 · 뇌혈관성 질환 등 대통령령으로 정하는 노인성 질병을 가진 자를 말한다.

(2) 장기요양급여 기출 15, 17, 20

제15조 제2항에 따라 6개월 이상 동안 혼자서 일상생활을 수행하기 어렵다고 인정되는 자에게 신체활동 · 가사활동의 지원 또는 간병 등의 서비스나 이에 갈음하여 지급하는 현금 등을 말한다.

(3) 장기요양사업

장기요양보험료, 국가 및 지방자치단체의 부담금 등을 재원으로 하여 노인 등에게 장기요양급여를 제공하는 사업을 말한다.

(4) 장기요양기관

제31조에 따라 지정을 받은 기관 또는 제32조에 따라 지정의제된 재가장기요양기관으로서 장기요양급여를 제공하는 기관을 말한다.

(5) 장기요양요원

장기요양기관에 소속되어 노인 등의 신체활동 또는 가사활동 지원 등의 업무를 수행하는 자를 말한다.

4. 법령 기준 -「노인장기요양보험법」의 특징 기출 13, 17, 18, 19, 20, 24

관련 법령

「노인장기요양보험법」 제1조【목적】 이 법은 고령이나 노인성 질병 등의 사유로 일상생활을 혼자서 수행하기 어려운 노인등에게 제공하는 신체활동 또는 가사활동 지원 등의 장기요양급여에 관한 사항을 규정하여 노후의 건강증진 및 생활안정을 도모하고 그 가족의 부담을 덜어줌으로써 국민의 삶의 질을 향상하도록 함을 목적으로 한다.

제2조【정의】 이 법에서 사용하는 용어의 정의는 다음과 같다.

1. "노인등"이란 65세 이상의 노인 또는 65세 미만의 자로서 치매·뇌혈관성질환 등 대통령령으로 정하는 노인성 질병을 가진 자를 말한다.
2. "장기요양급여"란 제15조 제2항에 따라 6개월 이상 동안 혼자서 일상생활을 수행하기 어렵다고 인정되는 자에게 신체활동·가사활동의 지원 또는 간병 등의 서비스나 이에 갈음하여 지급하는 현금 등을 말한다.
3. "장기요양사업"이란 장기요양보험료, 국가 및 지방자치단체의 부담금 등을 재원으로 하여 노인등에게 장기요양급여를 제공하는 사업을 말한다.
4. "장기요양기관"이란 제31조에 따른 지정을 받은 기관으로서 장기요양급여를 제공하는 기관을 말한다.
5. "장기요양요원"이란 장기요양기관에 소속되어 노인등의 신체활동 또는 가사활동 지원 등의 업무를 수행하는 자를 말한다.

제7조【장기요양보험】 ① 장기요양보험사업은 보건복지부장관이 관장한다.
② 장기요양보험사업의 보험자는 공단으로 한다.
③ 장기요양보험의 가입자(이하 "장기요양보험가입자"라 한다)는 「국민건강보험법」 제5조 및 제109조에 따른 가입자로 한다.
④ 공단은 제3항에도 불구하고 「외국인근로자의 고용 등에 관한 법률」에 따른 외국인근로자 등 대통령령으로 정하는 외국인이 신청하는 경우 보건복지부령으로 정하는 바에 따라 장기요양보험가입자에서 제외할 수 있다.

제8조【장기요양보험료의 징수】 ① 공단은 장기요양사업에 사용되는 비용에 충당하기 위하여 장기요양보험료를 징수한다.
② 제1항에 따른 장기요양보험료는 「국민건강보험법」 제69조에 따른 보험료(이하 이 조에서 "건강보험료"라 한다)와 통합하여 징수한다. 이 경우 공단은 장기요양보험료와 건강보험료를 구분하여 고지하여야 한다.
③ 공단은 제2항에 따라 통합 징수한 장기요양보험료와 건강보험료를 각각의 독립회계로 관리하여야 한다.

제9조【장기요양보험료의 산정】 ① 장기요양보험료는 「국민건강보험법」 제69조 제4항·제5항 및 제109조 제9항 단서에 따라 산정한 보험료액에서 같은 법 제74조 또는 제75조에 따라 경감 또는 면제되는 비용을 공제한 금액에 같은 법 제73조 제1항에 따른 건강보험료율 대비 장기요양보험료율의 비율을 곱하여 산정한 금액으로 한다.
② 제1항에 따른 장기요양보험료율은 제45조에 따른 장기요양위원회의 심의를 거쳐 대통령령으로 정한다.
③ 제1항에도 불구하고 장기요양보험의 특성을 고려하여 「국민건강보험법」 제74조 또는 제75조에 따라 경감 또는 면제되는 비용을 달리 적용할 필요가 있는 경우에는 대통령령으로 정하는 바에 따라 경감 또는 면제되는 비용의 공제 수준을 달리 정할 수 있다.

제12조【장기요양인정의 신청자격】 장기요양인정을 신청할 수 있는 자는 노인등으로서 다음 각 호의 어느 하나에 해당하는 자격을 갖추어야 한다.
1. 장기요양보험가입자 또는 그 피부양자
2. 「의료급여법」 제3조 제1항에 따른 수급권자(이하 "의료급여수급권자"라 한다)

제13조【장기요양인정의 신청】 ① 장기요양인정을 신청하는 자(이하 "신청인"이라 한다)는 공단에 보건복지부령으로 정하는 바에 따라 장기요양인정신청서(이하 "신청서"라 한다)에 의사 또는 한의사가 발급하는 소견서(이하 "의사소견서"라 한다)를 첨부하여 제출하여야 한다. 다만, 의사소견서는 공단이 제15조 제1항에 따라 등급판정위원회에 자료를 제출하기 전까지 제출할 수 있다.
② 제1항에도 불구하고 거동이 현저하게 불편하거나 도서·벽지 지역에 거주하여 의료기관을 방문하기 어려운 자 등 대통령령으로 정하는 자는 의사소견서를 제출하지 아니할 수 있다.
③ 의사소견서의 발급비용·비용부담방법·발급자의 범위, 그 밖에 필요한 사항은 보건복지부령으로 정한다.

제15조【등급판정 등】 ① 공단은 제14조에 따른 조사가 완료된 때 조사결과서, 신청서, 의사소견서, 그 밖에 심의에 필요한 자료를 등급판정위원회에 제출하여야 한다.
② 등급판정위원회는 신청인이 제12조의 신청자격요건을 충족하고 6개월 이상 동안 혼자서 일상생활을 수행하기 어렵다고 인정하는 경우 심신상태 및 장기요양이 필요한 정도 등 대통령령으로 정하는 등급판정기준에 따라 수급자로 판정한다.
③ 등급판정위원회는 제2항에 따라 심의·판정을 하는 때 신청인과 그 가족, 의사소견서를 발급한 의사 등 관계인의 의견을 들을 수 있다.
④ 공단은 장기요양급여를 받고 있거나 받을 수 있는 자가 다음 각 호의 어느 하나에 해당하는 것으로 의심되는 경우에는 제14조 제1항 각 호의 사항을 조사하여 그 결과를 등급판정위원회에 제출하여야 한다.

1. 거짓이나 그 밖의 부정한 방법으로 장기요양인정을 받은 경우
2. 고의로 사고를 발생하도록 하거나 본인의 위법행위에 기인하여 장기요양인정을 받은 경우

⑤ 등급판정위원회는 제4항에 따라 제출된 조사 결과를 토대로 제2항에 따라 다시 수급자 등급을 조정하고 수급자 여부를 판정할 수 있다.

제16조【장기요양등급판정기간】 ① 등급판정위원회는 신청인이 신청서를 제출한 날부터 30일 이내에 제15조에 따른 장기요양등급판정을 완료하여야 한다. 다만, 신청인에 대한 정밀조사가 필요한 경우 등 기간 이내에 등급판정을 완료할 수 없는 부득이한 사유가 있는 경우 30일 이내의 범위에서 이를 연장할 수 있다.
② 공단은 등급판정위원회가 제1항 단서에 따라 장기요양인정심의 및 등급판정기간을 연장하고자 하는 경우 신청인 및 대리인에게 그 내용 · 사유 및 기간을 통보하여야 한다.

제17조【장기요양인정서】 ① 공단은 등급판정위원회가 장기요양인정 및 등급판정의 심의를 완료한 경우 지체 없이 다음 각 호의 사항이 포함된 장기요양인정서를 작성하여 수급자에게 송부하여야 한다.
1. 장기요양등급
2. 장기요양급여의 종류 및 내용
3. 그 밖에 장기요양급여에 관한 사항으로서 보건복지부령으로 정하는 사항

② 공단은 등급판정위원회가 장기요양인정 및 등급판정의 심의를 완료한 경우 수급자로 판정받지 못한 신청인에게 그 내용 및 사유를 통보하여야 한다. 이 경우 특별자치시장 · 특별자치도지사 · 시장 · 군수 · 구청장(자치구의 구청장을 말한다. 이하 같다)은 공단에 대하여 이를 통보하도록 요청할 수 있고, 요청을 받은 공단은 이에 응하여야 한다.
③ 공단은 제1항에 따라 장기요양인정서를 송부하는 때 장기요양급여를 원활히 이용할 수 있도록 제28조에 따른 월 한도액 범위 안에서 개인별장기요양이용계획서를 작성하여 이를 함께 송부하여야 한다.
④ 제1항 및 제3항에 따른 장기요양인정서 및 개인별장기요양이용계획서의 작성방법에 관하여 필요한 사항은 보건복지부령으로 정한다.

제19조【장기요양인정의 유효기간】 ① 제15조에 따른 장기요양인정의 유효기간은 최소 1년 이상으로서 대통령령으로 정한다.
② 제1항의 유효기간의 산정방법과 그 밖에 필요한 사항은 보건복지부령으로 정한다.

제20조【장기요양인정의 갱신】 ① 수급자는 제19조에 따른 장기요양인정의 유효기간이 만료된 후 장기요양급여를 계속하여 받고자 하는 경우 공단에 장기요양인정의 갱신을 신청하여야 한다.

② 제1항에 따른 장기요양인정의 갱신 신청은 유효기간이 만료되기 전 30일까지 이를 완료하여야 한다.
③ 제12조부터 제19조까지의 규정은 장기요양인정의 갱신절차에 관하여 준용한다.

제21조【장기요양등급 등의 변경】 ① 장기요양급여를 받고 있는 수급자는 장기요양등급, 장기요양급여의 종류 또는 내용을 변경하여 장기요양급여를 받고자 하는 경우 공단에 변경신청을 하여야 한다.
② 제12조부터 제19조까지의 규정은 장기요양등급의 변경절차에 관하여 준용한다.

제22조【장기요양인정 신청 등에 대한 대리】 ① 장기요양급여를 받고자 하는 자 또는 수급자가 신체적 · 정신적인 사유로 이 법에 따른 장기요양인정의 신청, 장기요양인정의 갱신신청 또는 장기요양등급의 변경신청 등을 직접 수행할 수 없을 때 본인의 가족이나 친족, 그 밖의 이해관계인은 이를 대리할 수 있다.
② 다음 각 호의 어느 하나에 해당하는 사람은 관할 지역 안에 거주하는 사람 중 장기요양급여를 받고자 하는 사람 또는 수급자가 제1항에 따른 장기요양인정신청 등을 직접 수행할 수 없을 때 본인 또는 가족의 동의를 받아 그 신청을 대리할 수 있다.
1. 「사회보장급여의 이용 · 제공 및 수급권자 발굴에 관한 법률」 제43조에 따른 사회복지전담공무원
2. 「치매관리법」 제17조에 따른 치매안심센터의 장(장기요양급여를 받고자 하는 사람 또는 수급자가 같은 법 제2조제2호에 따른 치매환자인 경우로 한정한다)

③ 제1항 및 제2항에도 불구하고 장기요양급여를 받고자 하는 자 또는 수급자가 제1항에 따른 장기요양인정신청 등을 할 수 없는 경우 특별자치시장 · 특별자치도지사 · 시장 · 군수 · 구청장이 지정하는 자는 이를 대리할 수 있다.
④ 제1항부터 제3항까지의 규정에 따른 장기요양인정신청 등의 방법 및 절차 등에 관하여 필요한 사항은 보건복지부령으로 정한다.

제29조【장기요양급여의 제한】 ① 공단은 장기요양급여를 받고 있는 자가 정당한 사유 없이 제15조 제4항에 따른 조사나 제60조 또는 제61조에 따른 요구에 응하지 아니하거나 답변을 거절한 경우 장기요양급여의 전부 또는 일부를 제공하지 아니하게 할 수 있다.
② 공단은 장기요양급여를 받고 있거나 받을 수 있는 자가 장기요양기관이 거짓이나 그 밖의 부정한 방법으로 장기요양급여비용을 받는 데에 가담한 경우 장기요양급여를 중단하거나 1년의 범위에서 장기요양급여의 횟수 또는 제공 기간을 제한할 수 있다.
③ 제2항에 따른 장기요양급여의 중단 및 제한 기준과 그 밖에 필요한 사항은 보건복지부령으로 정한다.

제32조의3【장기요양기관 지정의 유효기간】 제31조에 따른 장기요양기관 지정의 유효기간은 지정을 받은 날부터 6년으로 한다.

제32조의4【장기요양기관 지정의 갱신】 ① 장기요양기관의 장은 제32조의3에 따른 지정의 유효기간이 끝난 후에도 계속하여 그 지정을 유지하려는 경우에는 소재지를 관할구역으로 하는 특별자치시장 · 특별자치도지사 · 시장 · 군수 · 구청장에게 지정 유효기간이 끝나기 90일 전까지 지정 갱신을 신청하여야 한다.

제33조의2【폐쇄회로 텔레비전의 설치 등】 ① 장기요양기관을 운영하는 자는 노인학대 방지 등 수급자의 안전과 장기요양기관의 보안을 위하여 「개인정보 보호법」 및 관련 법령에 따른 폐쇄회로 텔레비전(이하 "폐쇄회로 텔레비전"이라 한다)을 설치 · 관리하여야 한다. 다만, 다음 각 호의 어느 하나에 해당하는 경우에는 그러하지 아니하다.

1. 제23조 제1항 제1호에 따른 재가급여만을 제공하는 경우
2. 장기요양기관을 운영하는 자가 수급자 전원 또는 그 보호자 전원의 동의를 받아 특별자치시장 · 특별자치도지사 · 시장 · 군수 · 구청장에게 신고한 경우
3. 장기요양기관을 설치 · 운영하는 자가 수급자, 그 보호자 및 장기요양기관 종사자 전원의 동의를 받아 「개인정보 보호법」 및 관련 법령에 따른 네트워크 카메라를 설치한 경우

② 제1항에 따라 폐쇄회로 텔레비전을 설치 · 관리하는 자는 수급자 및 장기요양기관 종사자 등 정보주체의 권리가 침해되지 아니하도록 다음 각 호의 사항을 준수하여야 한다.

1. 노인학대 방지 등 수급자의 안전과 장기요양기관의 보안을 위하여 최소한의 영상정보만을 적법하고 정당하게 수집하고, 목적 외의 용도로 활용하지 아니하도록 할 것
2. 수급자 및 장기요양기관 종사자 등 정보주체의 권리가 침해받을 가능성과 그 위험 정도를 고려하여 영상정보를 안전하게 관리할 것
3. 수급자 및 장기요양기관 종사자 등 정보주체의 사생활 침해를 최소화하는 방법으로 영상정보를 처리할 것

③ 장기요양기관을 운영하는 자는 폐쇄회로 텔레비전에 기록된 영상정보를 60일 이상 보관하여야 한다.

④ 국가 또는 지방자치단체는 제1항에 따른 폐쇄회로 텔레비전 설치비의 전부 또는 일부를 지원할 수 있다.

⑤ 제1항에 따른 폐쇄회로 텔레비전의 설치 · 관리 기준 및 동의 또는 신고의 방법 · 절차 · 요건, 제3항에 따른 영상정보의 보관기준 및 보관기간 등에 필요한 사항은 보건복지부령으로 정한다.

제33조의3【영상정보의 열람금지 등】 ① 폐쇄회로 텔레비전을 설치·관리하는 자는 다음 각 호의 어느 하나에 해당하는 경우를 제외하고는 제33조의2 제3항의 영상정보를 열람하게 하여서는 아니 된다.

1. 수급자가 자신의 생명·신체·재산상의 이익을 위하여 본인과 관련된 사항을 확인할 목적으로 열람 시기·절차 및 방법 등 보건복지부령으로 정하는 바에 따라 요청하는 경우
2. 수급자의 보호자가 수급자의 안전을 확인할 목적으로 열람 시기·절차 및 방법 등 보건복지부령으로 정하는 바에 따라 요청하는 경우
3. 「개인정보 보호법」 제2조 제6호 가목에 따른 공공기관이 「노인복지법」 제39조의11 등 법령에서 정하는 노인의 안전업무 수행을 위하여 요청하는 경우
4. 범죄의 수사와 공소의 제기 및 유지, 법원의 재판업무 수행을 위하여 필요한 경우
5. 그 밖에 노인 관련 안전업무를 수행하는 기관으로서 보건복지부령으로 정하는 자가 업무의 수행을 위하여 열람시기·절차 및 방법 등 보건복지부령으로 정하는 바에 따라 요청하는 경우

② 장기요양기관을 운영하는 자는 다음 각 호의 어느 하나에 해당하는 행위를 하여서는 아니 된다.

1. 제33조의2 제1항의 설치 목적과 다른 목적으로 폐쇄회로 텔레비전을 임의로 조작하거나 다른 곳을 비추는 행위
2. 녹음기능을 사용하거나 보건복지부령으로 정하는 저장장치 이외의 장치 또는 기기에 영상정보를 저장하는 행위

③ 장기요양기관을 운영하는 자는 제33조의2 제3항의 영상정보가 분실·도난·유출·변조 또는 훼손되지 아니하도록 내부 관리계획의 수립, 접속기록 보관 등 대통령령으로 정하는 바에 따라 안전성 확보에 필요한 기술적·관리적·물리적 조치를 하여야 한다.
④ 국가 및 지방자치단체는 장기요양기관에 설치한 폐쇄회로 텔레비전의 설치·관리와 그 영상정보의 열람으로 수급자 및 장기요양기관 종사자 등 정보주체의 권리가 침해되지 아니하도록 설치·관리 및 열람 실태를 보건복지부령으로 정하는 바에 따라 매년 1회 이상 조사·점검하여야 한다.
⑤ 폐쇄회로 텔레비전의 설치·관리와 그 영상정보의 열람에 관하여 이 법에서 규정된 것을 제외하고는 「개인정보 보호법」(제25조는 제외한다)을 적용한다.

제35조【장기요양기관의 의무 등】 ① 장기요양기관은 수급자로부터 장기요양급여신청을 받은 때 장기요양급여의 제공을 거부하여서는 아니 된다. 다만, 입소정원에 여유가 없는 경우 등 정당한 사유가 있는 경우는 그러하지 아니하다.
② 장기요양기관은 제23조 제3항에 따른 장기요양급여의 제공 기준·절차 및 방법 등에 따라 장기요양급여를 제공하여야 한다.

③ 장기요양기관의 장은 장기요양급여를 제공한 수급자에게 장기요양급여비용에 대한 명세서를 교부하여야 한다.
④ 장기요양기관의 장은 장기요양급여 제공에 관한 자료를 기록·관리하여야 하며, 장기요양기관의 장 및 그 종사자는 장기요양급여 제공에 관한 자료를 거짓으로 작성하여서는 아니 된다.
⑤ 장기요양기관은 제40조 제2항에 따라 면제받거나 같은 조 제4항에 따라 감경받는 금액 외에 영리를 목적으로 수급자가 부담하는 재가 및 시설 급여비용(이하 "본인부담금"이라 한다)을 면제하거나 감경하는 행위를 하여서는 아니 된다.
⑥ 누구든지 영리를 목적으로 금전, 물품, 노무, 향응, 그 밖의 이익을 제공하거나 제공할 것을 약속하는 방법으로 수급자를 장기요양기관에 소개, 알선 또는 유인하는 행위 및 이를 조장하는 행위를 하여서는 아니 된다.
⑦ 제3항에 따른 장기요양급여비용의 명세서, 제4항에 따라 기록·관리하여야 할 장기요양급여 제공 자료의 내용 및 보존기한, 그 밖에 필요한 사항은 보건복지부령으로 정한다.

제40조【본인부담금】 ① 제23조에 따른 장기요양급여(특별현금급여는 제외한다. 이하 이 조에서 같다)를 받는 자는 대통령령으로 정하는 바에 따라 비용의 일부를 본인이 부담한다. 이 경우 장기요양급여를 받는 수급자의 장기요양등급, 이용하는 장기요양급여의 종류 및 수준 등에 따라 본인부담의 수준을 달리 정할 수 있다.
② 제1항에도 불구하고 수급자 중 「의료급여법」 제3조 제1항 제1호에 따른 수급자는 본인부담금을 부담하지 아니한다.
③ 다음 각 호의 장기요양급여에 대한 비용은 수급자 본인이 전부 부담한다.
1. 이 법의 규정에 따른 급여의 범위 및 대상에 포함되지 아니하는 장기요양급여
2. 수급자가 제17조 제1항 제2호에 따른 장기요양인정서에 기재된 장기요양급여의 종류 및 내용과 다르게 선택하여 장기요양급여를 받은 경우 그 차액
3. 제28조에 따른 장기요양급여의 월 한도액을 초과하는 장기요양급여
④ 다음 각 호의 어느 하나에 해당하는 자에 대해서는 본인부담금의 100분의 60의 범위에서 보건복지부장관이 정하는 바에 따라 차등하여 감경할 수 있다.
1. 「의료급여법」 제3조 제1항 제2호부터 제9호까지의 규정에 따른 수급권자
2. 소득·재산 등이 보건복지부장관이 정하여 고시하는 일정 금액 이하인 자. 다만, 도서·벽지·농어촌 등의 지역에 거주하는 자에 대하여 따로 금액을 정할 수 있다.
3. 천재지변 등 보건복지부령으로 정하는 사유로 인하여 생계가 곤란한 자
⑤ 제1항부터 제4항까지의 규정에 따른 본인부담금의 산정방법, 감경절차 및 감경방법 등에 관하여 필요한 사항은 보건복지부령으로 정한다.

제41조【가족 등의 장기요양에 대한 보상】 ① 공단은 장기요양급여를 받은 금액의 총액이 보건복지부장관이 정하여 고시하는 금액 이하에 해당하는 수급자가 가족 등으로부터 제23조 제1항 제1호 가목에 따른 방문요양에 상당한 장기요양을 받은 경우 보건복지부령으로 정하는 바에 따라 본인부담금의 일부를 감면하거나 이에 갈음하는 조치를 할 수 있다.
② 제1항에 따른 본인부담금의 감면방법 등 필요한 사항은 보건복지부령으로 정한다.

제42조【방문간호지시서 발급비용의 산정 등】 제23조 제1항 제1호 다목에 따라 방문간호지시서를 발급하는데 사용되는 비용, 비용부담방법 및 비용 청구·지급절차 등에 관하여 필요한 사항은 보건복지부령으로 정한다.

제45조【장기요양위원회의 설치 및 기능】 다음 각 호의 사항을 심의하기 위하여 보건복지부장관 소속으로 장기요양위원회를 둔다.

1. 제9조 제2항에 따른 장기요양보험료율
2. 제24조부터 제26조까지의 규정에 따른 가족요양비, 특례요양비 및 요양병원간병비의 지급기준
3. 제39조에 따른 재가 및 시설 급여비용
4. 그 밖에 대통령령으로 정하는 주요 사항

제46조【장기요양위원회의 구성】 ① 장기요양위원회는 위원장 1인, 부위원장 1인을 포함한 16인 이상 22인 이하의 위원으로 구성한다.
② 위원장이 아닌 위원은 다음 각 호의 자 중에서 보건복지부장관이 임명 또는 위촉한 자로 하고, 각 호에 해당하는 자를 각각 동수로 구성하여야 한다.

1. 근로자단체, 사용자단체, 시민단체(「비영리민간단체 지원법」 제2조에 따른 비영리민간단체를 말한다), 노인단체, 농어업인단체 또는 자영자단체를 대표하는 자
2. 장기요양기관 또는 의료계를 대표하는 자
3. 대통령령으로 정하는 관계 중앙행정기관의 고위공무원단 소속 공무원, 장기요양에 관한 학계 또는 연구계를 대표하는 자, 공단 이사장이 추천하는 자

③ 위원장은 보건복지부차관이 되고, 부위원장은 위원 중에서 위원장이 지명한다.
④ 장기요양위원회 위원의 임기는 3년으로 한다. 다만, 공무원인 위원의 임기는 재임기간으로 한다.

제47조【장기요양위원회의 운영】 ① 장기요양위원회 회의는 구성원 과반수의 출석으로 개의하고 출석위원 과반수의 찬성으로 의결한다.
② 장기요양위원회의 효율적 운영을 위하여 분야별로 실무위원회를 둘 수 있다.

③ 이 법에서 정한 것 외에 장기요양위원회의 구성 · 운영, 그 밖에 필요한 사항은 대통령령으로 정한다.

제58조【국가의 부담】 ① 국가는 매년 예산의 범위 안에서 해당 연도 장기요양보험료 예상수입액의 100분의 20에 상당하는 금액을 공단에 지원한다.
② 국가와 지방자치단체는 대통령령으로 정하는 바에 따라 의료급여수급권자의 장기요양급여비용, 의사소견서 발급비용, 방문간호지시서 발급비용 중 공단이 부담하여야 할 비용(제40조 제2항 및 제4항 제1호에 따라 면제 및 감경됨으로 인하여 공단이 부담하게 되는 비용을 포함한다) 및 관리운영비의 전액을 부담한다.
③ 제2항에 따라 지방자치단체가 부담하는 금액은 보건복지부령으로 정하는 바에 따라 특별시 · 광역시 · 특별자치시 · 도 · 특별자치도와 시 · 군 · 구가 분담한다.
④ 제2항 및 제3항에 따른 지방자치단체의 부담액 부과, 징수 및 재원관리, 그 밖에 필요한 사항은 대통령령으로 정한다.

5. 노인장기요양보험제도의 내용

(1) 노인장기요양보험의 신청대상 기출 21

65세 이상의 노인 및 65세 미만으로 노인성 질병(치매, 뇌혈관성 질환, 파킨슨병 등)을 가진 자이다.

(2) 등급 판정 기준 기출 21

등급	심신의 기능상태	장기요양 인정점수
1등급	일상생활에서 전적으로 다른 사람의 도움이 필요한 상태	95점 이상
2등급	일상생활에서 상당부분 다른 사람의 도움이 필요한 상태	75점 ~ 95점 미만
3등급	일상생활에서 부분적으로 다른 사람의 도움이 필요한 상태	60점 ~ 75점 미만
4등급	심신의 기능상태 장애로 일상생활에서 일정부분 다른 사람의 도움이 필요한 상태	51점 ~ 60점 미만
5등급	치매(「노인장기요양보험법 시행령」 제2조에 따른 노인성 질병으로 한정한다) 환자	45점 ~ 51점 미만
인지지원등급	치매(「노인장기요양보험법 시행령」 제2조의 노인성 질병에 한정한다) 환자	45점 미만

(3) 재원조달

장기요양보험료 + 국가 및 지방자치단체 부담금
+ 장기요양급여 이용자가 부담하는 본인일부부담금

(4) 장기요양위원회의 구성

관련 법령

「노인장기요양보험법」 제46조【장기요양위원회의 구성】 ① 장기요양위원회는 위원장 1인, 부위원장 1인을 포함한 16인 이상 22인 이하의 위원으로 구성한다.
② 위원장이 아닌 위원은 다음 각 호의 자 중에서 보건복지부장관이 임명 또는 위촉한 자로 하고, 각 호에 해당하는 자를 각각 동수로 구성하여야 한다.

1. 근로자단체, 사용자단체, 시민단체(「비영리민간단체 지원법」 제2조에 따른 비영리민간단체를 말한다), 노인단체, 농어업인 단체 또는 자영자단체를 대표하는 자
2. 장기요양기관 또는 의료계를 대표하는 자
3. 대통령령으로 정하는 관계 중앙행정기관의 고위공무원단 소속 공무원, 장기요양에 관한 학계 또는 연구계를 대표하는 자, 공단 이사장이 추천하는 자

③ 위원장은 보건복지부차관이 되고, 부위원장은 위원 중에서 위원장이 지명한다.
④ 장기요양위원회 위원의 임기는 3년으로 한다. 다만, 공무원인 위원의 임기는 재임기간으로 한다.

제47조【장기요양위원회의 운영】 ① 장기요양위원회 회의는 구성원 과반수의 출석으로 개의하고 출석위원 과반수의 찬성으로 의결한다.
② 장기요양위원회의 효율적 운영을 위하여 분야별로 실무위원회를 둘 수 있다.
③ 이 법에서 정한 것 외에 장기요양위원회의 구성·운영, 그 밖에 필요한 사항은 대통령령으로 정한다.

(5) 등급판정위원회

관련 법령

「노인장기요양보험법」 제52조【등급판정위원회의 설치】 ① 장기요양인정 및 장기요양등급 판정 등을 심의하기 위하여 공단에 장기요양등급판정위원회를 둔다.
② 등급판정위원회는 특별자치시·특별자치도·시·군·구 단위로 설치한다. 다만, 인구 수 등을 고려하여 하나의 특별자치시·특별자치도·시·군·구에 2 이상의 등급판정위원회를 설치하거나 2 이상의 특별자치시·특별자치도·시·군·구를 통합하여 하나의 등급판정위원회를 설치할 수 있다.
③ 등급판정위원회는 위원장 1인을 포함하여 15인의 위원으로 구성한다.
④ 등급판정위원회 위원은 다음 각 호의 자 중에서 공단 이사장이 위촉한다. 이 경우 특별자치시장·특별자치도지사·시장·군수·구청장이 추천한 위원은 7인, 의사 또는 한의사가 1인 이상 각각 포함되어야 한다.

1. 「의료법」에 따른 의료인
2. 「사회복지사업법」에 따른 사회복지사
3. 특별자치시·특별자치도·시·군·구 소속 공무원
4. 그 밖에 법학 또는 장기요양에 관한 학식과 경험이 풍부한 자

⑤ 등급판정위원회 위원의 임기는 3년으로 한다. 다만, 공무원인 위원의 임기는 재임기간으로 한다.

제53조【등급판정위원회의 운영】 ① 등급판정위원회 위원장은 위원 중에서 특별자치시장·특별자치도지사·시장·군수·구청장이 위촉한다. 이 경우 제52조 제2항 단서에 따라 2 이상의 특별자치시·특별자치도·시·군·구를 통합하여 하나의 등급판정위원회를 설치하는 때 해당 특별자치시장·특별자치도지사·시장·군수·구청장이 공동으로 위촉한다.
② 등급판정위원회 회의는 구성원 과반수의 출석으로 개의하고 출석위원 과반수의 찬성으로 의결한다.
③ 이 법에 정한 것 외에 등급판정위원회의 구성·운영, 그 밖에 필요한 사항은 대통령령으로 정한다.

(6) 등급판정절차

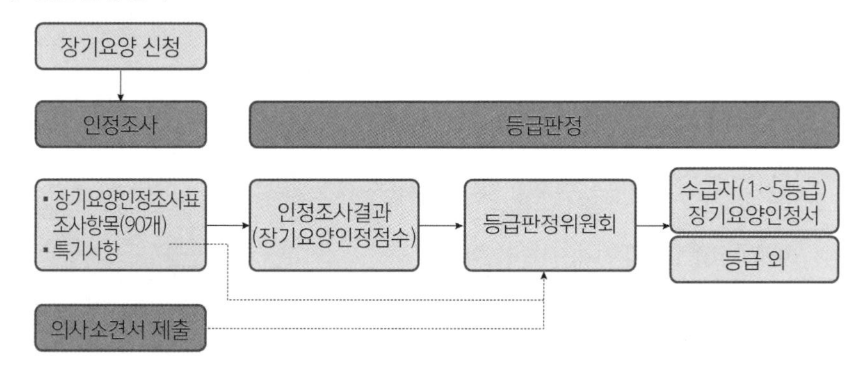

⊙ 등급판정절차

(7) 장기요양등급 판정항목(개수) 기출 21

신체기능영역(12개) + 인지기능영역(7개) + 행동변화영역(14개) + 간호처치영역(9개) + 재활영역(10개)

영역	항목	
신체기능 (기본적 일상생활 기능, 12항목)	① 옷 벗고 입기	② 일어나 앉기
	③ 세수하기	④ 옮겨 앉기
	⑤ 양치질하기	⑥ 방 밖으로 나오기
	⑦ 목욕하기	⑧ 화장실 사용하기
	⑨ 식사하기	⑩ 대변 조절하기
	⑪ 체위변경하기	⑫ 소변 조절하기
인지기능 (7항목)	① 단기 기억장애	② 지시불인지
	③ 날짜 불인지	④ 상황 판단력 감퇴
	⑤ 장소 불인지	⑥ 의사소통·전달 장애
	⑦ 나이·생년월일 불인지	

행동변화 (14항목)	① 망상 ③ 환각, 환청 ⑤ 슬픈 상태, 울기도 함 ⑦ 불규칙수면, 주야혼돈 ⑨ 도움에 저항 ⑪ 서성거림, 안절부절못함 ⑬ 길을 잃음	② 폭언, 위협행동 ④ 밖으로 나가려 함 ⑥ 물건 망가뜨리기 ⑧ 의미 없거나 부적절한 행동 ⑩ 돈 · 물건 감추기 ⑫ 부적절한 옷 입기 ⑭ 대소변 불결행위
간호처치 (9항목)	① 기관지 절개관 간호 ③ 흡인 ⑤ 산소요법 ⑦ 욕창간호 ⑨ 경관 영양	② 암성통증간호 ④ 도뇨관리 ⑥ 장루간호 ⑧ 투석간호
재활 (10항목)	운동장애(4항목) ① 우측상지 ② 좌측상지 ③ 우측하지 ④ 좌측하지	관절제한(6항목) ① 어깨관절 ② 팔꿈치관절 ③ 손목 및 수지관절 ④ 고관절 ⑤ 무릎관절 ⑥ 발목관절

Plus⁺ POINT

ADL(Activities of Daily Living: 일상생활 수행능력) 기출 21

1. 사람들이 일상적으로 하는 활동에 대한 평가로, 자기자신을 돌보고 독립성을 유지하는 기본적인 일상에서 개인 관리 활동 능력을 확인하기 위하여 시행되며, 초기 단계 질병 평가에 중요한 근거가 된다.
2. 각 항목에 대한 평가는 타인의 도움이 필요한지 여부에 따라
   ① 도움 없이 스스로 가능(Independent)
   ② 부분적으로 도움을 받으면 가능(Needs Help)
   ③ 전적으로 다른 사람에게 의존(Dependent)
3. 국제적으로 표준화되어 사용되고 있는 ADL(Activities of Daily Living)은 다음과 같다.

Function	Details	Independent	Needs help	Dependent
Walking (ambulating)	걷거나 집이나 밖에서 돌아다닐 수 있는 보행능력			
Feeding	음식을 먹는 것, 접시에 있는 음식을 입으로 가지고 오는 것			
Dressing and grooming	옷을 고르고, 꺼내어 챙겨 입고, 자신의 외모를 적절히 관리하는 것			
Toileting	화장실을 드나들며 적절하게 사용하고 스스로 청소하는 것			
Bathing	목욕이나 샤워를 통해 얼굴과 몸을 씻는 것			
Transferring	body position을 침대에서 의자로 또는 휠체어로 이동할 수 있는 능력(보행자나 보조장치를 잡기 위해 침대나 의자에서 일어설 수 있는 능력 포함)			

4. K-ADL(Korean Activities of daily living)

항목	상세	도움 없이 스스로 가능	부분적 도움 필요	전적으로 다른 사람에게 의존
옷 입기	내복, 외투를 포함한 모든 옷을 옷장이나 서랍에서 꺼내어 챙겨 입고, 단추나 지퍼를 채우기			
세수하기	세수, 양치질, 머리 감기			
목욕하기	욕조에 들어가서 목욕하거나, 욕조에 들어가지 않고 샤워하기			
식사하기	음식이 차려져 있을 때 혼자서 식사를 하는 것			
이동	잠자리에서 벗어나 방문을 열고 밖으로 나오는 것			
화장실 사용	대소변을 보기 위해 화장실을 가는 것과 대소변을 본 후 닦고 옷을 추려 입는 것			
대소변	대소변을 참거나 조절하는 능력			

Plus⁺ POINT

IADL(Instrumental Activities of Daily Living: 수단적 일상생활 수행능력)

1. IADL은 독립적인 생활과 관련된 활동으로, 사회에서 기능을 할 때 필요한 좀 더 복잡한 기능을 수행할 수 있는지를 평가하기 위해 사용된다. 주로 질병의 진행 정도를 평가하고, 환자 자신을 돌볼 능력이 있는지 결정하기 위해 사용되며 초기 질병을 가진 사람을 평가하는 데 유용하다.
   ※ 퇴행성 치매의 경우 ADL은 말기까지 유지되나 IADL은 초기 단계부터 감퇴되는 양상을 보이는 등, ADL/IADL 평가는 초기 치매를 진단하는 데 도움이 된다.
2. IADL(Instrumental Activities of Daily Living)

Function	Details	Independent	Needs help	Dependent
Preparing food (Cooking)	식사를 하는 데 필요한 모든 것을 포함			
Shopping	일상생활에서 필요한 옷과 다른 물품에 대한 쇼핑도 포함			
House keeping	식사 후 부엌을 정리하고, 생활 공간을 깨끗하고 깔끔하게 유지, 못질 등을 통해 집 유지 관리에 뒤처지지 않는 것			
Doing laundry	손빨래 혹은 세탁기 이용 후 말리는 것			
Climbing stairs	계단을 오르내릴 수 있는 능력			
Travel	운전 또는 대중교통 이용			

Managing finances	청구서 지불 및 금융 자산 관리와 같은 재무 관리			
Using the phone	전화 및 메일을 통한 대화			
Managing medications	의약품 수령 및 처방대로 복용하는 것			

3. K-IADL(Korean Instrumental Activities of Daily Living)

항목	상세	도움 없이 스스로 가능	부분적 도움 필요	전적으로 다른 사람에게 의존
몸단장	빗질, 면도, 손/발톱 깎기 포함			
집안일	실내청소, 설거지, 침구정리, 집안 정리정돈 등			
식사준비	음식재료를 준비하고, 요리하고, 상을 차리는 것			
빨래	손빨래 혹은 세탁기 이용 후 말리는 것			
근거리 외출	교통수단을 이용하지 않고 가까운 상점, 병원, 관공서 등을 다녀오는 것			
교통수단 이용	대중교통을 이용하거나 운전을 하여 먼 거리를 다녀오는 것			
물건사기	상점에 갔을 때 필요한 물건을 결정하고, 돈을 지불하는 능력			
금전관리	용돈, 통장 관리, 재산 관리			
전화사용	전화번호를 찾아 전화를 걸거나 전화를 받는 것			
약 복용	정해진 시간에 정해진 양의 약 먹기			

6. 요양보험급여의 종류

(1) 재가급여

① **방문요양**: 장기요양요원이 수급자의 가정을 방문하여 신체활동 및 가사활동을 지원한다.

② **방문목욕**: 목욕설비차량으로 수급자의 가정을 방문하여 목욕을 제공한다.

③ **방문간호**: 간호, 진료보조, 요양에 관한 상담 또는 구강위생 등을 제공한다.

④ **주·야간보호**: 하루 중 일정시간 동안 장기요양기관에서 보호(목욕, 식사, 기본간호, 치매관리, 응급서비스 등 제공)한다.

⑤ **단기보호**: 수급자를 월 15일 이내 기간 동안 장기요양기관에서 보호한다.

⑥ **기타**: 일상생활 또는 신체활동 지원에 필요한 용구를 제공 및 대여해 준다.

(2) 시설급여

① (구)노인요양시설, 노인요양시설(단기보호에서 전환), 노인요양시설 및 (구)노인전문요양시설, 노인요양공동생활가정이 해당한다.

② 장기요양기관이 운영하는 노인의료복지시설 등에 장기간 동안 입소하여 신체활동 지원 및 심신 기능의 유지·향상을 위한 교육·훈련 등을 제공하는 장기요양급여가 해당한다.

관련 법령

「노인장기요양보험법 시행령」 제10조【장기요양기관의 종류 및 기준】 법 제23조 제1항 제1호 및 제2호에 따라 장기요양급여를 제공할 수 있는 장기요양기관의 종류 및 기준은 다음 각 호의 구분에 따른다.

1. 재가급여를 제공할 수 있는 장기요양기관: 「노인복지법」 제38조에 따른 재가노인복지시설로서 법 제31조에 따라 지정받은 장기요양기관
2. 시설급여를 제공할 수 있는 장기요양기관
   가. 「노인복지법」 제34조 제1항 제1호에 따른 노인요양시설로서 법 제31조에 따라 지정받은 장기요양기관
   나. 「노인복지법」 제34조 제1항 제2호에 따른 노인요양공동생활가정으로서 법 제31조에 따라 지정받은 장기요양기관

> **「노인복지법」 제34조【노인의료복지시설】** ① 노인의료복지시설은 다음 각 호의 시설로 한다.
> 1. 노인요양시설: 치매·중풍 등 노인성 질환 등으로 심신에 상당한 장애가 발생하여 도움을 필요로 하는 노인을 입소시켜 급식·요양과 그 밖에 일상생활에 필요한 편의를 제공함을 목적으로 하는 시설
> 2. 노인요양공동생활가정: 치매·중풍 등 노인성질환 등으로 심신에 상당한 장애가 발생하여 도움을 필요로 하는 노인에게 가정과 같은 주거여건과 급식·요양, 그 밖에 일상생활에 필요한 편의를 제공함을 목적으로 하는 시설
>
> ② 노인의료복지시설의 입소대상·입소비용 및 입소절차와 설치·운영자의 준수사항 등에 관하여 필요한 사항은 보건복지부령으로 정한다.

(3) 특별현금급여

① **가족요양비**: 도서·벽지 등 천재지변이나 그 밖에 이와 유사한 사유로 인하여 장기요양기관이 제공하는 장기요양급여를 이용하기가 어려울 때 가족 등으로부터 장기요양을 받아야 하는 자에게 지급한다(시행).

② **특례요양비**: 수급자가 장기요양기관이 아닌 노인요양시설 등의 기관 또는 시설에서 재가급여 또는 시설급여에 상당한 장기요양급여를 받은 경우 당해 장기요양급여 비용의 일부를 지급한다(현재 시행 유보).

③ **요양병원 간병비**: 수급자가 요양병원에 입원한 때 장기요양에 사용되는 비용의 일부를 지급한다(현재 시행 유보).

7. 노인장기요양보험 인력

(1) 요양보호사

치매 · 중풍 등 노인성 질환으로 독립적인 일상생활을 수행하기 어려운 노인들을 위해 노인요양 및 재가시설에서 신체 및 가사지원 서비스를 제공하는 인력이다(2008년 「노인장기요양보험법」이 시작되면서 신설).

(2) 방문간호

① 간호사 등이 수급자의 가정을 방문하여 간호, 진료의 보조, 요양에 관한 상담 등을 제공하는 장기요양급여이다.

② 재가 장기요양기관이 방문간호를 하는 경우의 그 방문간호사업의 관리책임자는, 최근 10년 이내에 간호업무경력이 2년 이상인 간호사로서 상근하는 자이다.

③ 방문간호사업의 중심이 되는 인력은 간호인력이다.

④ 보건소 맞춤형 방문건강관리사업은 국민기초생활수급가구 및 차상위계층을 중점 관리대상으로 하여 간호사가 서비스를 제공한다.

⑤ 노인장기요양보험의 방문간호는 6개월 이상 동안 혼자서 일상생활이 어려운 노인 등에게 제공된다.

관련 법령

「노인장기요양보험법 시행령」 제11조【장기요양급여 종류별 장기요양요원의 범위】

① 법 제23조 제2항에 따른 장기요양급여 종류별 장기요양요원의 범위는 다음 각 호와 같다.

1. 법 제23조 제1항 제1호 가목에 따른 방문요양에 관한 재가급여 업무를 하는 장기요양요원은 「노인복지법」 제39조의2에 따른 요양보호사 중 1급 또는 2급 자격을 가진 자로 한다.
2. 법 제23조 제1항 제1호 나목에 따른 방문목욕에 관한 재가급여 업무를 하는 장기요양요원은 「노인복지법」 제39조의2에 따른 요양보호사 중 1급 자격을 가진 자로 한다.
3. 법 제23조 제1항 제1호 다목에 따른 방문간호의 재가급여 업무를 하는 장기요양요원은 다음 각 목의 어느 하나에 해당하는 자로 한다.
   가. 「의료법」 제2조에 따른 간호사로서 2년 이상의 간호업무경력이 있는 자
   나. 「의료법」 제80조에 따른 간호조무사로서 3년 이상의 간호보조업무경력이 있고, 보건복지가족부장관이 지정한 교육기관에서 소정의 교육을 이수한 자
   다. 「의료기사 등에 관한 법률」 제2조에 따른 치과위생사(치과위생 업무를 하는 경우로 한정한다)

② 제1항 제3호 나목에 따른 교육기관의 지정기준 및 절차, 교육 등에 필요한 사항은 보건복지부령으로 정한다.

6 노인학대

1. 정의

「노인복지법」에서 노인학대는 노인에 대하여 신체적, 정신적, 정서적, 성적 폭력 및 경제적 착취 또는 가혹행위를 하거나 유기 또는 방임을 하는 것을 의미한다.

2. 유형

(1) 신체적 학대

물리적 힘 또는 도구를 이용하여 노인에게 신체적 혹은 정신적 손상, 고통, 장애 등을 유발시키는 행위이다.

(2) 정서적 학대

비난, 모욕, 위협 등의 언어 및 비언어적 행위를 통하여 노인에게 정서적으로 고통을 유발시키는 행위이다.

(3) 성적 학대

성적 수치심 유발행위(기저귀 교체 시 가림막 미사용 등) 및 성폭력(성희롱, 성추행, 강간) 등의 노인의 의사에 반하여 강제적으로 행하는 모든 성적 행위이다.

(4) 경제적 학대

노인의 의사에 반(反)하여 노인으로부터 재산 또는 권리를 빼앗는 행위로 경제적 착취, 노인의 재산에 관한 법률 권리 위반, 경제적 권리와 관련된 의사결정에서의 통제 등을 하는 행위이다.

(5) 방임

부양의무자로서의 책임이나 의무를 거부, 불이행 혹은 포기하여 노인의 의식주 및 의료를 적절하게 제공하지 않는 행위(필요한 생활비, 병원비 및 치료, 의식주를 제공하지 않는 행위)이다.

(6) 자기방임

노인 스스로가 의식주 제공 및 의료 처치 등의 최소한의 자기보호 관련 행위를 의도적으로 포기 또는 비의도적으로 관리하지 않아 심신이 위험한 상황이나 사망에 이르게 하는 행위이다.

(7) 유기

보호자 또는 부양의무자가 노인을 버리는 행위이다.

(8) 중복학대

신체적 학대, 정서적 학대, 성적 학대, 경제적 학대, 방임, 자기방임 유형이 두 가지 이상 복합적으로 발생한 학대 유형이다.

참고문헌

- 대한예방의학회 편찬위원회(2020), 예방의학과 공중보건학 제3판 수정증보판, 서울: 계축문화사
- 김근주 외(2017), 공중보건학, 서울: 수문사
- 김민호 외(2018), 공중보건학, 서울: 수문사
- 황병덕(2020), 재정 6판 새로 쓴 공중보건학, 서울: 수문사
- 구성회 외(2020), 공중보건학, 서울: 고문사
- 김양호 외(2020), 제7판 수정판 공중보건학, 서울: 현문사
- 이재홍 외(2020), 공중보건학, 서울: 학지사메디컬
- 이주열(2016), 공중보건학, 서울: 군자출판사
- 윤희종 외(2021), 공중보건학, 서울: 현문사
- 류황건 외(2017), 공중보건학, 서울: 수문사
- 전미순 외(2016), 공중보건학, 서울: 정담미디어
- 신유선 외(2017), 알기 쉬운 영양학, 서울: 수문사
- 유해영(2021), 간호와 영양, 서울: 현문사
- 안옥희 외(2020), 지역사회간호학 I 개정판, 서울: 현문사
- 김희걸 외(2020), 지역사회간호학 II 개정판, 서울: 현문사
- 지역사회보건간호학 편찬위원회(2020), 지역사회보건간호학 1, 서울: 수문사
- 지역사회보건간호학 편찬위원회(2020), 지역사회보건간호학 2, 서울: 수문사
- 소애영 외(2020), 지역사회간호학 I (제6판), 서울: 수문사
- 소애영 외(2020), 지역사회간호학 II (제6판), 서울: 수문사
- 최성희 편저(2020), 지역사회간호학 기본서, 서울: 해커스공무원
- 최성희 편저(2019), 지역사회간호학 전공심화과정, 서울: 우리의학
- 김춘미 외(2019), 지역사회보건간호학(제2판), 서울: 수문사
- 정운숙 외(2019), 지역사회보건간호학 I (5판), 서울: 학지사메디컬
- 정운숙 외(2019), 지역사회보건간호학 II (5판), 서울: 학지사메디컬
- 김미혜 외(2019), 신개념 보건교육학(제5판), 서울: 계축문화사.
- 대한간호협회(2019), 간호사 국가시험 핵심 문제집 지역사회간호학, 서울: MIP
- 고정은 외(2018), 지역사회간호학 I 개정판, 서울: 현문사
- 최희정 외(2018), 지역사회간호학 II 개정판, 서울: 현문사
- 이주열(2018), 보건교육학(제2판), 서울: 계축문화사
- 안옥희 외(2018), 보건교육학, 서울: 메디컬사이언스
- 안옥희 외(2018), 다문화사회와 건강, 서울: 학지사메디컬
- 유광수 외(2017), 지역사회보건간호학 I (4판), 서울: 정담미디어
- 유광수 외(2017), 지역사회보건간호학 II (4판), 서울: 정담미디어
- 이정열 외(2017), 지역사회간호학 이론과 실제, 서울: 현문사

참고문헌

- 안옥희 외(2017), 학교보건, 서울: 정담미디어
- 유광수 외(2017), 보건프로그램개발 및 평가, 서울: 정담미디어
- 김이순 외(2015), 보건프로그램개발 및 평가, 서울: 정담미디어
- 유광수 외(2014), 보건교육학, 서울: 정담미디어
- 윤순녕 외(2014), 보건교육학, 서울: 수문사
- 편집부(2020), 필통 핵심 요약집 지역사회간호학, 서울: 에듀팩토리
- 학술편찬국(2018), 탕크 매뉴얼 지역사회간호학 13판, 서울: 퍼시픽북스
- 보건복지부(2018), 2018 보건복지백서
- 보건복지부(2018), 2018 통합건강증진사업 안내(방문건강관리)
- 보건복지부(2016), 제4차 국민건강증진 종합계획 2016-2020
- 보건복지부(2021), 제5차 국민건강증진 종합계획 2030
- 건강보험 심사평가원(2021), 2021 건강보건심사평가원 기능과 역할
- 한국건강증진 개발원(2015), 건강도시정책과 실행, 2015
- 보건복지부(2020), 환자 중심의 응급의료서비스 제공을 위한, 응급의료체계 개선 방향(안) –「응급의료체계 개선 협의체」 논의 결과
- 보건복지부(2021), 일상 회복과 포용복지 구현으로 선도국가 도약
- 보건복지부(2020), 제4차 저출산 · 고령사회 본계획(2021 ~ 2025)
- 질병관리청(2018), 예방접종대상 관련지침
- 질병관리청(2020), 제1급감염병 중동호흡기증후군(MERS) 대응지침
- 질병관리청(2020), 제1급감염병 바이러스성출혈열 대응지침
- 질병관리청(2020), 법정감염병진단검사통합지침(제3판) 별책
- 질병관리청(2020), 만성질환 현황과 이슈
- 보건복지부(2021), 2021 정신 건강사업안내
- 질병관리청(2020), 2020 기생충감염병 관리지침
- 질병관리청·대한심폐소생협회(2020), 2020년 한국심폐소생술 가이드라인
- 교육부(2016), 학생 감염병 예방 위기대응 매뉴얼 제2차 개정판
- 가정간호사회(http://www.hcna.or.kr/)
- 국민건강보험 노인장기요양보험(https://www.longtermcare.or.kr)
- 고용노동부(http://www.moel.go.kr)
- 산업안전보건공단(http://www.kosha.or.kr)
- 법제처(http://www.moleg.go.kr/)
- 국가법령정보센터(http://www.law.go.kr/)
- 세계보건기구(http://www.who.int/)

MEMO

2025 대비 최신개정판

해커스공무원

최성희 공중보건

기본서 | 2권

개정 4판 1쇄 발행 2024년 7월 5일

지은이	최성희 편저
펴낸곳	해커스패스
펴낸이	해커스공무원 출판팀
주소	서울특별시 강남구 강남대로 428 해커스공무원
고객센터	1588-4055
교재 관련 문의	gosi@hackerspass.com 해커스공무원 사이트(gosi.Hackers.com) 교재 Q&A 게시판 카카오톡 플러스 친구 [해커스공무원 노량진캠퍼스]
학원 강의 및 동영상강의	gosi.Hackers.com
ISBN	2권: 979-11-7244-177-7 (14510) 세트: 979-11-7244-175-3 (14510)
Serial Number	04-01-01